여러분의 합격을 응원하는
해커스소방의 특별 혜택!

FREE 소방학개론 특강

해커스소방(fire.Hackers.com) 접속 후 로그인 ▶ 상단의 [무료강좌 → 소방 무료강의] 클릭하여 이용

해커스소방 온라인 단과강의 20% 할인쿠폰

F9DE6CD657476N8W

해커스소방(fire.Hackers.com) 접속 후 로그인 ▶ 상단의 [내강의실] 클릭 ▶
좌측의 [인강 → 결제관리 → 쿠폰 확인] 클릭 ▶ 위 쿠폰번호 입력 후 이용

* 등록 후 7일간 사용 가능(ID 당 1회에 한해 등록 가능)

해커스소방 무제한 수강상품(패스) 5만원 할인쿠폰

D72883E9E8FF7DDV

해커스소방(fire.Hackers.com) 접속 후 로그인 ▶ 상단의 [내강의실] 클릭 ▶
좌측의 [인강 → 결제관리 → 쿠폰 확인] 클릭 ▶ 위 쿠폰번호 입력 후 이용

* 등록 후 7일간 사용 가능(ID 당 1회에 한해 등록 가능)
* 특별 할인상품 적용 불가

쿠폰 이용 관련 문의 1588-4055

단기 합격을 위한 해커스소방 커리큘럼

입문
탄탄한 기본기와 핵심 개념 완성!
누구나 이해하기 쉬운 개념 설명과 풍부한 예시로 부담없이 쌩기초 다지기
TIP 베이스가 있다면 **기본 단계**부터!

기본+심화
필수 개념 학습으로 이론 완성!
반드시 알아야 할 기본 개념과 문제풀이 전략을 학습하고
심화 개념 학습으로 고득점을 위한 응용력 다지기

기출+예상 문제풀이
문제풀이로 집중 학습하고 실력 업그레이드!
기출문제의 유형과 출제 의도를 이해하고 최신 출제 경향을 반영한
예상문제를 풀어보며 본인의 취약영역을 파악 및 보완하기

동형문제풀이
동형모의고사로 실전력 강화!
실제 시험과 같은 형태의 실전모의고사를 풀어보며 실전감각 극대화

최종 마무리
시험 직전 실전 시뮬레이션!
각 과목별 시험에 출제되는 내용들을 최종 점검하며 실전 완성

PASS

단계별 교재 확인 및 수강신청은 여기서!
fire.Hackers.com

* 커리큘럼 및 세부 일정은 상이할 수 있으며, 자세한 사항은 해커스소방 사이트에서 확인하세요.

해커스소방
이영철
소방학개론   기본서 | 1권

서문

"이영철과 함께한
여러분은 이미 소방관입니다."

1973년 2월 8일 지방소방공무원법이 제정되어 국가직과 지방직으로 이원화된 지 47년이 지나서야 2020년 4월 1일 국가직 소방공무원으로 전환되었습니다. 그동안 많은 인명피해와 재산피해의 발생으로 국가재난관리체계에 대한 개선과 국민의 안전보장에 대한 사회적 요구가 반영된 것으로 보입니다. 소방공무원은 국민의 생명과 재산을 구호함을 목적으로 매회 치열한 경쟁률을 보이고 있는 직렬로 앞으로도 그 위상은 더욱 더 높아질 것이고, 복지 또한 크게 개선될 것입니다.

소방학개론은 연소이론, 화재이론, 소화이론, 재난관리, 소방조직 분야 등으로 구성되며 소방·방재 및 재난을 합쳐놓은 전문성이 짙은 과목으로 소방공무원 시험, 2차 면접시험, 소방학교 교육 및 소방 승진에도 초석이 되는 필수과목입니다.

또한, 소방공무원 시험에서 영어와 한국사가 능력검정시험으로 대체된 후, 소방학개론의 중요성과 난이도가 더욱 높아졌습니다. 따라서 기본에 충실한 개념 이해, 암기, 반복을 통한 학습을 꼭 해야만 합니다. 다년간의 강의 경험이 담긴 이 기본서를 통해 전문과목의 중요도가 높아진 2026년 소방공무원 시험을 완벽하게 대비할 수 있을 것입니다.

어떻게 학습해야 할까요?

많은 수험생 여러분들이 익숙하지 않은 소방학개론의 용어, 화학식, 이론에 대해 두려움을 느끼곤 합니다.
하지만 「해커스소방 이영철 소방학개론 기본서」를 아래의 활용법대로 학습한다면, 수험생 여러분이 원하시는 결과를 얻을 것이라 확신합니다!

첫째, 출제POINT로 출제 키워드와 중요도 파악하기
최근 8개년의 기출문제를 분석한 출제POINT를 통해 각 CHAPTER의 출제 키워드, 중요도를 먼저 확인해보세요. 내용의 전체적인 맥락과 중요도를 파악하고 공부한다면 학습의 효율을 높일 수 있습니다.

둘째, 세분화된 목차로 깊이는 중간, 폭은 넓게 이론 학습하기
시험의 약 70%는 기본적인 틀에서 크게 벗어나지 않지만 나머지 30%는 숨어 있거나 무심코 넘어갈 수 있는 내용에서 출제될 수 있기 때문에 세분화된 목차를 통해 소방학개론 이론을 폭넓게 학습하는 것이 중요합니다.

셋째, 사진과 그림을 통해 이미지메이킹하기
기본서에 수록된 사진과 그림을 적극 활용하여 학습한다면, 처음 접하고 어려운 소방학개론 이론을 쉽게 이해할 수 있습니다. 또한, 소방관이 된 후에도 소방현장에 빠르게 적응하는 데 도움이 될 것입니다.

넷째, 다시 한 번 이론 점검하기
'문제로 완성하기'로 엄선된 기출문제와 실전문제들을 풀어보면서 문제 유형을 익히고, '한눈에 정리하기'를 통해 학습한 내용을 요약정리와 함께 복습해 보세요. 문제풀이와 요약정리로 이론을 다시 한 번 점검하고 회독하면서 본인의 취약점을 찾고 꼼꼼하게 교재 내용을 익힌다면 소방학개론 시험을 완벽하게 대비할 수 있습니다.

마지막으로 가장 중요한 것은 꿈을 현실로 만들기 위한 간절한 마음입니다. 수험생 여러분이 대한민국의 자랑스런 소방관이 되시기를 진심으로 기원하며 앞날에 건승을 바랍니다!

저자 이영철

목차

1권

이 책의 구성 … 006

PART 1 연소론 및 화재론
- CHAPTER 1 연소 관련 기초이론 … 012
- CHAPTER 2 연소 개론 … 028
- CHAPTER 3 연소의 과정과 특성 … 040
- CHAPTER 4 연소의 형태 … 066
- CHAPTER 5 자연발화 … 086
- CHAPTER 6 폭발 … 092
- CHAPTER 7 유류저장탱크 화재 시 이상 현상 … 122
- CHAPTER 8 연소생성물 … 130
- CHAPTER 9 화재론 … 150
- CHAPTER 10 화재소화 … 161
- CHAPTER 11 건축물 화재의 성상 … 166
- CHAPTER 12 기타 연소 … 198
- CHAPTER 13 건축방화계획 … 200
- 한눈에 정리하기 … 212

PART 2 소화약제
- CHAPTER 1 소화약제의 개설 … 224
- CHAPTER 2 물소화약제 … 226
- CHAPTER 3 강화액소화약제 … 241
- CHAPTER 4 산·알칼리소화약제 … 243
- CHAPTER 5 포소화약제 … 245
- CHAPTER 6 이산화탄소소화약제 … 264
- CHAPTER 7 할론소화약제 … 273
- CHAPTER 8 할로겐화합물 및 불활성기체 소화약제 … 281
- CHAPTER 9 분말소화약제 … 290
- 한눈에 정리하기 … 303

PART 3 위험물의 종류별 특성과 소화방법
- CHAPTER 1 제1류 위험물(산화성 고체) … 310
- CHAPTER 2 제2류 위험물(가연성 고체) … 318
- CHAPTER 3 제3류 위험물(금수성 및 자연발화성 물질) … 326
- CHAPTER 4 제4류 위험물(인화성 액체) … 335
- CHAPTER 5 제5류 위험물(자기반응성 물질) … 345
- CHAPTER 6 제6류 위험물(산화성 액체) … 352
- 한눈에 정리하기 … 358

PART 4 화재조사
- CHAPTER 1 화재조사의 개설 … 366
- CHAPTER 2 소방의 화재조사에 관한 법률 … 374
- CHAPTER 3 화재조사 및 보고규정상의 화재조사 … 383
- 한눈에 정리하기 … 398

2권

PART 5 재난 및 안전관리 기본법
- **CHAPTER 1** 재난관리 이론
- **CHAPTER 2** 재난 및 안전관리 기본법의 개설
- **CHAPTER 3** 안전관리기구 및 기능
- **CHAPTER 4** 안전관리계획
- **CHAPTER 5** 재난의 예방
- **CHAPTER 6** 재난의 대비
- **CHAPTER 7** 재난의 대응
- **CHAPTER 8** 재난의 복구
- **CHAPTER 9** 안전문화 진흥
- **CHAPTER 10** 보칙
- **CHAPTER 11** 벌칙
- 한눈에 정리하기

PART 6 소방시설
- **CHAPTER 1** 소방시설의 개설
- **CHAPTER 2** 소화설비
- **CHAPTER 3** 경보설비
- **CHAPTER 4** 피난구조설비
- **CHAPTER 5** 소화활동설비
- **CHAPTER 6** 소화용수설비
- 한눈에 정리하기

PART 7 소방조직 및 역사
- **CHAPTER 1** 한국소방의 역사 및 소방조직
- **CHAPTER 2** 국가공무원법
- **CHAPTER 3** 소방공무원법
- 한눈에 정리하기

PART 8 구조 및 구급
- **CHAPTER 1** 119구조 · 구급에 관한 법률
- **CHAPTER 2** 응급의료에 관한 법률
- 한눈에 정리하기

이 책의 구성

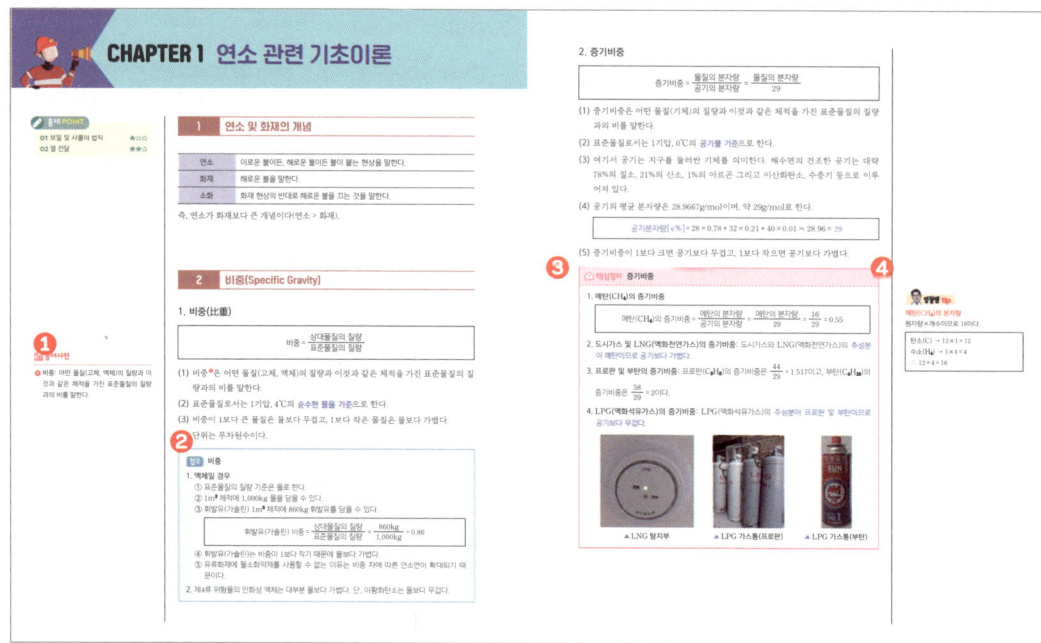

1 이론의 세부적인 내용 정확하게 이해하기

소방학개론의 핵심 내용을 체계적으로 구성한 이론과 다양한 학습 장치

1. 효과적인 소방학개론 학습을 위한 체계적 구성
기본서를 회독하는 과정에서 기본 개념부터 심화 이론까지 자연스럽게 이해할 수 있도록 최신 출제경향을 반영한 소방학개론의 이론을 체계적으로 구성하였습니다. 이를 통해 시험에 나오는 이론을 중심으로 효과적인 학습이 가능합니다.

2. 최신 출제경향 및 개정법령 반영
최신 소방공무원 시험의 출제경향을 철저히 분석하여 자주 출제되거나 출제가 예상되는 내용 등을 엄선하여 수록하였으며, 2025년 4월까지의 개정법령을 전면 반영하였습니다.

3. 다양한 학습 장치를 활용하여 이론 완성하기
❶ **용어사전**: 익숙하지 않은 용어에 대한 개념 설명을 수록하였습니다. 이를 통해 용어에 대한 이해를 기반으로 시험에 직접 출제되는 내용들을 정확하게 학습할 수 있습니다.
❷ **참고**: 더 알아두면 좋을 개념과 추가 설명을 수록하였습니다. 이를 통해 본문만으로는 이해가 어려웠던 부분의 학습을 보충하고, 심화내용까지 학습할 수 있습니다.
❸ **핵심정리**: 시험에 자주 출제되거나 출제가능성이 높은 이론을 따로 정리하여 수록하였습니다. 이를 통해 소방학개론 과목의 중요 이론에 대한 내용을 빠르게 파악하고 학습할 수 있습니다.
❹ **영철쌤tip**: 학습의 이해를 돕기 위해 선생님의 보충 설명을 수록하였습니다. 이를 통해 강의 내용을 떠올리며 학습할 수 있어 어려운 소방학개론 이론을 보다 쉽게 이해할 수 있습니다.

2 문제 풀이를 통해 학습한 이론 응용하기

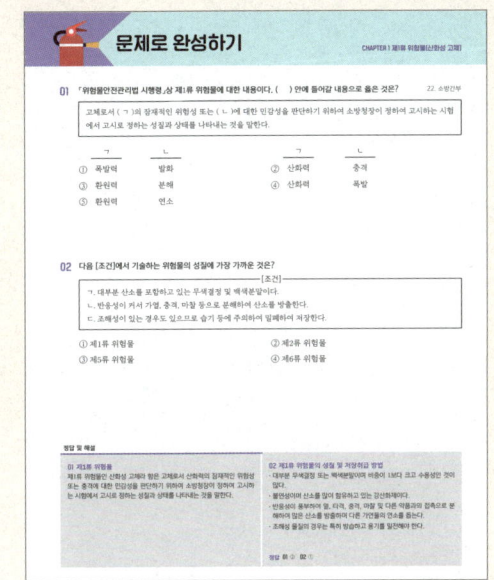

문제 응용력을 키울 수 있는 '문제로 완성하기'

최신 소방 공채·경채·소방간부의 주요 기출문제와 출제 가능성이 높은 문제 중 우수한 퀄리티의 문제만을 엄선하여 각 CHAPTER마다 수록하였습니다. 이를 통해 학습한 내용이 어떻게 문제로 출제되는지 확인하고, 이론을 좀 더 심층적으로 복습할 수 있습니다. 또한, 실제 기출문제와 실전문제로 구성된 문제들을 통해 문제 풀이 능력도 키울 수 있습니다.

3 핵심 요약정리를 통해 다시 한 번 이론 정리하기

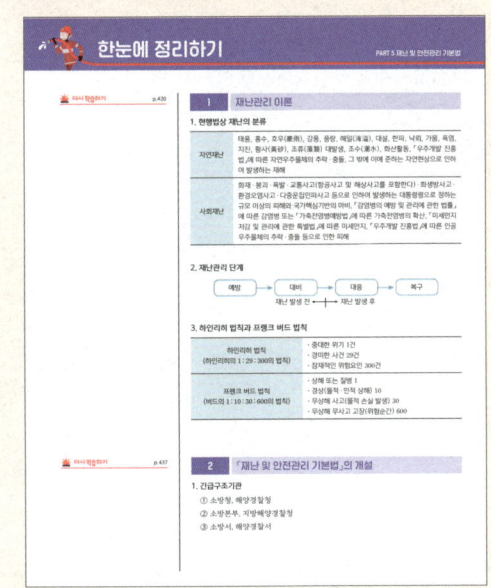

한 단계 실력 향상을 위한 '한눈에 정리하기'

학습한 이론을 다시 상기시키고, 핵심 내용만을 짚고 넘어갈 수 있도록 PART별 마지막 부분에 핵심 이론을 요약·정리하여 수록하였습니다. 이를 통해 다회독 시, '한눈에 정리하기' 위주로 학습함으로써 시험에 나오는 부분만을 효율적으로 학습할 수 있습니다.

"소떼나 양떼나 비빌 언덕이 있어야 살 수 있다"
여러분들의 비빌 언덕은 나, 이영철입니다. 언제든 콜!

해커스소방 **이영철 소방학개론** 기본서

PART 1

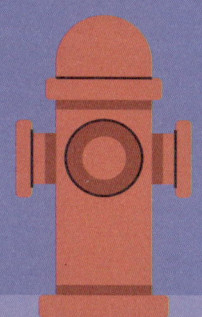

연소론 및 화재론

CHAPTER 1   연소 관련 기초이론

CHAPTER 2   연소 개론

CHAPTER 3   연소의 과정과 특성

CHAPTER 4   연소의 형태

CHAPTER 5   자연발화

CHAPTER 6   폭발

CHAPTER 7   유류저장탱크 화재 시 이상 현상

CHAPTER 8   연소생성물

CHAPTER 9   화재론

CHAPTER 10 화재소화

CHAPTER 11 건축물 화재의 성상

CHAPTER 12 기타 연소

CHAPTER 13 건축방화계획

PREVIEW

주기율표

	금속 ⇦		⇨ 비금속			예외: H, Be, N, Cl, Ar		
원자가	+1	+2	+3	±4	-3	-2	-1	0
족 \ 주기	1	2	3(13)	4(14)	5(15)	6(16)	7(17)	8(18)
1	1 H 1 수소		원자량(질량수) 원자번호					4 He 2 헬륨
2	7 Li 3 리튬	9 Be 4 베릴륨	11 B 5 붕소	12 C 6 탄소	14 N 7 질소	16 O 8 산소	19 F 9 불소 (플루오린)	20 Ne 10 네온
3	23 Na 11 나트륨	24 Mg 12 마그네슘	27 Al 13 알루미늄	28 Si 14 규소	31 P 15 인	32 S 16 황	35.5 Cl 17 염소	40 Ar 18 아르곤
4	39 K 19 칼륨	40 Ca 20 칼슘	Ga 31 갈륨	Ge 32 게르마늄	As 33 비소	Se 34 셀레늄	80 Br 35 브롬 (브로민)	Kr 36 크립톤
5	Rb 37 루비듐	Sr 38 스트론튬	In 49 인듐	Sn 50 주석	Sb 51 안티몬	Te 52 텔루르	127 I 53 요오드 (아이오딘)	Xe 54 크세논
	알칼리 금속	알칼리 토금속	알루미늄족	탄소족	질소족	산소족	할로겐족	불(비)활성 기체족

*0족[8족(18족)] 원소는 전자배치가 안정화되어 다른 물질과 결합하지 않은 불활성기체이다.

1. 원소(Element) · 원자(Atom) · 분자(Molecular)

원소(Element)	화학적으로 독특한 성질을 갖는 것으로 주기율표에 표시된 것을 말한다.
원자(Atom)	물질의 기본 구성단위인 입자를 말한다.
분자(Molecular)	각 물질의 화학적 성질을 가진 최소의 단위 입자를 말한다.

2. 분자식 $2H_2O$의 의미

① 원자의 종류: 수소(H)와 산소(O)
② 수소의 원자수: 4개
③ 산소의 원자수: 2개
④ 원자의 총 개수: 6개
⑤ 분자의 수: 2개
⑥ 수소원자와 산소원자의 결합비: 2 : 1

3. 아세트산의 화학식 표현

실험식	분자식	시성식	구조식
CH_2O	$C_2H_4O_2$	CH_3COOH	$H-\underset{H}{\overset{H}{C}}-C\underset{O-H}{\overset{O}{\diagup\diagdown}}$

① 실험식(Empirical Formula): 분자의 화학식 중에서 각 원소가 가장 간단한 조성비를 표시한 식을 말한다.
② 분자식(Molecular Formula): 분자를 이루는 원자의 종류와 수를 나타낸 식을 말한다.
③ 시성식(Rational Formula): 분자가 어떤 성질이 있는 작용기를 가지고 있는지 표시한 식을 말한다.
④ 구조식(Structural Formula): 화학식 중에서 원자의 화학결합의 위치를 나타내는 식을 말한다.

4. 원자량

① 원자번호(짝수): 원자량(질량수) = 원자번호(짝수) × 2 (예 탄소의 원자량 C → 6 × 2 = 12)
② 원자번호(홀수): 원자량(질량수) = 원자번호(홀수) × 2 + 1 (예 나트륨의 원자량 Na → 11 × 2 + 1 = 23)
  *[제외] 수소(H), 베릴륨(Be), 질소(N), 염소(Cl), 아르곤(Ar)

5. 분자량

분자량 = 원자량 × 분자를 이루는 원자의 개수 (예 산소의 분자량 O_2 → 16 × 2 = 32)

CHAPTER 1 연소 관련 기초이론

출제 POINT
- 01 보일 및 샤를의 법칙 ★☆☆
- 02 열 전달 ★★☆

영철쌤 tip
물질의 삼태
고체, 액체, 기체

1 연소 및 화재의 개념

연소	이로운 불이든, 해로운 불이든 불이 붙는 현상을 말한다.
화재	해로운 불을 말한다.
소화	화재 현상의 반대로 해로운 불을 끄는 것을 말한다.

즉, 연소가 화재보다 큰 개념이다(연소 > 화재).

2 비중(Specific Gravity)

1. 액체비중(比重)

$$액체비중 = \frac{상대물질의 \ 질량}{표준물질의 \ 질량}$$

(1) 비중은 어떤 물질(고체, 액체)의 질량과 이것과 같은 체적을 가진 표준물질의 질량과의 비를 말한다.
(2) 표준물질로서는 1기압, 4°C의 **순수한 물을 기준**으로 한다.
(3) 비중이 1보다 큰 물질은 물보다 무겁고, 1보다 작은 물질은 물보다 가볍다.
(4) 단위는 무차원수이다.

> **핵심정리 비중**
>
> 1. 액체일 경우
>   ① 표준물질의 질량 기준은 물로 한다.
>   ② 1m³ 체적에 1,000kg 물을 담을 수 있다.
>   ③ 휘발유(가솔린) 1m³ 체적에 860kg 휘발유를 담을 수 있다.
>
> $$휘발유(가솔린) \ 비중 = \frac{상대물질의 \ 질량}{표준물질의 \ 질량} = \frac{860kg}{1,000kg} = 0.86$$
>
>   ④ 휘발유(가솔린)는 비중이 1보다 작기 때문에 물보다 가볍다.
>   ⑤ 유류화재에 물소화약제를 사용할 수 없는 이유는 비중 차에 따른 연소면이 확대되기 때문이다.
> 2. 제4류 위험물의 인화성 액체는 대부분 물보다 가볍다. 단, 이황화탄소는 물보다 무겁다.

2. 증기비중

$$증기(기체)비중 = \frac{물질의\ 분자량}{공기의\ 분자량} = \frac{물질의\ 분자량}{29}$$

(1) 증기비중은 어떤 물질(기체)의 질량과 이것과 같은 체적을 가진 표준물질의 질량과의 비를 말한다.

(2) 표준물질로서는 1기압, 0°C의 **공기를 기준**으로 한다.

(3) 여기서 공기는 지구를 둘러싼 기체를 의미한다. 해수면의 건조한 공기는 대략 78%의 질소, 21%의 산소, 1%의 아르곤 그리고 이산화탄소, 수증기 등으로 이루어져 있다.

(4) 공기의 평균 분자량은 28.9667g/mol이며, **약 29g/mol로** 한다.

$$공기분자량[v\%] = 28 \times 0.78 + 32 \times 0.21 + 40 \times 0.01 ≒ 28.96 = 29$$

(5) 증기비중이 1보다 크면 공기보다 무겁고, 1보다 작으면 공기보다 가볍다.

> **핵심정리 증기비중**
>
> 1. 메탄(CH_4)의 증기비중
>
> $$메탄(CH_4)의\ 증기비중 = \frac{메탄의\ 분자량}{공기의\ 분자량} = \frac{메탄의\ 분자량}{29} = \frac{16}{29} = 0.55$$
>
> 2. 도시가스 및 LNG(액화천연가스)의 증기비중: 도시가스와 LNG(액화천연가스)의 **주성분이 메탄이므로 공기보다 가볍다.**
>
> 3. 프로판 및 부탄의 증기비중: 프로판(C_3H_8)의 증기비중은 $\frac{44}{29} = 1.517$이고, 부탄(C_4H_{10})의 증기비중은 $\frac{58}{29} = 2$이다.
>
> 4. LPG(액화석유가스)의 증기비중: LPG(액화석유가스)의 **주성분이 프로판 및 부탄이므로 공기보다 무겁다.**

영철쌤 tip

메탄(CH_4)의 분자량
원자량×개수이므로 16이다.

탄소(C) → 12×1 = 12
수소(H_4) → 1×4 = 4
∴ 12 + 4 = 16

▲ LNG 탐지부

▲ LPG 가스통(프로판)

▲ LPG 가스통(부탄)

참고	액화석유가스(LPG)와 액화천연가스(LNG) 비교		
구분	액화석유가스(LPG)	액화천연가스(LNG)	
주성분	프로판(C_3H_8), 부탄(C_4H_{10})	메탄(CH_4)	
상태	• 액화 및 기화가 용이 • 상온에서 가압하에 액화되어 있는 물질	• 액화 및 기화가 용이 • 상압에서 극저온으로 액화되어 있는 물질	
폭발(연소)범위	• 프로판: 2.1 ~ 9.5 • 부탄: 1.8 ~ 8.4	메탄: 5 ~ 15	
연소속도	늦음	빠름	
비점	• 프로판: -42.1℃ • 부탄: -0.5℃	메탄: -162℃	
비중	• 기체는 공기보다 무거움 • 액체는 물보다 가벼움	• 공기보다 가벼움(단, -113℃ 이하는 공기보다 무거움) • 액체는 물보다 가벼움	
탐지부	주방 바닥에 탐지부 설치	주방 위에 탐지부 설치	

상온과 상압
1. 상온은 15℃ ~ 25℃이며, 상압(대기압)은 1기압[1atm]이다.
2. 표준상태: 1atm, 0℃

3 증기압(Vapor Pressure)

1. 증발

증발(蒸發)은 액체 표면의 원자나 분자가 끓는점 미만에서 기화하는 현상으로, 액체의 표면에서 일어나는 기화현상을 증발(Vaporization)이라고 한다. 다시 표현하면 액체 표면의 분자 중에서 분자간의 인력을 극복할 수 있을 만큼 에너지가 높은 입자들이 분자간의 인력을 끊고 기체상으로 튀어나와 기화되는 것을 증발이라고 한다.

2. 증기압

증기가 고체 또는 액체와 동적 평형 상태에 있을 때 증기의 압력을 의미하며, 포화증기압, 증기장력(蒸氣張力)이라고도 한다. 증기압은 증기가 액체와 평형 상태에 있을 때 증기가 새어 나가려는 압력을 말한다. 증기압은 온도에 따라 변화하며, 각 액체연료의 위험성을 평가하는 데 자료가 된다. 즉, **밀폐압력은 눌러서 물체의 안쪽으로 작용하는 힘이라면, 증기압은 증기가 밖으로 밀치고 나가려는 힘이다(압력과 증기압은 반대현상이다).**

'증기압력 = 내부압력'이다.

4. 증기압력과 비점(끓는점)

1. 비등(끓음)
액체의 온도가 점점 높아질 때 액체의 증기압력이 외부압력과 같아져서 액체 내부에서도 기화가 일어나 기포가 발생하는 현상이다.

2. 외부압력과 비점
외부압력이 높아지면 액체가 더 높은 증기압력을 가져야 끓게 되므로 외부압력이 높을수록 끓는점이 높아진다. 반대로 외부압력이 낮을수록 끓는점은 낮아진다.

3. 증기압력과 비점
증기압력이 큰 액체일수록 분자간의 인력이 약하므로 끓는점이 낮아진다.

4. 비점(끓는점, 비등점)
(1) 액체물질의 증기압이 외부압력과 같아져 끓기 시작하는 온도이다.
(2) 증기압이 1기압하에서 760mmHg가 되는 온도를 말한다.
(3) **비점이 낮은 액체일수록** 상온에서의 **증기압이 높아지고** 증발속도가 증가하므로 액체연료의 **위험성은 증가**한다.

> **용어사전**
> ❶ 인력: 물리적·공간적으로 떨어져 있는 물체가 서로 끌어당기는 힘을 말한다.
> *척력: 물리적·공간적으로 떨어져 있는 물체가 서로 밀어내는 힘을 말한다.

> **영철쌤 tip**
> 1. 압력이 증가하면 분자 간의 충돌이 활발해지므로 열이 잘 발생한다. 그러므로 빨리 끓어서 끓는점이 낮다. 다르게 표현하면 연소가 잘 된다.
> 2. 비점(끓는점)은 낮을수록, 증기압력은 높을수록 위험성이 증가한다. 즉, 액체에서는 증기압력과 비점은 반비례 관계를 갖는다.

5. 열량

1. 정의
1g의 물에 열을 가하여 1℃만큼 올리는 데 필요한 열의 양을 1cal이라고 한다. 예를 들어, 이보다 10배 많은 10g의 물에 열을 가하여 1℃만큼 올리는 데는 10cal만큼의 열의 양이 필요하다. 이렇게 열의 많고 적음을 표시하는 양을 열량이라고 한다.

2. 단위 크기

1cal	· 순수한 물 1g의 온도를 1℃만큼 올리는 데 필요한 열량 · 1cal = 4.184J
1kcal	순수한 물 1kg의 온도를 1℃만큼 올리는 데 필요한 열량
1BTU	· 순수한 물 1lb의 온도를 1℉만큼 올리는 데 필요한 열량 · 1BTU = 252cal = 0.252kcal
1chu	순수한 물 1lb의 온도를 1℃만큼 올리는 데 필요한 열량

6 온도(Temperature)

1. 정의
온도는 물질의 뜨겁고 찬 정도를 나타내는 물리량이다. 즉, 물질이 가열된 정도를 나타내는 척도이다.

2. 섭씨온도(℃)
표준대기압하에서 순수한 물의 빙점(Ice Point)을 0, 비등점(Boiling Point)을 100으로 정하고 그 사이를 100등분한 것을 1 섭씨도(기호 ℃)로 정한 것을 섭씨온도라고 한다. 이는 **스웨덴의 천문학자인 셀시우스(A. Celsius)가 제안**한 것으로 미터단위를 쓰는 나라에서 많이 사용한다.

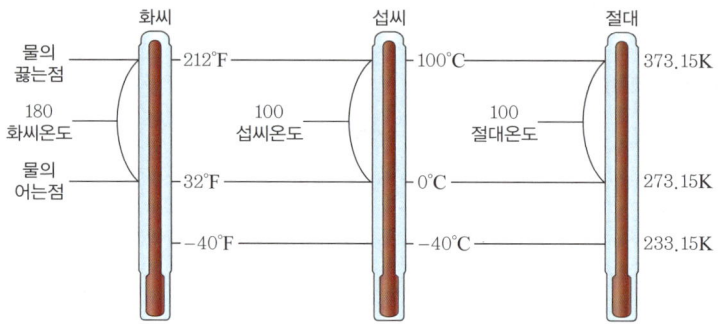

3. 화씨온도(℉)
표준대기압하에서 순수한 물의 빙점(Ice Point)을 32, 비등점(Boiling Point)을 212로 정하고 그 사이를 180등분한 것을 1 화씨도(기호 ℉)로 정한 것을 화씨온도라고 한다. 이는 **독일의 파렌하이트(D. Fahrenheit)가 제안**한 것으로 미국, 영국 등에서 주로 사용한다.

4. 섭씨온도와 화씨온도의 온도 변환

(1) 섭씨온도(℃)에서 화씨온도(℉)로의 온도 변환식

$$℉ = \left(\frac{9}{5} \times ℃\right) + 32$$

(2) 화씨온도(℉)에서 섭씨온도(℃)로의 온도 변환식

$$℃ = \frac{5}{9} \times (℉ - 32)$$

5. 절대온도

(1) 캘빈온도(K)

캘빈온도는 온도 차만을 말할 때에는 섭씨온도와 같으나, 온도를 표시할 때에는 약 −273.15℃를 0K로 나타낸다. −273.15℃, 즉 0K는 절대영도라고 부르며 자연계에서 그 이하의 온도는 존재할 수 없다고 한다. 이는 스코틀랜드의 물리학자 캘빈(Kelvin)이 제안한 것이다.

$$K(캘빈온도) = ℃ + 273.15 ≒ ℃ + 273$$

(2) 랭킨온도(R)

랭킨온도는 온도 차만을 말할 때에는 화씨온도와 같으나, 온도를 표시할 때에는 0R로 나타낸다. 절대영도인 0R은 약 −459.69℉이다.

$$R(랭킨온도) = ℉ + 459.69 ≒ ℉ + 460$$

> **용어사전**
>
> ❶ 절대온도: 절대온도는 캘빈온도와 랭킨온도가 있다. 소방학개론은 물소화약제계산을 제외하고 대부분 캘빈온도로 계산한다.

7 기체법칙

1. 기체 상태의 4가지 변수

(1) 절대온도(T; Temperature)

(2) 절대압력(P; Pressure)

(3) 부피(V; Volume)

(4) 물질의 양(mol; Quantity of Matter)

> **참고 몰(mol)**
>
> 1. 1mol
>   ① 1mol은 묶음의 단위로서, 원자 6.02×10^{23}개를 의미한다.
>   ② 1mol을 부피로 표현하면 22.4L를 의미한다.
> 2. 아보가드로(Avogadro)의 법칙
>   ① 온도와 압력이 같은 조건에서는 기체의 종류가 다르더라도 일정한 부피안에 들어 있는 입자수는 같다.
>   ② "모든 기체는 같은 온도, 같은 압력, 같은 부피 속에서 같은 개수의 입자를 포함한다."라고 하여 물질 1g/mol 속의 분자 개수는 6.02×10^{23}개로 이 숫자를 아보가드로의 수라고 하며, 1g/mol이 차지하는 부피는 1atm 0℃인 표준 상태에서 22.4L로, 모든 기체에서 같은 값을 갖는다. 즉, 모든 기체는 22.4L 속에 6.02×10^{23}개의 분자를 가지고 있다.
>   ③ 즉, 아보가드로의 법칙이란, 일정한 압력과 온도에서 물체의 부피는 몰수비에 비례한다는 것이다.

1[mol]

1. 1[mol]은 묶음의 단위로서 1[mol] 안에 원자가 6.02×10^{23}개가 있다.
2. 1[mol]을 부피로 표현하면 22.4[L]이다. 즉, 22.4[L] 안에 원자가 6.02×10^{23}개가 있다.

아보가드로 수

아보가드로 수는 6.02×10^{23}개이다.

2. 보일의 법칙(Boyle's Gas Law)

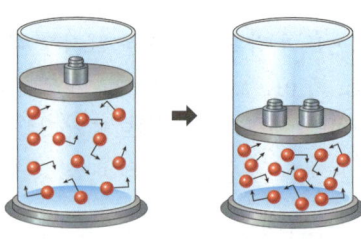
▲ 기체분자의 운동과 보일의 법칙

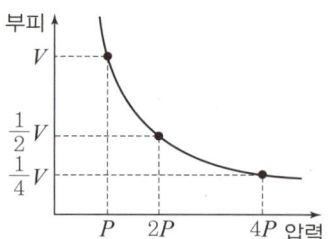
▲ 압력과 부피의 관계

(1) 정의

보일(Boyle)은 온도가 일정한 기체에서 그 **압력과 부피는 반비례**하는 것, 즉 기체의 압력이 증가하면 그 부피가 감소함을 발견하였다. 이를 **보일의 법칙**이라 한다.

(2) 공식(T = 일정)

- $PV = C$
- $P_1V_1 = P_2V_2$
- $\dfrac{P_1}{V_2} = \dfrac{P_2}{V_1}$

여기서, P: 기체의 절대압력
V: 기체의 부피
C: 상수

영철쌤 tip

보일 - 샤를의 법칙 공식

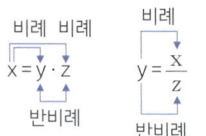
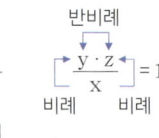

(3) 보일의 법칙과 관련된 현상

① 잠수부가 호흡할 때 생기는 공기방울은 물 위로 올라갈수록 커진다.
② 풍선이 하늘 위로 올라가면 점점 커지다 결국 터진다.

올라가면 압력이 작아져서 부피가 커진다.
그래서 펑 터진다.

③ 주사기를 누르면 부피는 작아진다.

주사기를 누르면(압력을 가하면) 부피는 작아진다.

3. 샤를의 법칙(Charles's Gas Law)

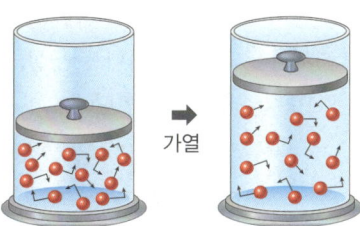
▲ 기체분자의 운동과 샤를의 법칙

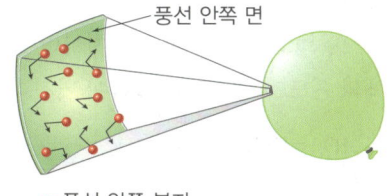
▲ 기체의 압력

(1) 정의
샤를(Charles)은 기체의 **온도가 그 부피와 비례**하는 것, 즉 기체의 온도가 증가하면 부피도 증가함을 발견하였다. 이를 **샤를의 법칙**이라 한다.

(2) 공식(P = 일정)

- $\dfrac{V}{T} = C$

- $\dfrac{V_1}{T_1} = \dfrac{V_2}{T_2}$

(3) 샤를의 법칙과 관련된 현상
① 찌그러진 탁구공을 뜨거운 물속에 넣으면 펴진다.

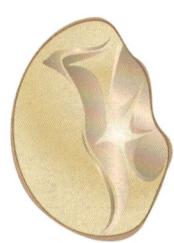

찌그러진 탁구공을 뜨거운(온도) 물에 담그면 탁구공 부피가 커져서 원상복구한다.

② 열기구 속의 공기를 버너로 가열하면 주위 공기보다 온도가 높아져 열기구가 높이 떠오른다.

▲ 열기구

4. 게이뤼삭의 법칙(Gay-Lussac's Law)

(1) 정의

일정량의 기체는 부피가 일정하면 그 **압력이 기체의 온도와 비례**한다는 사실, 즉 기체의 온도가 상승하면 압력이 커진다. 이를 **게이뤼삭의 법칙**이라 한다.

(2) 공식(V = 일정)

$$\cdot \frac{P}{T} = C$$
$$\cdot \frac{P_1}{T_1} = \frac{P_2}{T_2}$$

(3) 게이뤼삭의 법칙과 관련된 현상

거실의 압력증가

5. 보일 - 샤를의 법칙(Boyle - Charles's Gas Law)

$$\frac{P_1 V_1}{T_1} = \frac{P_2 V_2}{T_2}$$

> **참고** 이상기체상태방정식
>
> 이상기체상태방정식은 비압축성이며 점성이 없는 유체로 가정한다.
>
> $$PV = nRT \rightarrow PV = \frac{W}{M}RT$$
>
> 여기서, P[atm]: 기체의 압력
> V[l]: 기체의 부피
> n[mol]: 기체의 몰수
> R[atm·l / mol·k]: 기체의 상수(0.082)
> T: 온도[℃, K]
> W[g]: 기체의 질량
> M[g/mol]: 기체의 분자량

> **참고** 이상기체와 실제기체

구분	이상기체 (실제적으로 존재하지 않는 기체)	실제기체 (실제적으로 존재하는 기체)
주위환경	주위환경에 의해 값이 계속 변하지 않음 (산소값이 변하지 않음)	주위환경에 의해 값이 계속 변함 (산소값이 변함)
분자의 크기(부피)	없음	있음
분자간의 인력, 반발력	없음	있음
분자의 질량	있음	있음
기체와 관련 법칙 (보일-샤를 법칙, 아보가드로 법칙)	완전 일치함	일치하지 않음
0K에서의 부피	0(변화하지 않음)	액체나 고체로 변함

> **핵심정리** 기체법칙

보일의 법칙	온도가 일정한 상태에서 기체의 압력과 부피는 반비례한다.
샤를의 법칙	압력이 일정한 상태에서 기체의 부피와 온도는 비례한다.
게이뤼삭의 법칙	부피가 일정한 상태에서 기체의 압력과 온도는 비례한다.

영철쌤 tip

열역학적 법칙
1. 제0법칙: 열평형의 법칙
2. 제1법칙: 에너지 보존의 법칙
3. 제2법칙: 엔트로피의 법칙
4. 제3법칙: 네른스트-프랑크 정리
5. 제4법칙: 온사게르 상반 정리

8 열전달(Heat Transfer)

1. 열전도(Heat Conduction)

기체
· 분자 충돌
· 분자 확산

액체
· 분자 충돌
· 분자 확산

고체
· 격자 진동
· 자유전자 이동

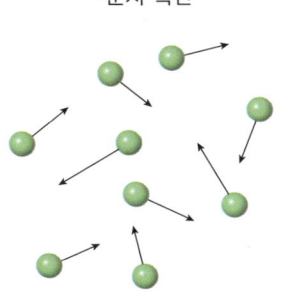
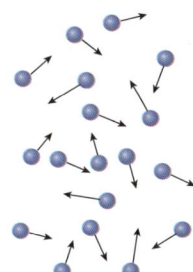

영철쌤 tip

열전달방식
1. 전도, 대류, 복사가 있다.
2. 금속 = 도체 = 전도성(전기가 잘 흐르는 물질)이다.
3. 비금속 = 부도체 = 절연체 = 비전도성(전기가 잘 흐르지 않는 물질)이다.

용어사전

① **자유전자**: 금속원자의 가장 바깥껍질의 전자로서 상온에서 자유롭게 움직인다. 즉, 자유전자가 움직이면 전기가 흐른다.

 영철쌤 tip

열전도 비교
고체 > 액체 > 기체

---

(1) 정의

열전도란 **물체 간의 직접적인 접촉을 통해서 열이 전달되는 현상**이다. 즉, 열전도는 열에너지가 물질(매질)의 이동을 **수반하지 않고** 고온부에서 저온부로 연속적으로 전달되는 현상을 말하며, 주로 고체 내부에서 일어난다.

(2) 열전도의 메커니즘

① **기체**: 분자 충돌이나 확산 등에 의하여 열에너지를 전달한다.
② **액체**: 분자 충돌이나 확산 등에 의하여 열에너지를 전달한다.
③ **고체**
  ㉠ **금속**: 분자 간의 진동, 자유전자①의 이동 등에 의하여 열에너지를 전달한다.
  ㉡ **비금속**: 분자 간의 진동 등에 의하여 열에너지를 전달한다.

(3) 열전도도(열전도율)

물질마다 열을 전달하는 정도가 다른 것은 각각 물질에 따라 열전도의 작용원리가 다르기 때문이다. 이것을 수치로 나타낸 것을 그 물질의 열전도도라 한다.

물질	열전도도[W/m·K]	물질	열전도도[W/m·K]
그래핀	4,800 ~ 5,300	콘크리트	1.7
다이아몬드	900 ~ 2,300	유리	1.1
은	429	얼음	2.2
구리(동)	400	석면	0.16
금	318	나무	0.04 ~ 0.4
알루미늄	237	물	0.6
철	80	알코올, 오일	0.1 ~ 0.2
납	35	공기	0.025
스테인리스 스틸	12 ~ 45	에어로젤	0.004 ~ 0.04

(4) 푸리에(Fourier)의 법칙

① 열전도 현상을 설명하는 법칙을 '열전도의 법칙' 또는 '푸리에(Fourier)의 법칙'이라고 한다.
② 두 물체 사이에서 단위시간에 전도되는 **열량은** 두 물체의 온도 차와 접촉된 면적에 비례하고 **길이(두께)에 반비례**한다.

$$\text{푸리에의 법칙 } q = -KA\frac{\Delta T}{\Delta L}, \quad \frac{q}{A} = -K\frac{\Delta T}{\Delta L} \text{ / 열유속 } q'' = K\frac{\Delta T}{\Delta L}[W/m^2]$$

여기서, q: 단위시간당 전도에 의한 열이동량 = 열유동률 = 열이동률[W, kW, J/s, kJ/s, kcal/hr]
K: 각 물질의 열전도도(열전도율)[W/m·K]
A: 접촉된 단면적[m²]
ΔT: 물체의 온도 차[K, ℃]
ΔL: 길이(두께) 차[m]
q'': 열유속(단위면적당 열 유동율)[W/m²]

2. 열대류(Heat Convection)

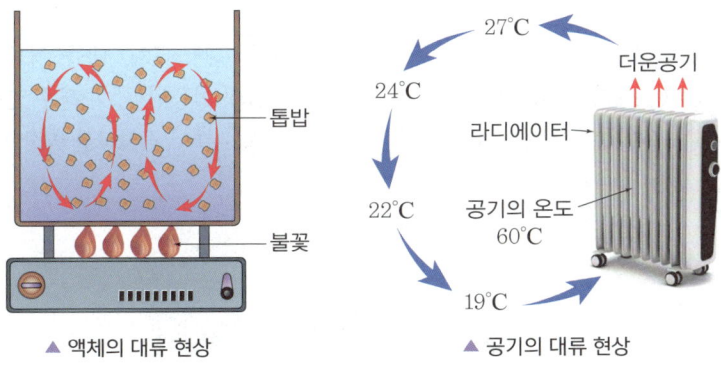

▲ 액체의 대류 현상   ▲ 공기의 대류 현상

(1) 정의
대류는 기체나 액체와 같이 유동성이 있는 유체 내에서 일어나는 열전달 현상이다. 즉, 대류는 온도 차에 의해서 생겨난 유체의 흐름에 의해서 열이 이동하는 것을 말한다.

(2) 대류의 종류
① **자연대류**(Natural Convection): 뜨거운 난로(화로)의 주위에 공기가 데워져서 부력에 의하여 모락모락 더운 공기가 상승하는 등의 방법으로 유체의 유동이 발생된 경우의 열대류를 말한다. 즉, 열전달이 이루어지는 면 부근에 있는 유체의 온도가 상승하면 밀도❶가 감소하기 때문에 이로 인한 부력의 작용으로 일어나는 열이동을 말한다.

② **강제대류**(Forced Convection): 펌프나 송풍기와 같은 유체기계 등으로 공기나 유체를 강제적으로 유동시켜서 유체가 물체간의 열이동을 촉진시키는 경우의 열대류를 말한다. 예를 들면, 감지기나 스프링클러헤드의 감열부에 열전달이 화재로부터 뜨거운 연소생성물의 흐름에 노출되는 것, 자동차의 팬, 원자력발전소의 연료냉각장치 등이 이에 속한다.

(3) 뉴턴(Newton)의 냉각법칙
어떠한 고체 표면의 온도가 일정한 온도 T_W로 유지되고 이 물체의 주위 온도가 T_S인 유체가 흘러갈 경우, 고체로부터 유체로 단위시간당 전달되는 열에너지의 양 Q는 고체의 표면적 A에 비례하고 또 열전달계수 h에 비례한다.

> 뉴턴의 냉각법칙 $q = hA(T_W - T_\infty)$, $\dfrac{q}{A} = h\Delta T$
>
> 열유속 $q'' = h\Delta T [W/m^2]$, $q'' = h(T_W - T_\infty)[W/m^2]$
>
> 여기서, q: 단위시간당 대류에 의한 열이동량 = 열유동률 = 열이동률[W, kW, J/s, kJ/s, kcal/hr]
> h: 대류열전달계수[$W/m^2 \cdot K$]
> A: 물체의 표면적[m^2]
> T_W: 고온유체 또는 고온물체의 온도[K]
> T_S: 저온유체 또는 주변 유체의 온도[K]
> q'': 열유속(단위면적당 열 유동율)[W/m^2]

영철쌤 tip
1. 자연대류는 자연인 유동이며, 강제대류(기계동작, 화재)는 인위적인 유동이다.
2. 대류는 층류보다 난류일 때 열전달이 잘 이루어진다. 즉, 층류는 열이 일정한 방향이고, 난류는 열이 사방팔방 방향이기 때문에 난류가 층류보다 방 안에서 열이 잘 이동된다.

용어사전
❶ 밀도: 일정한 면적이나 공간 속에 포함된 물질이나 대상의 빽빽한 정도를 말한다.

즉, 밀도 = $\dfrac{질량}{부피}$ 이다.

📖 용어사전

❶ 진공: 물질이 없는 비어있는 공간, 즉 공기가 없는 빈공간을 말한다.
❷ 풍상: 바람이 들어오는 것을 말한다.
  *풍하: 바람이 나가는 것을 말한다.

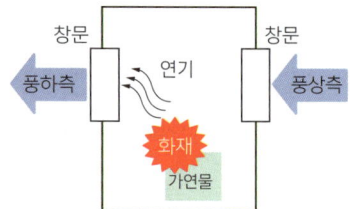

* 풍상측
- 복사는 기체일 때 잘 발생하므로 풍상측에서 잘 이루어진다.
- 풍상측 또는 풍횡측(좌측, 우측)으로 피난한다.

* 풍하측
- 연기가 많기 때문에 복사가 잘 일어나지 않는다.
- 바람 때문에 열, 연기는 풍하측으로 이동하므로 연소확대 된다. 따라서 선착대의 소방차는 풍상측에 먼저 배치한다.
- 제연설비는 풍상측에 설치하면 효과적이다.

 tip

스테판 - 볼츠만(Stefan-Boltzmann)의 법칙

1. 건축물 화재 발생 시 화재 초기는 열전달 중 전도가 주된 원인이 된다.
2. 건축물 화재 발생 시 화재 확대는 열전달 중 복사열이 주된 원인이 된다.

 tip

전도·대류·복사

1. 전도: 물질(매개체)의 이동이 없다.
2. 대류: 물질(매개체)이 이동한다.
3. 복사: 물질(매개체)이 없다.
4. 즉, 전도와 대류는 매개체가 있고, 복사는 매개체가 없다.

3. 열복사

(1) 정의

① 열전도나 대류 열전달의 경우 에너지가 매질(고체, 유체) 내를 이동하지만, **매질이 존재하지 않는 완전한 진공❶** 내에서도 열이 이동된다. 이 경우 열은 전자기파의 형태로 전파되거나 가열된 물체 표면으로부터 **전자파를 방출하는 현상**을 말한다.

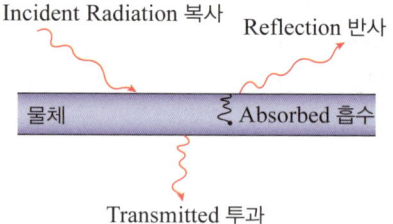

② 복사에너지는 빛과 동일한 성질을 가지며, 진행속도는 빛의 속도와 같고 빛과 동일한 반사, 굴절의 법칙을 따른다.
③ 복사열은 풍상❷측이 더 잘 일어난다.

(2) 스테판 - 볼츠만(Stefan-Boltzmann)의 법칙

완전 흑체에서 **복사에너지는 절대온도의 4승에 비례하고 열전달 면적에 비례**한다.

> 스테판 - 볼츠만의 법칙 $q = \sigma A T^4 = \varepsilon \sigma A T^4$ / 열유속 $q'' = K \dfrac{Q X_r}{4\pi r^2} [W/m^2]$
>
> 여기서, q: 단위시간당 복사에 의한 열이동량 = 열유동률 = 열이동률[W, kW, J/s, kJ/s, kcal/hr]
> σ: 스테판 - 볼츠만 상수 $[5.67 \times 10^{-8} \, W/m^2 \cdot K^4]$
> A: 물체의 표면적 $[m^2]$
> T: 물체 표면의 온도 $[K]$
> ε: 복사능 $(0 < \varepsilon < 1)$
> q'': 열유속(단위면적당 열 유동율) $[W/m^2]$
> Q: 화재의 연소에너지 방출(화염의 열방출률)
> X_r: 총 방출에너지 중 복사된 에너지 분율 $[0.15 \sim 0.6]$
> r: 화재중심과 목표물과의 거리 $[m]$
> $4\pi r^2$: 구의 표면적

4. 대표적인 열전달 법칙

구분	대표 열전달 법칙	공식
열전도	푸리에(Fourier)의 법칙	$Q = kA \dfrac{dT}{dB}$
열대류	뉴턴(Newton)의 냉각법칙	$Q = hA\Delta T$
열복사	스테판 - 볼츠만(Stefan-Boltzmann)의 법칙	$Q = \varepsilon \sigma A T^4$

문제로 완성하기

CHAPTER 1 연소 관련 기초이론

01 질소 78%, 산소 21%로 이루어진 공기의 평균 분자량은? (단, 질소 및 산소의 원자량은 각각 14 및 16이다)
① 15 ② 20
③ 29 ④ 36

02 일정온도에서 기체의 압력과 그 부피는 서로 반비례한다는 것은 무슨 법칙에 해당하는가?
① 보일의 법칙 ② 샤를의 법칙
③ 줄의 법칙 ④ 뉴턴의 법칙

03 공기를 기준으로 한 CO_2 가스비중은 약 얼마인가? (단, 공기의 분자량은 29이다)
① 0.81 ② 1.52
③ 2.02 ④ 2.51

04 동일한 물질 또는 일정한 물질 상호간의 열의 이동이며 물질의 각 분자가 지니고 있는 운동에너지가 인접한 분자에 이동해 나가는 현상으로 각각의 분자들은 진동만 일어나며 이동은 수반하지 않는다. 이것은 물질 내부에 온도 차가 있을 때 온도가 높은 곳에서 낮은 곳으로 물질 내부를 이동하는 것을 말하는데, 이러한 열전달 방식은?
① 전도 ② 대류
③ 복사 ④ 비화

정답 및 해설

01 공기의 평균 분자량
공기의 평균 분자량 = $(14 \times 2 \times 0.78) + (16 \times 2 \times 0.21) = 28.56 ≒ 29$이다.

02 보일의 법칙
보일의 법칙은 (절대)온도가 일정할 때 기체의 부피는 (절대)압력에 반비례한다는 법칙이다.

■ 기체법칙

보일의 법칙	온도가 일정한 상태에서 기체의 압력과 부피는 반비례한다.
샤를의 법칙	압력이 일정한 상태에서 기체의 부피와 온도는 비례한다.
샤를의 법칙 또는 게이뤼삭의 법칙	부피가 일정한 상태에서 기체의 압력과 온도는 비례한다.

다만, 여기서 온도는 절대온도이며, 압력은 절대압력으로 해석하여야 한다.

03 증기비중
CO_2 가스비중 = $\dfrac{물질의 분자량}{공기의 분자량} = \dfrac{44}{29} = 1.517 ≒ 1.52$이다.

04 열전도
- 열전도는 물체간의 직접적인 접촉을 통해서 기체나 액체는 분자간의 충돌이나 확산, 고체는 분자의 진동, 자유전자의 이동을 통해서 열이 고온에서 저온으로 열이 전달되는 열전달 방식이다.
- 열전도는 매질(물체)의 존재하에 열에너지가 물질의 이동을 수반하지 않고 고온에서 저온으로 연속적으로 전달하는 열전달 방식이다.

정답 01 ③ 02 ① 03 ② 04 ①

05 매개물질을 필요로 하지 않고 화재 시 열의 이동에 가장 크게 작용하는 열전달 현상은?

① 전도　　　　　　　　　　　② 대류
③ 복사　　　　　　　　　　　④ 비화

06 푸리에(Fourier)의 열전도법칙에 따라 물질을 통해 전달되는 열량에 대한 설명으로 옳지 않은 것은?　　25. 공채·경채

① 물질의 두께에 비례한다.
② 물질의 전열면적에 비례한다.
③ 물질 양면의 온도차에 비례한다.
④ 물질의 열전도율에 비례한다.

07 열전달 방법에 관한 설명으로 옳지 않은 것은?　　25. 소방간부

① 열전달 방법에는 전도, 대류, 복사가 있다.
② 전도는 뉴턴의 냉각법칙을 따르며, 고체 표면과 움직이는 유체 사이에서 일어난다.
③ 대류는 유체의 유동이 외부로부터 작용하는 힘에 의해 이루어지는 강제대류와 온도차로 인한 부력에 의해 이루어지는 자연대류로 구분할 수 있다.
④ 복사에너지는 스테판-볼츠만(Stefan-Boltzmann)의 법칙을 따른다.
⑤ 복사는 열에너지가 복사체로부터 대상물에 전자기파 형태로 전달되는 현상이다.

08 열의 이동원인 중 가장 크게 작용하며 스테판-볼츠만의 법칙과 관련이 있는 것은?

① 복사　　　　　　　　　　　② 대류
③ 전도　　　　　　　　　　　④ 비화

09 다음은 열의 전달형태에 대한 설명이다. ( ) 안에 들어갈 내용으로 옳은 것은?

> · 일반적으로 화재의 초기 단계에서 열의 전달은 (ㄱ)에 기인한다.
> · 화재 시 연기가 위로 향하는 것이나 화로(火爐)에 의해 실내의 공기가 따뜻해지는 것은 (ㄴ)에 의한 현상이다.

	ㄱ	ㄴ		ㄱ	ㄴ
①	전도	대류	②	복사	전도
③	전도	비화	④	대류	전도

10 복사열전달 현상에 대한 설명으로 옳은 것은?   22. 소방간부

① 열에너지가 전자기파의 형태로 전달되는 현상이다.

② 푸리에의 법칙을 따른다.

③ 열전달이 고체 또는 정지상태의 유체 내에서 매질을 통해 이루어진다.

④ 유체입자의 유동에 의해 열에너지가 전달되는 현상이다.

⑤ 진공상태에서는 복사열은 전달되지 않는다.

정답 및 해설

05 열복사
열복사는 오히려 중간에 물질(매질)이 존재하는 경우 열전달이 잘 이루어지지 않는다.

06 푸리에 법칙
푸리에의 법칙: $q = -KA \dfrac{\Delta T}{\Delta L}$ [W, kW, J/s, kJ/s]

여기서, q: 단위 시간당 전도에 의한 열 이동량 = 열 유동율 = 열 이동율 [W, kW, J/s, kJ/s, kcal/hr]
   K: 각 물질의 열전도도(열전도율) [W/m·K]
   A: 접촉된 단면적 [m^2]
   ΔT: 물체의 온도 차 [K, ℃]
   ΔL: 길이(두께)차 [m]

07 열전달
대류는 뉴턴의 냉각법칙을 따르며, 고체 표면과 움직이는 유체 사이에서 일어난다.

08 열복사
- 매질을 통해 열이 흘러가는 전도나 열과 매질이 같이 움직이는 대류와 달리 복사는 전자기파를 통해서 고온의 물체에서 저온의 물체로 직접 에너지가 전달된다.
- 오스트리아의 물리학자 스테판(Stefan)은 1879년 흑체(Blackbody)가 방출하는 복사에너지의 총량을 측정하여 복사에너지는 절대온도의 4승에 비례한다는 것을 실험적으로 구하였고 이를 1884년 볼츠만(Boltman)이 열역학을 이용하여 이론적으로 증명하였다. 이를 스테판-볼츠만의 법칙이라고 한다.

09 열전달방식
- 전도: 일반적으로 화재의 초기 단계에서 열의 전달이며 물체간의 직접적인 접촉을 통해서 열이 전달되는 현상이다.
- 대류: 뜨거운 난로 주위의 공기가 데워져서 부력에 의하여 모락모락 더운 공기가 상승하는 등의 방법으로 유체의 유동이 발생되는 열전달 현상이다.
- 복사: 전자기파를 통해 고온의 물체에서 저온의 물체로 열이 전달되는 현상이다.

10 복사열전달
① 열은 전자기파의 형태로 전파되거나 가열된 물체 표면으로부터 전자파를 방출한다.
② 푸리에의 법칙은 전도의 법칙이다.
③ 열전달이 고체 또는 정지상태의 유체 내에서 매질을 통해 이루어지는 것은 전도이다.
④ 유체입자의 유동에 의해 열에너지가 전달되는 현상은 대류이다.
⑤ 열전도나 대류 열전달의 경우 에너지가 매질(고체, 유체) 내를 이동하지만, 복사는 매질이 존재하지 않는 완전한 진공 내에서도 열이 이동된다.

정답 05 ③   06 ①   07 ②   08 ①   09 ①   10 ①

CHAPTER 2 연소 개론

출제 POINT

01 연소의 정의 ★☆☆
02 연소의 3요소 및 4요소 ★★★
03 가연물 ★★★
04 산소공급원 ★☆☆
05 점화원 ★★☆
06 순조로운 연쇄반응 ★☆☆

연소

어두운 밤에 갑자기 전깃불이 나가면 초에 불을 붙여 방 안을 밝힌다. 이때 촛불 가까이에 손을 가져가면 몹시 뜨거움을 느끼게 된다. 또한 추운 겨울에는 연탄이나 석유를 태워서 방 안을 따뜻하게 한다. 이때 연탄이나 석유가 타고 있는 주위가 밝아지는 것을 보게 된다. 이 밖에 종이·나무·알코올 등이 탈 때에도 열이 나옴과 동시에 빛을 낸다. 이처럼 물질이 열과 빛을 내면서 타는 현상을 연소라고 한다. 그러나 공기 중에 철(Fe)은 산화반응은 하지만 빛과 열을 발생하지 않으므로 연소가 아니다.

1 연소(Combustion)의 개요

1. 연소의 정의 및 화학반응식

(1) 정의
 ① 물질이 빛이나 열 또는 불꽃을 내면서 빠르게(급격한, 맹렬한) 산소와 결합하는 반응을 말한다.
 ② 물질이 격렬한 **산화반응**을 함으로써 **열과 빛을 발생하는 현상**(발열반응)을 말한다.

(2) 연소의 화학반응식
 ① 탄화수소화합물(C_mH_n)은 연소하면 이산화탄소(CO_2)와 수증기(H_2O)가 생성된다.
 ② 연소반응 예시
  ㉠ 숯(C)의 연소반응

$$C + O_2 \rightarrow CO_2$$
[반응물] [생성물]

  숯의 주성분인 탄소(C)가 산소(O_2)와 만나 산화되어 이산화탄소(CO_2)를 생성한다.

  ㉡ LPG의 연소반응(프로판, 부탄)

$$C_3H_8 + 5O_2 \rightarrow 3CO_2 + 4H_2O$$
$$C_4H_{10} + 6.5O_2 \rightarrow 4CO_2 + 5H_2O$$
[반응물]   [생성물]

  액화석유가스(LPG)의 주성분인 프로판(C_3H_8), 부탄(C_4H_{10})은 연소하여 이산화탄소(CO_2)와 물(H_2O)을 생성하며, 빠른 속도로 반응하면서 빛이나 열을 내는 연소반응을 한다.

  ㉢ LNG의 연소반응(메탄)

$$CH_4 + 2O_2 \rightarrow CO_2 + 2H_2O$$
[반응물]   [생성물]

  메탄(CH_4)은 산소(O_2)와 만나 산화되어 이산화탄소(CO_2)와 물(H_2O)을 생성하며, 빠른 속도로 반응하면서 빛이나 열을 내는 연소반응을 한다.

ㄹ) 탄화수소계 가스의 화학방정식 공식

$$C_mH_n + \left(m + \frac{n}{4}\right)O_2 = mCO_2 + \frac{n}{2}H_2O$$ 라면, C_4H_{10}으로 예를 들자면

$$C_4H_{10} + \left(4 + \frac{10}{4}\right)O_2 = 4CO_2 + \frac{10}{2}H_2O$$ 이다.

$$C_4H_{10} + 6.5O_2 = 4CO_2 + 5H_2O \rightarrow 2C_4H_{10} + 13O_2 = 8CO_2 + 10H_2O$$

※ 숫자 2를 추가로 확인하세요.

ㅁ) 가연성 기체: 가연성 기체는 대부분 탄화수소화합물(C + H)이다.

알칸족(알케인족): C_nH_{2n+2}	알킬족: C_nH_{2n+1}
· CH_4: 메탄(메테인) · C_2H_6: 에탄(에테인) · C_3H_8: 프로판(프로페인) · C_4H_{10}: 부탄(부테인) · C_5H_{12}: 펜탄 · C_6H_{14}: 헥산 · C_7H_{16}: 헵탄	· CH_3: 메틸 · C_2H_5: 에틸 · C_3H_7: 프로필 · C_4H_9: 부틸

ㅂ) 파라핀계 탄화수소화합물(포화 탄소화수소, 알칸족 탄화수소) 명명법 접두사

메타	에타	프로파	부타	펜타	헥사	헵타	옥타	노나	데카
1	2	3	4	5	6	7	8	9	10

에탄, 아세틸렌 화학(연소)방정식
1. 에탄: $C_2H_6 + 3.5O_2 \rightarrow 2CO_2 + 3H_2O$
2. 아세틸렌: $C_2H_2 + 2.5O_2 \rightarrow 2CO_2 + H_2O$

2. 연소 관련 충돌 이론

(1) 분자들이 반응하려면 먼저 반응하는 **분자들끼리 충돌**하여야만 한다는 이론이다.

(2) 이 이론은 화학반응이 일어나기 위해서는 반드시 두 입자가 충돌하여야 하며, 반응이 일어나기에 충분한 에너지를 가진 상태여야 한다는 데 기초한다. 왜냐하면 충돌할 때 입자는 원래 존재하던 결합을 끊어야 새로운 결합을 하여 생성물을 형성할 수 있기 때문이다. 이때 **반응이 일어나는 데 필요한 최소한의 에너지를 활성화 에너지**[1]라고 한다.

용어사전

[1] 활성화 에너지: 불이 붙는 최소한의 에너지를 말한다.

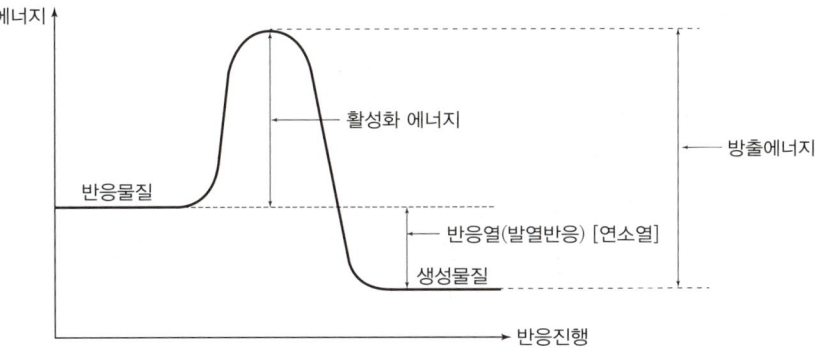

촉매
1. 촉매를 투입하면 반응물과 생성물의 변화는 없지만 활성화 에너지는 변한다.
2. 촉매: 반응속도를 변화시키는 물질로서 속도를 빠르게 정촉매와 느리게 하는 부촉매가 있다.

연소반응
1. 반응물질 > 생성물질
2. 열생성률 > 외부 열손실률

> **참고** 반응열에 대한 발열반응과 흡열반응
>
> 1. **반응열**: 화학반응이 일어날 때는 반드시 에너지의 출입이 따르는데, 이때 출입하는 에너지를 반응열이라 한다.
> 2. **발열반응과 흡열반응**
>   ① 발열반응: 반응물이 에너지를 외부로 방출하는 반응이다. [반응물질 > 생성물질]
>
>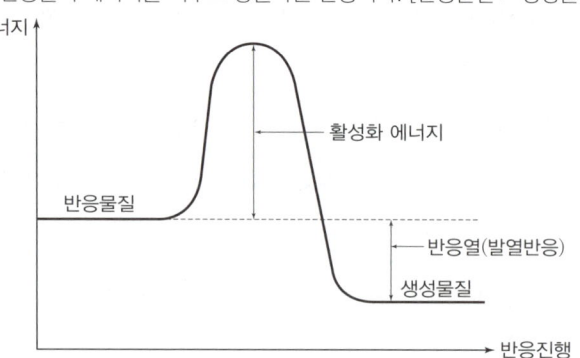
>
>   ② 흡열반응: 반응물이 외부로부터 열을 흡수하는 반응이다. [반응물질 < 생성물질]
>
>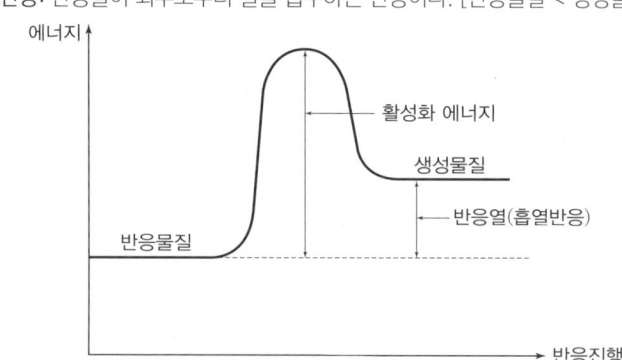
>
> 3. 연소반응은 열생성률이 외부로의 열손실률보다 큰 조건에서 지속된다. [열생성률 > 열손실률]

3. 화학반응속도론

(1) 반응속도

화학반응을 일으키기 위해서는 반응물질이 충분한 에너지를 가지고 있어야 한다. 이처럼 반응을 일으키기 위하여 필요한 최소한의 에너지를 활성화 에너지라 하며, 활성화 에너지보다 큰 에너지를 가지고 있는 분자들이 충돌하면 반응이 진행된다.

(2) 반응속도에 영향을 주는 요소

반응속도에 영향을 주는 요소는 농도, 온도, 압력, 표면적, 촉매, 활성화 에너지 등이 있다.

① **농도**: 농도 증가 → 충돌 횟수 증가 → 반응속도 증가

반응물질의 농도를 높이면 같은 부피 속에 존재하는 반응물질이 많아지므로 분자들이 만날 확률이 높아진다. 이에 따라 전체적인 충돌 횟수가 증가하기 때문에 유효 충돌 횟수 역시 증가하여 반응속도가 빨라진다.

② **온도**: 온도 증가 → 활성화 에너지 이상에 도달하는 분자수 증가 → 반응속도 증가

온도를 높이면 반응물질들의 평균적인 운동에너지가 증가한다. 따라서 활성화 에너지 이상의 에너지를 갖는 분자의 수가 늘어나 반응속도가 빨라진다.

③ 압력: 압력 증가 → 충돌 횟수 증가 → 반응속도 증가

압력이 증가하면 분자수는 그대로이나 부피가 감소하므로 단위 부피 속의 분자수가 많아져 유효 충돌 횟수가 증가하기 때문에 반응속도가 빨라진다.

④ 표면적: 표면적 증가 → 충돌 횟수 증가 → 반응속도 증가

반응물질의 표면적이 넓을수록 반응물질들간에 접촉할 수 있는 면적이 커져 유효 충돌 횟수가 증가하기 때문에 반응속도가 빨라진다.

⑤ 촉매: 정촉매 증가 → 활성화 에너지 감소 → 반응속도 증가

촉매는 반응의 진행 경로를 바꾸면서 활성화 에너지를 낮추는 역할을 한다. 따라서 반응을 진행시킬 수 있을 만큼의 에너지를 가진 분자의 수가 증가하게 되고 반응속도도 빨라진다. 즉, 활성화 에너지가 작을수록 반응속도는 빠르다. 또한 촉매에는 활성화 에너지를 낮춰서 반응속도를 빠르게 해주는 정촉매와 활성화 에너지를 높여서 반응속도를 느리게 해주는 부촉매가 있다.

2 연소의 요소

1. 연소의 3요소(표면연소, 무연연소, 작열연소, 불씨연소, 백열연소, 심부화재)

(1) 가연물(연료, 환원제)

불에 탈 수 있는 재료로서 일반적으로 고체보다는 액체가, 액체보다는 기체가 더 잘 연소된다.

(2) 산소공급원(산화제)

일정량 이상의 산소가 있어야만 연소가 일어난다.

(3) 점화원

발화시키는 데 필요한 에너지를 말한다.

2. 소화(燒火) 현상

연소의 3요소 조건 중 어느 하나라도 충족되지 못하면 애초에 연소반응이 일어나지 않으며, 설사 연소반응이 일어나고 있다고 하더라도 타고 있는 물질의 불은 꺼지게 되며 이러한 현상을 소화(燒火)라고 한다.

3. 연소의 4요소(불꽃연소, 유염연소, 발염연소, 표면화재)

(1) 가연물

(2) 산소공급원

(3) 점화원

연소의 3요소

1. 물적조건(조성조건): 가연물, 산소공급원
2. 에너지조건: 점화원

▲ 작열연소(연소의 3요소)

▲ 불꽃연소(연소의 4요소)

(4) 순조로운 연쇄반응

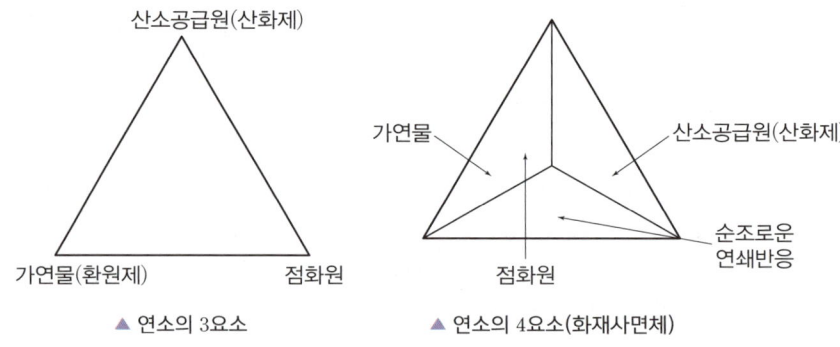

▲ 연소의 3요소   ▲ 연소의 4요소(화재사면체)

3 가연성 물질(연료, 가연물)

1. 정의
산소와 반응 시 발열에 의하여 연소가 계속되는 물질을 가연성 물질이라 한다. 일반적으로 산소와 반응하는 물질은 모두 가연성 물질로 말하지만, 발열반응을 수반하지 않는 물질은 가연성 물질이라고 하지 않는다. 예를 들면 질소의 경우 산화반응에 의하여 질소 산화물을 생성하지만 흡열반응이므로 가연성 물질이 아니다.

2. 가연성 물질이 되기 위한 조건(잘 타는 물질의 조건)
(1) 산소와 친화력이 클 것, 즉 화학적 활성도(화학반응이 일어나기 쉽게 되어 있는 상태)가 클 것
(2) 반응열(연소열)이 클 것
(3) 비표면적(공기와의 접촉면적)이 클 것
(4) **열전도도(열전도율)가 작을 것**
(5) **활성화 에너지가 작을 것**
(6) 연쇄반응을 일으킬 수 있을 것
(7) 건조도가 높을 것(함수율이 작을 것)

3. 불연성 물질
(1) 주기율표의 0족(8족, 18족) 원소(불활성 기체)
   ① 불활성 기체는 **안정된 전자 배치**를 갖고 있기 때문에 다른 원소와 화학반응을 일으키기 **어려운** 기체 원소를 말하며, 비활성 기체라고도 한다.
   ② **헬륨(He), 네온(Ne), 아르곤(Ar)**, 크세논(Xe), 크립톤(Kr), 라돈(Rn) 등이 있다.

영철쌤 tip

가연물의 구비조건
1. 열전도율, 활성화 에너지만 작고 나머지는 클 것이 구비조건이다.
2. 비표면적은 단위질량당의 표면적 또는 단위부피당 표면적을 말한다.

$$비표면적 = \frac{표면적}{질량} \text{ 또는 } \frac{표면적}{부피}$$

나무의 경우 통나무보다는 대팻밥이, 괴상(덩어리)보다는 분말이 산소와 접촉면적이 넓어지므로 연소가 잘 된다(기체 > 액체 > 고체).

3. 열전도도(열전도율)는 가연물이 열을 보내는 능력으로서 열전도율이 낮으면 가연물이 열을 가지고 있으므로 열축적이 쉽다. 그러나 열전도율이 높으면 가연물이 열을 보내기 때문에 열축적이 쉽지 않다(기체 < 액체 < 고체).
4. 활성화 에너지(최소발화에너지, 점화에너지)는 불이 붙는 최소한의 에너지로서 라이터보다는 성냥불씨로 불을 붙이면 잘 타는 물질이다. 그러므로 활성화 에너지가 작을수록 잘 타는 물질이다.

물질의 3가지 형태
1. 가연성물질: 연소가 가능한 물질(불에 잘 탈 수 있는 성질)
2. 불연성물질: 연소가 불가능한 물질(불에 타지 않는 성질)
3. 조연성물질(지연성물질): 연소를 도와주는 물질(불에 잘 탈 수 있게 도와주는 성질)

(2) 반응종결 물질(포화산화물)
① 완전연소에 의한 생성물질 중 더 이상 산소와 반응하지 않는 물질을 말한다.
② 수증기(H_2O), 이산화탄소(CO_2), 오산화인(P_2O_5), 산화알루미늄(Al_2O_3), 산화안티몬(Sb_2O_3), 삼산화황(SO_3), 삼산화크롬(CrO_3), 규조토(SiO_2), 프레온 등이 있다.

(3) 산화·흡열반응 물질
① 산화반응은 일어나지만 발열반응이 아닌 흡열반응을 하는 물질을 말한다.
② 질소(N_2) 또는 질소 산화물(N_2O, NO, NO_2) 등이 있다.

$$N_2 + O_2 \rightarrow 2NO - 43.1[Kcal]$$
$$\downarrow -Q \text{ 반응열(흡열반응)}$$

(4) 물질 자체가 연소하지 않는 물질
물질 자체가 연소하지 않는 돌, 흙 등의 물질을 말한다.

4 산소공급원(Source of Oxygen Supply)

1. 공기
연소에 필요한 산소(O_2)는 공기 중에 약 1/5(21%) 정도(체적비: 약 21%, 중량비: 약 23%)로 존재하고 있다.

2. 산화제
자신은 불연성 물질이지만 분자 내에 공기 중보다 더 많은 양의 산소를 함유하고 있는 물질로서 가열, 충격, 마찰 등으로 분해되어 산소를 발생시킨다. 또한 발생된 주변에 있는 가연 물질과 혼합 또는 접촉하면 연소의 위험성이 있는 물질을 말한다.

(1) 제1류 위험물(산화성 고체)
① 불연성 물질이지만 자체 내에 산소를 함유하고 있어 가열, 충격, 마찰에 분해되어 공기 중 산소보다 더 많은 산소를 방출하는 물질이다.
② 아염소산염류, 염소산염류, 과염소산염류, 질산염류, 무기과산화물, 브로민산염류, 아이오딘산염류, 다이크로뮴산염류, 과망가니즈산염류 등이 있다.

(2) 제6류 위험물(산화성 액체)
① 불연성 물질이지만 자체 내에 산소를 함유하고 있어 표면을 가열하면 공기 중 산소보다 더 많은 산소를 방출하는 물질이다.
② 과염소산, 과산화수소, 질산 등이 있다.

위험물 종류별 대표적 성질
1. 제1류 위험물은 산화성 고체이다.
2. 제2류 위험물은 가연성 고체이다.
3. 제3류 위험물은 금수성 물질 및 자연발화성 물질이다.
4. 제4류 위험물은 인화성 액체이다.
5. 제5류 위험물은 자기반응성 물질이다.
6. 제6류 위험물은 산화성 액체이다.

3. 자기반응성 물질(제5류 위험물)

(1) 모두 **가연성 물질**이면서, (일부 물질을 제외한) 대부분의 물질이 자체 내 **산소를 함유**하고 있다. 가열, 충격, 마찰에 분해되어 가연성 가스를 방출하며, 또한 (일부 물질을 제외한) 대부분의 물질이 산소를 방출하여 **공기 중 산소와 관계없이 연소가 가능**한 물질이다.

(2) 유기과산화물, 질산에스터류, 나이트로화합물, 나이트로소화합물, 아조화합물, 다이아조화합물, 하이드록실아민염류 등이 있다.

4. 조연성❶(지연성❷) 물질

산소(O_2), 이산화질소(NO_2), 산화질소(NO), 불소(F_2), 오존(O_3), 염소(Cl_2) 등이 있다.

핵심정리 산화 및 환원(산화 ↔ 환원)

구분	산화	환원
산소(O_2)	얻음(+)	잃음(-)
산화수	증가(+)	감소(-)
수소(H_2)	잃음(-)	얻음(+)
전자	잃음(-)	얻음(+)
위험물	· 제1류 위험물(산화성 고체) · 제6류 위험물(산화성 액체) [(강)산화제]	제2류 위험물(가연성 고체) [(강)환원제]

5 점화원(활성화 에너지, 최소발화 에너지, 최소착화 에너지)

1. 점화원의 정의 및 역할

(1) 점화원의 정의

① 가연성 고체: 가연성 고체 $\xrightarrow{가열}$ 표면열분해 → 가연성 가스 생성

② 가연성 액체: 가연성 액체 $\xrightarrow{가열}$ 표면 증발 → 가연성 증기 생성

③ 가연성 기체: 가연성 기체 $\xrightarrow{가열}$ 가연성 가스 생성

📖 **용어사전**

❶ 조연성(助燃性): 가연 물질이 연소하는 것을 돕는 성질을 말한다.
❷ 지연성(支燃性): 연소를 지탱하는 성질을 가지고 있는 산소와 공기를 말한다. 즉, 연소를 지속시키는 성질이다.

 **영철쌤 tip**

조연성(지연성) 물질
산소, 오존, 할로겐원소(불소, 염소) 등이 있다.

할로겐원소가 조연성 물질인 이유

$$H_2 + Cl_2 \rightarrow 2HCl + 44kcal$$

수소와 염소를 1:1 비율로 혼합했을 때 에너지 조건만 갖추어지면 밝은 섬광과 함께 폭발하면서 44kcal의 열이 발생한다. 할로겐원소는 이러한 특정 물질(예 수소 등)과 격렬히 반응하여 폭발할 수 있으므로 조연성 물질에 해당된다. 즉, 특수조건에서는 염소나 불소 등이 산소 역할을 할 수 있다.

산화제와 환원제
1. 산화제: 자신은 환원되면서 다른 물질을 산화시키는 물질을 말한다(상대방을 산화시킨다).
2. 환원제: 자신은 산화되면서 다른 물질을 환원시키는 물질을 말한다(상대방을 환원시킨다).

구분	산소	산화수	수소	전자
산화	○	○	×	×
환원	×	×	○	○

(2) 점화원의 역할

상온에서 연료가 공기 중 산소와 산화반응을 일으키려면 열의 출입이 요구된다. 이때에 필요한 에너지를 '활성화 에너지'라고 하며, '점화원'이란 반응에 필요한 '활성화 에너지'를 제공하는 역할을 한다.

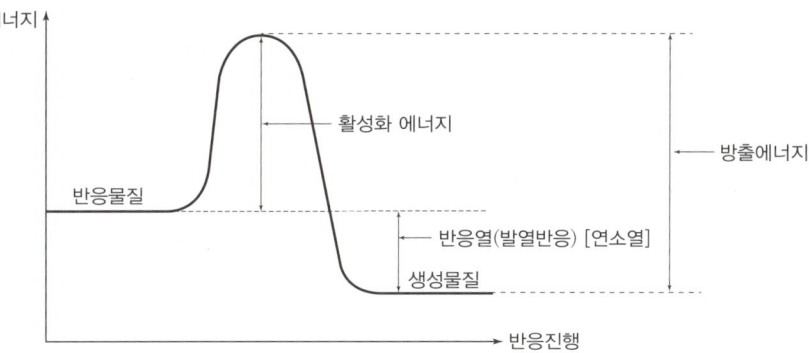

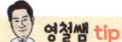

영철쌤 tip

점화원 = 활성화 에너지 = 최소발화에너지 = 초기에너지 = 착화원 = 열원이다.

2. 점화원(열원)의 분류

점화원(열원)은 크게 보면 화학적 에너지, 전기적 에너지, 기계적 에너지, 열적 에너지, 원자력 에너지로 구분한다.

(1) 화학열 에너지(Chemical Heat Energy)

① **연소열(산화열, Heat of Combustion)**: 어떤 물질 1mol 또는 1g이 완전연소할 때 발생하는 열을 말한다.

② **자연발열(Spontaneous Heating)**: 어떤 물질이 외부로부터 열의 공급을 받지 않고 내부의 반응열의 축적만으로 온도가 상승하여 발화점에 도달하는 데 필요한 열을 말한다.

③ **분해열(Heat of Decomposition)**: 어떤 화합물 1mol이 상온에서 가장 안정된 상태의 성분원소로 분해할 때 발생하는 열을 말한다. 아세틸렌(C_2H_2)의 경우, 화합물 상태에서는 매우 불안정하여 충격, 마찰 등에 의해 쉽게 가연물이 탄소(C)와 수소(H_2)로 분해되고 이때 열을 발생시켜 가연물인 탄소(C)와 수소(H_2)를 연소시킨다.

④ **용해열(Heat of Solution)**: 어떤 물질 1mol이 용매에 용해될 때 발생하는 열을 말한다.

⑤ **생성열(Heat of Formation)**: 발열반응에 의해 화합물이 생성될 때 발생하는 열을 말한다.

(2) 전기열 에너지(Electrical Heat Energy)

① **저항열(Resistance Heating)**: 도체 물질에 전류를 흘려보내면 도체 물질이 갖는 전기 저항 때문에 **전기에너지의 일부가 열로 변화되어 발생하는 열**을 말한다.

② **유도열(Induction Heating)**: 도체 주위의 **자장(자기장, 자계)❶**에 의해 전위차가 발생될 때 유도전류에 의해 발생하는 열을 말한다.

③ **유전열(Dielectric Heating)**: 절연 물질에 **누설전류가 흐를 때 발생되는 열**을 말한다.

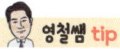

영철쌤 tip

자연발열
산화열, 흡착열, 분해열, 발효열(미생물열), 중합열이 있다.

아세틸렌(C_2H_2)
1. 액체 아세틸렌은 불안정하나, 고체 아세틸렌은 비교적 안정적이다.
2. 아세틸렌은 아세톤에 잘 용해된다.
3. 화학방정식

$$C_2H_2 + 2.5O_2 \rightarrow 2CO_2 + H_2O + Q$$

용해열
어떤 물질 1mol이 용매에 용해될 때 발생하는 열을 말한다[예 진한 황산(농황산, 묽은 황산)이 물을 만나면 나오는 많은 열량 또는 소금물 등].
1. 용질은 다른 물질에 녹는 물질(소금)이다.
2. 용매는 다른 물질을 녹이는 물질(물)이다.
3. 용해는 어떤 물질이 다른 물질에 녹아 골고루 섞이는 현상이다.
4. 용액은 용질이 용매에 골고루 섞여 있는 물질(소금물)이다.

저항열(백열전구)

용어사전

❶ 자장(자기장, 자계): 자석 주위나 전류가 지나는 도선 주위에 생기는 자기력이 작용하는 공간을 말한다.

④ 아크열(Heat from Arcing): 회로가 개폐기 및 차단기에 의해 개방되거나 닫힐 때 발생되는 열로서 특히 개방되는 경우에 잘 발생한다.

⑤ 정전기열(Static Electricity Heating): 서로 다른 두 물질이 접촉하였다가 떨어질 때 축적되는 전하를 정전기라 하며, 스파크 방전이 일어날 때 발생하는 열을 말한다.

⑥ 낙뢰에 의한 열(Heat Generated by Lightning): 번개나 구름에 축적된 전하가 다른 구름이나 반대 전하를 가진 지면으로의 방전이 일어날 때 발생하는 열을 말한다.

(3) 기계적 열에너지(Mechanical Heat Energy)

① **마찰열**(Frictional Heat): 두 물질(특히 고체)을 마주 대고 **마찰**시키면 운동에 대한 저항 현상으로 발생하는 열을 말한다.

② **마찰스파크열**(Friction Spark): 금속물체와 다른 고체물체의 **충돌**에 의해 발생하는 열을 말한다.

③ 압축열(Heat of Compression): 밀폐된 계 내부에서 단열 압축 시 발생하는 열을 말한다.

(4) 열적 에너지

① 고온표면: 전열기, 가열로, 배기관·연통의 고온부, 금속용융물, 슬래그, 가스불꽃에 의한 절단부 등을 말한다.

② 복사열: 태양광선의 열, 화염의 복사열 등에 의해 발화하는 것을 말한다.

③ 나화: 담뱃불, 성냥·라이터불, 토치램프, 가스레인지의 작은 화염, 보일러, 난방·난로 등을 말한다.

> **참고** 기타 점화원
>
> 1. 점화원(발화원: Heat or Ignition Source)의 분류
>
> | 구분 | 내용 |
> |---|---|
> | 나화
〈열적 에너지〉 | 담뱃불, 성냥·라이터불, 토치램프, 가스레인지의 작은 화염, 보일러, 난방·난로 등을 말한다. |
> | 고온표면
〈열적 에너지〉 | 전열기, 가열로, 배기관·연통의 고온부, 금속용융물, 슬래그, 가스불꽃에 의한 절단부 등을 말한다. |
> | 단열압축
〈기계적 열에너지〉 | 반응기 내 이상반응(Run-away Reaction), 탱크 내 급작스러운 온도 상승에 의한 압력증가 등을 말하며, 경유차량의 엔진은 이를 이용한다. |
> | 정전기
〈전기적 열에너지〉 | 가연성 가스·미스트의 분출, 석유류의 유동·이송·여과, 대전서열이 차이가 나는 물체간 접촉·박리 시 발생되는 정전기에 의해 발화하는 것을 말한다. |
> | 전기
〈전기적 열에너지〉 | 절연열화, 과부하❶, 스파크, 누전❷, 단락❸, 접속부 발열, 지락❹, 열적 경화❺, 낙뢰 등 전기적 작용에 의해 발화하는 것을 말한다. |
> | 복사열
〈열적 에너지〉 | 태양광선의 열, 화염의 복사열 등에 의해 발화하는 것을 말한다. |

📖 용어사전

❶ **과부하**: 전기를 일으키거나 기계의 힘을 내게 하는 부담이 규정량이나 적정 작업량을 넘어서는 부하를 말한다.
  * **과전류**: 비정상적으로 생기는 큰 전류를 말한다.
  * **주울의 법칙**: 전류에 의한 열작용과 관계가 있는 법칙을 말한다.

❷ **누전**: 전기가 새는 것을 말한다.

❸ **단락(합선)**: 두 전선이 붙는 것을 말한다.
  * **단선**: 두 전선이 끊어지는 것을 말한다.

❹ **지락**: 전기가 대지로 흐는 것을 말한다.

❺ **열적 경화**: 다리미 등에서 나오는 열이 축적되어 주위의 가연물을 발화시키는 것을 말한다.

2. **점화원(발화원: Heat or Ignition Source)이 될 수 없는 경우:** 잠열(기화열, 융해열), 절연저항 증가, 단열팽창, 역기전력, 승압기, 단선 등

$$I = \frac{V}{R} [A]$$

여기서, I: 누설전류
R: 절연저항
V: 전압

6 순조로운 연쇄반응(Chain Reaction)

1. 정의
가연물이 유기화합물인 경우, 불꽃연소가 개시되어 열이 발생하면 발생한 열은 가연물의 연소형태를 연소가 용이한 **중간체(자유라디칼)**로 형성하여 연소를 촉진시킨다. 이와 같이 에너지에 의해 연소가 용이한 라디칼은 연쇄적으로 이루어지며, 점화원이 제거되어도 생성된 라디칼이 완전하게 소실되는 시점까지 연소를 지속시킬 수 있는 현상을 연쇄반응이라 한다.

2. 연쇄반응의 적용
(1) 연소의 4요소

(2) 불꽃연소, 발염연소, 유염연소, 표면화재

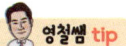

중간체(Free Radical)
H·(수소기), OH·(수산기)에 의해 연소를 촉진시킨다.

부촉매소화약제
부촉매(억제)소화약제에는 할론소화약제, 할로겐화합물소화약제, 분말소화약제, 강화액소화약제, 고체에어졸식 소화약제가 해당한다.

무염연소
연쇄반응으로 발생되는 라디칼을 흡착하여 없애는 부촉매소화효과가 없다.

문제로 완성하기

CHAPTER 2 연소 개론

01 연소현상에 대한 설명으로 가장 옳은 것은?
① 물질이 산소와 반응하여 산화한다.
② 물질이 탄산가스를 발생한다.
③ 물질이 빛과 열을 수반하면서 빠른 산화반응을 한다.
④ 물질이 빛을 내며 산화한다.

02 연소의 3요소에 해당하지 않는 것은?
① 가연물
② 점화원
③ 공기
④ 연쇄반응

03 가연성물질이 되기 쉬운 조건에 해당하지 않는 것은? 23. 소방간부
① 열전도도 값이 작아야 한다.
② 연쇄반응을 일으킬 수 있어야 한다.
③ 활성화 에너지가 크고 발열량이 작아야 한다.
④ 조연성 가스인 산소와의 결합력이 커야 한다.
⑤ 산소와 접촉할 수 있는 표면적이 커야 한다.

04 가연물이 될 수 없는 물질이 아닌 것은?
① 이미 산화반응이 완결된 산화물
② 열전도율이 작고 활성화 에너지가 작은 물질
③ 주기율표의 0족에 해당되는 원소
④ 산화 · 흡열반응 물질

05 다음 중 불연성 물질에 해당하지 않는 것은? 22. 소방간부
① He(헬륨)
② CO_2(이산화탄소)
③ P_2O_5(오산화인)
④ HCN(시안화수소)
⑤ SO_3(삼산화황)

06
열에너지원의 종류에서 화학열로 옳은 것만을 [보기]에서 있는 대로 고른 것은?

23. 소방간부

[보기]
- ㄱ. 분해열
- ㄴ. 연소열
- ㄷ. 압축열
- ㄹ. 산화열

① ㄹ 　② ㄱ, ㄴ 　③ ㄷ, ㄹ
④ ㄱ, ㄴ, ㄹ 　⑤ ㄱ, ㄴ, ㄷ, ㄹ

정답 및 해설

01 연소
연소란 화학반응 중에서 반응열이 극히 크고, 그 결과로서 발열과 발광을 수반하는 반응이라고 정의할 수 있고, 또한 이와 같은 반응은 산화반응이 대부분이므로 빛과 열의 발생을 수반하는 산화반응이라고 할 수도 있다.

02 연소의 3요소
- 가연물
- 산소공급원(공기, 산화제, 자기반응성 물질)
- 점화원

03 가연성물질이 되기 쉬운 조건
활성화 에너지는 작고 발열량은 커야 한다.

■ 가연성 물질이 되기 위한 조건(쉽게 발화하는 조건, 잘 타는 물질의 조건)
1. 산소와의 친화력이 클 것: 화학적 활성도(화학반응이 일어나기 쉽게 되어 있는 상태)가 클 것
2. 반응열(연소열) 클 것: 열량이 커야 좋은 가연물
3. (비)표면적이 클 것: 산소(공기)와 접촉하는 표면적이 클 것
4. 열전도율(열전전도)이 작을 것: 열의 축적이 용할 것
5. 활성화 에너지가 작을 것: 필요한 에너지가 적을 것
6. 연쇄반응을 일으킬 수 있을 것: 불꽃을 내면서 지속적으로 타는 반응
7. 건조도가 높을수록[수분율(함수율)이 작을수록]
∴ 즉, 열전도율, 활성화 에너지 작아야 하고, 나머지는 다 커야 한다.

04 가연물의 구비조건
열전도율이 작고 활성화 에너지가 작은 물질은 가연물의 구비조건이다.

05 불연성 물질
시안화수소는 독성이 있는 가연성물질이다.
① He(헬륨): 불활성기체
②③⑤ CO_2(이산화탄소), P_2O_5(오산화인), SO_3(삼산화황): 반응종결 물질

■ 불연성 물질
1. 주기율표의 0족 원소(불활성 기체, 비활성 기체)
   - 불활성 기체는 안정된 전자 배치를 갖고 있기 때문에 다른 원소와 화학반응을 일으키기 어려운 기체 원소를 말하며, 비활성 기체라고도 한다.
   - 헬륨(He), 네온(Ne), 아르곤(Ar), 크세논(Xe), 크립톤(Kr), 라돈(Rn) 등이 있다.
2. 반응종결 물질(포화산화물)
   - 완전연소에 의한 생성물질 중 더 이상 산소와 반응하지 않는 물질을 말한다.
   - 수증기(H_2O), 이산화탄소(CO_2), 오산화인(P_2O_5), 산화알루미늄(Al_2O_3), 삼산화황(SO_3), 삼산화크롬(CrO_3), 규조토(SiO_2) 등이 있다.
3. 산화·흡열반응 물질
   - 산화반응은 일어나지만 발열반응이 아닌 흡열반응을 하는 물질을 말한다.
   - 질소(N_2) 또는 질소 산화물(N_2O, NO, NO_2) 등이 있다.

$$N_2 + O_2 \rightarrow 2NO - 43.1 [Kcal]$$
↳ -Q 반응열(흡열반응)

4. 물질 자체가 연소하지 않는 물질
   물질 자체가 연소하지 않는 돌, 흙 등의 물질을 말한다.

06 열에너지원
ㄱ. 분해열 - 화학열 에너지
ㄴ. 연소열 - 화학열 에너지
ㄷ. 압축열 - 기계열 에너지
ㄹ. 산화열 - 화학열 에너지

■ 화학열 에너지(Chemical Heat Energy)
연소(산화)열, 자연발열, 분해열, 용해열, 생성열

정답 01 ③ 02 ④ 03 ③ 04 ② 05 ④ 06 ④

CHAPTER 3 연소의 과정과 특성

출제 POINT
- 01 인화점 정의 ★★☆
- 02 가연물의 인화점 ★☆☆
- 03 연소점 정의 ★★☆
- 04 발화점(착화점) 정의 ★★☆
- 05 발화점이 낮아지는 조건 ★★★
- 06 가연물의 발화점 ★★★
- 07 가연물의 연소범위 ★★★
- 08 연소범위 영향 요소 ★★★
- 09 가연물의 위험도 ★★☆
- 10 최소산소농도 ★★☆
- 11 최소발화에너지 영향 요소 ★★☆

1 발화의 정의 및 분류

1. 정의
가연물과 산소의 분자들이 활성화 에너지 상태에 도달하여 일어나는 반응의 결과를 말하며, 이때 반응단계를 연소의 초기 단계인 발화라고 한다.

2. 발화의 분류

(1) 유도발화
　① 정의: 불꽃 또는 전기 스파크와 같은 점화원과의 직접적인 접촉으로 가연성 증기와 공기의 혼합기체에서 불꽃연소가 일어나는 것을 말한다.
　② 온도: 인화점 및 연소점이다.

(2) 자동발화
　① 정의: 가연성 증기와 공기의 혼합기체가 고열 상태에 들어가게 되어 점화원이 존재하지 않더라도 자체의 고열로 인해 저절로 불꽃연소를 일으키는 것을 말한다.
　② 온도: 발화점(착화점)이다.

> **핵심정리** 발화의 분류
>
> 발화 ┬ 유도발화: 점화원과 직접 접촉함으로써 발화(인화점, 연소점)
> 　　└ 자연(자동)발화: 점화원과 직접 접촉하지 않고 가열공급으로 발화(발화점, 착화점)

영철쌤 tip
1. 인화점 = 인화온도
2. 연소점 = 연소온도
3. 발화점 = 발화온도

2 인화점 · 연소점 · 발화점

1. 인화점(Flash Point)

(1) 정의
　① 불꽃을 가까이 댔을 때 순간적으로 섬광(번쩍)을 내면서 연소하는, 즉 인화되는 최저의 온도를 말한다.
　② 물적조건과 에너지조건이 만나는 최저온도이다.
　③ 포화증기압과 연소하한계가 만나는 최저온도이다.
　④ 가연성 혼합기를 형성하는 최저온도이다.

영철쌤 tip
1. 물적조건(조성조건): 가연물, 산소공급원
2. 에너지조건: 점화원

(2) 액체가연물의 인화점(제4류 위험물인 인화성 액체의 인화점)

품명	액체가연물	인화점[℃]	품명	액체가연물	인화점[℃]
특수인화물	이소프렌	-54	제1석유류	벤젠	-11
특수인화물	디에틸에테르	-45	제1석유류	톨루엔	4
특수인화물	이황화탄소	-30	알코올류	메틸알코올	11
특수인화물	아세트알데히드	-38	알코올류	에틸알코올	13
특수인화물	산화프로필렌	-37	제2석유류	등유	40~70
제1석유류	아세톤	-18	제2석유류	경유	50~70
제1석유류	휘발유	-43~-20			

(3) 인화점의 특징
① 인화점은 가연성 혼합가스 점화원의 존재하에 연소하기 시작하는 최저온도이다.
② 인화점은 점화원을 제거했을 때도 혼합기체가 계속 타는 것이 아니라, 단지 그 순간에만 미세하게 번쩍거리는 모습이 점화원 부위에서 나타난다.
③ 인화점에서는 점화원을 제거하면 연소가 중단된다.
④ 가연성 액체의 연소와 관련된 온도는 발화점, 연소점, 인화점 순으로 높다.

2. 연소점(Fire Point)

(1) 인화점을 넘어서 가열을 계속하면 불꽃을 가까이 댔을 때 계속해서 연소하는 온도에 이른다. 이 온도를 연소점이라고 하며 인화점과 구별한다.
(2) 연소상태가 계속될 수 있는 온도를 말하며 일반적으로 인화점보다 5~10℃ 정도 높은 온도로서 연소상태가 5초 이상 유지될 수 있다. 이것은 가연성 증기의 발생속도가 연소속도보다 빠를 때 이루어진다.
(3) 한 번 발화된 후 연소를 지속시키기 위한 충분한 증기를 발생시킬 수 있는 최저온도이다.
(4) 가연성 증기의 발생속도가 연소속도보다 빠를 때 연소점이라고도 한다(증기발생속도 > 연소속도).
(5) 연쇄반응이 지속적으로 일어나는 최저온도이며, 자력에 의해 연소를 지속할 수 있는 온도이다.

3. 발화점(Ignition Point)

(1) 정의
① 외부의 직접적인 점화원의 접촉 없이 가연물 표면에 가열된 열의 축적에 의하여 발화되고 연소가 일어나는 최저온도이다.
② 가연물을 점화원의 접촉 없이 가열된 열만을 가지고 스스로 연소가 시작되는 최저온도를 말하며, 인화점보다 수백도씩 높은 온도이다.
③ 주로 고체 가연물에서 다룬다.

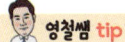
1. 인화성 액체일 경우 대기압이 높으면 인화점이 높아지고, 대기압이 낮으면 인화점이 낮아진다.
2. 인화점, 비점이 작고 증기압이 클수록 인화가 잘 된다.

인화점 측정법
1. 밀폐식 측정법
2. 개방식 측정법
개방식보다 밀폐식에서 증기-공기 혼합기체의 전압이 약간 크기 때문에 인화점을 측정하면 밀폐식의 인화점이 약간 낮다.

발화지연시간
1. 발화점(발화온도)에 도달한 후 불이 날 때까지(불이 붙을 때까지) 걸리는 시간을 말한다.
2. 발화점(발화온도)가 클수록 발화지연시간은 짧아진다. 즉, 발화온도와 발화지연시간은 반비례 관계를 갖는다.
예
1. 황린: 발화점 34℃ → 황린이 불이 붙는다. (발화지연시간)
2. 이황화탄소: 발화점 100℃ → 이황화탄소 불이 붙는다. (발화지연시간)
황린보다 발화점이 큰 이황화탄소가 불이 더 빨리 붙는다. 즉, 이황화탄소가 발화지연시간이 짧다.

인화점과 연소점의 차이는 외부점화원을 제거했을 경우 화염전파의 지속성 여부에 따라 구분된다.

온도관계(인화점 < 연소점 < 발화점)
인화점이 낮으면 반드시 발화점이 낮아지는 것은 아니다. 즉, 인화점과 발화점은 관계가 없다.

발화점이 낮아지는 조건

1. 발화점이 낮아지는 조건은 가연물의 구비조건과 비슷하다. 즉 열전도율, 활성화 에너지, 증기압력만 작고 나머지는 클 것이다.
2. 고체의 증기압력이 낮을수록 열축적이 용이하여 발화점이 낮아진다.

(2) 발화점이 낮아지는 조건(쉽게 불이 붙는 조건)
  ① 화학적 활성도가 클수록(산소의 농도 및 친화력)
  ② 반응계의 압력이 클수록, 고체인 경우 증기압력이 낮을수록
  ③ 활성화 에너지가 적을수록, 열전도율이 적을수록
  ④ 분자구조가 복잡할수록, 발열량이 클수록
  ⑤ 파라핀계 직쇄탄화수소계열의 **탄소수가 증가할수록, 분자량이 클수록 또는 탄소 쇄의 길이가 길수록**

CH_4: 메탄(메테인) C_2H_6: 에탄(에테인) C_3H_8: 프로판(프로페인) C_4H_{10}: 부탄(부테인) C_5H_{12}: 펜탄(펜테인)	탄소수	분자량	분자구조식	탄소 쇄 길이
	증가 할수록	클수록	복잡 할수록	길수록

(3) 발화점에 영향을 미치는 요소
  ① 가연성 가스와 공기와의 혼합비(당량비)
  ② 발화공간의 크기와 형태
  ③ 가열속도와 지속시간(지속시간이 길면 낮은 온도에서 발화)
  ④ 점화원의 종류 및 에너지 투여방법
  ⑤ 발화원의 재질과 가열방식(용기벽의 재질)
  ⑥ 촉매효과의 유무
  ⑦ 발화지연시간

탄소수 증가

발화점, 연소속도, 연소범위, 연소하한계, 증기압은 작고, 나머지는 클 것이다.

(4) 일반적으로 직쇄탄화수소계열에서 탄소수가 증가할수록 나타나는 현상
  ① 분자량이 증가하며, 분자구조는 복잡해진다.
  ② 직쇄탄화수소의 길이가 길어진다.
  ③ 단위발열량이 커진다.
  ④ 비점이 높아진다.
  ⑤ **인화점이 높아진다.**
  ⑥ **발화점이 낮아진다.**
  ⑦ 연소속도는 감소한다.
  ⑧ 증기압이 감소한다.
  ⑨ 연소범위가 좁아진다(연소상한이 좁아진다).
  ⑩ 연소하한계는 낮다.

> **참고** 탄소수가 증가하는 경우
> 1. 직쇄탄화수소계열에서 탄소수가 증가할수록 인화점은 높아지고, 발화점은 낮아진다.
>
> | 메타 | 에타 | 프로파 | 부타 | 펜타 | 헥사 | 헵타 | 옥타 | 노나 | 데카 |
> |---|---|---|---|---|---|---|---|---|---|
> | 1 | 2 | 3 | 4 | 5 | 6 | 7 | 8 | 9 | 10 |

탄소수	화학식	대한화학회 명명법	옛 이름	밀도(20℃)
1	CH_4	메테인	메탄	기체
2	C_2H_6	에테인	에탄	기체
3	C_3H_8	프로페인	프로판	기체
4	C_4H_{10}	부테인	부탄	기체
5	C_5H_{12}	펜테인	펜탄	액체
6	C_6H_{14}	헥세인	헥산	액체
7	C_7H_{16}	헵테인	헵탄	액체
8	C_8H_{18}	옥테인	옥탄	액체
9	C_9H_{20}	노네인	노난	액체
10	$C_{10}H_{22}$	데케인	데칸	액체
11	$C_{11}H_{24}$	운데케인	운데칸	액체
12	$C_{12}H_{26}$	도데케인	도데칸	액체
20	$C_{20}H_{42}$	이코세인	이코산	고체
30	$C_{30}H_{62}$	트리아콘테인	트리아콘탄	고체
40	$C_{40}H_{82}$	테트라콘테인	테트라콘탄	고체
50	$C_{50}H_{102}$	펜타콘테인	펜타콘탄	고체

2. 탄소수가 증가할수록 기체 → 액체 → 고체이다.
   ① 기체가 더 불이 잘 붙기 때문에 탄소수가 증가할수록 인화점이 높다.
   ② 고체가 잘 끓지 않기 때문에 비점이 높다.

(5) 가연물의 발화점

① 가연성 고체의 발화점(착화점)

가연성 고체	발화점[℃]	가연성 고체	발화점[℃]
황린(P_4)	34	유황(S)	232
삼황화린(P_4S_3)	100	셀룰로이드류	165
오황화린(P_2S_5)	142	니트로셀룰로오스	160~170
적린(P)	260	니트로글리세린	205~215

② 가연성 액체의 발화점(착화점)

인화성 액체	발화점[℃]	인화성 액체	발화점[℃]
디에틸에테르	180	벤젠	498
이황화탄소	100	톨루엔	480
아세트알데히드	175	메틸알코올	464
산화프로필렌	465	에틸알코올	363
아세톤	468	등유	210
휘발유	300	경유	257

영철쌤 tip

발화점은 일반적으로 고체에서 논한다. 액체, 기체는 발화점이 높기 때문에 잘 논하지 않는다.
일반적으로 전도와 발화점은 고체에서 논한다.

③ 가연성 기체의 발화점(착화점)

가연성 기체	발화점[°C]	가연성 기체	발화점[°C]
아세틸렌	406~440	메탄	650~750
수소	580~590	에탄	520~630
일산화탄소	641~658	프로판	460~520
에틸렌	450~547	부탄	430~510

> **핵심정리** 인화점·연소점·발화점
>
> 1. 정의
>   ① 인화점: 점화원에 의하여 불꽃이 일어날 수 있는 최저온도이다.
>   ② 연소점: 점화원에 의해 지속적으로 불이 붙는 최저온도이다.
>   ③ 발화점: 외부의 직접적인 점화원의 접촉 없이 가연물 표면에 가열된 열의 축적에 의하여 발화되고 연소가 일어나는 최저온도이다.
> 2. 특징
>   ① 일반적으로 인화점이 낮으면 발화점도 낮지만, 반드시 발화점이 낮아지는 것은 아니다. 그러므로 인화점과 발화점은 관계가 없다고 표현하기도 한다.
>   ② 발화점(착화점)이 가장 낮은 물질은 황린이다.
>   ③ 온도가 낮은 순서: 인화점 < 연소점 < 발화점. 즉, 온도는 발화점, 연소점, 인화점 순으로 높다.

영철쌤 tip

하부인화점
물질적조건(가연물+산소)과 에너지조건(점화원)이 만나는 최저온도이다. 또한 가연성 혼합기를 형성하는 최저온도이다.

화학양론농도[Cst]
화학양론농도는 화학양론조성비라고도 한다. 상온 및 상압에서 가연성가스가 완전 연소되기 위한 연료와 증기의 농도비율을 말한다. 즉, 물질의 반응이 가장 잘 일어나는 완전 연소의 혼합비를 말한다.
· 화학양론조성비[Cst]
$= \dfrac{연료몰수}{연료몰수+공기몰수} \times 100$
· 화학양론조성비[Cst]
$= \dfrac{연료몰수}{연료몰수+(산소몰수 \div 0.21)} \times 100$

최고연소속도농도
화학양론조성비[Cst]보다 연료가 약간 많은 경우에 연소속도가 최고가 된다.

3 연소범위(연소한계, 폭발범위, 폭발한계, 가연범위, 가연한계)

1. 정의

공기 중 연소에 필요한 혼합가스의 농도를 말하며 농도가 낮은 쪽을 연소하한계, 높은 쪽을 연소상한계라 하고, 그 사이를 연소범위라고 한다.

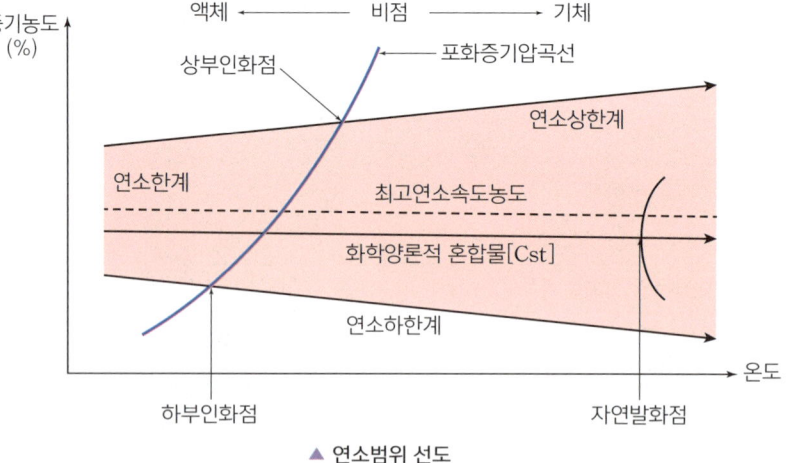

▲ 연소범위 선도

(1) 연소하한계(LFL; Lower Flammability Limit)
공기 중의 산소농도에 비해 가연성기체가 적다.

(2) 연소상한계(UFL; Upper Flammability Limit)
공기 중의 산소농도에 비해 가연성기체가 많다.

(3) 연소범위
연소하한계와 연소상한계 사이의 범위를 말한다.

2. 가연물의 연소범위(폭발범위)

실험 시 조건은 밀폐공간에서 공기(산소 21%) 중 상온·상압(25℃·1atm)에서 측정한다.

가연물질명	하한계	상한계	위험도	가연물질명	하한계	상한계	위험도
아세틸렌	2.5	81	31.4	에틸렌	2.7	36	12.3
산화에틸렌	3	80	25.67	펜탄	1.4	7.8	4.57
수소	4	75	17.75	헥산	1.2	7.4	5.16
일산화탄소	12.5	74	4.92	(디에틸)에테르	1.9	48	24.26
암모니아	15	28	0.87	이황화탄소	1.2	44	35.7
시안화수소	6	41	5.83	아세트알데히드	4.1	57	12.9
황화수소	4.3	45	9.46	가솔린	1.4	7.6	4.43
메탄	5	15	2	아세톤	3	13	3.33
에탄	3	12.5	3.17	벤젠	1.4	7.1	4.07
프로판	2.1	9.5	3.52	톨루엔	1.4	6.7	3.79
부탄	1.8	8.4	3.67	등유	1.1	6.0	4.45

3. 연소범위에 영향을 미치는 요소

(1) 온도
온도가 올라가면 분자의 운동이 활발해지고 분자간 유효 충돌 가능성이 커지기 때문에 연소하한계는 낮아지고 연소상한계는 증가하여 연소범위는 넓어진다. 실험에 의하면 온도가 100℃ 증가할 때 연소하한계는 대략 8% 정도 감소하고, 연소상한계는 약 8% 증가한다. 즉, **하한이 낮아지고 상한이 증가하여 전체적으로 넓어진다.**

(2) 압력
① 압력은 연소하한에 약간의 영향만 미친다. 하한계는 근본적으로 압력이 약 5kPa(즉, 그 압력 이하에서는 화염이 전파되지 않는다)까지 낮아지면 일정하게 된다. 즉, 압력이 높아지면 분자간의 평균거리가 축소되어 분자간의 충돌 에너지가 커지고, 화염의 전달이 용이하여 **연소상한계는 증가**한다.

② 예외로서 **일산화탄소는 압력이 높아지면 역으로 연소상한계가 좁아진다. 수소는 압력이 높아지면** 일시적으로 연소범위가 좁아지다가 압력이 10기압 이상이면 연소범위가 약간 넓어진다.

상압(대기압)
지구 표면의 단위 면적 위에 덮인 공기층의 무게 때문에 생기는 대기의 압력으로, 1기압(1atm)은 760mmHg이다.

연소범위와 무염착화
연소범위 안에서는 무염착화 될 수 없다.

연소범위와 위험도
1. 연소범위 1등은 아세틸렌이다.
2. 위험도 1등은 이황화탄소이다.
3. 연소범위: 메탄 > 에탄 > 프로판 > 부탄
4. 위험도: 부탄 > 프로판 > 에탄 > 메탄
5. 연소범위: 아세틸렌 > 산화에틸렌 > 수소 > 일산화탄소 > 에테르 > 이황화탄소 > 황화수소 > 시안화수소 > 암모니아
6. 위험도: 이황화탄소 > 아세틸렌 > 산화에틸렌 > (디에틸)에테르 > 수소

아레니우스(Arrhenius)의 법칙
일반적으로 화학반응은 온도가 10℃ 상승하면 반응속도가 2배로 증가되고 폭발범위도 온도 상승에 따라 확대된다.

온도와 연소범위
1. 온도가 높을 때: 열의 발열속도 > 방열속도가 되므로 연소범위가 넓어진다.
2. 온도가 낮을 때: 열의 발열속도 < 방열속도가 되므로 연소범위가 좁아진다.

발열속도와 방열속도
1. 발열속도: 열을 발생하는 속도를 말한다.
2. 방열(방산)속도: 열을 외부로 방출(확산)하는 속도를 말한다.

(3) 산소

연소하한계에서는 연소를 위한 공기 중의 산소의 양이 과잉이기 때문에 산소가 추가로 공급되어도 연소하한은 거의 변화가 없다. 반대로 연소상한계에서는 연소상한으로 갈수록 연료에 비해 산소가 부족하기 때문에 산소를 공급하면 **연소상한이 크게 증가**한다. 즉, 공기 중 산소보다 순수 산소 중에서 연소범위는 넓어진다.

(4) 불활성 가스

불활성 가스(연소가 안 되는 가스)의 농도에 비례하여 **연소범위는 좁아진다.**

(5) 화염전파방향

화염전파방향을 상향전파로 할 경우에 연소범위가 가장 넓어진다.

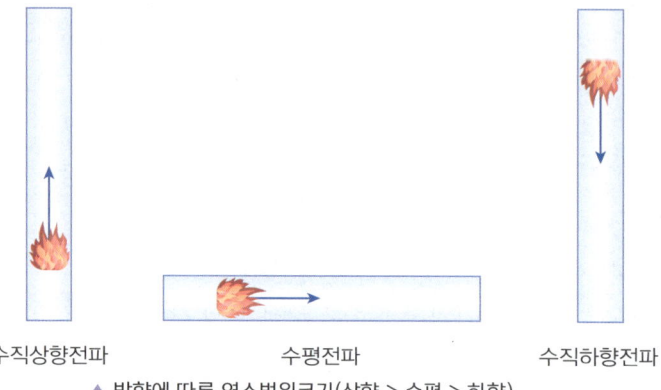

▲ 방향에 따른 연소범위크기(상향 > 수평 > 하향)

영철쌤 tip

1. 가연성 가스 압력에 비례하여 연소범위가 넓어진다.
2. 일산화탄소 가스 압력에 반비례하여 연소범위가 좁아진다.
3. 가연성 가스 농도에 비례하여 연소범위가 넓어진다.
4. 불활성 가스 농도에 비례하여 연소범위가 좁아진다.

4. 단일물 연소범위 구하는 식[존스(Jones)의 식]

(1) 연소하한계 = $0.55 \times \text{Cst}$

(2) 연소상한계 = $3.5 \times \text{Cst}$

(3) 화학양론조성비[Cst] = $\dfrac{\text{연료몰수}}{\text{연료몰수} + \text{공기몰수}} \times 100$

(4) 화학양론조성비[Cst] = $\dfrac{\text{연료몰수}}{\text{연료몰수} + (\text{산소몰수} \div 0.21)} \times 100$

(5) 최고연소속도농도: 화학양론조성비(Cst)보다 연료가 약간 많은 경우에 연소속도가 최고가 된다.

5. 혼합물에 대한 연소범위를 구하는 식[르샤트리에(Le Chatelier)의 법칙]

여러 가지 가연성 가스가 혼합되어 있는 혼합물의 연소범위는 이들을 구성하고 있는 각 단독성분가스의 연소범위를 이용하여 르샤트리에(Le Chatelier)의 법칙에 의해 근사적으로 계산하여 구할 수 있다.

$$\text{LFL} = \dfrac{100}{\dfrac{V_1}{L_1} + \dfrac{V_2}{L_2} + \dfrac{V_3}{L_3} \cdots \dfrac{V_n}{L_n}}$$

여기서, $V_1 + V_2 + V_3 + \cdots\cdots V_n$ …… 각 단독성분의 혼합가스 중의 부피(V%)
$L_1 + L_2 + L_3 + \cdots\cdots L_n$ …… 각 단독성분의 연소하한계(V%)

예제

혼합가스가 존재할 경우 이 가스의 연소범위를 계산하면? (단, 혼합가스는 프로판 60%, 부탄 20%, 메탄 20%로 혼합되었으며 각 가스의 연소범위는 프로판 2.1~9.5, 부탄 1.8~8.4 메탄 5~15로 한다)

① 1.27~2.27　　　② 22.7~40
③ 2.29~9.97　　　④ 2.47~15

해설

$$LFL = \frac{100}{\frac{V_1}{L_1} + \frac{V_2}{L_2} + \frac{V_3}{L_3} \cdots \frac{V_n}{L_n}} = \frac{100}{\frac{60}{2.1(9.5)} + \frac{20}{1.8(8.4)} + \frac{20}{5(15)}} = 2.29 \sim 9.97$$

정답 ③

6. 위험도(Degree of Hazards)

가연성 가스의 위험도란 연소범위를 연소하한계로 나눈 값을 말하며 위험도의 값이 클수록 위험성은 증가한다.

$$위험도 = \frac{연소상한계 - 연소하한계}{연소하한계} = \frac{연소범위}{연소하한계}$$

(1) 가연성 기체의 위험도는 **연소범위를 기준**으로 한다.

(2) 인화성 액체의 위험도는 일반적으로 **인화점을 기준**으로 한다.

핵심정리 위험도

1. 아세틸렌과 이황화탄소의 연소범위 및 위험도 비교
   ① 아세틸렌(C_2H_2)
   · 연소범위: 2.5~81
   · 위험도: 31.4

   $$위험도 = \frac{연소상한계 - 연소하한계}{연소하한계} = \frac{81 - 2.5}{2.5} = 31.4$$

   ② 이황화탄소(CS_2)
   · 연소범위: 1.2~44
   · 위험도: 35.7

   $$위험도 = \frac{연소상한계 - 연소하한계}{연소하한계} = \frac{44 - 1.2}{1.2} = 35.7$$

   ③ 따라서 연소범위 1등은 아세틸렌, 위험도 1등은 이황화탄소이다.

2. 연소범위와 위험도 비교
   ① **연소범위**: 메탄 > 에탄 > 프로판 > 부탄
   ② **위험도**: 메탄 < 에탄 < 프로판 < 부탄
   ③ 연소범위가 넓을수록 일반적으로 위험도가 높지만 반드시 위험도가 높은 것은 아니다.

영철쌤 tip

아세틸렌과 이황화탄소의 연소범위 및 위험도 비교

물질	연소범위	위험도	비교
아세틸렌	2.5~81	31.4	연소범위 1등
이황화탄소	1.2~44	35.7	위험도 1등

위험도는 이황화탄소 > 아세틸렌 > 산화에틸렌 > (디에틸)에테르 > 수소 순이다.

7. 위험도가 커지는 조건

(1) 연소범위의 하한값이 **낮을수록** 위험도는 증가한다.

(2) 연소범위의 상한값이 **높을수록** 위험도는 증가한다.

(3) 연소범위의 하한값과 상한값의 차이가 **클수록** 위험도는 증가한다.

> **핵심정리** 위험도가 커지는 조건
>
> 1. 연소범위가 넓을수록 일반적으로 위험도가 높다.
> 2. 연소범위가 넓을수록 반드시 위험도가 높다는 것은 아니다(이황화탄소 등 때문에).

8. 물질의 성질에 따른 위험도

(1) 융점(Melting Point)

대기압하에서 고체가 용융하여 액체가 되는 온도를 **융점**이라고 한다. 융점이 낮은 경우는 액체로 변화하기가 용이하고 화재 발생 시에는 연소구역의 확산이 용이하기 때문에 위험도가 증가한다.

(2) 점성(Viscosity)

① 점성이란 유체가 유동할 때 유체 자체 내에 가지는 저항을 말한다. 모든 유체는 점성을 가지고 있다. 유체의 점성은 온도변화에 따라서 변화하는데 액체의 경우는 온도가 높아지면 점성은 낮아지고, 기체의 경우는 반대로 온도가 높아지면 점성도 커지는 경향이 있다.

② 액체의 경우 온도 상승에 따라 점성이 작아져서 유동하기 쉽게 되므로 위험도가 증가하고, 기체의 경우는 점성의 변화와 위험도와는 별로 관계가 없다.

(3) 비점(Boiling Point)

① 액체의 비점이 낮은 경우는 액체가 공기 중에 쉽게 증발하여 폭발성 혼합증기의 형성이 용이하게 되므로 위험성이 커진다.

② 일반적으로 비점이 낮은 경우 인화점도 낮아지는 경향이 있다.

> **핵심정리** 물질의 위험도가 커지는 조건
>
> 1. 온도, 열량, 연소열, 증기압력, 연소(폭발·가연)범위, 화학적 활성도(화학반응속도), 화염전파속도가 클수록 위험도가 증가한다.
> 2. 인화점, 연소점, 발(착)화점, 점성❶, 비중, 비점❷, 융점❸, 열전도율, 활성화 에너지(최소발화 에너지), 비열, 증발잠열(기화열), 융해잠열, 표면장력❹이 작을수록 위험도가 증가한다.

용어사전

❶ 점성(점도): 끈적임의 정도를 말한다.
❷ 비점: 끓는점을 말한다.
❸ 융점: 고체에서 액체로 녹는점을 말한다.
❹ 표면장력: 서로 뭉치는 힘을 말한다.

영철쌤 tip

1. 비표면적: 고체 < 액체 < 기체
2. 점도: 고체 > 액체 > 기체
3. 밀도: 고체 > 액체 > 기체

4. 최소산소농도(MOC), 임계산소농도, 한계산소농도

1. 정의
화염을 전파하기 위하여 요구되는 최소한의 산소농도로서 공기와 가연성 혼합기체에 대한 산소농도(%)를 최소산소농도(MOC; Minimum Oxygen for Concentration) 라고 하며, 한계 산소량이라고도 한다.

2. 최소산소농도의 활용
일반적으로 화재 및 가스폭발을 방지하기 위해 이산화탄소(CO_2), 수증기(H_2O), 질소(N_2) 등을 주입하여 가스농도와 무관하게 산소농도를 최소산소농도 이하로 낮추어 연소범위를 소멸시키면, 즉 **불활성화를 하면 폭발을 방지**할 수 있다.

3. 각 연료의 최소산소농도 계산방법

> 최소산소농도(MOC) = 산소의 양론계수 $\left(\dfrac{\text{산소몰수}}{\text{연소가스의 몰수}}\right)$ × 연소하한계(폭발하한계)
>
> - 프로판가스의 산소몰수: $C_3H_8 + 5O_2 \rightarrow 3CO_2 + 4H_2O$
> - 프로판가스의 연소범위: 2.1 ~ 9.5%
> - 프로판가스의 최소산소농도(MOC) = 5 × 2.1 = 10.5%
> - 부탄가스의 산소몰수: $C_4H_{10} + 6.5O_2 \rightarrow 4CO_2 + 5H_2O$
> - 부탄가스의 연소범위: 1.8 ~ 8.4%
> - 부탄가스의 최소산소농도(MOC) = 6.5 × 1.8 = 11.7%

4. 물질의 양을 표시하는 몰(mol) 계산방법

(1) 물질의 양을 표시하는 몰(mol)은 부피 등과 같은 물질의 양을 나타내는 단위이다. 1몰(mol)은 기본적으로 원자, 분자, 이온 등과 같은 입자의 수 약 6.02×10^{23}개를 묶은 단위다.

> 몰(mol) = $\dfrac{\text{입자수}}{6.02 \times 10^{23}[\text{개}]}$ = $\dfrac{\text{질량}}{\text{분자량}}$ = $\dfrac{\text{부피}}{22.4[L]}$

(2) 여기서, 표준상태(0℃ 1기압)일 때 기체 1몰(mol)의 부피는 22.4L이다.

 **영철쌤 tip**

최소산소농도(MOC)와 한계산소지수(LOI)

1. 최소산소농도(MOC)와 한계산소지수(LOI)는 의미는 비슷하나 약간의 차이가 있다. 쉽게 말하자면 기체면 최소산소농도, 고체면 한계산소지수로 구분하면 편리하다.
2. 한계산소지수(LOI)는
 $\dfrac{\text{산소체적}}{\text{산소체적} + \text{불활성가스체적}} \times 100$ 이다.
 만약, 한계산소지수 값이 38%이면, 즉 산소가 38% 이상일 때 연소가 가능하다는 의미이다.
3. 최소산소농도, 한계산소지수 값이 작을수록 위험하다.

 **영철쌤 tip**

연소하한계를 이용한 불활성화 방법

1. 최소산소농도[MOC] = 산소의 양론계수 × 연소하한계
2. Burgess-Wheeler식 = 연소하한계 × 연소열 = 1050
3. Burgess-Wheeler 법칙이란 직쇄탄화수소계열에서 폭발하한계의 농도[vol%]와 그의 연소열[kcal/mol]의 곱은 일정하게 된다는 법칙이다.
 예 메테인의 연소열[kcal/mol]은?
 → 연소하한계×연소열 = 1050,
 연소열 = 1050 / 5 = 210

예제

이산화탄소(CO_2)의 질량이 44g일 때 몇 몰(mol)인가? [단, 탄소(C)의 원자량은 12, 산소(O)의 원자량은 16이다]

① 1　　　　　　　　　　② 2
③ 3　　　　　　　　　　④ 4

해설

· 몰(mol) = $\dfrac{질량}{분자량}$ = $\dfrac{44}{44}$ = 1mol

· 분자량: 원자량×개수이므로 44이다.
　탄소(C) → 12×1 = 12
　산소(O_2) → 16×2 = 32
　∴ 12 + 32 = 44

정답 ①

영철쌤 tip

1. 물질별 산소몰수가 1.5 증가한다.
2. 산소몰수가 증가하여도 최소산소농도 값은 변하지 않는다.

핵심정리 물질별 산소몰수 · 연소범위 · 최소산소농도(MOC)

물질	산소몰수	연소범위	최소산소농도(MOC)
CH_4(메테인, 메탄)	$2O_2$	5 ~ 15	10%
C_2H_6(에테인, 에탄)	$3.5O_2$	3 ~ 12.5	10.5%
C_3H_8(프로페인, 프로판)	$5O_2$	2.1 ~ 9.5	10.5%
C_4H_{10}(부테인, 부탄)	$6.5O_2$	1.8 ~ 8.4	11.7%

5. 퍼지(Purge)

미연소 가스가 용기나 노 등의 장소에 있으면 점화를 했을 경우 폭발할 염려가 있으므로 점화되기 전에 미연소 가스를 배출하기 위하여 환기를 시키는 것을 말한다.

6. 불활성화 퍼지(Purge)방법의 종류

(1) 진공❶퍼지(Vacuum Purging)

용기를 진공으로 퍼지한 다음 불활성 가스를 주입하여 대기압 상태로 만들고 원하는 산소농도가 될 때까지 반복하여 퍼지하는 방법이다.

용어사전

❶ 진공: 물질이 없는 비어 있는 공간, 즉 공기가 없는 빈 공간을 말한다.

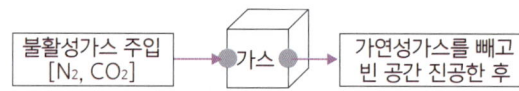

(2) 압력퍼지(Pressure Purging)

용기 내부에 압력을 가해 불연성 가스를 주입한 후 배출 과정을 반복하여 산소농도를 낮추는 방법이다.

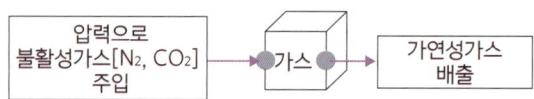

(3) 스위프퍼지(Sweep Through Purging)
용기가 약하여 진공퍼지, 압력퍼지를 할 수 없을 경우 한쪽에서 불연성 가스를 주입하고 반대쪽에서 배출하는 방법이다.

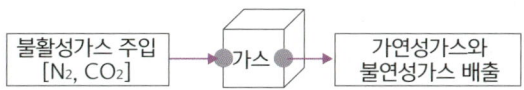

(4) 사이폰퍼지(Siphon Purging)
스위프퍼지는 많은 양의 불활성 가스를 필요로 하므로 큰 저장용기의 경우 경비가 많이 소요되어 경비를 최소화할 때 사용하는 방법이다. 즉, 용기에 물을 채운 후 물을 배수하면서 불활성 가스를 주입한다.

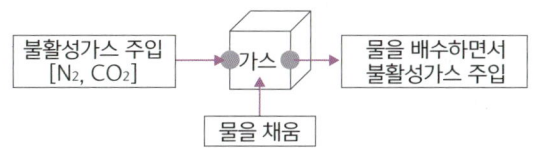

영철쌤 tip

1. 불활성 가스량: 사이폰퍼지 < 진공퍼지 < 압력퍼지 < 스위프퍼지
   *즉, 불활성 가스량이 가장 많이 필요한 것은 스위프퍼지이다.
2. 퍼지 시간: 스위프퍼지 < 압력퍼지 < 진공퍼지 < 사이폰퍼지
3. 큰 저장용기에 적합한 것은 스위프퍼지와 사이폰퍼지이다.

5 최소발화에너지(MIE)

1. 정의
최소발화에너지(MIE; Minimum Ignition Energy)는 가연성 가스 및 공기와의 혼합가스에 착화원으로, 점화 시에 발화하기 위하여 필요한 최저 에너지를 말한다.

2. 최소발화에너지(MIE)에 영향을 주는 요소
(1) 최소발화에너지(MIE)는 물질의 종류, 혼합기의 온도, 압력, 농도(혼합비) 등에 따라 변화한다. 또한 공기 중에 산소가 많은 경우 또는 가압하에서는 일반적으로 작은 값이 된다.
  ① **온도(발열량)가 상승**하면 분자운동이 활발하므로 **최소발화에너지(MIE)는 작아진다.**
  ② **압력(산소분압)이 상승**하면 분자 간의 거리가 가까워지므로 **최소발화에너지(MIE)는 작아진다.**
  ③ **농도가 증가**하면 분자 간의 유효 충돌 횟수가 증가하므로 **최소발화에너지(MIE)는 작아진다.**
  ④ **열전도율이 낮아지면** 열축적이 용이하여 **최소발화에너지(MIE)는 작아진다.**

(2) 가연성 가스의 조성이 화학양론적 조성(완전연소 조성) 부근일 경우 **최소발화에너지(MIE)는 최저**가 된다. 이것보다 상한계나 하한계로 향함에 따라 **최소발화에너지(MIE)는 증가**한다.

영철쌤 tip

최소발화에너지가 작아지는 요소
온도, 압력, 농도, 연소속도가 클 때 또는 완전연소가 해당한다.

소염현상과 소염거리
1. 소염현상: 화염이 소멸되는 현상을 말한다.
2. 소염거리: 두 개의 평행판 사이에서 연소가 일어나는 경우 평행판 사이의 간격이 어느 크기 이하로 좁아지면 화염이 더 이상 전파되지 않는 거리의 한계치를 말한다. 즉, 전극 평행판 사이의 간격이 좁은 경우 아무리 큰 전기에너지를 가하여도 점화되지 않는 최대간격을 말한다.

산소분압
산소의 압력

> **영철쌤 tip**
>
> **난류**
> 난류가 되면 입자운동이 층류보다 활발하기 때문에 열전달이 빠르게 일어난다. 또한 열손실이 크기 때문에 최소발화에너지(MIE)는 증가한다.

(3) 일반적으로 **연소속도**가 클수록 **최소발화에너지(MIE)는 작아진다**.

(4) 동일 유속 시 **난류의 강도**가 커지면 **최소발화에너지(MIE)는 증가한다**.

3. 최소 착화압력

매우 압력이 낮아서 어느 정도 착화원에 의해 점화하여도 점화할 수 없는 한계를 말한다.

> **참고** **최소발화에너지**
>
> 1. 최소발화에너지는 정전용량에 비례하고 전압자승(제곱)에 비례한다.
>
> $$W = \frac{1}{2}CV^2$$
>
> 여기서, W: 최소발화에너지[J]
>   C: 정전용량(콘덴서용량)[F]
>   V: 전압[V]
>
> 2. 최소발화에너지는 소염거리의 제곱에 비례하고 연소속도에 반비례하며 화염온도와 미연소가스 온도차에 비례한다.
>
> $$H = l^2 \lambda \frac{T_f - T_u}{V}$$
>
> 여기서, H: 최소발화에너지[kcal]
> l: 소염거리[m]
> λ: 화염평균열전달율[kcal/ms℃]
> T_f: 화염온도[℃]
> T_u: 미연소가스온도[℃]
>   V: 연소속도[m/s]

6 연소속도

1. 정의
(1) 연소 시 화염이 미연소 혼합가스에 대하여 **수직으로 이동하는 속도**, 즉 단위시간에 단위면적당 연소하는 혼합가스량을 말하며, 이는 가스의 성분, 공기와의 혼합비율, 혼합가스의 온도 및 압력 등에 따라 달라진다.
(2) 가연물과 산소와의 반응속도를 말한다.
(3) 분자 간의 충돌속도를 말한다.
(4) 단위시간당 가연물이 타는 속도를 말한다.

2. 연소속도 및 화재속도의 비교
(1) 연소속도
연소 시 화염이 미연소 혼합가스에 대하여 수직으로 이동하는 속도를 말한다.

> 연소속도 = 화염속도 − 미연소 가스의 이동속도(불이 붙지 않은 가스)

(2) 화염속도
가연물이 불꽃을 발생시켜 그 주변으로 화염이 확대될 때 이동하는 속도를 말한다. 즉, 실제로 화염이 확산되는 속도로서 화염속도가 가속되면 폭굉이 일어날 수 있다.

> 화염속도 = 연소속도 + 미연소 가스의 이동속도(불이 붙지 않은 가스)

화염속도는 미연소가스의 유속에 따라 달라지며 물질의 고유한 값이 아니다.

> **핵심정리 연소속도**
> 1. 연소 시 화염이 미연소 혼합가스에 대하여 수직으로 이동하는 속도
> 2. 가연물(연료)과 산소가 만나는 반응속도
> 3. 불이 붙는 속도
> 4. 가연물이 타들어 가는 속도
> 5. 화염속도 − 미연소 가스의 이동속도(불이 붙지 않은 가스)
>   [화염속도 = 연소속도 + 미연소 가스의 이동속도(불이 붙지 않은 가스)]

3. 연소속도에 영향을 미치는 요소
(1) 온도
온도가 높아지면 기체의 분자운동 및 반응이 활발해져 연소속도는 증가한다.

(2) 압력
압력이 높아지면 분자 간의 간격이 좁아져 유효 충돌이 증가되어 연소한계가 커지므로 연소속도는 증가한다.

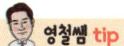

연소속도
1. 미연소가스의 열전도율이 크면 연소속도가 크다.
2. 미연소가스의 밀도가 작으면 연소속도가 크다.
3. 미연소가스의 비열이 작으면 연소속도가 크다.
4. 미연소가스의 화염온도가 높으면 연소속도가 크다.

화염의 종류
1. 층류: 규칙적인 흐름, 즉 규칙적인 화염이다. 연료 노즐에서 흐름이 층류인 경우, 확산연소에서 화염의 높이는 분출속도에 비례한다.
2. 난류: 불규칙적인 흐름, 즉 불규칙적인 화염이다. 연료 노즐에서 흐름이 난류인 경우, 확산연소에서 화염의 높이는 분출속도와 관계없이 일정하다.

연소속도에 영향을 미치는 요소에는 비중량[kg/m^3]은 해당사항 없다.

용어사전

❶ **당량비**: 연료와 공기 또는 산소가 완전히 연소할 경우의 연료와 공기 또는 산소의 비(화학양론적 조성)로, 실제의 연소 상태에 있어서의 연료와 공기 또는 산소의 공급량의 비를 나눈 값을 말한다. 이것이 1보다 클 경우에는 연료과농(산소 부족)이며, 1보다 작을 경우에는 연료희박(산소 과잉)이다. 연소 상태를 나타내기도 하며, 당량비는 공기과잉률의 역수이다.

당량비 = 1	완전연소(화학양론적 조성)
당량비 > 1	산소 부족
당량비 < 1	연료 부족

참고
공기 중 산소농도가 증가하면 나타나는 현상
1. 연소속도가 증가한다.
2. 화염의 온도가 높아진다.
3. 연소범위가 넓어진다.
4. 화염의 길이가 길어진다.
5. 발화(착화)온도❶는 낮아진다(산소가 증가하면 불이 잘 붙기 때문에 낮은 온도에서는 불이 붙는다).
6. 점화에너지(활성화 에너지)는 작아진다.

용어사전

❶ **발화(착화)온도**: 불이 붙는 온도를 말한다.

---

(3) 혼합물 조성(가연성물질과 산화제의 당량비❶)

화학양론혼합 조성(완전연소)에서 연소속도는 최고가 되며, 혼합물이 연소한계에 가까워질수록 연소속도는 감소한다.

(4) 난류

난류에 의해 주름 잡힌 화염은 더 많은 표면적과 에너지를 갖게 되어 연소속도는 증가한다.

(5) 가연물의 종류

휘발유(가솔린)는 목재보다 발열량이 크기 때문에 휘발유(가솔린)가 목재보다 연소속도가 증가한다.

(6) 공기 중의 산소량

공기 중의 산소량이 많을수록 연소속도가 증가한다.

(7) 촉매의 존재 유무와 농도

촉매의 유무 및 농도에 따라 연소속도를 빠르게 또는 느리게 한다.

(8) 미연소 가스의 밀도·비열 및 열전도율

미연소 가스의 밀도·비열 및 열전도율에 따라 연소속도를 빠르게 또는 느리게 한다.

(9) 억제제(불활성 가스) 첨가

질소, 수증기, 이산화탄소 등의 억제제(불활성 가스)가 혼합기 속에 첨가되면 산소농도가 낮아져 연소속도는 감소한다.

문제로 완성하기

CHAPTER 3 연소의 과정과 특성

01 가연성 액체의 인화점에 대한 설명으로 옳은 것은?
① 증기가 연소범위의 하한계에 이르러 점화되는 최저온도를 말한다.
② 증기가 발생하기 시작하는 최저온도를 말한다.
③ 물질 자체의 열만으로 착화하는 최저온도를 말한다.
④ 발생한 화염이 지속적으로 연소하는 최저온도를 말한다.

02 다음 폭발범위 중 폭발의 하한계에 해당하는 최저온도는?
① 인화점
② 연소점
③ 착화점
④ 발화점

03 가연물의 발화온도와 발화에너지에 관한 설명으로 옳은 것은?   24. 공채·경채
① 점화원에 의해서 가연물이 발화하기 시작하는 최저 온도를 발화점(Ignition point)이라고 한다.
② 점화원을 제거해도 자력으로 연소를 지속할 수 있는 최저 온도를 연소점(Fire point)이라고 한다.
③ 가연물의 최소발화에너지가 클수록 더 위험하다.
④ 가연물의 연소점은 발화점보다 높다.

정답 및 해설

01 인화점
기체 또는 휘발성 액체에서 발생하는 증기가 공기와 섞여서 가연성 또는 폭발성 혼합기체를 형성하고, 여기에 불꽃을 가까이 댔을 때 순간적으로 섬광을 내면서 연소하는, 즉 인화되는 최저온도를 말한다(하한 인화점).

02 인화점
기체연료가 공기와 섞여서 가연성 혼합기체를 형성하는 폭발하한계 및 폭발상한계에 외부의 직접적인 점화원에 의하여 순간적으로 빛(섬광)을 내는, 즉 인화되는 최저온도를 인화점이라 한다.

03 연소점
② 점화원을 제거해도 자력으로 연소를 지속할 수 있는 최저 온도를 연소점(Fire point)이라고 한다.
① 점화원에 의해서 가연물이 발화하기 시작하는 최저 온도를 인화점(Flash point)이라고 한다.
③ 가연물의 최소발화에너지가 작을수록 더 위험하다.
④ 가연물의 연소점은 발화점보다 낮다.

정답 01 ①　02 ①　03 ②

04 가연물질의 연소 과정 중 낮은 온도에서 높은 온도의 순서로 옳은 것은?

① 인화점 < 발화점 < 연소점
② 연소점 < 발화점 < 인화점
③ 인화점 < 연소점 < 발화점
④ 연소점 < 인화점 < 발화점

05 가연성 물질의 화재 위험성에 대한 설명으로 옳은 것은? 22. 공채·경채

① 비열, 연소열, 비점이 작거나 낮을수록 위험하다.
② 증발열, 연소열, 연소속도가 크거나 빠를수록 위험하다.
③ 표면장력, 인화점, 발화점이 작거나 낮을수록 위험하다.
④ 비중, 압력, 융점이 크거나 높을수록 위험하다.

06 가연물에 발화점에 대한 설명으로 옳지 않은 것은?

① 발화점은 공기 중에서 물질을 가열할 때 스스로 발화하여 연소를 시작하는 최저온도를 말한다.
② 탄화수소계열의 분자량이 클수록 또는 탄소쇄의 길이가 길수록 발화점이 높아진다.
③ 열전도율이 클수록 발화점이 높아진다.
④ 화학적 활성도가 클수록 발화점이 낮아진다.

07 연소에 대한 설명으로 옳지 않은 것은? 20. 공채·경채

① 액체가연물의 인화점은 액면에서 증발된 증기의 농도가 연소하한계에 도달하여 점화되는 최저온도이다.
② 연소하한계가 낮고 연소범위가 넓을수록 가연성 가스의 연소위험성이 증가한다.
③ 액체가연물의 연소점은 점화된 이후 점화원을 제거하여도 자발적으로 연소가 지속되는 최저온도이다.
④ 파라핀계 탄화수소화합물의 경우 탄소수가 적을수록 발화점이 낮아진다.

08 연소범위에 대한 설명으로 옳은 것만을 [보기]에서 있는 대로 고른 것은? 22. 소방간부

[보기]
ㄱ. 연소범위는 물질이 연소하기 위한 물적 조건과 관련이 크다.
ㄴ. 온도가 높아지면 연소범위는 넓어진다.
ㄷ. 일산화탄소는 압력이 증가하면 연소범위가 넓어진다.
ㄹ. 불활성기체가 첨가되면 연소범위가 좁아진다.

① ㄱ, ㄹ
② ㄱ, ㄴ, ㄷ
③ ㄱ, ㄴ, ㄹ
④ ㄴ, ㄷ, ㄹ
⑤ ㄱ, ㄴ, ㄷ, ㄹ

09 연소범위에 대한 설명으로 옳지 않은 것은?   21. 소방간부

① 산소농도가 높아지면 연소범위가 넓어진다.

② 불활성 가스의 농도가 높아지면 연소범위가 좁아진다.

③ 가연성 가스의 온도가 높아지면 연소범위는 넓어진다.

④ 가연성 가스의 압력이 높아지면 연소범위는 좁아진다.

⑤ 일산화탄소(CO)는 압력이 높아지면 연소범위가 좁아진다.

정답 및 해설

04 인화점·연소점·발화점
인화점 < 연소점 < 발화점 순이다.
- 연소점은 인화점보다 5~10℃ 정도 높은 온도로서 연소상태가 5초 이상 유지될 수 있는 온도이다.
- 발화점은 외부에서 직접적인 점화원의 공급 없이 물질 자체의 축적된 열에 의해 연소가 시작되는 온도이기 때문에 인화점이나 연소점에 비해 수백도 높은 온도를 나타낸다.

05 가연성 물질의 화재 위험성
- 온도, 열량, 연소열, 압력, 연소(폭발, 가연)범위, 화학적 활성도, 화염전파속도가 클수록 위험성이 증가한다.
- 표면장력, 증발열, 비열, 인화점, 발(착)화점, 점성, 비중, 비점, 융점, 열전도율, 활성화 에너지가 작을수록 위험성이 증가한다.

06 발화점이 낮아지는 조건
- 분자구조가 복잡할수록, 발열량이 클수록
- 탄화수소계열의 분자량이 클수록 또는 탄소쇄의 길이가 길수록
- 산소의 농도, 친화력이 클수록(화학적 활성도가 클수록)
- 활성화 에너지(점화에너지)가 적을수록
- 열전도율이 적을수록(열축적이 용이할수록)

07 일반적으로 직쇄탄화수소계열에서 탄소수가 증가할 경우
- 분자량이 증가하며, 분자구조는 복잡해진다.
- 직쇄탄화수소의 길이가 길어진다.
- 단위발열량이 커진다.
- 발화점이 낮아진다.

08 연소범위
압력이 증가하면 연소범위가 넓어진다(단, 일산화탄소 제외). 일산화탄소는 압력이 높아지면 역으로 연소상한계가 좁아진다.

■ 연소범위에 영향을 미치는 인자
1. 온도가 올라가면 분자의 운동이 활발해지고 분자간 유효 충돌 가능성이 커지기 때문에 연소범위는 하한도 낮아지고 상한도 증가하여 넓어진다.
2. 압력이 높아지면 분자 간의 평균거리가 축소되고 분자 간의 충돌에너지가 커져서 화염의 전달이 용이하여 연소상한계는 증가한다. 예외로서 일산화탄소는 압력이 높아지면 역으로 연소상한계가 좁아진다. 수소는 압력이 낮아지거나 높아지면 일시적으로 연소범위가 좁아진다.
3. 산소는 연소하한에는 약간의 영향만 미치며, 공기 중에서보다 순수 산소 중에서 연소상한이 넓어진다.
4. 불활성 가스의 농도에 비례하여 연소범위가 좁아진다.

09 연소범위
④ 일반적으로 가연성 가스의 압력이 높아지면 연소하한은 크게 변하지 않지만 연소상한이 증가한다. 즉, 연소범위가 넓어진다(단, 일산화탄소 제외).
⑤ 일산화탄소는 압력이 높아지면 연소하한은 크게 변하지 않지만 연소상한이 감소한다. 즉, 연소범위가 좁아진다.

정답 04 ③ 05 ③ 06 ② 07 ④ 08 ③ 09 ④

10 에테인(C_2H_6)이 완전연소한다고 가정했을 때 존스(Jones) 식에 따라 산출된 연소하한계(LFL)는? (단, 계산 결과는 소수점 둘째 자리에서 반올림한다.)

25. 공채·경채

① 1.7 ② 2.2
③ 3.1 ④ 5.2

11 위험도(H) 값이 옳은 것만을 [보기]에서 모두 고른 것은? (단, 계산 결과는 소수점 둘째 자리에서 반올림한다.)

25. 공채·경채

──────[보기]──────
ㄱ. 수소(H_2): 17.8   ㄴ. 프로페인(C_3H_8): 3.5
ㄷ. 일산화탄소(CO): 4.9   ㄹ. 아세틸렌(C_2H_2): 31.4

① ㄱ, ㄹ   ② ㄴ, ㄷ
③ ㄱ, ㄷ, ㄹ   ④ ㄱ, ㄴ, ㄷ, ㄹ

12 공기 중 가연성 가스의 연소범위에 관한 내용이다. 다음 중 위험도가 가장 높은 가연성 가스는? (단, 위험도는 가연성 가스의 위험한 정도를 나타내는 척도이다)

24. 소방간부

가연성 가스	연소범위(vol%)
A	3 ~ 12.5
B	4 ~ 75
C	5 ~ 15
D	1.2 ~ 44
E	2.5 ~ 81

① A   ② B   ③ C
④ D   ⑤ E

13 다음 [보기]에서 공기 중 연소범위가 가장 넓은 것(ㄱ)과 위험도가 가장 낮은 것(ㄴ)을 순서대로 나열한 것은? 22. 소방간부

[보기]
수소, 아세틸렌, 메탄, 프로판

	ㄱ	ㄴ		ㄱ	ㄴ
①	수소	메탄	②	수소	아세틸렌
③	아세틸렌	메탄	④	아세틸렌	프로판
⑤	아세틸렌	아세틸렌			

정답 및 해설

10 연소범위
연소하한계 = $0.55 \times Cst = 0.55 \times 5.66 = 3.11 ≒ 3.1$
에테인 화학방정식 $C_2H_6 + 3.5O_2 \rightarrow 2CO_2 + 3H_2O$
화학양론조성비$[Cst] = \dfrac{연료몰수}{연료몰수 + (산소몰수 \div 0.21)} \times 100$
화학양론조성비$[Cst] = \dfrac{1}{1 + (3.5 \div 0.21)} \times 100 = 5.66$
※ 에테인 연소범위: 3~12.5

11 위험도

$$위험도 = \dfrac{연소상한 - 연소하한}{연소하한} = \dfrac{연소범위}{연소하한}$$

ㄱ. 수소(H_2): $\dfrac{75-4}{4} = 17.75 ≒ 17.8$ (연소범위: 4~75)

ㄴ. 프로페인(C_3H_8): $\dfrac{9.5-2.1}{2.1} = 3.52 ≒ 3.5$ (연소범위: 2.1~9.5)

ㄷ. 일산화탄소(CO): $\dfrac{74-12.5}{12.5} = 4.92 ≒ 4.9$ (연소범위: 12.5~74)

ㄹ. 아세틸렌(C_2H_2): $\dfrac{81-2.5}{2.5} = 3.14$ (연소범위: 2.5~81)

12 가연성 가스
위험도 1등: 이황화탄소, 연소범위 1등: 아세틸렌

위험도 = $\dfrac{연소상한 - 연소하한}{연소하한} = \dfrac{연소범위}{연소하한}$

· A(에탄)위험도 = $\dfrac{연소상한 - 연소하한}{연소하한} = \dfrac{12.5-3}{3} = 3.17$

· B(수소)위험도 = $\dfrac{연소상한 - 연소하한}{연소하한} = \dfrac{75-4}{4} = 17.75$

· C(메탄)위험도 = $\dfrac{연소상한 - 연소하한}{연소하한} = \dfrac{15-5}{5} = 2.0$

· D(이황화탄소)위험도 = $\dfrac{연소상한 - 연소하한}{연소하한} = \dfrac{44-1.2}{1.2} = 35.7$

· E(아세틸렌)위험도 = $\dfrac{연소상한 - 연소하한}{연소하한} = \dfrac{81-2.5}{2.5} = 31.4$

13 연소범위

물질	연소범위	위험도
수소	4~75	위험도 = $\dfrac{연소상한 - 연소하한}{연소하한} = \dfrac{연소범위}{연소하한}$ = $\dfrac{75-4}{4} = 17.75$
아세틸렌	2.5~81	위험도 = $\dfrac{연소상한 - 연소하한}{연소하한} = \dfrac{연소범위}{연소하한}$ = $\dfrac{81-2.5}{2.5} = 31.4$
메탄	5~15	위험도 = $\dfrac{연소상한 - 연소하한}{연소하한} = \dfrac{연소범위}{연소하한}$ = $\dfrac{15-5}{5} = 2$
프로판	2.1~9.5	위험도 = $\dfrac{연소상한 - 연소하한}{연소하한} = \dfrac{연소범위}{연소하한}$ = $\dfrac{9.5-2.1}{2.1} = 3.52$

■ 아세틸렌과 이황화탄소의 연소범위

물질	연소범위	위험도	비교
아세틸렌	2.5~81	31.4	연소범위 1등
이황화탄소	1.2~44	35.7	위험도 1등

정답 10 ③ 11 ④ 12 ④ 13 ③

14 가연성 가스 중 위험도가 가장 큰 물질은? (단, 연소범위는 메탄 5 ~ 15%, 에탄 3 ~ 12.4%, 프로판 2.1 ~ 9.5%, 부탄 1.8 ~ 8.4%이다) 20. 공채·경채

① 메탄 ② 에탄
③ 프로판 ④ 부탄

15 다음의 가연성 가스(A, B, C) 중 위험도가 낮은 것에서 높은 순서로 옳게 나열한 것은? 24. 공채·경채

> A: 연소하한계 = 2 vol%, 연소상한계 = 22 vol%
> B: 연소하한계 = 4 vol%, 연소상한계 = 75 vol%
> C: 연소하한계 = 1 vol%, 연소상한계 = 44 vol%

① A, B, C ② A, C, B
③ B, A, C ④ C, B, A

16 다음 조건에 따라 계산한 혼합기체의 연소하한계는? 22. 소방간부

> • 르샤트리에 공식을 이용한다.
> • 혼합기체의 부피비율은 A기체 60%, B기체 30%, C기체 10%이다.
> • 연소하한계는 A기체 3.0%, B기체 1.5%, C기체 1.0%이다.

① 1.0% ② 1.5% ③ 2.0%
④ 2.5% ⑤ 3.0%

17 가연성 가스 3종이 다음과 같이 혼합되어 있을 때 르샤틀리에(Le Chatelier)식에 따라 부피비로 계산된 혼합가스의 연소하한계[vol%]는? 24. 공채·경채

> • 혼합가스 내 각 성분의 체적(V)
> V_A = 20vol%, V_B = 40vol%, V_C = 40vol%
> • 각 성분의 연소하한계(L)
> L_A = 4vol%, L_B = 20vol%, L_C = 10vol%

① 약 4.3 ② 약 9.1
③ 약 11.0 ④ 약 12.8

18 연소속도에 영향을 미치는 요인을 모두 고른 것은?
21. 공채·경채

┌───┐
│ ㄱ. 가연성 물질의 종류   ㄴ. 촉매의 존재 유무와 농도   │
│ ㄷ. 공기 중 산소량   ㄹ. 가연성 물질과 산화제의 당량비 │
└───┘

① ㄱ, ㄴ
② ㄱ, ㄴ, ㄷ
③ ㄴ, ㄷ, ㄹ
④ ㄱ, ㄴ, ㄷ, ㄹ

정답 및 해설

14 위험도

$$\text{위험도} = \frac{\text{연소상한계} - \text{연소하한계}}{\text{연소하한계}}$$

④ 부탄 = $\frac{8.4 - 1.8}{1.8} = 3.666$

① 메탄 = $\frac{15 - 5}{5} = 2$

② 에탄 = $\frac{12.4 - 3}{3} = 3.133$

③ 프로판 = $\frac{9.5 - 2.1}{2.1} = 3.523$

15 위험도

$\text{위험도} = \frac{\text{연소상한} - \text{연소하한}}{\text{연소하한}}$

- A: 위험도 = $\frac{22 - 2}{2} = 10$
- B: 위험도 = $\frac{75 - 4}{4} = 17.75$
- C: 위험도 = $\frac{44 - 1}{1} = 43$

16 혼합물에 대한 연소범위를 구하는 식[르샤트리에(Le Chatelier)의 법칙]

여러 가지 가연성 가스가 혼합되어 있는 혼합물의 연소범위는 이들을 구성하고 있는 각 단독성분가스의 연소범위를 이용하여 르샤트리에(Le Chatelier)의 법칙에 의해 근사적으로 계산하여 구할 수 있다.

$$\text{LFL} = \frac{100}{\frac{V_1}{L_1} + \frac{V_2}{L_2} + \frac{V_3}{L_3} \cdots \frac{V_n}{L_n}} = \frac{100}{\frac{60}{3} + \frac{30}{1.5} + \frac{10}{1}} = 2$$

여기서, LEL: 연소하한계
$V_1 + V_2 + V_3 + \cdots V_n = 100$ …… 각 단독성분의 혼합가스 중의 부피(V%)
$L_1 + L_2 + L_3 + \cdots L_n$ …… 각 단독성분의 연소하한계(V%)

17 혼합물에 대한 연소범위를 구하는 식[르샤트리에(Le Chatelier)의 법칙]

$$\text{LFL} = \frac{100}{\frac{V_1}{L_1} + \frac{V_2}{L_2} + \frac{V_3}{L_3} + \cdots \frac{V_n}{L_n}} = \frac{100}{\frac{20}{4} + \frac{40}{20} + \frac{40}{10}}$$

$= 9.09 ≒ 9.1$

- L(LFL): 혼합가스의 연소범위(%)
  - $V_1 + V_2 + V_3 + \cdots V_n$: 각 단독성분의 혼합가스 중의 부피(V%)
  - $L_1 + L_2 + L_3 + \cdots L_n$: 각 단독성분의 연소하한계(V%)

18 연소속도에 영향을 미치는 요인

- 가연성 물질의 종류
- 촉매의 존재 유무와 농도
- 공기 중 산소량
- 온도, 압력 등
- 가연성 물질과 산화제의 당량비

┌─ ■ 당량비 ────────────────────────────────┐
│ 연료와 공기 또는 산소가 완전히 연소할 경우의 연료와 공기 또는 산 │
│ 소의 비(화학양론적 조성)로, 실제의 연소 상태에 있어서의 연료와 공 │
│ 기 또는 산소의 공급량의 비를 나눈 값을 말한다.   │
└──┘

정답 14 ④ 15 ① 16 ③ 17 ② 18 ④

19 가연성 혼합기의 최소발화(점화)에너지(MIE, Minimum Ignition Energy)에 영향을 주는 요인에 관한 설명으로 옳지 않은 것은?

23. 공채·경채

① 온도가 상승하면 최소발화에너지는 작아진다.
② 압력이 상승하면 최소발화에너지는 작아진다.
③ 열전도율이 낮아지면 최소발화에너지는 커진다.
④ 화학양론비 부근에서 최소발화에너지는 최저가 된다.

20 발화점 및 최소발화에너지(MIE, Minimum Ignition Energy)에 관한 설명으로 옳지 않은 것은?

24. 소방간부

① 발화점은 발화 지연시간, 압력, 산소농도, 촉매물질 등의 영향을 받는다.
② 파라핀계 탄화수소는 분자량이 클수록 발화온도가 높아진다.
③ 최소발화에너지는 가연성 혼합기를 발화시키는데 필요한 최저에너지를 말한다.
④ 압력이 상승하면 최소발화에너지는 작아진다.
⑤ 발화점이 낮을수록 발화의 위험성은 커진다.

21 부탄(Butane)이 완전연소할 때의 연소반응식이다. a+b+c의 값은?

21. 소방간부

$$2C_4H_{10} + (a)O_2 = (b)CO_2 + (c)H_2O$$

① 10
② 17
③ 24
④ 31
⑤ 36

22 메틸알코올(CH_3OH)의 최소산소농도(MOC: Minimum Oxygen Concentration, %)로 옳은 것은? (단, CH_3OH의 연소상한계는 37%, 연소범위의 상·하한 폭은 30%이다)

22. 공채·경채

① 5.0
② 8.5
③ 10.5
④ 14.0

23 에틸알코올(C_2H_5OH)의 최소산소농도(MOC)는? (단, 에틸알코올의 연소범위는 4.3~19Vol%이며 완전연소 생성물은 CO_2와 H_2O이다)

23. 소방간부

① 8.6　　　　　　② 10.8　　　　　　③ 12.9
④ 15.1　　　　　　⑤ 17.2

24 표준상태에서 메테인(CH4) 2 mole이 완전연소할 때 필요한 산소의 부피[L]는?

25. 공채 · 경채

① 11.2　　　　　　② 22.4
③ 44.8　　　　　　④ 89.6

정답 및 해설

19 최소발화(점화)에너지
열전도율이 낮아지면 최소발화에너지는 작아진다.

20 발화점 및 최소발화에너지
파라핀계 탄화수소는 분자량이 클수록 발화온도가 낮아진다.

21 부탄의 연소반응식
$2C_4H_{10} + 13O_2 = 8CO_2 + 10H_2O$, 즉 13 + 8 + 10 = 31이다.

22 메틸알코올(CH_3OH) 화학방정식

- $CH_3OH + O_2 \rightarrow CO_2 + H_2O$
- $CH_3OH + \frac{3}{2}O_2 \rightarrow CO_2 + 2H_2O$
- 최소산소농도(MOC)
  = 산소양론계수$\left(\dfrac{\text{산소몰수}}{\text{연소가스몰수}}\right)$×연소하한계(폭발하한계)

- 최소산소농도(MOC) = 산소양론계수$\left(\dfrac{\frac{3}{2}}{1}\right)×7 = \dfrac{3}{2}×7 = 10.5\%$이다.
- 연소상한계는 37%. 연소범위의 상 · 하한 폭은 30%이므로 연소하한계는 7%이다. 즉, 연소범위 30% = 연소상한계 37% − 연소하한계이므로 연소하한계가 7%이다.

23 에틸알코올(C_2H_5OH)의 화학방정식

- $C_2H_5OH + 3O_2 \rightarrow 2CO_2 + 3H_2O$
- 최소산소농도(MOC) = 산소의 양론계수$\left(\dfrac{\text{산소몰수}}{\text{연소가스몰수}}\right)$×연소하한계(폭발하한계)
- 최소산소농도(MOC) = $\dfrac{3}{1}×4.3 = 12.9$

24 메테인 산소부피
메테인(CH_4) 화학방정식 $CH_4 + 2O_2 \rightarrow CO_2 + 2H_2O$
$2CH_4 + 4O_2 \rightarrow 2CO_2 + 4H_2O$
산소의 부피[L]: 4[몰]×22.4[L] = 89.6[L]
- 표준상태[0℃ 1기압]일 때 기체 1(mol)부피는 22.4(ℓ)이다.

정답 19 ③　20 ②　21 ④　22 ③　23 ③　24 ④

25 1기압, 20°C인 조건에서 메탄(CH_4) $2m^3$가 완전연소하는 데 필요한 산소부피는 몇 m^3인가?   21. 공채·경채

① 2   ② 3
③ 4   ④ 5

26 프로판가스 1몰이 안전연소 시 필요한 최소산소농도(MOC)는 약 몇 %인가?

① 10.5%   ② 4.5%
③ 46.5%   ④ 12.5%

27 최소산소농도(MOC; Minimum Oxygen Concentration)에 대한 설명으로 옳지 않은 것은?   21. 공채·경채

① 연소상한계에 의해 최소산소농도가 결정된다.
② 연소할 때 화염이 전파되는 데 필요한 임계 산소농도를 말한다.
③ 완전연소반응식의 산소몰수에 의해 최소산소농도가 결정된다.
④ 프로판(C_3H_8) 1몰(mol)이 완전연소하는 데 필요한 최소산소농도는 10.5%이다.

28 다음 [보기]에서 가연성 가스를 공기 중에서 연소시키고자 할 때 공기 중의 산소농도가 증가하면 발생되는 현상으로 옳은 것만을 모두 고른 것은?

[보기]
ㄱ. 연소속도가 빨라진다.　　ㄴ. 발화점이 높아진다.
ㄷ. 화염의 온도가 높아진다.　ㄹ. 폭발범위가 좁아진다.
ㅁ. 점화에너지가 작아진다.

① ㄱ, ㄴ, ㄹ   ② ㄱ, ㄷ, ㄹ
③ ㄱ, ㄷ, ㅁ   ④ ㄴ, ㄷ, ㅁ

29 그림에서 A에 대한 설명으로 옳지 않은 것은?

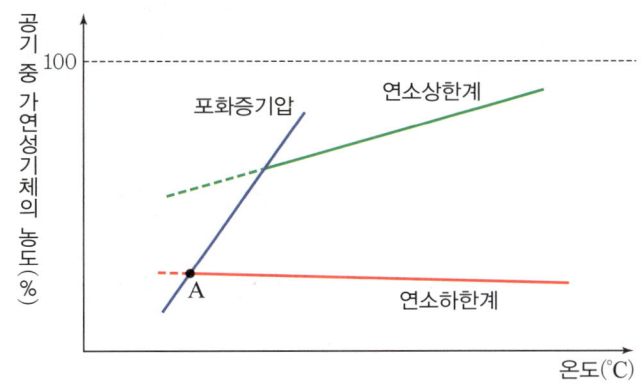

① 외부에너지에 의해 발화하기 시작하는 최저연소온도이다.
② 물질적 조건과 에너지 조건이 만나는 최저연소온도이다.
③ 화학양론비(Stoichiometric Ratio)에서의 최저연소온도이다.
④ 가연성 혼합기를 형성하는 최저연소온도이다.

정답 및 해설

25 LNG의 연소반응(메탄)
- $CH_4 + 2O_2 \rightarrow CO_2 + 2H_2O$
- $2CH_4 + 4O_2 \rightarrow 2CO_2 + 4H_2O$

26 최소산소농도(MOC)

최소산소농도(MOC) = 산소양론계수$\left(\dfrac{\text{산소몰수}}{\text{연소가스몰수}}\right)$×연소하한계
= 5×2.1 = 10.5%이다.

27 최소산소농도(MOC) = 임계산소농도, 한계산소농도
① 최소산소농도(MOC) = 산소몰수×연소하한계(폭발하한계)이므로 산소몰수 및 연소하한계가 최소산소농도를 결정한다.
④ 프로판가스의 산소몰수: $C_3H_8 + 5O_2 \rightarrow 3CO_2 + 4H_2O$
프로판가스의 연소범위: 2.1 ~ 9.5%
즉, 프로판가스의 최소산소농도(MOC) = 5×2.1 = 10.5%이다.

28 산소 증가
- 연소속도가 빨라진다.
- 발화점은 낮아진다.
- 화염의 온도는 높아진다.
- 폭발범위는 넓어진다.
- 점화에너지는 작아진다.

29 연소범위그래프

- A 지점은 하부인화점(하한인하점)이다. 즉, 외부에너지에 의해 발화하기 시작하는 최저연소온도이다.
- A지점은 물질적 조건과 에너지 조건이 만나는 최저온도이다.
- A지점은 화학양론비(화학양론적 혼합물)와는 상관이 없다.

정답 25 ③ 26 ① 27 ① 28 ③ 29 ③

CHAPTER 4 연소의 형태

출제 POINT

- 01 불꽃연소의 특성 ★★☆
- 02 불꽃연소의 소화대책 ★★☆
- 03 작열연소의 특성 ★★☆
- 04 작열연소의 소화대책 ★☆☆
- 05 가연성 기체의 확산연소 ★★☆
- 06 가연성 기체의 예혼합연소 ★★☆
- 07 가연성 기체의 증발연소 ★★☆
- 08 가연성 고체의 분해연소 ★★☆
- 09 가연성 고체의 표면연소 ★★☆
- 10 가연성 고체의 증발연소 ★★☆
- 11 가연성 고체의 자기연소 ★★☆
- 12 훈소 ★★☆
- 13 연소 시 발생하는 이상 현상 ★★☆
- 14 연소불꽃의 색상 ★☆☆

1 불꽃 유무에 따른 연소형태

1. 불꽃연소(유염연소, 발염연소, 표면화재) - 연소의 4요소

(1) 불꽃연소의 연소특성

① **화재구분**: 유염성 표면화재이다.
② **연소특성**: 고체·액체·기체연료 모두에서 발생될 수 있는 현상이다.
③ **불꽃 여부**: 연료표면에서 불꽃을 발생하며 연소한다.
④ **연소속도**: 작열연소에 비해 연소속도가 매우 빠르다.
⑤ **발생열량**: 작열연소에 비해 시간당 발생열량이 많다.
⑥ **연쇄반응**: 연쇄반응이 일어난다.

(2) 불꽃연소의 연소물질

① 열가소성 합성수지류[폴리염화비닐(PVC), 폴리에틸렌(PE), 폴리스틸렌(PC), 폴리프로필렌(PP)] 등
② 가솔린 등 석유류의 인화성 액체
③ 메탄, 에탄, 프로판, 부탄, 수소, 아세틸렌 등의 가연성 기체

(3) 불꽃연소의 소화대책

연쇄반응이 포함된 연소로, 냉각·질식·제거 외 연쇄반응 억제에 의한 소화를 한다.

2. 작열연소(무염연소, 표면연소, 심부화재) - 연소의 3요소

(1) 작열연소의 연소특성

① **화재구분**: 무염성 표면화재(심부화재)이다.
② **연소특성**: 액체, 기체에서는 발생하지 않으며, 고체 상태의 표면에 산소가 공급되어 연소가 이루어지는 연소형태이다.
③ **불꽃 여부**: 연료의 표면에서 불꽃을 발생하지 않고 작열하면서 연소한다.
④ **연소속도**: 불꽃연소에 비해 연소속도가 느리다.
⑤ **발생열량**: 불꽃연소에 비해 시간당 발생열량이 적다.
⑥ **연쇄반응**: 연쇄반응이 일어나지 않는다.

(2) 작열연소의 연소물질

① 열경화성 합성수지류(페놀수지, 멜라민수지, 요소수지)
② 숯, 코크스, 금속분, 목탄분

(3) 작열연소의 소화대책

연쇄반응이 일어나지 않는 연소로, 냉각·질식·제거에 의한 소화를 한다.

3. 불꽃연소와 표면연소 비교

구분	불꽃연소	표면연소
같은 용어	유염연소, 발염연소, 표면화재	무염연소, 작열연소, 심부화재
에너지	고에너지화재	저에너지화재
연소요소	연소의 4요소	연소의 3요소
불꽃(화염) 유무	유	무
화염전파	유	무
물질특성	고체, 액체, 기체	고체
연소성질	일반적으로 완전연소되기 쉽다.	일반적으로 불완전연소 우려가 있다.
연소가스	일반적으로 $CO_2 \uparrow$, $CO \downarrow$	일반적으로 $CO_2 \downarrow$, $CO \uparrow$
연기입자	작다.	크다.
연쇄반응 유무	유	무
소화방법	물리적 소화 + 화학적 소화 → 부촉매효과가 있다.	물리적 소화 → 부촉매효과가 없다.
연소속도 및 방출열량	연소속도는 빠르고 시간당 방출열량이 많다(고에너지 화재).	연소속도는 느리고 시간당 방출열량이 적다(저에너지 화재).
연소물질	· 가솔린 등 인화성 액체 · 메탄 등 가연성 기체 · 종이 등 가연성 고체 · 열가소성 합성수지류	· 숯, 코크스, 금속분, 목탄분 등 가연성 고체 · 열경화성 합성수지류

2 물질상태에 따른 연소형태

1. 가연성 기체의 연소형태

가연성 물질이 기체인 경우, 공기 중에서 몹시 빠르게 확산하기 쉽고 폭발범위 내 화원이 있으면 용이하게 착화한다. 가연성 가스의 연소에는 '정상연소'와 '비정상연소'의 두 가지 형태가 있다. 가스기구 등에 의한 연소를 정상연소라 하는데, 공기 중에 가연성 가스를 확산시키면서 안정된 불꽃으로 연소를 계속하므로 불꽃의 크기 조정이 용이하다. 한편 공기 중에 체류한 가연성 가스가 폭발적으로 연소하는 것을 비정상연소라 하는데, 이는 화재나 폭발 등의 위험성이 크다.

(1) 확산연소(불균질연소, 정상연소)
① 가연성 기체와 공기를 인접한 2개의 분출구에서 분출을 확산시켜 계면에 가연성 혼합기를 형성하여 연소시키는 현상으로서 **가연성 기체의 일반적인 연소형태**이다[즉, **공기(산소)와 가연성 가스(연료)가 미리 혼합하지 않고, 발화 직전에 혼합하는 연소이며, 그을음이 발생하기 쉽다**].
② 화염면의 전파❶가 일어나지 **않으며**, 역화❷의 위험이 **없다**.
③ 연소속도는 예혼합연소보다 **느리다**.
④ 화염(불꽃)의 색깔은 **황색이나 적색(적황색)**이다.
⑤ 아세틸렌, 수소, 천연·도시가스, LNG 등의 가연성 기체가 대기 중에 분출하여 공기와 서로 섞여 확산에 의하여 혼합이 되며, 연소범위 내에서 점화시키면 계속 연소하게 된다.
⑥ 예를 들면 적화식 버너(예 라이터, 토치램프 등) 등이 있다.
⑦ 적화식 연소(버너)법
  ㉠ 가스를 그대로 대기 중에 분출하여 연소시킨다.
  ㉡ 필요 공기는 모두 불꽃 주변에서 확산에 의해 취하게 된다.
  ㉢ 연소 과정은 아주 늦고 불꽃은 길게 늘어나 적황색을 띤다. 불꽃온도는 대략 900℃ 정도로 비교적 낮다.

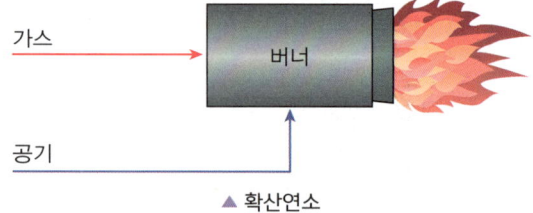

▲ 확산연소

(2) 예혼합연소(균질연소, 비정상연소)
① 가연성 기체가 미리 산소와 **혼합한 상태**로 연소하는 현상이다[즉, 공기(산소)와 가연성가스(연료)가 혼합되어 있는 연소이며, 그을음이 작다].
② 반응속도가 빠르고 반응영역의 온도가 높다.
③ 화염면의 전파가 **수반**되어 역화를 일으킬 위험이 **크다**.
④ 연소속도는 확산연소보다 **빠르다**.

용어사전

❶ 화염면의 전파: 화염면에 화염의 이동을 말한다.
❷ 역화(Back Fire): 연료의 분출속도가 연소속도보다 느릴 때 불꽃이 연소기의 내부로 빨려 들어가 혼합관속에서 연소하는 현상을 말한다.

⑤ 화염(불꽃)의 색깔은 청색이나 백색이다.
⑥ 기상 폭발 시의 연소조건에 해당된다.
⑦ 예를 들면 분젠식 버너, 디젤엔진(내연기관 연소실), 폭발 등이 있다.
⑧ 분젠식 연소(버너)법
　㉠ 가스가 노즐에서 분사되며 운동에너지에 의해 공기구멍으로부터 1차 공기를 흡입한다.
　㉡ 가스와 1차 공기가 혼합관 속에서 혼합되어 염공으로 나오며 연소된다.
　㉢ 불꽃 주위에서 확산에 의해 2차 공기를 취하게 된다.

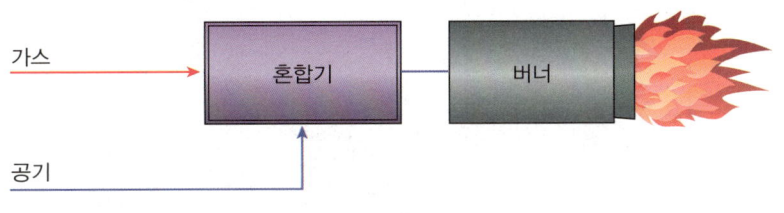

▲ 예혼합연소

영철쌤 tip
화염(불꽃)의 온도가 높은 색깔은 적색이 아니라 백색이라는 것을 알 수 있다.

(3) 부분 예혼합연소
확산연소와 예혼합연소의 중간적인 성질을 말한다.

(4) 폭발연소
가연성 기체가 일시에 폭발적인 연소현상을 일으키는 비정상연소를 하고, 폭발을 수반하는 연소를 말한다.

영철쌤 tip
예혼합연소에 폭발연소가 포함되기도 한다.

영철쌤 tip
확산연소와 예혼합연소
반응대에서 연소(빛과 열을 내는 단계)한다.

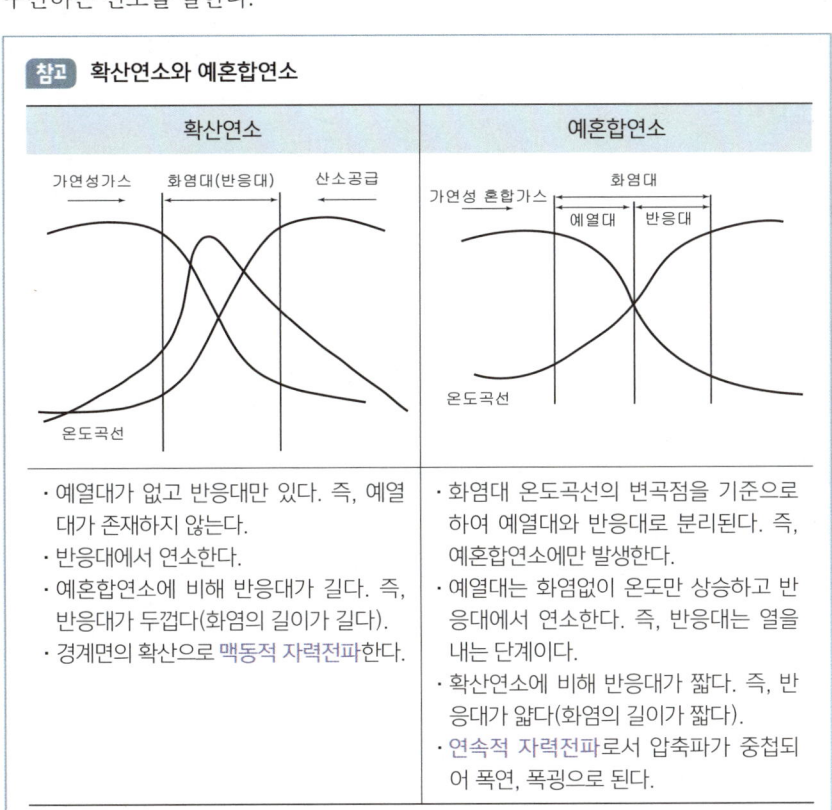

참고 확산연소와 예혼합연소

확산연소	예혼합연소
• 예열대가 없고 반응대만 있다. 즉, 예열대가 존재하지 않는다. • 반응대에서 연소한다. • 예혼합연소에 비해 반응대가 길다. 즉, 반응대가 두껍다(화염의 길이가 길다). • 경계면의 확산으로 맥동적 자력전파한다.	• 화염대 온도곡선의 변곡점을 기준으로 하여 예열대와 반응대로 분리된다. 즉, 예혼합연소에만 발생한다. • 예열대는 화염없이 온도만 상승하고 반응대에서 연소한다. 즉, 반응대는 열을 내는 단계이다. • 확산연소에 비해 반응대가 짧다. 즉, 반응대가 얇다(화염의 길이가 짧다). • 연속적 자력전파로서 압축파가 중첩되어 폭연, 폭굉으로 된다.

영철쌤 tip

층류확산과 난류확산

층류확산	난류확산
레이놀수 수의 증가에 의해 화염의 길이가 증가한다.	화염의 높이(길이)는 일정하나 화염의 폭(면적)이 증가한다.
층류예혼합	난류예혼합
일반적으로 폭연으로 발전할 수 있다.	일반적으로 폭굉으로 발전할 수 있다.

> **참고** 확산연소(층류, 난류)
>
> • 연료노즐에서 흐름이 층류(laminar flow)인 경우, 확산연소에서 화염의 높이(길이)는 분출 속도(공기공급)에 비례한다.
> • 연료노즐에서 흐름이 난류(turbulent)인 경우, 확산연소에서 화염의 높이(길이)는 분출 속도(공기공급)와 관계없이 일정하다. 화염의 높이(길이)는 일정하나 화염의 폭이 증가한다. 폭이 증가한다는 것은 열방출률이 증가한다는 것이다. 그래서 층류보다 난류가 열방출률이 크다.

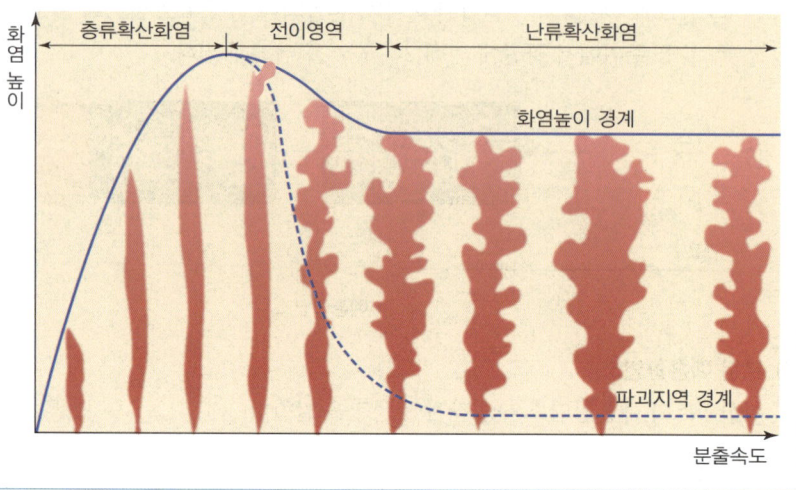

2. 가연성 액체의 연소형태

가연성 물질이 액체인 경우, **그 자체가 연소하는 것이 아니라 기화한 증기가 연소한다.**

(1) 증발연소

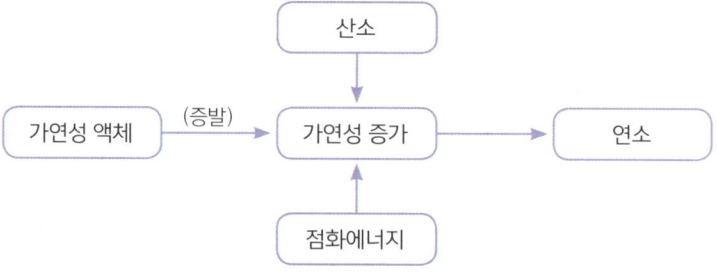

① **아세톤, 휘발유, 등유, 경유**와 같이 액체를 가열하면 액체표면에 발생한 가연성 증기와 공기가 혼합된 상태에서 연소가 되는 형태로 **액체의 가장 일반적인 연소형태**이다.

② 가솔린, 아세톤, 등유, 경유 등 액체 그 자체가 연소하는 것이 아니고, 액체표면으로부터 증발된 가연성 기체와 공기 중의 산소와 혼합된, 즉 기화되는 증기에 착화되어 불꽃을 생성하며 이 불꽃의 온도에 의해 액체표면이 가열되어 계속 증발하며 연소하게 된다.

> **참고** 가연성 액체의 증발방법에 따른 연소형태

1. **액면연소**: 화염에서 복사나 대류에 의하여 연료표면에 열이 전달되어 증발이 일어나고 공기와 혼합하여 혼합기가 형성된 상태에서 유면의 상부에서 확산연소를 하는 연소형태이다.
2. **등심연소**
    ① 연료를 모세관현상에 의하여 심지가 빨아올려 표면에서 증발시켜 확산연소가 일어나게 하는 연소형태이다.
    ② 예로서는 심지의 상하조절식 버너, 석유램프, 알코올램프 등이 있다.
3. **분무연소(액적연소)**
    ① 액체연료를 안개상태의 미세한 분무형태로 분사시켜 미립자화된 액체와 공기가 혼합하여 연소하는 형태이다.
    ② 인화점 이하에도 연소가 가능하며, 공업적으로 가장 많이 사용한다.
    ③ 예로서는 공업용 보일러의 버너연소(디젤, 중유) 등이 있다.

▲ 등심연소

영철쌤 tip

분무 = 무상 = 무화 = 무적 = 미립화 = 액적(mist)이다.

(2) 분해연소

중유, 벙커C유, 타르유와 같이 점도가 크고 비점이 높은 액체 가연물을 가열하면, 열분해를 일으켜 가연성 증기가 발생하며 이 증기에 착화되어 계속 분해를 일으켜 연소가 이루어지는 형태이다.

> **참고** 원유의 분별 증류
>
> 원유를 가열[400℃(증류탑)]할 경우, 원유의 분별 증류는 다음과 같다.
> LPG(25℃) → 가솔린(40~75℃) → 등유(150~240℃) → 경유(220~250℃) → 중유(350℃ 이상) → 벙커C유 → 타르(아스팔트유)

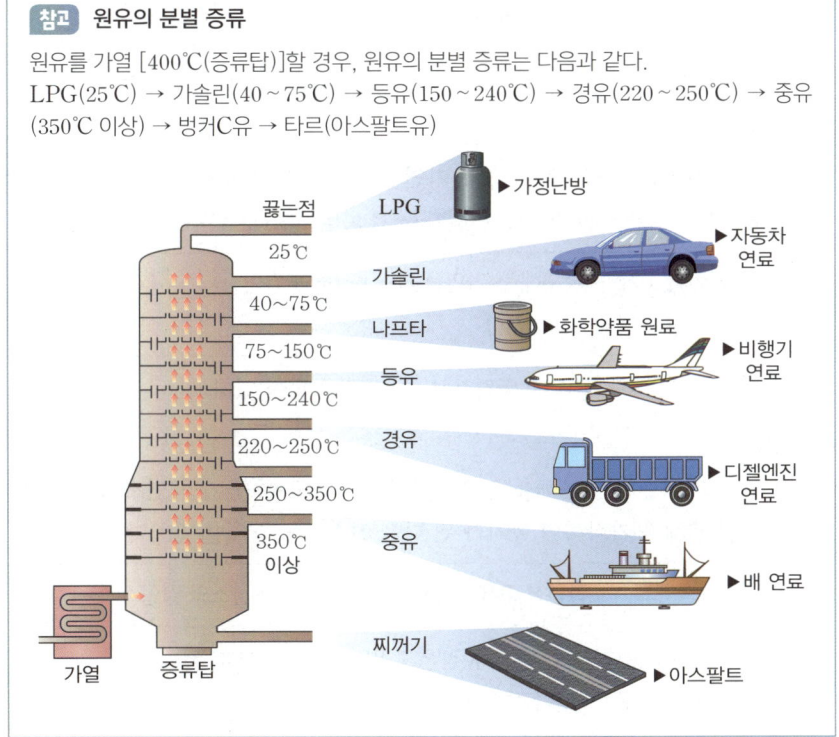

CHAPTER 4 연소의 형태 **071**

연소형태
1. 가연성 고체: 불꽃연소, 작열연소
2. 가연성 액체: 불꽃연소
3. 가연성 기체: 불꽃연소
4. 가연성 액체 또는 기체에는 작열연소가 발생하지 않는다.

3. 가연성 고체의 연소형태

가연성 물질이 고체인 경우 불꽃연소와 작열연소가 동시에 발생하는데, 고체의 성분에 따라서 연소형태가 다르다. 그러나 어느 것이나 고체가 가열되면서 분해 생성 가스나 가연성 가스를 발생시키며 연소한다. 공기 중에서의 연소는 거의 불완전연소이며 연기나 유독가스를 발생하는 것이 많다.

(1) 분해연소

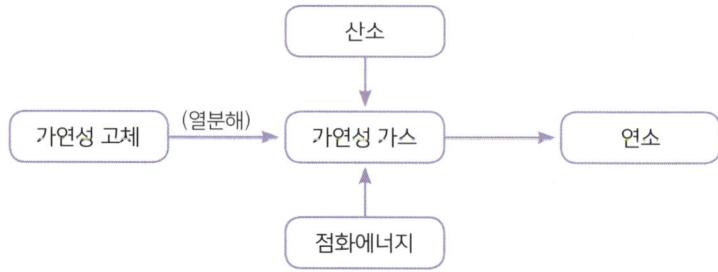

① 목재와 같은 고체 가연물이 열분해하여 생성된 일산화탄소(CO), 이산화탄소(CO_2), 수소(H_2), 메탄(CH_4) 등의 다양한 가스 가운데 가연성 가스를 연소하는 형태이다.

> 가연성 고체 → 열분해 → 가연성 가스 + 산소와 결합

② 목재, 석탄, 종이, 섬유, 플라스틱, 고무류, 열가소성 합성수지류 등이 있다.

(2) 표면연소

① 고체 가연물이 열분해에 의해 가연성 가스를 발생하지 않고 그 물질 자체가 계면에서 산소와 직접 반응하여 적열되면서 화염 없이 연소하는 형태를 말한다.

> · 가연성 고체 → 열분해 → 가연성 가스 + 산소와 결합
> · 가연성 고체 + 산소와 결합

② 숯, 코크스, 목탄, 금속분, 열경화성 합성수지류 등이 있다.

(3) 증발연소

① 고체 가연물이 열분해를 일으키지 않고 증발하여 증기가 연소되거나 먼저 융해된 액체가 기화하여 증기가 된 다음 연소하는 형태를 말한다.

> 가연성 고체 → 증발(가연성 증기) + 산소와 결합

② 열분해온도보다 그 물질의 융점온도 및 승화온도가 더 낮다.
③ 초(양초, 파라핀), 황, 나프탈렌, 요오드(아이오딘), 왁스 등이 있다.

(4) 자기연소(내부연소)

① 가연물이 물질의 분자 내에 산소를 함유하고 있어 열분해에 의해서 가연성 가스와 산소를 동시에 발생시키므로 공기 중의 산소 없이 연소하는 형태를 말한다.

> 가연성 고체(산소포함) → 열분해 → 가연성 가스와 산소

증발연소
1. 가연성 액체와 가연성 고체의 공통적인 연소형태는 분해연소, 증발연소이다.
2. 고체 가연물인 표면연소, 증발연소는 열분해하지 않는다.

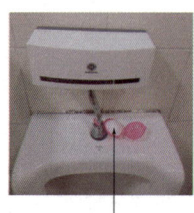

나프탈렌

② 나이트로셀룰로오스(NC), 나이트로글리세린(NG), 트리나이트로톨루엔(TNT), 트리나이트로페놀(TNP) 등 **제5류 위험물**의 대부분이 자기연소에 해당된다.

4. 훈소(燻燒, Smoldering)

(1) 화재초기 무염착화에서 발염착화되기 **전까지** 또는 소화되어 갈 때 볼 수 있다.
(2) 산소부족(산소분압)으로 인해 **적열된 상태**에서 불꽃을 내지 않고 서서히 타들어 가는 현상을 말한다.
(3) 담배, 솜뭉치(매트리스), 나무, 식물성 섬유, 종이, 왕겨, 쓰레기더미, 고체연료 폐기장 등 셀룰로오스가 포함된 물질이 훈소에 해당된다.
(4) 내부에서 백열연소 또는 적열상태를 하고 있다는 **점에서** 표면연소(작열연소)와 같다.
(5) 연소속도가 느리고 **연쇄반응이 일어나지 않는다**.
(6) 불꽃연소가 되기 **전까지** 훈소에 해당된다.
(7) 연기입자가 크고 **액체미립자**가 포함되어 있다.

참고 표면연소와 훈소의 비교

구분	표면연소	훈소
연소의 외관적 형태	작열연소(화염이 없음)	작열연소(화염이 없음)
화학반응	표면반응	표면반응
연소형태	심부로 타들어가는 형태 (심부연소)	심부로 타들어가는 형태 (심부연소)
화염연소 가능성	발생하지 않는다.	조건에 따라 발생할 수 있다.
가연성 가스 발생 여부	가연성 가스가 발생하지 않는다.	가연성 가스가 발생한다.
발생원인	고체 가연물이 가연성 가스를 발생하지 않고 그 물질 자체가 계면에서 산소와 직접 반응하는 상태이다.	온도가 낮거나 산소 부족으로 가연성 증기에 착화가 곤란한 상태이다(느린 산화반응).
연기	훈소보다 연기가 발생하지 않는다.	표면연소보다 연기 발생량이 많다.
가연물	숯, 코크스, 금속분, 목탄 등 가연성 증기가 발생하지 않는 가연물이다.	담배, 솜뭉치, 나무, 식물성 섬유, 종이 등 셀룰로오스가 포함된 물질에서 주로 발생한다.

용어사전

❶ 산소분압: 전체 기체압력 중에서 산소기체가 차지하는 압력을 말한다. 즉, 산소의 압력을 말한다.
❷ 왕겨: 벼의 겉에서 맨 처음 벗긴 굵은 겨를 말한다.

영철쌤 tip

훈소와 표면연소
1. 표면연소는 온도증가, 산소증가 → 불꽃연소로 변하지 않는다.
2. 훈소는 온도증가, 산소증가 → 불꽃연소로 변할 수 있다.

불꽃연소, 표면연소, 훈소의 연기량 비교
불꽃연소 < 표면연소 < 훈소

영철쌤 tip

연소매커니즘

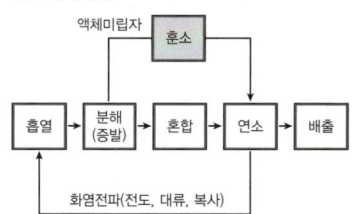

· 흡열: 가연물의 열을 흡수
· 연소생성물 배출: 열, 연기, 불꽃, 연소가스

3 연소 시 발생하는 이상 현상

1. 역화(Back Fire), 플래시백, 라이트백 (연료분출속도 < 연소속도)

(1) 의의

대부분 기체연료를 연소시킬 때 발생되는 이상 연소 현상으로서 연료의 분출속도가 연소속도보다 느릴 때 **불꽃이 연소기의 내부로 빨려 들어가 혼합관 속에서 연소하는 현상**을 말한다. 즉, 연소속도보다 혼합가스의 분출속도가 느릴 때 발생한다.

(2) 분젠식 버너법에 해당한다.

(3) 역화의 원인 [양↓, 압력↓, 직경(관경)↑]
① 혼합가스량이 너무 적을 경우(1차 공기가 적은 경우)
② 공급가스의 압력이 낮은 경우
③ 염공이 크거나 부식으로 분출구멍이 커진 경우
④ 버너의 과열
⑤ 연소속도보다 혼합가스의 분출속도가 느릴 경우

(4) 역화의 결과

염공의 안쪽으로 불꽃이 들어간다.

2. 선화(Lifting) (연료분출속도 > 연소속도)

(1) 의의

역화의 반대 현상으로 연료가스의 분출속도가 연소속도보다 빠를 때 **불꽃이 버너의 노즐에서 떨어져서 연소하는 현상**으로 완전한 연소가 이루어지지 않는다. 즉, 혼합가스의 분출속도가 연소속도보다 빠를 때 발생한다.

(2) 분젠식 버너법에 해당한다.

(3) 선화의 원인 [양↑, 압력↑, 직경(관경)↓]
① 혼합가스량이 너무 많을 경우(1차 공기가 너무 많을 경우)
② 공급가스의 압력이 높은 경우
③ 염공이 작거나 막혔을 경우(완전히 막힌 것이 아님)
④ 혼합가스의 분출속도가 연소속도보다 빠를 경우

(4) 선화의 결과

염공의 바깥쪽으로 불꽃이 공중부양한다.

핵심정리 정상연소 및 비정상연소

1. 정상연소: 연료의 분출속도(발생속도) = 연소속도(방출속도)
2. 비정상연소
① 연료의 분출속도(발생속도) < 연소속도(방출속도) → 역화
② 연료의 분출속도(발생속도) > 연소속도(방출속도) → 선화

③ 역화와 선화의 비교

구분		역화(Back Fire) [연료분출속도 < 연소속도]	선화(Lifting) [연료분출속도 > 연소속도]
원인	혼합 가스량 (1차 공기)	↓	↑
	압력	↓	↑
	염공 직경(관경)	↑	↓
	버너의 과열	상관있다.	상관없다.
결과		염공의 안쪽으로 불꽃이 들어간다.	염공의 바깥쪽으로 불꽃이 공중부양한다.

3. 연소장치 및 기계·기구의 열효율❶은 정상연소가 비정상연소에 비해 높다.

영철쌤 tip

1. 역화(연료의 분출속도 < 연소속도)는 염공 직경만 크고 나머지는 작다.
2. 선화(연료의 분출속도 > 연소속도)는 염공 직경만 작고 나머지는 크다.

용어사전

❶ 열효율: 열기관에 공급된 열이 유효한 일로 바뀐 정도를 나타내는 비율, 즉 열기관이 하는 유효한 일을 말한다.
열효율이 좋다는 것은 낭비가 없다는 것을 의미한다.

3. 블로우 오프(Blow-off)[유출속도(연료분출속도) > 연소속도]

선화 상태에서 연료가스의 분출속도가 증가하거나 주위 공기의 유동이 심하면 화염이 노즐에 정착하지 못하고 떨어져 **화염이 꺼지는 현상**을 말한다. 버너의 경우 가연성 기체의 유출속도가 연소속도보다 클 경우 일어난다.

   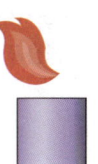

정상연소   백파이어(역화)   리프팅(선화)   블로우 오프

4. 불완전연소

(1) 의의

연소 시 가스와 공기의 혼합이 **불충분**하거나 연소온도가 **낮을 경우** 등 여러 가지 요인으로 노즐의 선단에 적황색 부분이 늘어나거나(황염), **일산화탄소나 그을음(유리탄소❷)이 발생**하는 연소 현상을 말한다.

(2) 불완전연소의 원인

① 가스의 조성이 균일하지 **못할** 경우(가연성가스와 산소가 적절하지 못할 때)
② 공기(산소)의 공급량이 **부족할** 경우
③ 주위온도가 너무 **낮을** 경우
④ 환기 또는 배기가 잘 되지 **않을** 경우
⑤ 노즐의 분무상태가 **나쁠** 경우(가연물, 연료 부족)
⑥ 공급연료(가연물)가 많아 상태가 **불안정**할 경우(산소 부족)

영철쌤 tip

불완전연소
1. 불완전연소의 원인과 소염현상의 원인은 같다.
2. 불완전연소 및 소염현상의 원인은 부정적 언어이다(부족, 불안정 등).
3. 주위 온도가 높을 경우는 불완전연소 원인이 아니다.

용어사전

❷ 유리탄소: 탄화수소계 연료가 연소할 때 불완전연소하여 발생되는 흑연, 그을음 등을 의미한다.

영철쌤 tip
이산화탄소와 일산화탄소의 비교

이산화탄소(CO_2)	일산화탄소(CO)
· 연소가스	· 무색
· 무취	· 무미
· 완전연소	· 불완전연소
· 불연성 물질	· 가연성 물질
· 무독성	· 유독성
· 연소범위(폭발범위)가 없다.	· 연소범위(폭발범위)가 있다.
· 공기보다 무겁다.	· 공기보다 약간 가볍다.
· 물에 잘 녹는다.	· 물에 잘 녹지 않는다.

5. 블로우 다운(Blow-down)

퍼지(Purge) 또는 방산이라고도 하며, 불필요한 가스를 대기 중으로 배출하는 것을 말한다.

6. 황염(Yellow Tip)

불꽃의 끝이 적황색으로 되어 연소하는 현상을 말하며, **공기가 부족할 때**(불완전연소 시)에 발생한다.

7. 주염현상

가연성 가스가 연소하면서 바람을 타고 흘러가는 현상(화염이 바람 타고 흘러가는 현상)을 말한다.

> **핵심정리** 완전연소와 불완전연소 차이점
>
> | 비고 | 완전연소 | 불완전연소 |
> |---|---|---|
> | 산소공급 | 충분 | 부족 |
> | 연소(화염)온도 | 높다. | 낮다. |
> | 연소(화염)의 색깔 | 밝게 보임(휘백색에 가깝다) | 덜 밝음(암적색에 가깝다) |
> | 탄화수소화합물인 연소생성물 | 이산화탄소[CO_2], 수증기[H_2O] | 일산화탄소[CO], 타르, 황염현상, 그을음발생 |

4 연소불꽃의 색상

가연물질의 완전연소 시에는 공기의 공급량이 충분하기 때문에 연소불꽃은 휘백색으로 나타나고 보통 불꽃온도는 1,500°C에 이르게 되며 금속이 탈 때에는 3,000°C 내지 3,500°C에 이른다. 그러나 공기 중 산소의 공급이 부족하면 연소불꽃은 담암적색에 가까운 색상으로 나타난다.

영철쌤 tip
가장 온도가 낮은 것은 담암적색이고, 가장 온도가 높은 것은 휘백색이다.

연소불꽃의 색	담암적색	암적색	적색	휘적색	황적색	백적색	휘백색
온도[°C]	520	700	850	950	1,100	1,300	1,500 이상

문제로 완성하기

CHAPTER 4 연소의 형태

01 불완전연소에 관한 설명으로 옳지 않은 것은?   24. 공채·경채
① 산소 과잉 상태에서 발생한다.
② 불꽃이 저온 물체와 접촉하여 온도가 내려갈 때 발생한다.
③ 일산화탄소, 그을음과 같은 연소생성물이 발생한다.
④ 연소실 내 배기가스의 배출이 불량할 때 발생한다.

02 화염의 안정범위가 넓고 조작이 용이하여 역화의 위험이 없는 연소는?
① 분무연소   ② 확산연소
③ 분해연소   ④ 예혼합연소

03 가연성 기체의 연소형태가 아닌 것은?
① 예혼합연소   ② 자기연소
③ 확산연소   ④ 폭발연소

정답 및 해설

01 불완전연소의 원인
- 가스의 조성이 균일하지 못할 경우(가연성가스와 산소가 적절하지 않을 때)
- 공기(산소)의 공급량이 부족 할 경우
- 주위온도가 너무 낮을 경우
- 환기 또는 배기가 잘되지 않을 경우
- 노즐의 분무상태가 나쁠 때(가연물이 부족, 연료부족)
- 공급연료(가연물)가 많아 상태가 불안정할 때(상대적으로 산소부족)

02 확산연소
확산연소란 가연성 가스와 공기를 인접한 2개의 분출구에서 분출확산시켜 계면에 가연성 혼합기를 형성하여 연소시키는 현상을 말한다. 화염면의 전파가 일어나지 않으며, 역화의 위험이 없다.

03 가연성 기체의 연소형태
- 확산연소(발염연소)   · 예혼합연소
- 부분예혼합연소   · 폭발연소

정답 01 ① 02 ② 03 ②

04 기체연료가 공기와 미리 혼합하여 혼합기를 통하여 점화시켜 연소하는 형태로서 역화의 위험이 있는 연소는?
① 증발연소
② 분해연소
③ 확산연소
④ 예혼합연소

05 가연성 물질 표면에서 증발한 가연성 증기와 공기 중 산소와 화합하여 열에너지를 방출하는 연소형태는?
① 분해연소
② 분무연소
③ 증발연소
④ 표면연소

06 다음 석유류 중 분해연소를 하는 가연성 액체는?
① 등유
② 중유
③ 경유
④ 휘발유

07 고체 가연물의 연소 중 연소형태가 다른 것은? 24. 소방간부
① 목재
② 종이
③ 석탄
④ 파라핀
⑤ 합성수지

08 다음 가연성 고체 중 불꽃 없이 타는 연소형태는?
① 자기연소
② 표면연소
③ 분해연소
④ 증발연소

09 기체상 연료노즐에서의 연소에 대한 일반적인 설명으로 옳은 것을 있는 대로 모두 고른 것은? 22. 공채·경채

> ㄱ. 역화는 연료의 연소속도가 분출속도보다 빠를 때 불꽃이 연료노즐 속으로 빨려 들어가 연료노즐 속에서 연소하는 현상이다.
> ㄴ. 선화는 불꽃이 연료노즐 위에 들뜨는 현상으로 연료노즐에서 연료기체의 연소속도가 분출속도보다 느릴 때 발생하는 현상이다.
> ㄷ. 황염은 분출하는 기체연료와 공기의 화학양론비에서 공기량이 적을 때 발생한다.
> ㄹ. 연료노즐에서 흐름이 난류(Turbulent)인 경우, 확산연소에서 화염의 높이는 분출 속도에 비례한다.

① ㄱ, ㄴ
② ㄷ, ㄹ
③ ㄱ, ㄴ, ㄷ
④ ㄱ, ㄴ, ㄷ, ㄹ

정답 및 해설

04 예혼합연소
가연성 기체가 미리 산소와 혼합한 상태로 연소하는 현상으로서 반응속도가 빠르고 반응영역의 온도가 높으며, 화염면의 이동이 수반되어 역화를 일으킬 위험이 큰 연소형태는 예혼합연소이다.

05 가연성 액체의 연소형태
액체 가연물질의 연소는 액체 자체가 연소하는 것이 아니라 증발이라는 변화 과정을 거쳐 발생된 증기가 타는 것이다.
- 증발연소: 액체 가연물질이 휘발성인 경우는 외부로부터 열을 받아서 증발하여 연소하는 것을 말한다.
- 분해연소: 액체가 비휘발성이거나 비중이 커서 증발하기 어려운 경우에는 높은 온도를 가해 열분해하여 그 분해가스를 연소시키는 것을 말한다.

06 분해연소
가연성 액체의 분해연소란 점도가 높고 비휘발성이거나 비중이 큰 액체 가연물이 열분해하여 증기를 발생하게 함으로써 연소가 이루어지는 형태를 말한다. 일반적으로 제4류 위험물 중 제3석유류 및 제4석유류가 해당된다.

07 가연성 고체
- 분해연소: 목재, 석탄, 종이, 섬유, 플라스틱, 고무류(합성수지류) 등
- 증발연소: 초(양초, 파라핀), 유황, 나프탈렌, 요오드 등

08 표면연소
표면연소는 고체 가연물이 열분해에 의해 가연성 가스를 발생하지 않고 그 물질 자체가 계면에서 산소와 직접 반응하여 적열되면서 화염 없이 연소하는 형태를 말한다.

09 연소
연료노즐에서 흐름이 난류(Turbulent)인 경우, 확산연소에서 화염의 높이는 분출 속도와 관계가 없이 일정하다. 연료노즐에서 흐름이 층류(Laminar Flow)인 경우, 확산연소에서 화염의 높이는 분출 속도에 비례한다.

■ 역화와 선화의 비교

구분		역화(Back fire) (연료분출속도<연소속도)	선화(Lifting) (연료분출속도>연소속도)
원인	혼합 가스량 (1차 공기)	↓	↑
	압력	↓	↑
	염공 직경 (관경)	↑	↓
	버너의 과열	상관있다.	상관없다.
결과		염공 안쪽으로 불꽃이 들어간다.	염공 바깥쪽으로 불꽃이 공중부양한다.

■ 황염(Yellow Tip)현상
불꽃의 끝이 적황색으로 되어 연소하는 현상을 말하며, 공기가 부족할 때(불완전연소 시)에 발생한다.

정답 04 ④ 05 ③ 06 ② 07 ④ 08 ② 09 ③

10 [보기]에서 표면연소에 해당하는 것만을 모두 고른 것은?

[보기]
ㄱ. 숯   ㄴ. 목탄
ㄷ. 코크스   ㄹ. 플라스틱

① ㄱ, ㄴ, ㄷ
② ㄱ, ㄴ, ㄹ
③ ㄱ, ㄷ, ㄹ
④ ㄴ, ㄷ, ㄹ

11 상온에서 고체 상태로 존재하는 가연물의 연소형태에 해당하는 것만을 [보기]에서 고른 것은? 24. 소방간부

[보기]
ㄱ. 표면연소   ㄴ. 분무연소   ㄷ. 폭발연소
ㄹ. 자기연소   ㅁ. 예혼합연소

① ㄱ, ㄴ
② ㄱ, ㄹ
③ ㄴ, ㄷ
④ ㄴ, ㄹ
⑤ ㄹ, ㅁ

12 가연성 물질의 연소형태로 옳은 것만을 모두 고른 것은? 20. 소방간부

ㄱ. 분해연소: 목재, 종이
ㄴ. 확산연소: 나프탈렌, 황
ㄷ. 표면연소: 코크스, 금속분
ㄹ. 증발연소: 가솔린엔진, 분젠버너
ㅁ. 자기연소: 질산에스테르류, 니트로화합물류

① ㄱ, ㄴ, ㄹ
② ㄱ, ㄷ, ㄹ
③ ㄱ, ㄷ, ㅁ
④ ㄴ, ㄹ, ㅁ
⑤ ㄷ, ㄹ, ㅁ

13 융점이 낮은 가연성 고체를 가열하면 열분해 없이 고체가 액체가 되고 다시 온도가 증가하여 일정 온도에 도달하면 증발하여 기체로 변화한다. 이렇게 변화된 기체가 연소하는 현상은?

① 분해연소
② 증발연소
③ 표면연소
④ 확산연소

14 촛불의 연소형태에 해당하는 것은?

① 표면연소 ② 분해연소
③ 증발연소 ④ 확산연소

15 분자 내에서 산소를 가지고 있어 외부의 산소공급원 없이도 점화원의 존재하에서 쉽게 폭발하는 연소형태는?

① 분무연소 ② 액적연소
③ 증발연소 ④ 자기연소

정답 및 해설

10 표면연소
- 표면연소는 고체 가연물이 열분해에 의해 가연성 가스를 발생하지 않고 그 물질 자체가 계면에서 산소와 직접 반응하여 적열되면서 화염 없이 연소하는 형태를 말한다.
- 숯, 코크스, 목탄, 금속분 등이 있다.

11 가연물의 연소형태
ㄱ. 표면연소, ㄹ. 자기연소: 고체연소형태
ㄴ. 분무연소: 액체연소형태
ㄷ. 폭발연소, ㅁ. 예혼합연소: 기체연소형태

12 가연성 물질의 연소 형태
ㄴ. 나프탈렌, 황은 증발연소에 해당한다.
ㄹ. 가솔린엔진, 분젠버너는 예혼합연소에 해당한다.

13 증발연소
융점이 낮은 가연성 고체를 가열할 때 열분해를 하지 않고 그대로 증발하여 연소하거나 액화 후 발생하는 가연성 증기에 연소하는 형태를 증발연소라 한다. 대표적인 물질로는 유황, 나프탈렌, 파라핀 등이 해당된다.

14 증발연소
촛불의 연소형태는 증발연소로 가연성 고체를 가열할 때 열분해를 하지 않고 액화 후 발생하는 가연성 증기가 연소하는 형태이며, 대표적으로 유황, 나프탈렌, 파라핀 등이 해당된다.

15 자기연소
니트로셀룰로오스나 화약처럼 연소에 필요한 산소의 전부 또는 일부를 자기 분자 속에 포함하고 있는 물체의 연소형태는 자기연소이다.

정답 10 ① 11 ② 12 ③ 13 ② 14 ③ 15 ④

16 연소에 관한 설명으로 옳은 것은? 24. 공채·경채

① 작열연소: 화염이 없는 표면연소이다.

② 분해연소: 유황이나 나프탈렌이 열분해 되면서 일어나는 연소이다.

③ 증발연소: 액체에서만 발생하는 연소형태로서 액면에서 비등하는 기체에서 발생한다.

④ 자기연소: 제3류 위험물과 같이 물질 자체 내의 산소를 소모하는 연소로서 연소속도가 빠르다.

17 기체연소와 액체연소에 관한 설명으로 옳은 것만을 [보기]에서 고른 것은? 25. 소방간부

[보기]
ㄱ. 분해연소하는 물질로는 아세톤, 휘발유, 알코올류 등이 있다.
ㄴ. 확산연소는 예혼합연소에 비해 연소속도가 빠르다.
ㄷ. 확산연소는 예혼합연소에 비해 화염온도가 낮다.
ㄹ. 예혼합연소는 역화(back fire)가 발생할 우려가 있다.

① ㄱ, ㄴ
② ㄱ, ㄷ
③ ㄴ, ㄷ
④ ㄴ, ㄹ
⑤ ㄷ, ㄹ

18 연소 시 발생하는 이상 현상으로, 연료가 연소될 때 연료의 분출속도가 연소속도보다 느려 불꽃이 염공(焰孔) 속으로 빨려 들어가 혼합관 속에서 연소하는 현상으로 옳은 것은? 25. 소방간부

① 불완전 연소(incomplete combustion)

② 선화(lifting)

③ 블로우 오프(blow off)

④ 황염(yellow tip)

⑤ 역화(back fire)

19 역화가 일어나는 원인으로 옳은 것을 모두 고른 것은?

> ㄱ. 버너의 과열상태에서 일어날 수 있다.
> ㄴ. 염공 안쪽으로 불꽃이 빨려 들어간다.
> ㄷ. 염공이 크거나 부식에 의해 확대되었을 경우에 발생한다.
> ㄹ. 연소속도보다 혼합가스의 분출속도가 느릴 때 발생한다.

① ㄱ
② ㄱ, ㄴ
③ ㄱ, ㄷ, ㄹ
④ ㄱ, ㄴ, ㄷ, ㄹ

정답 및 해설

16 연소의 특징
② 증발연소: 유황이나 나프탈렌이 열분해 되기 전에 일어나는 연소이다.
③ 증발연소: 고체 및 액체에서만 발생하는 연소형태로서 액면에서 비등하는 기체에서 발생한다.
④ 자기연소: 제5류 위험물과 같이 물질 자체 내의 산소를 소모하는 연소로서 연소속도가 빠르다.

17 기체연소와 액체연소
ㄱ. 증발연소하는 물질로는 아세톤, 휘발유, 알코올류 등이 있다.
ㄴ. 확산연소는 예혼합연소에 비해 연소속도가 느리다.

18 역화(Back Fire)
역화(Back Fire): 연료의 분출속도 < 연소속도. 혼합관속에 연소하는 현상

19 역화(Back Fire)
역화란 공기 중에 가연성 혼합가스가 연소 시 가연성 혼합가스의 분출속도가 연소속도보다 느릴 때 불꽃이 염공 속으로 빨려 들어가 혼합관 속에서 연소하는 현상이다. 따라서 ㄴ. 염공 안쪽으로 불꽃이 빨려 들어가는 것은 역화의 원인이 아닌 역화가 일어난 결과이다.

정답 16 ① 17 ⑤ 18 ⑤ 19 ③

20 가스 연소 시 발생되는 이상 현상에 대한 설명으로 옳지 않은 것은? 21. 소방간부

① 불완전연소란 공기의 공급량이 부족할 때 일산화탄소, 그을음 등이 발생하는 현상이다.

② 연소소음이란 가연성 혼합가스의 연소속도나 분출속도가 대단히 클 때 연소음 및 폭발음 등이 발생하는 현상이다.

③ 선화란 연료가스의 분출속도가 연소속도보다 빠를 때 불꽃이 노즐에 정착되지 않고 떨어져서 연소하는 현상이다.

④ 역화란 기체 연료를 연소시킬 때 혼합가스의 압력이 비정상적으로 높거나 혼합가스의 양이 너무 많을 때 발생되는 이상 연소 현상이다.

⑤ 블로우오프란 선화상태에서 연료가스의 분출속도가 증가하거나 공기의 유동이 강하여 불꽃이 노즐에서 정착되지 않고 떨어져서 꺼져버리는 현상이다.

21 선화(Lifting)의 발생원인에 해당하지 않은 것은?

① 염공이 작아지는 경우

② 방출되는 가스량이 많을 경우

③ 1차 공기량이 많을 경우

④ 공급 가스압력이 낮을 경우

22 가스의 분출속도가 크거나 공기의 유동이 너무 강하여 불꽃이 노즐에서 정착하지 않고 떨어지게 되어 꺼져 버리는 현상은?

① 옐로우팁　　　　　　　　　　② 블로우오프

③ 리프팅　　　　　　　　　　　④ 백파이어

23 다음 중 연소 시 불꽃의 온도가 가장 높은 것은?

① 황적색   ② 암적색
③ 백적색   ④ 휘백색

24 연소의 색상과 온도의 연결로 옳지 않은 것은?

① 암적색 – 700℃   ② 휘적색 – 950℃
③ 백적색 – 1,100℃   ④ 휘백색 – 1,500℃

정답 및 해설

20 역화(Back Fire)
역화란 기체 연료를 연소시킬 때 혼합가스의 압력이 비정상적으로 낮거나 혼합가스의 양이 너무 적을 때 발생되는 이상 연소 현상이다.

21 선화(Lifiting)
공급 가스압력이 낮을 경우에는 역화현상이 일어난다.

22 블로우오프(Blow off)
블로우오프(Blow off)란 불꽃 기저부에 대한 공기의 움직임이 세지면 불꽃이 노즐에서 정착하지 않고 떨어지게 되어 꺼져버리는 현상이다.

23 연소불꽃의 색상
- 연소 시 불꽃의 온도가 휘백색일 때 최고온도가 나타난다.
- 가연물질이 완전연소 시에는 공기의 공급량이 충분하기 때문에 연소불꽃은 휘백색으로 나타나고 보통 불꽃온도는 1,500℃에 이르게 된다.

24 연소불꽃의 색상

연소불꽃의 색	온도[℃]	연소불꽃의 색	온도[℃]
담암적색	520	황적색	1,100
암적색	700	백적색	1,300
적색	850	휘백색	1,500 이상
휘적색	950		

정답 20 ④ 21 ④ 22 ② 23 ④ 24 ③

CHAPTER 5 자연발화

출제 POINT
- 01 자연발화의 발생조건 ★★★
- 02 자연발화의 분류 ★★☆
- 03 자연발화의 방지책 ★★★

1 자연발화의 정의 및 발생조건

1. 정의
넓은 의미에서의 자연발화는 외부에서 인위적으로 **점화에너지를 부여하지 않았음에도** 상온에서 물질이 공기 중 화학변화를 일으키며 오랜 시간에 걸쳐 **열의 축적**이 생겨 마침내 **발화점**에 도달하여 발화하는 현상을 말한다. 자연발화를 일으키는 원인이 되는 발화에너지는 화학변화로 생긴 산화열, 분해열, 중합열, 흡착열, 미생물열 등이다.

2. 발생조건

(1) 열의 축적

물질이 자연발화를 일으키기 위해서는 먼저 산화, 분해 시에 발생하는 반응열이 상당히 크고, 그 열이 축적되기 쉬운 상태에 놓여져야 할 필요가 있다. 일반적으로 열이 물질의 내부에 축적되지 않으면 내부온도가 상승하지 않기 때문에 자연발화는 발생하지 않는다.

① **열전도율**: 분말상·섬유상의 물질이 **열전도율이 적은** 공기를 많이 포함하기 때문에 **열이 축적되기 쉽고**, 보온효과가 좋다.

② **축적(퇴적)방법**
  ㉠ 공기 중 노출되거나 얇은 상태의 물질보다는 여러 겹의 중첩상황이나 분말상태가 좋다.
  ㉡ 대량 집적물의 중심부는 표면보다 단열성·보온성이 좋아서 자연발화가 용이하다.

③ **공기의 이동**: **밀폐된 공간**에서는 공기의 이동이 정체되므로 **열축적이 되기 쉽다**. 통풍이 잘 되는 장소에서는 열의 축적이 곤란하기 때문에 자연발화가 발생하는 경우는 극히 드물다.

④ **휘발성**: 자연발화는 **고체**에서 논하므로 휘발성이 적으면(증기압력이 낮을수록) 열축적이 잘 되어 **자연발화가 용이하다**.

(2) 열의 발생속도

열의 발생속도는 발열량과 반응속도와의 곱으로서 발열량이 크더라도 반응속도가 느리면 열의 발생속도도 느려진다. 즉, '열의 발생속도 = 발열량×반응속도'이다.

① **온도**: 주위온도가 높으면 반응속도가 빠르기 때문에 열의 발생은 증가한다. 따라서 **온도상승에 따라 반응속도는 증가**한다.

② **발열량**: **발열량이 클수록 열축적이 크다**. 그러나 발열량이 크다 하더라도 반응속도가 느리면 축적열은 작게 된다.

영철쌤 tip

자연발화
1. 자연발화의 대표적인 물질은 황린이며, 황린의 자연발화온도는 34℃이다.
2. 황린 화학 반응식

    $P_4 + 5O_2 \rightarrow 2P_2O_5$
    [황린] [산소] [오산화인]

3. 자연발화는 일반적으로 고체에서 논하기 때문에 가연성 고체의 경우 휘발성이 작을수록 자연발화가 잘 발생한다.

열축적
캠프파이어(Camp Fire)를 할 때 나무를 여러 겹의 중첩으로 쌓아 올리면 그 사이에 공기가 들어가 열축적이 잘 된다.

열의 발생속도
적당한 수분(습도)은 촉매작용을 하므로 열의 발생속도가 증가한다. 비가 오는 날 습도가 높기 때문에 조금만 움직여도 몸에 열이 축적되어 불쾌지수가 올라가는 이유와 비슷하다.

③ **수분**: 적당량의 수분이 존재하면 수분이 촉매역할을 하여 반응속도가 가속화되는 경우가 많다. 따라서 고온·다습한 환경의 경우가 자연발화를 촉진시키며 저온·건조한 경우는 자연발화가 일어나지 않는다.
④ **표면적**: 일반적으로 산화반응의 반응속도는 산소의 양에 비례하기 때문에 산소함유물질을 제외한 물질 중 산소량이 적거나 없는 경우는 자연발화가 일어나지 않는다. 따라서 공기 중의 산소와의 접촉관계가 중요하다.
  ㉠ 분말상이나 섬유상의 물질이 내부에 다량의 공기를 포함하는 경우 자연발화가 일어날 가능성이 크다.
  ㉡ 분말이나 액체가 포나 종이 등에 스며들어 배이게 되면 자연발화가 용이하다.
⑤ **촉매❶물질**: 발열반응에 정촉매적 작용을 가진 물질이 존재하면 반응은 가속화된다.

> **용어사전**
> ❶ 촉매: 반응속도를 빠르게 한다.
> *부촉매: 반응속도를 느리게 한다.

2 자연발화의 분류

1. 완만한 온도상승을 일으키는 경우(장시간)

(1) 산화열(연소열)
① 공기 중 자연산화하고 산화열이 축적되어 발화하는 물질이다.
② 유지류가 젖어 있는 다공성 가연물, 원면, 금속분류, 석탄분, 고무조각, 황철광, 기름걸레, 산화에틸렌 등이 있다.

> **참고** 유지류(동식물유류)
>
> 1. 관련 용어
>   ① 요오드가: 100g의 유지가 불포화기를 포화시키는 데 소모되는 요오드의 g수를 말한다.
>   ② 불포화도: 불포화 탄화수소가 추가로 결합 가능한 수소의 양을 말한다.
> 2. 유지류
>   ① 건성유: 요오드가 130 이상(해바라기기름, 동유, 아마인유, 정어리기름, 들기름 등)
>   ② 반건성유: 요오드가 100 초과 ~ 130 미만(청어유, 옥수수기름, 참기름, 콩기름 등)
>   ③ 불건성유: 요오드가 100 이하(돼지기름, 올리브유, 팜유, 땅콩기름 등)
> 3. 유지류 비교
>
> | 구분 | 요오드가 | 불포화도 | 자연발화성 | 종류 |
> |---|---|---|---|---|
> | 건성유 | 130 이상 | 크다 | 크다 | 해바라기기름 등 |
> | 반건성유 | 100 초과 ~ 130 미만 | 중간 | 중간 | 옥수수기름 등 |
> | 불건성유 | 100 이하 | 작다 | 작다 | 돼지기름 등 |

(2) 흡착열
① 물질이 주위의 기체 등을 흡착하고 그때 생기는 흡착열이 축적되어 발화하는 물질이다.
② 활성탄, 유연탄, 목탄(숯)분 등이 있다.

(3) 분해열
① 자연분해 시 발생하는 분해열이 축적되어 발화하는 물질이다.
② 제5류 위험물([나이트로셀룰로오스(질화면), 셀룰로이드류, 나이트로글리세린] 등), 아세틸렌, 산화에틸렌, 표백분 등이 있다.

(4) 미생물열(발효열)
① 미생물의 활동으로 발열하여 발화하는 물질이다.
② 먼지, 퇴비(거름), 비료, 곡물 등이 있다.

(5) 중합열
① 물질 제조과정에서 발열반응에 의해 발화하는 물질(중합반응❶)이다.
② 액화시안화수소, 산화에틸렌❷, 아크릴로니트릴, 스틸렌, 메틸아크리레이트, 비닐아세틸렌 등이 있다.

2. 비교적 온도가 빨리 상승하는 경우(단시간)

(1) 발화점이 상온에 가깝고 산화열에 의해 물질 자신이 발화하는 물질
① 황린 및 디메틸마그네슘, 디에틸마그네슘, 디에틸아연 등의 유기금속화합물류가 있다.
② 알킬알루미늄, 알킬리튬, 실란, 디실란 등의 규소화수소류, 액체인화수소 등이 있다.

(2) 공기 중의 습기를 흡수하거나 물과 접촉했을 때 발열 또는 발화하는 물질
① 가연성 가스를 발생하고 자신이 발화하는 물질: 칼륨, 나트륨, 알카리금속류, 알카리토금속류, 알루미늄 및 아연분 등이 있다.
② 발열하여 다른 가연성 물질을 발화시키는 물질: 과산화나트륨, 무기과산화물류, 삼산화크롬, 진한황산, 진한질산 등이 있다.

▲ 미생물열 – 비료

용어사전

❶ 중합반응: 저분자 물질에서 고분자 물질로 바뀌는 화학반응을 말한다.
❷ 산화에틸렌: 산화열, 분해열, 중합열 모두 발생한다.

 **영철쌤 tip**

자연발화
1. 제3류 위험물(황린, 칼륨, 나트륨 등)의 자연발화는 단시간에 걸쳐 발생한다.
2. 제5류 위험물은 분해열에 의해 단시간 내에 폭발한다. 그러나 분해열에 의한 자연발화는 장시간에 걸쳐 발생한다.

황린
황린(P_4)은 담황색의 반투명 결정성 덩어리로 활성이 매우 강하다. 특히 산소와 결합력이 강하여 고온·다습인 상태에서 통상 34℃에서 자연발화한다.

규소화수소류
일반적으로 실란(SiH_4), 디실란(Si_2H_6), 트리실란(Si_3H_8), 테트라실란(Si_4H_{10})은 공기 중에서 산화하기 쉬운 특징을 가지고 있고 저급의 실란은 비교적 안정적이지만 고급 규소화수소들은 극히 산화되기 쉬워서 자연발화성을 가진다.

액화인화수소
인의 수소화물 중 기상인화수소(PH_3)의 발화점은 약 100℃이지만 액상인화수소(P_2H_4)는 상온에서 발화한다.

3. 자연발화 방지책

(1) 자연발화의 방지책
① 통풍, 환기, 저장방법을 고려하여 **열의 축적을 방지**한다.
② 반응속도가 온도에 크게 좌우되므로 저장실 및 주위의 **온도를 낮게** 유지한다.
③ 습기, 수분 등은 물질에 따라 촉매작용을 하므로 가급적 **습도가 높은 곳은 피한다**.
④ 가능한 입자를 크게 하여 **공기와의 접촉면적을 적게** 유지한다.

(2) 황린의 자연발화 방지책
활성이 강한 **황린은 물속에 저장**한다.

(3) 칼륨, 나트륨 등 알칼리금속의 자연발화 방지책
칼륨, 나트륨 등의 알칼리금속은 석유 속에 저장한다.

핵심정리 자연발화 발생 및 방지법

비고	발생	방지법
열축적	밀폐된 공간 열전도율, 증기압력, 휘발성↓ 분말	개방된 공간 열전도율, 증기압력, 휘발성↑ 괴상(덩어리)
열 발생속도 (발열량×발열속도)	온도↑, 수분↑ (고온다습) 발열량↑ 표면적↑	온도↓, 수분↓ (저온건조) 발열량↓ 표면적↓

자연발화의 원인과 방지
1. 자연발화의 원인은 열축적, 즉 고온·다습이다.
2. 자연발화의 방지는 통풍(환기), 즉 저온·건조이다.
3. 자연발화 방지책으로 석유(등유, 경유) 속에는 산소가 없으므로 칼륨, 나트륨 등 알칼리금속은 석유 속에 저장한다.

습도(수분)와 건조

가연물의 구비조건 (잘 타는 조건)	자연발화 발생	발화점 낮아짐
건조	습도(수분)	건조
가연물이 잘 타지 않는 조건	자연발화 방지	발화점 높아짐
습도(수분)	건조	습도(수분)

예
1. 비오는 날 작은 방 안에 있으면 내 몸에 열이 더 잘 발생함 → 방 안의 습도 때문
2. 비오는 날 작은 방 안에서 에어컨을 틀고 있으면 내 몸이 뽀송뽀송함 → 방 안이 건조하기 때문

밀폐된 장소, 아닌 장소
밀폐된 장소가 아닌 경우에는 습도가 낮을수록 발화점은 낮아진다. 밀폐된 장소에는 습도가 높을수록 발화점은 낮아진다. 습도가 높을수록 일반적인 가연물은 잘 타지 않는다. 즉, 건조할수록 가연물은 잘 탄다.

문제로 완성하기

CHAPTER 5 자연발화

01 공기 중의 연료에서 느린 산화와 함께 시작될 수 있는 연소과정으로, 인위적으로 가열하지 않고 상온상태의 물질이 공기 중에서 자연산화 또는 자연분해하여 발생된 열에 의하여 반응이 점차적으로 가속되어 열을 축적하므로 발화점에 도달하여 부분적으로 발화되는 현상은?

① 인화점 ② 유도발화
③ 자연발화 ④ 분진폭발

02 자연발화에 관한 설명으로 옳지 않은 것은? 25. 소방간부

① 자연발화는 가연물의 열전도율이 낮을수록 발생하기 쉽다.
② 저장공간의 온도가 높으면 자연발화가 촉진될 수 있다.
③ 황린의 자연발화를 방지하기 위해서는 물 속에 저장해야 한다.
④ 유지류의 경우 아이오딘값(Iodine value)이 작을수록 자연발화하기 쉽다.
⑤ 자연발화를 방지하기 위해서는 저장공간의 공기 순환이 잘되게 해야 한다.

03 자연발화에 대한 설명으로 옳지 않은 것은?

① 가연물이 서서히 산화되어 산화열이 축적·발열·발화하는 현상을 말한다.
② 자연발화는 축적되는 열과 발산하는 열과의 균형이 깨졌을 때 발생한다.
③ 장시간 축적된 온도가 그 물질의 발화점 이상이면 자연발화한다.
④ 목재는 오염되지 않았을 때 발생빈도가 높다.

04 다음 물질 중 자연발화의 위험성이 가장 낮은 것은?

① 기름에 오염된 목재 ② 콩
③ 휘발유 ④ 퇴비

05 자연발화와 그에 해당하는 물질의 분류에 대한 설명으로 옳지 않은 것은?

① 산화열: 아마인유, 알루미늄분, 가공되지 않은 솜

② 흡착열: 활성탄, 석탄분, 목탄분

③ 분해열: 질화면, 셀룰로이드류

④ 미생물열: 먼지, 퇴비

06 자연발화에 대한 설명으로 옳지 않은 것은? 21. 소방간부

① 열축적이 용이할수록 자연발화가 쉽다.

② 열전도율이 높을수록 자연발화가 쉽다.

③ 발열량이 큰 물질일수록 자연발화가 쉽다.

④ 주위온도가 높을수록 자연발화가 쉽다.

⑤ 표면적이 넓을수록 자연발화가 쉽다.

07 자연발화 방지법으로 옳은 것은?

① 저장실의 습도를 높게 하도록 한다.

② 저장실 온도를 낮게 유지한다.

③ 저장실을 밀폐하여 환기를 방지한다.

④ 퇴적 수납 시 열축적이 용이하게 분말의 형태로 저장한다.

정답 및 해설

01 자연발화의 정의
자연발화란 물질이 공기 중에서 발화온도보다 상당히 낮은 온도에서 자연 발열하여 그 열이 장시간 축적됨으로써 발화점에 도달하여 연소하는 현상을 말한다.

02 자연발화
유지류의 경우 아이오딘값(Iodine value)이 클수록 자연발화하기 쉽다.

03 자연발화의 발생조건
목재에 기름이 묻어 있는 경우, 즉 오염이 되어 있는 경우에는 자연발화의 발생빈도가 더 높다.

04 자연발화의 발생조건
인화성 액체인 휘발유는 발화점에 도달하기 전에 모두 증발하기 때문에 자연발화가 잘 일어나지 않는다.

05 자연발화의 분류
물질이 주위의 기체 등을 흡착하고 그때 생기는 흡착열이 축적되어 발화하는 물질로는 활성탄, 유연탄, 목탄분 등이 있다.

06 자연발화의 발생조건
열전도율이 작을수록 자연발화가 쉽다.

07 자연발화의 방지법
자연발화를 방지하기 위해서 저장실의 온도를 낮추고 습도를 낮추어야 한다.

정답 01 ③ 02 ④ 03 ④ 04 ③ 05 ② 06 ② 07 ②

CHAPTER 6 폭발

출제 POINT

- 01 화염전파속도에 따른 분류 ★★☆
- 02 폭발형태에 따른 분류 ★★★
- 03 증기운폭발 ★☆☆
- 04 블래비(BLEVE) 현상 ★★☆
- 05 분진폭발 ★★☆
- 06 방폭구조 ★★☆

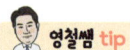 **영철쌤 tip**

폭발의 3대 조건은 밀폐된 공간, 점화원, 연소범위이다.

용어사전

❶ 물리적 폭발: 화염을 동반하지 않는 폭발을 말한다.
❷ 화학적 폭발: 화염을 동반하는 폭발을 말한다.
❸ 가역적: 물질의 상태가 한번 바뀐 다음에 다시 본래상태로 돌아갈 수 있는 것을 말한다.
  * 비가역적: 물질의 상태가 한번 바뀐 다음에 다시 본래상태로 돌아갈 수 없는 것을 말한다.
❹ 음속: 음파가 매질을 통해서 전파되는 속도를 말한다. 즉, 소리가 퍼져나가는 속도이다. 대기 중 음속은 340m/s이다.

 **영철쌤 tip**

폭굉의 단계
· 발화 → 연소파 → 압축파 → 충격파
  (화염전파) (연소파중첩) (압축파중첩)
  → 폭굉
  (단열압축)
· 착화 → 화염전파 → 압축파 → 충격파
  → 폭굉파

1 폭발의 정의

밀폐된 공간에서 물리적, 화학적 변화의 결과로 발생된 급격한 압력전달 및 압력상승에 의한 에너지가 외계로 전환되는 과정에서 파열음과 폭음을 동반하는 현상을 말한다. 이를 공정별(Process) 분류로 보면 물리적 폭발❶, 화학적 폭발❷, 핵폭발, 물리적 폭발과 화학적 폭발의 병립에 의한 폭발이 있다.

2 화염전파속도에 따른 분류

1. 폭굉(Detonation)

(1) 충격파에 의한 반응으로서 연소의 전파속도가 음속보다 빠른 폭발 현상이다.
(2) 폭발반응은 충격파에너지에 의한 화학반응에 의해 전파되어 가는 현상이다.
(3) 압력상승은 초기 압력의 10배 이상이며, 화염전파속도는 1,000m/s ~ 3,500m/s 정도이다.
(4) 온도의 상승은 열에 의한 전파보다 충격파에 기인한다.
(5) 파면에서 온도, 압력, 밀도가 불연속적으로 나타난다.
(6) 에너지 방출속도는 열전달속도에 기인하지 않고 충격파(압력파)에 의해 영향을 받는다.
(7) 폭굉파는 음파와 달리 폭굉파가 통과한 곳은 화학적 조성이 변하므로 가역적❸인 탄성파로 취급되지 않는다.

2. 폭연(Deflagration)

(1) 발열반응으로서 연소의 전파속도가 음속❹보다 느린 폭발 현상이다.
(2) 폭발반응은 열전도나 라디칼 이동에 의하여 전파되어 가는 현상(전도, 대류, 복사)이다.
(3) 압력상승은 초기 압력의 8배 정도이며, 화염전파속도는 0.1 ~ 10m/s 정도이다.
(4) 반응 또는 화염면의 전파가 분자량이나 연속적(난류확산)에 영향을 받는다.
(5) 폭굉으로 전이될 수 있다.
(6) 에너지 방출속도가 열 전달속도(물질 전달속도)에 영향을 받는다.

참고 폭연과 폭굉 현상의 비교

구분	폭연	폭굉
화염전파속도	0.1~10m/s로서 음속 이하[아음속(亞音速)]	1,000~3,000(3,500)m/s로서 음속 이상[초음속(超音速)]
화염전파에 필요한 에너지	열전달인 전도, 대류, 복사	충격파에 의한 압력
폭발압력	8배	10배 이상 (통상적으로 20배 이상)
화재의 파급효과	크다.	작다.
충격파	발생하지 않는다.	발생한다.
파면에서 온도, 압력, 밀도	연소파를 수반하는 난류확산(연속적)	충격파를 수반하는 불연속적
에너지 방출속도	물질 전달 속도에 기인한다.	물질 전달 속도에 기인하지 않고 아주 짧은 시간 내에 방출

화재파급효과
폭연에 의해 화재가 번지고 폭굉이 발생한다. 그러므로 화재파급효과는 폭연이 크다.

연소파, 폭연파, 폭굉파

3. 폭연이 폭굉으로 전이되는 조건

(1) 가연성 혼합기의 농도가 폭발범위 이내일 것

(2) 혼합기가 들어있는 용기나 파이프 길이가 직경의 10배 이상일 것

(3) 파이프의 직경이 최소 12mm 이상일 것

4. 폭굉유도거리(DID)

(1) 정의

최초의 완만한 연소가 격렬한 **폭굉으로 발전할 때까지의 거리**를 말한다.

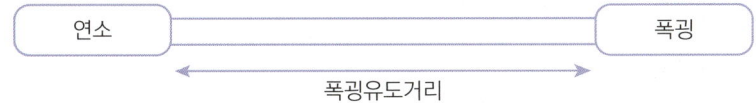

(2) 폭굉유도거리가 짧아지는 요인

① 압력이 높을수록

② 주위온도가 높을수록

③ 점화원의 에너지가 강할수록

④ 연소속도가 큰 가스일수록(연소속도가 빨라지는 경우)

⑤ 관경이 작을수록(가늘수록)

⑥ 관 속에 장애물(이물질)이 있는 경우

폭굉유도거리가 짧아지는 요인
관경(배관의 지름)만 작고 나머지는 클 것이다.

5. 랭킨-유고니어(Rankin-Hugoniot) 곡선

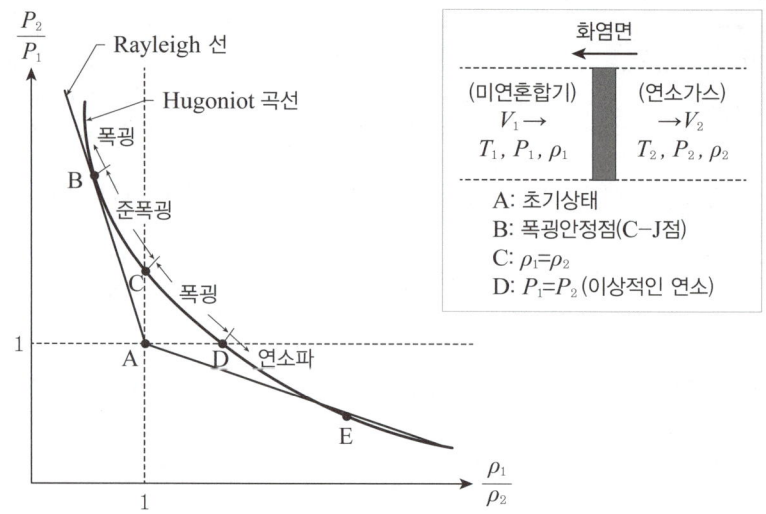

(1) 각 구간별 반응

반응 전	반응 후	상태	비고
A	E점 좌측	연소 아님	R-H곡선과 교점 없음(반응영역이 아님)
A	D-E 구간	약한 연소	온도증가, 압력감소, 밀도감소
A	D점	$P_1=P_2$	이상상태연소, 온도증가, 압력일정, 밀도감소
A	C-D 구간	폭연	온도증가, 압력증가, 밀도감소
A	C점	$\rho_1=\rho_2$	온도증가, 압력증가, 밀도일정
A	C-B 구간	준폭굉	온도증가, 압력증가, 밀도증가
A	B점	C-J폭굉	열역학적으로 가장 안정된 폭굉
A	B점 좌측	폭굉아님	R-H곡선과 교점 없음(반응영역이 아님)

(2) 구간별 반응 정리

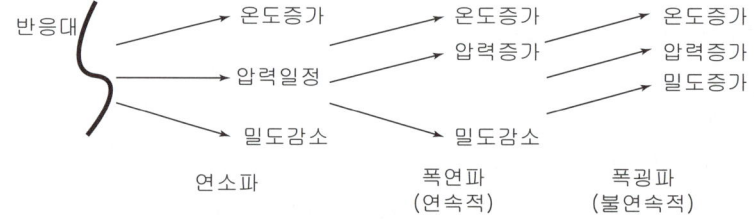

6. 안전간격 및 폭발 등급

(1) 안전간격

화염일주한계에서 말하는 틈을 안전간격(공급되는 열에너지)이라 하며 **안전간격이 작은 가스일수록 폭발하기 쉬운 위험한 가스로 취급**된다.

연소 ↕ 안전간격 가연물

(2) 폭발 등급

① 폭발 1등급
  ㉠ 안전간격 기준: 0.6mm 이상
  ㉡ 종류: 메탄, 에탄, 일산화탄소, 암모니아, 아세톤, LPG 등이 있다.

② 폭발 2등급
  ㉠ 안전간격 기준: 0.4mm 이상, 0.6mm 미만
  ㉡ 종류: 에틸렌, 석탄가스 등이 있다.

③ 폭발 3등급
  ㉠ 안전간격 기준: 0.4mm 미만
  ㉡ 종류: 아세틸렌, 이황화탄소, 수소 등이 있다.

3 폭발의 형태에 따른 분류

1. 물질 원인에 따른 분류

구분	물리적 폭발	화학적 폭발
원인	· 양적 변화 · 가역적 폭발 · 상태변화에 따른 폭발	· 질적 변화 · 비가역적 폭발 · 화학반응(성질변화)에 따른 폭발
종류 (상태)	· 수증기폭발 · 증기폭발(블래비) · 고체폭발(전선폭발, 고상간전이폭발) · 감압폭발 등 · 혼합위험성 물질에 의한 폭발 · 폭발성 화합물 폭발	· 가스폭발 · 분무폭발 · 분해폭발 · 중합폭발 · 분진폭발 · 증기운폭발(UVCE) · 박막폭발

영철쌤 tip

공정별 분류

핵폭발	물리적 폭발
분해, 융합 예 원자폭탄 등	상태변화 예 수증기폭발 등
화학적 폭발	물리적+ 화학적 병립폭발
성질(질적)변화 예 가스폭발 등	상태 및 성질변화 예 블래비(BLEVE) 등

블래비(BLEVE)
1. 블래비는 공정별 분류에서는 물리적+화학적 병립 폭발에 해당된다.
2. 블래비는 물질원인에 따른 분류에서는 물리적 폭발에 해당된다.
3. 블래비는 물질상태에 따른 분류에서는 응상폭발에 해당된다.

(1) 물리적 폭발

① 정의: 물리적 폭발은 원소간 화학적 반응 없이 물리적 반응으로 인해 발생하는 폭발이며, 공간 내부의 압력이 상승하여 공간을 유지하고 있는 탱크와 같은 구조의 내압한계를 초과하면서 파열되는 것을 말한다. 이로 인해 주변으로 폭발음과 충격파를 발생시키는데 이러한 현상을 물리적 폭발이라 한다.

② 물리적 폭발의 원인
  ㉠ 가열에 의한 체적 팽창(예 폐쇄형 스프링클러헤드 유리밸브 감열체)
  ㉡ 상변화에 따른 체적 팽창[예 물(액체) → 수증기(기체)]
  ㉢ 가압에 의한 내압한계 초과(예 압력밥솥)

③ 물리적 폭발의 분류
  ㉠ 수증기폭발(Steam Explosion)
  ㉡ 극저온 액화가스 비등액체 팽창증기폭발(BLEVE) = 증기폭발

▲ 알코올   ▲ 물(액체) → 수증기(기체)

▲ 압력밥솥

용어사전

❶ 압괴: 외부압력에 의해 찌그러지는 것을 말한다.
❷ 감압폭발: 내부보다 외부의 압력이 낮을 때(감압), 외부에서 견뎌내지 못해 내부에서 순식간에 분출되는 형태를 말한다.

영철쌤 tip

산화폭발
1. 넓은 의미에서 산화폭발의 종류는 가스폭발, 분무폭발, 분진폭발, 증기운폭발 등이 있다.
2. 분해·중합폭발은 산소 없이도 폭발 가능하다.

히드라진유도체
로켓 연료(추진제)로 사용한다.

물질별 폭발의 종류
1. 산화에틸렌: 산화폭발, 분해폭발, 중합폭발 발생
2. 아세틸렌: 산화폭발, 분해폭발 발생
3. 시안화수소: 중합폭발(분해폭발 가능)
4. 시안화수소: 중합열에 의한 자연발화
5. 시안화수소는 분해열이 일어나기 전에 중합열에 의해 자연발화한다. 즉, 분해열에 의한 자연발화는 발생하지 않는다.

영철쌤 tip

물질상태에 따른 분류
1. 고상: 고체상태
2. 액상: 액체상태
3. 기상: 기체상태

용어사전

❸ 저분자: 분자량이 적은 화합물
❹ 고분자: 분자량이 많은 화합물

영철쌤 tip

분무폭발은 인화점 이하에서도 폭발이 가능하다.

ⓒ 진공용기의 압괴❶
ⓓ 용기과압, 과충전에 의한 용기파열
ⓔ 감압폭발❷

(2) 화학적 폭발

① 정의: 화학반응으로 인하여 분자구조가 변화되는 과정에서 발생하는 에너지의 급격한 방출현상을 화학적 폭발이라 한다.

② 화학적 폭발의 분류

ⓐ **산화폭발**: 연소의 한 형태로 연소가 비정상상태로 되어 폭발이 일어난 형태이다. 연소폭발이라고도 하며 주로 가연성 가스, 증기, 분진, 미스트 등이 공기와의 혼합물, 산화성·환원성 고체 및 액체혼합물 혹은 화합물과 반응하여 발생된다.

ⓑ **분해폭발**: 아세틸렌(C_2H_2), 산화에틸렌(C_2H_4O), 에틸렌(C_2H_4), 히드라진유도체(N_2H_4)과 같은 분해성 가스와 디아조화합물과 같은 자기분해성 고체류는 분해하면서 폭발하는데, 이는 공기 중 산소 없이 단독으로 가스가 분해하여 폭발하는 것을 말한다.

ⓒ **중합폭발**: 중합해서 발생하는 반응열을 이용하여 폭발하는 것으로 시안화수소, 산화에틸렌, 초산비닐, 염화비닐 등의 원료인 모노머가 폭발적으로 중합되면 격렬하게 발열하여 압력이 급상승되고 용기가 파괴되는 폭발을 말한다.

ⓓ **촉매폭발**: 촉매에 의해서 폭발하는 것으로 수소(H_2) + 산소(O_2), 수소(H_2) + 염소(Cl_2)에 빛을 쪼일 때 일어난다.

2. 물질 상태에 따른 분류

폭발물질의 물질 상태에 따라서 기상폭발과 응상폭발로 구분하며, 일반적으로 응상이란 고상 및 액상의 것을 말하고, 응상은 기상에 비하여 밀도가 $10^2 \sim 10^3$배이므로 그 폭발의 양상이 다르다.

(1) 기상폭발(기체폭발)

① **산화폭발**: 메탄, 에탄, 프로판, 수소 등의 가연성 가스와 가솔린, 알코올 등 인화성 액체의 증기가 공기와 혼합해서 가연성 혼합기체를 형성하여 점화원에 의해 발생하는 폭발을 말한다.

② **분해폭발**: 다른 공기나 조연성 가스와 혼합되지 않더라도 일정한 조건이 충족될 때 발열을 동반한 급격한 압력팽창으로 인하여 발생하는 폭발을 분해폭발이라 한다. 물질로는 에틸렌, 산화에틸렌, 아세틸렌, 비닐아세틸렌, 메틸아세틸렌, 사불화에틸렌, 오존, 이산화질소 등 히드라진과 같은 제5류 위험물이 분해폭발을 한다.

③ **중합폭발**: 저분자❸ 물질에서 고분자❹ 물질로 변화하면서 폭발한다. 물질로는 액화시안화수소, 산화에틸렌 등이 있다.

④ **분무폭발**: 공기 중에 분출된 가연성 액체의 미세한 액적(Mist)이 (분)무상으로 되어 공기 중에 부유한 상태로, 폭발농도 이상으로 있을 때 점화원에 의해 발생한다. 고압의 유압 설비 중 일부 파손으로 내부의 가연성 액체가 공기 중에 분출

하여 발생한다. 일반적으로 디젤, 중유 등에 잘 이루어진다.

⑤ **분진폭발**: 미분탄, 소맥분, 금속분, 플라스틱의 분말과 같은 **가연성 고체가 미분말로 되어 공기 중에 부유한 상태**로, 폭발농도 이상으로 있을 때 점화원에 의해 발생하는 폭발을 말한다.

⑥ **증기운폭발(UVCE)**: **대기(자유공간) 중**에 대량의 가연성 가스가 유출되거나 대량의 가연성 액체가 유출하여 발생하는 증기가 공기와 혼합하여 가연성 혼합기체를 형성하고 점화원에 의해 발생하는 폭발을 말한다.

⑦ **박막폭굉**: **분무(Mist)폭발의 일종**이다. 압력유, 윤활유 등은 유기물로서 가연성이나 인화점이 상당히 높아 일반적인 상태에서는 연소하기 어려우나 공기 중에 분무된 때에는 **분무폭발과 비슷한 양상**으로 박막폭굉을 일으키는 일이 있다. 예를 들어, 고압의 공기배관이나 산소배관 중에 윤활유가 박막상으로 존재할 때 박막의 온도가 부착된 윤활유의 **인화점 이하**일지라도 여기에 어떤 원인으로 높은 에너지를 가진 충격파를 보내면 관벽에 부착해있던 윤활유가 무화(霧化)❶하여 **폭굉으로 전이하는 현상**이다.

(2) 응상폭발(고체, 액체폭발)

① **수증기폭발(급격한 상변화에 의한 폭발)**: 용융금속이나 슬러그(Slug)와 같은 고온의 물질이 물속에 투입되었을 때 그 고온의 물체가 가지고 있는 열이 단시간에 물에 전달되면 물은 과열 상태가 되고 조건에 따라서는 순간적으로 **액상에서 기상으로의 급격한 상변화**가 일어나며 이에 따른 **체적팽창의 압력을 발생시키는 현상**을 말한다.

② **증기폭발(BLEVE)**: 끓는점 이상의 온도이지만 압력에 의해 액체 상태를 유지하고 있는 물질이 **탱크의 균열이나 파열**에 의해 외부로 누출되면서 급격히 기화되어 압력을 발생시키는 폭발 현상을 말한다.

③ **고체폭발**

   ⓐ **전선(도선)폭발**: **미세한 금속선에 큰 용량의 전류가 흐름**으로써 전선에 급격한 온도상승이 일어나 전선이 용해되어 갑작스런 기체의 팽창이 짧은 시간 내에 발생하는 폭발 현상도 물리적인 폭발이며 전선폭발이라고도 한다. **대표적인 전선**은 알루미늄전선이다.

   ⓑ **고상간(고체 상태)의 전이에 의한 폭발**: 고체인 무정형 안티몬이 동일한 고체상의 **안티몬으로 전이**할 때 발열함으로써 주위의 공기가 팽창하여 폭발이 일어나는 현상을 말한다.

> **참고 산소밸런스**
>
> 산소밸런스란 물질 100g이 연소하기 위해서 필요한 산소의 과부족량을 gram으로 표시한 것으로 OB(Oxygen Balance)라고도 한다.
> 1. 산소밸런스[OB] 0 ~ 45 – 폭발위험이 가장 크다.
> 2. 산소밸런스[OB] 45 ~ 90 – 폭발위험이 중간이다.
> 3. 산소밸런스[OB] 90 ~ 135 – 폭발위험이 가장 작다.

📖 용어사전

❶ 무화(霧化): 안개모양 크기의 입자(작은 입자)를 말한다.

영철쌤 tip

응상폭발
응상폭발에는 불안정물질폭발, 혼측·혼합에 대한 폭발도 있다.

폭발에 영향을 주는 변수
주위온도, 주위압력, 폭발성 물질의 조성, 폭발성물질의 물리적성질, 주위의 기하학적 조건(개방 또는 밀폐), 착화원의 성질(형태, 에너지, 지속시간), 가연성물질의 양, 가연성물질의 유동상태(난류), 착화지연시간, 가연물질이 방출되는 속도

반응폭주
반응속도가 지수 함수적으로 증대되고, 반응용기내에 온도, 압력이 급격히 이상 상승되어 규정조건을 벗어나고, 반응이 과격화 되는 현상을 말한다(예 전기자동차 배터리).

폭발사고 방지를 위한 조치

예방 (Prevention)	현장을 유지·관리한다.
억제 (Suppression)	폭발이 되기 직전에 소화약제를 분사한다.
방호 (Protection)	폭발이 되는 연료공급(가스)을 차단한다.

산소밸런스(OB), 한계산소지수(LOI), 최소산소농도(MOC)

구분	산소밸런스 (OB)	한계산소지수 (LOI)	최소산소농도 (MOC)
대상	폭발성 물질	섬유 등의 고분자물질	가연성 가스 (기체)
목적	물질별 폭발위력 판단용도	고분자물질의 불연, 난연성 여부	불활성화를 위한 농도 확인
위험성	작을수록 위험	작을수록 위험	작을수록 위험

> **참고** 산화에틸렌
> 1. 상온(15℃ ~ 25℃)에서는 무색의 기체이다.
> 2. 정온 하(일정한 온도)에서는 액체이다. 35℃가 되면 압력을 높이지 않아도 액체가 된다.
> 3. 에테르에 잘 녹는다.
> 4. 물이 혼합되어 있을 경우 분해하여 에틸렌 글리콜이 된다.
> 5. 상쾌한 향기가 나지만 고농도에서 자극적 냄새가 난다.
> 6. 피부에 자극을 준다. 기체에 노출될 경우 동상을 입을 수 있으며 산화 에틸렌 용액은 피부에 화상을 입힐 수 있다.
> 7. 금속에 대해서는 부식성은 없으며 산화에틸렌이 포함되어 있을 때에는 아세틸라이드를 형성하는 금속(구리 등)을 사용해서는 안 된다.
> 8. 연소범위 3 ~ 80이다.
> 9. 산화폭발, 분해폭발, 중합폭발 발생한다.

4 분진폭발

1. 정의

분진❶폭발은 금속, 플라스틱, 농산물, 석탄, 유황, 섬유물질 등의 가연성 고체가 미세한 분말상태로 공기 중에서 부유상태로, 폭발하한계 이상의 농도로 유지되고 있을 때 점화원 존재하에 폭발하는 현상을 말한다. 즉, **미세한 가연성 분진입자가 공기 중에 부유**하여 폭발범위를 형성하고 있다가 점화에너지에 의해 착화되어 폭발하는 것으로 **기체 상태의 폭발과 유사**하다.

2. 분진폭발의 조건

(1) 고체이면서 가연성 물질일 것

(2) **미분상태(부유된 분진)**로 100마이크로 이하일 것

(3) 밀폐된 공간에 공기 중에서의 교반❷과 유동할 것

(4) 점화원이 존재할 것

> **핵심정리** 분진폭발
>
> 1. 분진
>   ① 가연성 고체미립자이지만 입자가 작기 때문에 기체 상태로 본다.
>   ② 물질의 상태는 기상폭발이며 화염을 동반하므로 물질의 원인은 화학적 폭발에 해당된다.
> 2. 분진폭발의 5요소
>   ① 가연물(연료)
>   ② 산소
>   ③ 점화원
>   ④ 분진이 공기 중에 있을 것
>   ⑤ 한정된(밀폐된) 공간

 **용어사전**

❶ 분진: 가루를 의미한다.

 **영철쌤 tip**

분진폭발은 인화점 및 연소점에는 관련이 있지만 발화점하고는 관계가 없다.

용어사전

❷ 교반: 휘저어 섞음이라는 의미이다.

영철쌤 tip

분진폭발은 가연성 고체가 공기 중에 부유하는 것이고, 분무폭발은 가연성 액체가 공기 중에 부유하는 것이다.

3. 분진폭발의 진행 과정

(1) 입자표면에 열에너지가 주어져서 표면의 온도가 상승한다.

(2) 입자표면의 분자가 열분해 또는 건류작용을 일으켜서 기체 상태로 입자 주위에 방출한다.

(3) 이 기체가 공기와 혼합되어 폭발성 혼합기체를 생성하고 발화하여 화염을 발생시킨다.

(4) 이 화염에 의해 생성된 열은 다시 분말의 분해를 촉진시켜 차례로 기상에 가연성 기체를 방출시킴으로써 공기와 혼합하여 화염을 전파한다.

(5) 따라서 분진폭발도 결국 본질적으로는 가스폭발로서, 분진 자체에 가연성 가스가 저장되어 있는 것으로 볼 수도 있다. 단, 이와 같은 폭발 과정에서 입자의 표면온도를 상승시키는 요인은 열전도만이 아니라 복사열도 큰 역할을 차지하고 있다는 것이 가스폭발과 다른 점이다.

> **핵심정리** 분진폭발의 발생 과정[시간의 함수(아주 빠르게 진행)]
>
> 가연성 고체 → 열분해 및 건류❶ → 가연성 가스 + 산소와 결합하여 폭발한다.

4. 분진폭발의 물질

(1) 농산물 및 농산물 가공품류(예 쌀, 보리, 콩, 사료)

(2) 석탄, 목탄, 코크스, 활성탄 등(광산물류)

(3) 금속분류(예 알루미늄, 아연, 마그네슘, 철, 안티몬)

(4) 유황·플라스틱류·고무류 및 섬유류

5. 분진을 일으키지 않는 물질

(1) 석회석❷(탄산칼슘, $CaCO_3$), 생석회(산화칼슘, CaO), 소석회[$Ca(OH)_2$]

(2) 산화알루미늄(Al_2O_3), 시멘트가루, 대리석가루, 가성소다($NaOH$)

(3) 유리

6. 분진폭발의 특징

(1) 연소속도나 폭발압력은 가스폭발에 비교하여 작으나, 연소시간이 길고 발생에너지가 크기 때문에 **파괴력과 그을음이 크다.** 분진폭발의 발생에너지는 가스폭발의 수백 배이고 온도는 2,000~3,000°C까지 올라가는데, 그 이유는 단위체적당 탄화수소의 양이 많기 때문이다.

(2) 폭발의 입자가 비산하므로 이것에 접촉되는 가연물은 국부적으로 심한 탄화를 일으키며 특히 인체에 닿는 경우 심한 화상을 입는다.

(3) 최초의 부분적인 폭발에 의해 폭풍이 주위에 분진을 날리고, **2차·3차의 폭발**로 파급됨에 따라서 피해가 커지게 된다.

용어사전

❶ 건류: 석탄분진(탄진)에 스며드는 액상(휘발성분)을 날려 보내는 것을 말한다.

영철쌤 tip

금속분에 해당하는 것
작열연소, 산화열에 의한 자연발화, 분진폭발, 제2류 위험물(가연성 고체), 지정수량 500kg이다.

용어사전

❷ 석회석(탄산칼슘): 분필의 원료를 말한다.

(4) 가스에 비해 **불완전연소**를 일으키기 쉽기 때문에 연소 후에 **일산화탄소(CO)**가 다량으로 존재하므로 가스에 의한 **중독의 위험**이 있다.

(5) 분진폭발이 가스폭발보다 최소발화에너지가 크므로 착화는 더 어렵다. 다르게 표현하면 **가스 폭발이 분진폭발보다 최소발화에너지가 작으므로 착화가 더 쉽다**.

핵심정리 가스폭발과 분진폭발 비교

구분	연소속도	폭발압력	연소대의 길이 (연소시간)	발생에너지	파괴력
가스폭발	○	○	-	-	-
분진폭발	-	-	○	○	○

7. 분진의 폭발성에 영향을 미치는 인자

(1) 분진의 화학적 성질과 조성
① 분진의 **발열량이 클수록** 폭발성이 크다.
② 석탄분진(탄진)과 그 밖의 분진에서 휘발성분의 대소가 폭발성에 큰 영향을 미치고, **휘발성분이 많을수록** 폭발하기 쉽다.
③ 석탄분진(탄진)에서는 휘발분이 11% 이상이면 폭발하기 쉬운데, 폭발의 전파가 용이한 것을 폭발성 탄진이라고 한다.

(2) 입도와 입도분포
① 분진폭발의 용이성은 분진의 입도[1]나 입도분포에 크게 좌우된다. 분진의 연소과정에서 설명한 바와 같이 입자표면에서 반응하기 때문에 표면적이 입자체적에 비교하여 커지면 열의 발생속도가 열의 방산속도[2]를 상회[3]하게 된다.
② 따라서 **평균 입자경이 작고 밀도가 작을수록 비표면적과 표면에너지가 커져 폭발이 용이**해진다. 또한 분진의 표면적이 분진의 입자체적보다 커지면 폭발이 용이해진다(분진의 표면적 > 분진의 입자체적).
③ 폭발의 입자가 비산하므로 이것에 접촉되는 가연물은 국부적으로 심한 탄화를 일으킨다.

(3) 입자의 형성과 표면의 상태
① 평균 입경이 동일한 분진이라도 형상이나 표면의 상태에 따라 폭발성에 미치는 영향이 달라진다. 폭발성은 평편상(평면상), 침상, 구상 입자순으로 폭발성이 높다[평편상(평면상) > 침상 > 구상].
② 입자표면이 공기(산소)에 대하여 활성이 있는 경우 **폭로시간**[4]**이 길어질수록 폭발성이 낮아진다**. 산소와 반응성이 있는 분진의 경우 공기 중에 **산화피막**[5]을 형성할 수 있으므로 공기 중의 노출시간(부유시간)이 길수록 **폭발성이 감소**하게 된다.

용어사전
[1] 입도: 알갱이의 평균지름을 말한다.
[2] 방산속도: 열이 제각기 흩어지는 속도를 말한다.
[3] 상회: 어떤 기준보다 웃도는 것을 말한다.

비표면적
일정한 중량을 가진 분진의 표면적을 나타내는 경우 비표면적이라는 표현을 사용한다.

용어사전
[4] 폭로시간: 폭발로 가는 시간을 말한다.
[5] 산화피막: 금속의 표면을 덮어 싸는 산화물의 얇은 막(코팅 막)을 말한다.

(4) 수분
　① 분진 속에 존재하는 **수분은** 폭발성에 영향을 준다. 즉, **분진의 부유성을 억제**한다.
　② 반면에 **알루미늄, 아연, 마그네슘, 철분, 안티몬** 등은 물과 반응하여 수소를 발생하게 하고 그로 인해 **위험성이 더 높아진다.**

(5) 분진의 부유성
　① 일반적으로 입자가 작고 가벼운 것은 공기 중에서 산란·부유하기 쉽다.
　② 부유성이 클수록 폭발이 용이하여 폭발성(위험성)이 증가한다.

> **핵심정리** 덩어리에 비해 가루가 발화되기 쉬운 이유
>
> 1. 비표면적이 크다.
> 2. 활성화 에너지가 적게 필요하다.
> 3. 열전도율이 작다(열축적이 용이하다).

부유시간과 부유성 구별
1. 부유시간이 길수록 산화피막이 형성되어 폭발력이 감소한다.
2. 부유성이 클수록 폭발이 용이하여 폭발력이 증가한다.

5. 블래비 현상(BLEVE)

1. 블래비 현상(BLEVE)의 정의 및 발생 과정

(1) 정의

블래비 현상(BLEVE; Boiling Liquid Expanding Vapor Explosion)은 끓는 **액체 팽창증기 폭발**이라고 하며, 고압의 액화가스용기(탱크로리, 탱크 등) 등이 외부 화재에 의해 가열되면 탱크 내 액체가 비등하고 증기가 팽창하면서 폭발을 일으키는 현상을 말한다.

(2) 발생 과정

① 외부 화재 발생 → 액온 상승[1] → 압력 증가 → 연성 파괴[2] → 액격 현상[3] → 취성 파괴[4] → 폭발

② 액화저장탱크 → 외부 화재 → 액화저장탱크 내 유증기 발생 → 증기압력 → 탱크파열

③ 액화저장탱크(액화저장) → 응상 폭발 → 물리적 폭발 → 화학적 폭발 전이

▲ 블래비 현상(BLEVE)

> 용어사전
>
> ❶ **액온 상승**: 액체의 온도가 상승하는 것을 말한다.
> ❷ **연성 파괴**: 재료가 외부의 힘에 의해 소성변형이 충분히 진행된 후에 일어나는 파괴를 말한다. 예를 들면 여름철에 엿처럼 잘 휘어지면서 파괴되는 현상이 있다.
> ❸ **액격 현상**: 액체가 격하게 반응하면서 탱크 내 벽을 치는 현상을 말한다.
> ❹ **취성 파괴**: 물체가 외력을 받았을 때 소성변형을 거의 보이지 않고 파괴되는 성질을 말한다. 예를 들면, 겨울철에 엿처럼 잘 휘어지지 않고 파괴되는 현상이 있다.

▲ 블래비 현상(BLEVE)

▲ 액화저장탱크(LPG)

2. 블래비(BLEVE)의 크기, 방지책 및 특징

(1) 블래비(BLEVE)의 크기

블래비(BLEVE)의 크기는 근본적으로 용기가 파괴될 때 얼마나 많은 액체가 증발되느냐에 따라 다르며, 대부분의 액화가스 블래비(BLEVE)는 **용기에 액체가 1/2에서 3/4까지 차있을 때 많이 발생**한다.

(2) 블래비(BLEVE)의 방지책

① 탱크 아래 바닥과 탱크 외면으로부터 최소 5m까지의 바닥은 경사도 15° 이상인 **콘크리트로 경사지게** 하여 누설물이 저장소 내에 체류하지 않도록 한다.
② 외부 화염으로부터 탱크로리의 입열❶을 억제한다.
③ 폭발방지장치를 설치한다.
④ 용기 내압강도를 유지할 수 있도록 견고하게 탱크를 제작한다.
⑤ 감압밸브(감압시스템)의 압력을 낮춘다.

(3) 블래비(BLEVE)의 특징

① 액화가스 저장탱크에서 물리적 폭발이 순간적으로 화학적 폭발로 이어지는 현상이다.
② **액화가스 저장탱크에서 증기폭발(BLEVE) 및 증기운폭발(UVCE)이 발생**한다.
③ 탱크의 용량은 용기에 액체가 1/2에서 3/4까지 차있을 때 잘 발생한다.
④ 직접 열을 받은 부분이 액화가스 저장탱크의 인장 강도를 초과할 경우 기상부❷에 면하는 지점에서 파열하게 된다.

📖 핵심정리 블래비 현상의 발생 과정과 방지법

발생 과정	방지법
탱크주변 화재 발생 → 탱크강판 가열 → 약해져 있는 탱크 파열 → 폭발 및 가스 유출	• 경사지게 하여 누설물이 체류하지 않도록 할 것 • **탱크외벽**: 열전도도가 작은 것으로 단열할 것 • **탱크내벽**: 열전도도가 큰 알루미늄합금박판으로 설치할 것 • 탱크외벽에 물(미)분무소화설비 설치할 것 • 탱크 견고하게 제작할 것 • 감압밸브 설치할 것

영철쌤 tip

블래비(BLEVE) 방지법

1. 단열(진공), 지하에 매립, 물분무소화설비(냉각장치) 설치 등의 방법이 있다. 여기서 단열이란 열을 차단하는 것이다.
2. 열전도도가 큰 알루미늄 합금 박판을 설치하여 기상부의 온도상승을 액상부로 신속히 전달시킴으로써 강판의 온도를 파괴점 이하로 유지시킨다(폭발방지장치).
3. 즉, 블래비 현상을 방지하기 위해 탱크 외벽에는 열전도도가 낮은 것으로 단열시공하여야 하며, 탱크 내벽에 열전도도가 큰 알루미늄 합금 박판을 설치한다(열역학 제0법칙: 열평행법칙에 의해 열은 이동하지 않는다).

용어사전

❶ 입열: 들어오는 열을 말한다.
❷ 기상부: 가연성기체의 압력이 위쪽으로 올라가는 것을 말한다.

6 증기운폭발

1. 정의
증기운폭발(Unconfined Vapor Cloud Explosion)이란 대기(자유공간) 중에 대량의 가연성 가스가 유출되거나 대량의 가연성 액체가 유출되어 그것으로부터 발생한 증기가 공기와 혼합해서 가연성 혼합기체를 형성하고 점화원에 의하여 발생하는 화학적 폭발현상이다. 즉, 밀폐공간 외 개방된 대기 중에서 발생하기 때문에 자유공간 중의 증기운폭발이라고도 부르며, VCE(Vapor Cloud Explosion) 또는 UVCE(Unconfined Vapor Cloud Explosion)이라고 한다.

2. 발생 단계

(1) 1단계
다량의 가연성 증기의 급격한 방출로, 일반적으로 이러한 현상은 과열로 압축된 액체의 용기가 파열할 때 일어난다.

(2) 2단계
방출된 증기가 분산되어 주변 공기와 혼합하여 폭발범위 내에 있게 된다.

(3) 3단계
폭발범위 내에 있는 증기운은 점화원에 의해서 증기운폭발이 일어난다.

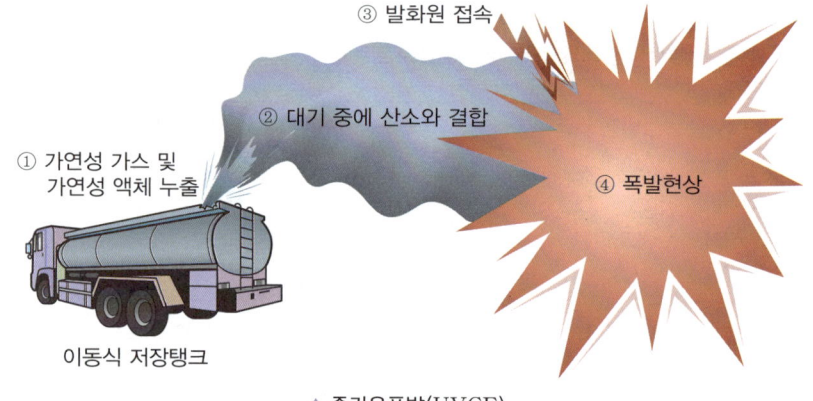

▲ 증기운폭발(UVCE)

용어사전

① 증기운폭발(Unconfined Vapor Cloud Explosion): 대기(자유공간) 중 유출된 가스가 구름을 형성하여 떠다니다가 점화원과 접촉하여 순간적으로 폭발하는 현상을 말한다.

영철쌤 tip

1. 일반적으로 고체나 액체는 비중의 값이 작을수록 연소가 잘 되며 위험성이 증가한다.
2. 기체는 여러 조건에 따라 증기비중의 값이 작을수록 또는 클수록 연소가 잘 되어 위험성이 증가한다.
3. 기체인 증기운폭발은 증기운을 잘 형성되기 위해서 증기비중의 값이 커야하며, 이 때 연소가 잘 되어 폭발력이 증가한다.

7 화구(Fire Ball)

1. 개요
(1) 화구(Fire Ball)는 블래비(BLEVE)에 의한 인화성 증기가 확산되어 공기와의 혼합이 폭발범위에 이르렀을 때 커다란 공의 형태로 폭발하는 것이다.
(2) 화구(Fire Ball)는 큰 복사열을 방출하므로 주위에 인명 및 재산 피해를 줄 수 있다.

2. 발생 과정
(1) 액화가스의 탱크가 파열하면 순간증발(Flash)❶을 일으켜서 가연성 가스의 혼합물이 대량 분출된다.
(2) 이것이 발생하면 지면에서 반구상의 화염이 되어 부력으로 상승하는 동시에 주변의 공기를 빨아들인다.
(3) 주변에서 빨아들인 화염은 공모양이 되고 더 상승하여 버섯모양의 화염을 만든다.

> **용어사전**
> ❶ 순간증발: 기화한 액체의 양(q)과 전체 액체량(Q)의 비를 순간증발(Flash)율이라 한다.

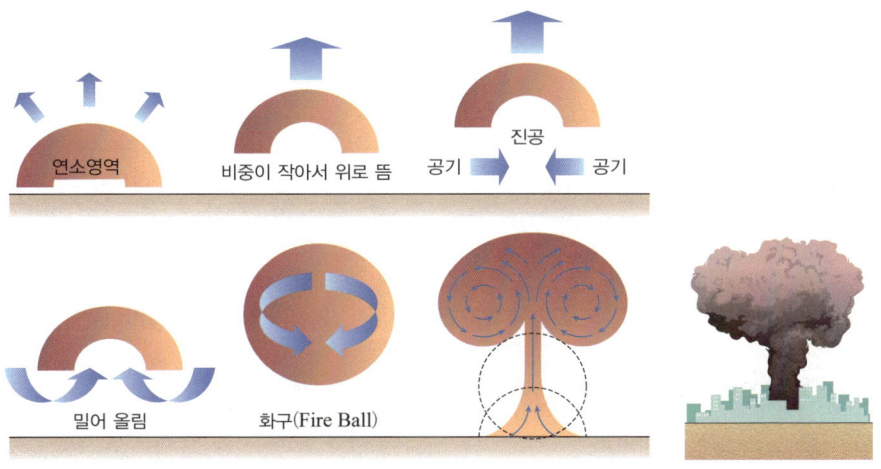

▲ 파이어 볼 1   ▲ 파이어 볼 2

3. 특징
가스 저장탱크의 대표적인 중대 재해는 블래비(BLEVE)와 증기운폭발(UVCE)이며 화구(Fire Ball)를 형성하는 주원인이다.

4. 화구(Fire Ball)의 발생에 영향을 미치는 요소
(1) 넓은 폭발범위
(2) 낮은 증기밀도
(3) 높은 연소열
(4) 유출되는 형태에 따라 증기 - 공기 혼합물의 조성이 결정되며, 이 조성은 화구(Fire Ball)의 형성에 결정적인 영향을 미친다.

5. 화구(Fire Ball)에 대한 대응절차
밸브나 배관에서 누출되는 가스가 연소하는 화염은 소화하지 않고, 그 화염에 의해서 가열되는 면을 냉각한다.

> **핵심정리** 블레비·증기운폭발 및 화구

화구(Fire Ball): 복사열에 의한 인명피해 및 재산피해

- 탱크외벽: 열전도 ↓
- 탱크내벽: 열전도 ↑
- 외부화염 (외부화재)
- 액화저장탱크

증기운폭발(UVCE): 대기(자유공간) 중
- 물질 상태: 기상폭발
- 물질 원인: 화학적폭발

블레비(BLEVE)
- 물질상태: 응상폭발
- 물질원인: 물리적 폭발
- 공정별: 물리적 + 화학적 병립 폭발

물리적 폭발이 화학적 폭발로 전이

※ 블레비와 증기운폭발의 공통점: 액화저장탱크에서 발생

8 방폭

1. 개요
폭발성 가스설비 중 전기설비로 인한 화재 및 폭발을 방지하기 위한 안전설비이다.

2. 전기기기의 방폭화
(1) 점화원의 실질적인 격리
  ① 압력 방폭구조 및 유입 방폭구조: 전기기기의 점화원이 되는 부분을 주위의 폭발성 가스와 격리하여 접촉하지 않도록 하는 방폭구조이다.
  ② 내압 방폭구조: 전기기기 내부에서 발생한 폭발이 전기기기 주위의 폭발성 가스에 파급하지 않도록 점화원을 실질적으로 격리하는 방폭구조이다.

(2) 전기기구의 안전도 증가
  ① 안전증 방폭구조이다.
  ② 점화원인 불꽃이나 고온부가 존재하는 전기기기에 대해 안전도를 증가시켜 종합적으로 고장을 일으킬 확률을 0에 가까운 값이 되도록 하는 방폭구조이다.

(3) 점화능력의 본질적 억제
  ① 본질안전 방폭구조이다.
  ② 정상 상태뿐만 아니라 사고 시 발생하는 전기불꽃 또는 고온부가 폭발성 가스에 점화될 위험이 없다는 것이 시험 및 기타 방법에 의해 충분히 입증된 방폭구조이다.

3. 방폭구조의 종류

(1) 내압(耐壓) 방폭구조(Flame Proof Enclosure "d")

내압 방폭구조는 방폭기기의 기본이 되며, **가장 먼저 고안된 방폭방법**이다. 용기 내부에서 가연성 가스가 폭발하였을 경우 **용기가 그 폭발압력을 견디고**, 폭발 시 발생하는 불꽃이 틈새나 구조적인 접합면을 통하여 용기 밖에 존재하는 위험가스에 점화되지 못하도록 하며, 외부 폭발 시에 발생되는 폭발압력에 견딜 수도 있다.

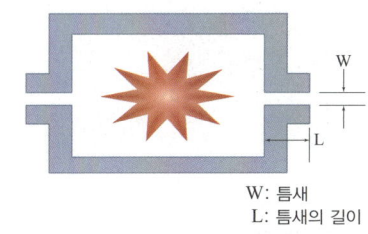

W: 틈새
L: 틈새의 길이

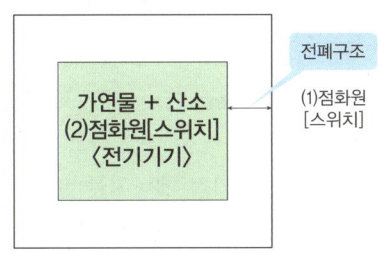

(2) 압력(壓力) 방폭구조(Pressurized Apparatus "f")

압력 방폭구조는 전기설비 용기 내부에 공기, 질소, 이산화탄소 등의 **불활성 가스** 등을 불어 넣어 용기 내부의 압력을 외부 압력보다 50Pa(5mmH$_2$O) 높게 유지하여 내부에 가연성 가스 또는 증기가 유입되지 못하도록 한 구조이다. 이 방폭구조의 용기 내부에는 비방폭형 전기기기를 사용하기 때문에 운전실수, 불활성가스 공급설비의 고장 등에 의해 가연성 가스 또는 증기가 용기 내부로 유입되어 보호효과가 상실되면, 경보가 작동(Z Purge, 경보방식)하거나 기기의 운전이 자동으로 정지(X Purge, 통전정지방식)되도록 보호장치를 설치하여야 하는 구조이다.

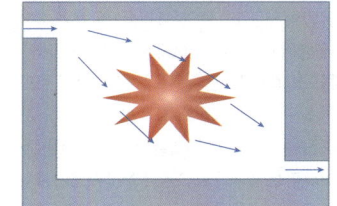

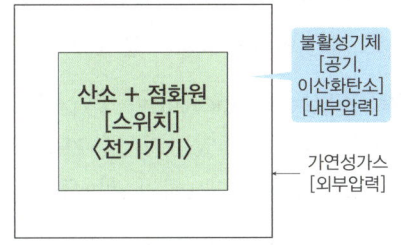

(3) 유입 방폭구조(Oil Immersion "o")

유입 방폭구조는 전기기기의 불꽃 또는 아크 등이 발생해서 폭발성 가스에 점화할 우려가 있는 부분을 **광물성 기름[Mineral Oil(기름, 절연유)]**으로 적절한 절연 내력과 아크를 소멸시키는 특성을 갖는 유중에 넣고 유면 상의 폭발성 가스에 인화될 우려가 없도록 한 것이다.

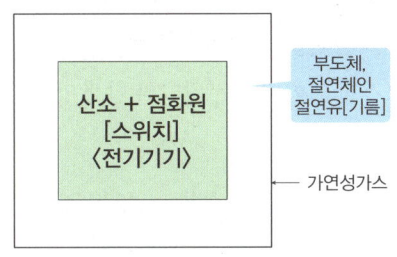

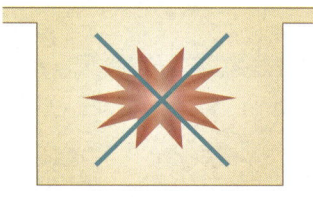

방폭구조의 종류

1. 내압방폭구조: 전폐용기에 넣고 용기가 폭발압력에 견딤. 용기 틈을 통하여 누설되더라도 틈이 호과로 인하여 폭발방지(1종장소에 사용가능)
2. 압력방폭구조: 불활성가스(공기, 이산화탄소, 질소 등)를 용기내부에 넣어서 폭발방지(1종장소에 사용가능)
3. 유입방폭구조: 절연유(기름)를 용기내부에 넣어서 폭발방지(1종장소에 사용가능)
4. 몰드방폭구조: 컴파운드를 충전해서 보호한 방폭구조(1종장소에 사용가능)
5. 충전방폭구조: 충전재를 완전히 둘러싸서 보호하는 방폭구조(1종장소에 사용가능)
6. 본질안전방폭구조: 정상시 및 사고시(비정상시)에 점화에너지 이하로 발생하여 폭발방지(0종장소에 사용가능)
7. 비착화(비점화)방폭구조: 정상시 및 사고시(비정상시)에도 점화에너지가 발생하지 않아 폭발방지(2종장소에만 사용가능)
8. 방진방폭구조: 분진층이나 분진운의 점화를 방지하기 위하여 용기로 보호하는 전기기기에 적용되는 분진침투방지, 표면온도 제한 등의 방법

(4) 안전증 방폭구조(Increased Safety "e")

안전증 방폭구조는 전기기기의 권선, Air Gap, 접속부, 단자부 등과 같이 정상적인 운전 중에 불꽃, 아크 또는 과열이 생겨서는 안 될 부분에 발생하는 것을 방지하기 위하여 구조와 온도상승에 대하여 특히 안전도를 증가시킨 구조이다.

이 구조는 단지 아크 또는 과열 등의 점화원이 될 수 있는 한 발생하지 않도록 고려한 것뿐이며 만일 전기기기의 고장이나 파손으로 인해 점화원이 생긴 경우에는 폭발의 원인이 될 수 있다. 따라서 이 구조에서는 사용상 무리나 과실이 없도록 특히 주의할 필요가 있다.

(5) 본질안전 방폭구조(Intrinsic Safety "ia, ib")

본질안전 방폭구조는 방폭지역에서 정상 시 및 사고 시에 발생하는 스파크, 아크 또는 고온부에 의하여 발생되는 전기적 에너지를 제한하여 전기적 점화원 발생을 억제하고, 만약 점화원이 발생하더라도 위험물질을 점화할 수 없다는 것이 시험을 통하여 확인된 구조를 말한다. 즉, 단선이나 단락 등에 의해 전기회로 중에서 전기불꽃이 생겨도 폭발성 혼합물이 결코 점화하지 않는 경우에는 본질적으로 안전하다 할 수 있으며, 신뢰성이 가장 높다.

(6) 사입 방폭구조(Sand Filled Type)

전기기기의 용기를 모래와 같은 성질의 가늘고 고른 고체 입자로 채워 운전 중 용기 내부에서 발생하는 아크에 의해서 용기 내·외부에 존재하는 가연성 가스 또는 증기가 점화되지 않도록 한 구조이다.

(7) 몰드 방폭구조(Mould Type "m")

보호기기를 고체로 차단시켜 열적 안정을 유지한 것으로, 유지보수가 필요 없는 기기를 영구적으로 보호하는 방법에 효과가 큰 구조이다.

(8) 비착화(비점화) 방폭구조(Non-incendive Type "n")

정상운전 중에 전기기기의 주위에 있는 가연성 가스 또는 증기를 점화시킬 수 없고 점화를 야기할 수 있는 결함이 발생하지 않는 구조이다.

(9) 충전 방폭구조(Powder ˙lling Type "q")

컨테이너 내에 설치된 부품 주위로 충전재(고체석영 또는 고체유리입자)를 완전히 둘러쌈으로써 외부 폭발성 가스 분위기의 점화를 방지하기 위한 구조이다. 즉, 충전재가 폭발을 견딘다.

4. 방폭지역(위험장소)의 구분 및 방폭구조 선정

인화성 또는 가연성 물질이 화재·폭발을 발생시킬 수 있는 농도로 대기 중에 존재하거나 존재할 우려가 있는 장소로, 폭발방지가 필요한 곳을 말한다. 방폭지역은 인화성 또는 가연성 가스나 증기에 의한 위험분위기의 발생 개연성에 따라 다음과 같이 구분한다.

(1) 0종 장소(Zone 0)
① 위험분위기가 **보통 상태에서 지속적으로** 발생하거나 또는 발생할 염려가 있는 장소(지속적인 폭발분위기)이다.
② 폭발성 농도가 연속적 또는 장시간 계속해서 폭발한계 이상이 되는 인화성 액체의 용기 또는 탱크 내 액면상부 공간, 가연성 가스용기 내부, 가연성 액체가 모여 있는 Pit Trench 등이 이에 속한다.
③ 본질안전 방폭구조를 사용한다.

(2) 1종 장소(Zone 1)
① **보통 장소에서 위험분위기가 발생**할 우려가 있는 장소(정상 상태하에서 폭발분위기)이다.
② 폭발성 가스가 보통상태에서 집적해서 위험한 농도가 될 우려가 있는 장소이다.
③ **0종 장소의 근접 주변**, 운전상 열게 되는 연결부의 근접 주변, 배기관의 유출구 근접 주변 등이 이에 속한다.
④ 내압 방폭구조, 압력 방폭구조, 유입 방폭구조를 사용한다.

(3) 2종 장소(Zone 2)
① **이상 상태에서 위험분위기가 단기간 존재할 수 있는 장소**(이상 상태에서 폭발분위기)이다.
② 이상 상태는 지진 등 예상을 초월하는 극히 빈도가 낮은 재난상태가 아닌 통상적인 운전상태, 통상적인 유지보수 및 관리상태를 벗어난 상태이다.
③ 일부기기의 고장, 기능상실, 오동작 등이 나타날 수 있다.
④ 안전증 방폭구조를 사용한다.

가장 위험한 폭발등급은 3등급이며, 가장 위험한 장소는 0종 장소이다.

핵심정리 방폭구조

1. 방폭구조의 종류

점화원의 실질적인 격리 (1종 장소)	• **내압 방폭구조**: 전폐구조용기가 압력에 견딤 • **압력 방폭구조**: 용기 내부에 불활성기체를 압입 • **유입 방폭구조**: 기름(절연유) 속에 넣음
전기기기의 안전도 증가 (2종 장소)	**안전증 방폭구조**: 정상적인 상태에서 안전도 증가
점화능력의 본질의 억제 (0종 장소)	**본질안전 방폭구조**: 정상 또는 사고 시 폭발성이 없다고 입증

2. 방폭지역(위험장소)의 방폭구조 선정
① 0종 장소: 본질안전 방폭구조
② 1종 장소: 내압 방폭구조, 압력 방폭구조, 유입 방폭구조
③ 2종 장소: 안전증 방폭구조

9. 액면화재 및 분출화재

1. 액면 화재(Pool Fire)
개방된 용기표면이나 용기가 파열되어 위험물질이 외부로 누출된 상태 또는 방유제 등에 고여 있는 상태에서 발생된 화재의 형태를 말하며, 증발되는 연료에 점화된 난류확산형 화재로서 액면 표면에서 연소가 진행되는 화재를 말한다.

2. 제트 화재 = 분출 화재(Jet Fire)
제트 화재는 위험물질의 이송배관 또는 저장용기로부터 고압의 누출이 발생되고 이때 화재로 이어지는 **난류확산형 화재**로서, 제트화염의 영향 범위 내에 위험물질 취급용기나 주요 장치가 있을 경우에는 폭발 등의 2차 재해를 발생시킨다. **제트 화재는** 고압의 LPG(액화석유가스)가 누출 시 주위의 점화원에 의하여 점화되어 **불기둥**을 이루는 것을 말하는데, 누출압력으로 인하여 화염이 굉장한 운동량을 가지고 있으며 **화재의 직경은 작으나 길이는 액면 화재(Pool Fire)보다 길다.**

> **영철쌤 tip**
>
> **제트화재(Jet Fire)**
> 화염의 직경은 작으나 길이는 긴 화재이다.
>
> **액면화재(Pool Fire)**
> 화염의 직경은 길고 길이는 짧은 화재이다.

▲ 액면화재(Pool Fire)

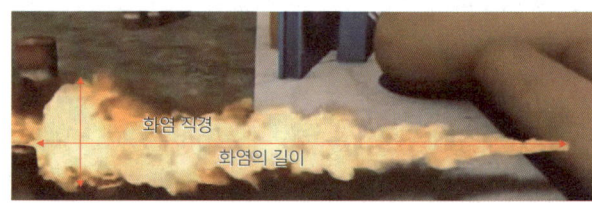
▲ 분출화재(제트화재, Jet Fire)

문제로 완성하기

CHAPTER 6 폭발

01 폭연(Deflagration)과 폭굉(Detonation)에 관한 설명으로 옳은 것은? 　　23. 공채·경채
① 예혼합가스의 초기압력이 높을수록 폭굉 유도거리가 길어진다.
② 화염전파속도는 폭연의 경우 음속보다 느리며, 폭굉의 경우 음속보다 빠르다.
③ 폭연은 폭굉으로 전이될 수 없으나 폭굉은 폭연으로 전이 될 수 있다.
④ 폭연은 화염면에서 온도, 압력, 밀도의 변화가 불연속적으로 나타난다.

02 폭연(Deflagration)에 관한 설명으로 옳지 않은 것은? 　　23. 소방간부
① 충격파를 형성하지 않는다.
② 에너지 방출속도가 물질전달속도에 영향받지 않고 매우 빠르다.
③ 화염의 전파속도가 음속보다 느린 것을 말하며, 그 화염의 전파속도는 0.1~10m/sec 정도이다.
④ 반응 또는 화염면의 전파가 분자량이나 공기 등의 난류확산에 영향을 받는다.
⑤ 화염면에서 상대적으로 완만한 에너지 변화에 의해서 온도, 압력, 밀도 변화가 연속적으로 나타난다.

정답 및 해설

01 폭연과 폭굉
② 화염전파속도는 폭연의 경우 음속보다 느리며, 폭굉의 경우 음속보다 빠르다.
① 예혼합가스의 초기압력이 높을수록 폭굉 유도거리가 짧아진다.
③ 폭연은 폭굉으로 전이될 수 있으나 폭굉은 폭연으로 전이 될 수 없다.
④ 폭굉은 화염면에서 온도, 압력, 밀도의 변화가 불연속적으로 나타난다.

■ 폭연과 폭굉 비교

구분	폭연	폭굉
화염 전파속도	0.1~10m/s로서 음속 이하 [아음속(亞音速)]	1,000~3,500m/s로서 음속 이상 [초음속(超音速)]
화염 전파에 필요한 에너지	열전달인 전도, 대류, 복사	충격파에 의한 압력
폭발압력	8배 까지	10배 이상 (통상적으로 20배이상)
화재의 파급효과	크다.	작다.
충격파	발생하지 않는다.	발생 한다.
파면에서 온도, 압력, 밀도	연속적(난류확산) 연소파를 수반하는 난류확산	불연속적 충격파를 수반하는 불연속
에너지방출속도	물질전달속도에 기인한다.	물질전달속도에 기인하지 않고 아주 짧은 시간 내에 방출한다.

02 폭연과 폭굉
폭굉은 에너지 방출속도가 물질 전달 속도에 영향 받지 않고 매우 빠르다.

정답 01 ② 02 ②

03 폭굉(detonation)에 관한 설명으로 옳지 않은 것은? 24. 소방간부

① 폭굉은 급격한 압력의 상승 또는 개방에 의해 가스가 격한 음을 내면서 팽창하는 현상이고, 화염의 전파속도는 약 0.1~10 m/s이다.

② 압력이 높을수록 폭굉으로의 전이가 쉬운 조건이된다.

③ 최초의 완만한 연소에서 격렬한 폭굉으로 발전하는 데 필요한 거리를 폭굉유도거리라 한다.

④ 폭굉유도거리가 짧아질수록 위험도는 커진다.

⑤ 관경이 가늘수록 폭굉유도거리는 짧아진다.

04 폭굉과 폭연의 차이를 나누는 기준으로 옳은 것은?

① 에너지 전달량 ② 발생된 화염의 온도

③ 압력의 상승량 ④ 화염의 전파속도

05 다음은 폭연에서 폭굉으로 전이되는 과정이다. ( ) 안에 들어갈 말로 옳은 것은? 24. 공채·경채

착화 → (ㄱ) → (ㄴ) → (ㄷ) → 폭굉파

	ㄱ	ㄴ	ㄷ
①	화염전파	압축파	충격파
②	화염전파	충격파	압축파
③	압축파	화염전파	충격파
④	압축파	충격파	화염전파

06 응상폭발에 해당하는 것만을 [보기]에서 고른 것은? 23. 소방간부

[보기]
ㄱ. 증기폭발   ㄴ. 분진폭발   ㄷ. 분해폭발
ㄹ. 전선폭발   ㅁ. 분무폭발

① ㄱ, ㄴ ② ㄱ, ㄹ ③ ㄴ, ㄷ
④ ㄴ, ㄹ ⑤ ㄹ, ㅁ

07 다음 중 화학적 폭발에 해당하지 않는 것은? 22. 소방간부

① 수증기폭발
② UVCE
③ 분해폭발
④ 분진폭발
⑤ 분무폭발

정답 및 해설

03 폭굉
폭연은 급격한 압력의 상승 또는 개방에 의해 가스가 격한 음을 내면서 팽창하는 현상이고, 화염의 전파속도는 약 0.1~10m/s이다.

04 폭굉과 폭연
폭발 시 발생하는 화염의 전파속도(연소의 전파속도, 반응계의 연소속도, 충격파, 연소파)를 기준으로 음속보다 빠른 경우를 폭굉이라 하며, 음속보다 느린 경우를 폭연이라 한다.

05 폭연과 폭굉
발화 —(화염전파)→ 연소파 —(연소파중첩)→ 압축파 —(압축파중첩)→ 충격파 —(단열압축)→ 폭굉

06 응상폭발, 기상폭발
ㄱ. 증기폭발 – 응상폭발
ㄴ. 분진폭발 – 기상폭발
ㄷ. 분해폭발 – 기상폭발
ㄹ. 전선폭발 – 응상폭발
ㅁ. 분무폭발 – 기상폭발

07 폭발의 형태
기상폭발은 화학적 폭발에 해당하며, 응상폭발은 물리적 폭발에 해당한다.

■ 폭발의 형태

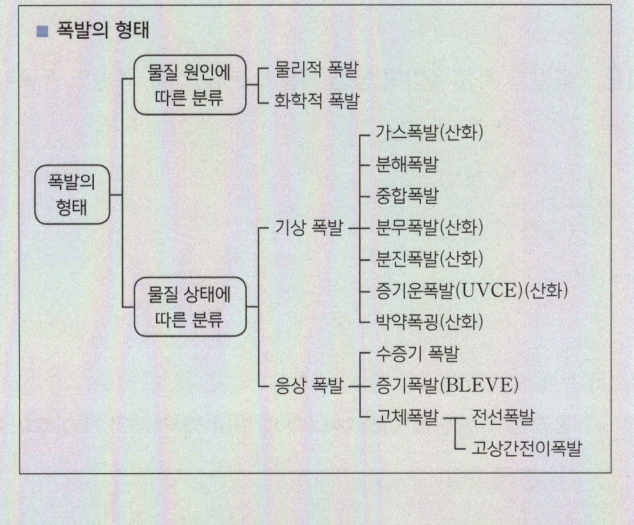

정답 03 ① 04 ④ 05 ① 06 ② 07 ①

08 기상폭발에 해당하는 현상으로 옳은 것은?   21. 소방간부

> ㄱ. 고체인 무정형 안티몬이 동일한 고상의 안티몬으로 전이할 때 발열함으로써 주위의 공기가 팽창하여 폭발한다.
> ㄴ. 가연성 가스와 조연성 가스가 일정 비율로 혼합된 가연성 혼합기는 발화원에 의해 착화되면 가스폭발을 일으킨다.
> ㄷ. 기체 분자가 분해할 때 발열하는 가스는 단일 성분의 가스라고 해도 발화원에 의해 착화되면 혼합가스와 같이 가스폭발을 일으킨다.
> ㄹ. 공기 중에 분출된 가연성 액체가 미세한 액적이 되어 무상으로 공기 중에 부유하고 있을 때 착화에너지가 주어지면 폭발이 발생한다.
> ㅁ. 보일러와 같이 고압의 포화수를 저장하고 있는 용기가 파손 등의 원인으로 동체의 일부분이 열리면 용기 내압이 급속히 하락되어 일부 액체가 급속히 기화하면서 증기압이 급상승하여 용기가 파괴된다.

① ㄱ, ㄴ, ㄷ
② ㄱ, ㄴ, ㄹ
③ ㄴ, ㄷ, ㄹ
④ ㄴ, ㄷ, ㅁ
⑤ ㄷ, ㄹ, ㅁ

09 다음 중 화학적 폭발을 [보기]에서 있는 대로 고른 것은?   21. 소방간부

[보기]
ㄱ. 중합폭발   ㄴ. 수증기폭발
ㄷ. 산화폭발   ㄹ. 분해폭발

① ㄱ, ㄷ
② ㄷ, ㄹ
③ ㄱ, ㄴ, ㄹ
④ ㄱ, ㄷ, ㄹ
⑤ ㄴ, ㄷ, ㄹ

10 폭발을 기상 폭발과 응상 폭발로 분류할 때, 폭발의 종류가 다른 것은?   24. 소방간부

① 분무 폭발
② 분진 폭발
③ 분해 폭발
④ 증기운 폭발
⑤ 증기 폭발

11 물질의 상변화에 의해 에너지 방출이 짧은 시간에 이루어지는 폭발에 해당하지 않는 것은?   20. 소방간부

① 분해폭발
② 압력폭발
③ 증기폭발
④ 금속선폭발
⑤ 고체상 전이폭발

12 미스트(Mist)폭발의 일종이며 압력유, 윤활유 등은 유기물로서 가연성이나 인화점이 상당히 높아 보통 상태에서는 연소하기 어려우나 공기 중에 분무된 때에는 분무폭발과 비슷한 양상을 일으키는 현상은?

① 가스폭발　　② 분무폭발
③ 박막폭굉　　④ 분진폭발

13 폭발에 대한 설명으로 옳지 않은 것은?　　21. 공채·경채

① 폭연은 폭굉보다 폭발압력이 낮다.
② 분해폭발은 산소에 관계없이 단독으로 발열·분해반응을 하는 물질에서 발생한다.
③ 물리적 폭발은 물질의 상태(기체·액체·고체)가 변하거나 온도, 압력 등 조건의 변화에 따라 발생한다.
④ 중합폭발은 가연성 액체의 무적(霧滴, Mist)이 일정농도 이상으로 조연성 가스 중에 분산되어 있을 때 착화하여 발생한다.

정답 및 해설

08 물질 상태에 따른 폭발
ㄴ. 가스폭발, ㄷ. 가스폭발, ㄹ. 분무폭발에 대한 내용으로 모두 기상폭발에 해당한다.
ㄱ. 고상간(고체 상태)의 전이에 의한 폭발에 대한 내용으로 응상폭발에 해당한다.
ㅁ. 수증기폭발(급격한 상변화에 의한 폭발)에 대한 내용으로 응상폭발에 해당한다.

09 화학적 폭발
기상 폭발은 물질 원인에 따른 분류에서는 화학적 폭발에 속한다. 그래서 가스폭발, 분해폭발, 분무폭발, 분진폭발, 증기운폭발, 중합폭발, 박막폭굉 등이 있다.

10 증기폭발 – 응상폭발

구분	물리적 폭발(화염동반 ×)	화학적 폭발(화염동반 ○)
원인	· 양적변화 · 상태변화에 따른 폭발	· 질적변화 · 화학반응에 따른 폭발
상태 (종류)	응상폭발 · 수증기폭발(보일러폭발) · 증기폭발(블래비) · 고체폭발(전선폭발, 고상간전이폭발) · 감압폭발 등	기상폭발 · 가스폭발 · 분무폭발 · 분진폭발 · 증기운폭발(UVCE) · 박막폭발 · 분해폭발 · 중합폭발

11 분해폭발
분해폭발은 물질의 상변화에 의해 폭발하지 않는다.

12 박막폭굉
박막폭굉은 고압의 공기배관이나 산소배관 중에 윤활유가 박막상으로 존재할 때 박막의 온도가 부착된 윤활유의 인화점 이하일지라도 어떤 원인으로 여기에 높은 에너지를 가진 충격파가 보내지면 관벽에 부착해 있던 윤활유가 무화하여 폭굉으로 전이되는 현상이다.

13 분무폭발
· 분무폭발이란 공기 중에 분출된 가연성 액체의 무적(霧滴, Mist)이 공기 중에 부유한 상태로 폭발농도 이상으로 있을 때 점화원에 의해 착화하여 발생한다.
· 중합폭발이란 중합해서 발생하는 반응열을 이용해서 폭발하는 것으로 초산비닐, 염화비닐 등의 원료인 모노머가 폭발적으로 중합되면 격렬하게 발열하여 압력이 급상승되고 용기가 파괴되는 폭발을 말한다.

정답 08 ③　09 ④　10 ⑤　11 ①　12 ③　13 ④

14 다음 중 분진폭발이 일어나지 않는 물질은?

① 소맥분 ② 전분
③ 생석회 ④ 설탕분

15 분진의 폭발성에 영향을 미치는 인자에 대한 내용으로 옳지 않은 것은?

① 분진의 표면적이 입자체적에 비하여 작아지면 폭발이 용이해진다.
② 평균 입자직경이 작고 밀도가 작을수록 폭발이 용이해진다.
③ 분진 속에 존재하는 수분량이 증가할수록 폭발성이 둔감하게 된다.
④ 분진의 발열량이 클수록 폭발성이 크며 휘발성분의 함유량이 많을수록 폭발하기 쉽다.

16 분진폭발과 가스폭발의 특징에 대한 설명으로 옳지 않은 것은?

① 분진폭발이 가스폭발보다 연소대의 길이가 길다.
② 분진폭발은 가스폭발보다 점화에너지 및 발생에너지도 크다.
③ 분진폭발이 가스폭발보다 불완전연소가 심하다.
④ 분진폭발이 가스폭발보다 폭발압력이 크다.

17 가연성 가스나 가연성 액체가 유출되어 그것에서 발생하는 증기가 대기 중에서 공기와 혼합하여 가연성 혼합기체가 되어 떠다니다가 점화원에 의해 폭발하는 현상은?

① 증기폭발 ② 분해폭발
③ 분진폭발 ④ 증기운폭발

18 가연성 액화가스 저장탱크에서 외부화재에 의해 탱크 내 액체가 비등하고 증기가 팽창하면서 폭발을 일으키며 벽면 파괴를 동반하는 현상은?

① 플래시오버
② 보일오버
③ 블래비 현상
④ 폭굉 현상

19 최초의 물리적 폭발이 일어난 후 분출되는 증기가 가연성이므로 화학적 폭발로 전이될 수 있는 것은?

① 가스폭발
② 분해폭발
③ 증기운폭발(UVCE)
④ 블래비(BLEVE) 현상

정답 및 해설

14 분진폭발
석회석, 소석회, 생석회, 시멘트가루 등은 분진폭발을 일으키지 않는다.

15 분진폭발
분진입자의 전표면적이 입자체적에 비하여 크기 때문에 폭발이 용이해진다. 또한 평균 입자경이 작고 밀도가 작은 것일수록 비표면적이 커지고 또 표면에너지가 커진다.

16 분진폭발과 가스폭발
분진폭발은 가스폭발에 비해 연소속도가 느리고 폭발압력이 작다.

17 증기운폭발(UVCE)
대기 중에 대량의 가연성 가스나 액체가 유출되어 그로부터 발생한 증기가 공기와 혼합하여 가연성혼합기체를 형성하고 이것이 대기 중에 떠다니다가 점화원에 의해서 발생하는 폭발을 증기운폭발(UVCE)이라 한다.

18 블래비(BLEVE) 현상
블래비(BLEVE) 현상은 액화석유가스와 같은 기체 상태 물질에서 발생하며, 외부 화재에 의해 탱크 내 액체가 비등하고 증기가 팽창하면서 폭발을 일으키며 벽면 파괴를 동반하는 현상을 말한다.

19 블래비(BLEVE) 현상
블래비(BLEVE) 현상은 고압의 액화가스용기(탱크로리, 탱크 등) 등이 외부 화재에 의해 가열되면 탱크의 물리적 변화에 따른 압력상승에 의해 폭발하여 가연성 액체 및 기체 혼합물이 대량으로 분출함으로써 이것이 공기 중에서 발화하여 화학적 변화에 따른 증기운폭발로 발전하는 현상을 말한다.

정답 14 ③ 15 ① 16 ④ 17 ④ 18 ③ 19 ④

20 폭발에 대한 설명으로 옳지 않은 것은?

① 증기폭발은 폭발물질의 물리적 상태에 따른 분류 중 기상폭발에 해당한다.
② 폭굉은 연소반응으로 발생한 화염의 전파속도가 음속보다 빠른 것을 말한다.
③ 블래비(BLEVE)는 액화가스 저장탱크 등에서 외부열원에 의해 과열되어 급격한 압력상승의 원인으로 파열되는 현상이며, 폭발의 분류 중 물리적 폭발에 해당한다.
④ 폭발은 물리적·화학적 변화의 결과로 발생된 급격한 압력상승에 의한 에너지가 외계로 전환되는 과정에서 파열, 폭음 등을 동반하는 현상을 말한다.

21 블래비(BLEVE; Boiling Liquid Expanding Vapor Explosion) 현상의 특징으로 옳지 않은 것은?

① 액화가스 저장탱크에서 일어날 수 있다는 점에서는 증기운폭발과 같다.
② 액화가스 저장탱크에서 물리적 폭발이 순간적으로 화학적 폭발로 이어지는 현상이다.
③ 블래비의 규모는 파열 시 액체의 기화량에는 차이가 있으나 탱크의 용량에 따른 차이는 없다.
④ 직접 열을 받은 부분이 액화가스 저장탱크의 인장 강도를 초과할 경우 기상부에 면하는 지점에서 파열하게 된다.

22 블래비(BLEVE)에 관한 설명으로 옳지 않은 것은?

① 가연물이 비점 이상으로 가열될 때 발생한다.
② 저장탱크의 기계적 강도 이상의 압력이 형성될 때 발생한다.
③ 저장탱크 균열로 인한 액상, 기상의 동적 평형 상태가 유지된다.
④ 저장탱크의 외부 표면에 열전도성이 작은 물질로 단열 조치하여 예방한다.

23 폭발에 대한 일반적인 설명으로 옳은 것은?   22. 공채·경채

① 아세틸렌과 산화에틸렌은 분해폭발을 일으키기 쉬운 물질이다.

② 상온에서 탱크에 저장된 중유가 유출되면 자유공간 증기운폭발이 일어난다.

③ 밀폐공간에서 조연성가스가 폭발범위를 형성하면 점화원에 의해 가스폭발이 일어난다.

④ 다량의 고온물질이 물속에 투입되었을 때 물의 갑작스러운 상변화에 의한 폭발현상을 반응폭주라 한다.

정답 및 해설

20 폭발의 형태

물질 원인에 따른 분류	물리적 폭발	· LPG(액화석유가스)용기 · 수증기 · 압력밥솥
	화학적 폭발	· 산화 · 분해 · 중합 · 촉매
물질 상태에 따른 분류	기상폭발	· 가스폭발(산화) · 분해폭발 · 분무폭발(산화) · 분진폭발(산화) · 증기운폭발(UVCE)(산화) · 박막폭굉

	응상폭발	· 수증기폭발
		· 증기폭발(BLEVE)
		· 고체폭발
		  - 전선폭발
		  - 고상간전이폭발

21 블래비(BLEVE; Boiling Liquid Expanding Vapor Explosion) 현상

블래비의 규모는 파열 시 액체의 기화량 및 탱크의 용량에 따른 차이가 있다.

■ 블래비(BLEVE)의 발생 과정
1. 주변 화재 발생 → 탱크강판 가열 → 약해져 있는 탱크 파열 → 폭발 및 가스 유출
2. 외부 화재 발생 → 액온상승 → 압력증가 → 연성 파괴 → 액격 현상 → 취성 파괴 → 폭발 및 가스 유출
3. 액화저장탱크(액화저장)* → 응상폭발 → 물리적 폭발 → 화학적 폭발 전이

* 액화저장탱크에서 발생하는 것은 블래비와 증기운폭발이다.

22 블래비 현상

액상, 기상의 동적 평형 상태가 유지되는 것은 열평행법칙에 대한 설명이다. 액화저장탱크균열이 되면 기상상태가 된다.

23 분해폭발물질

분해폭발물질은 에틸렌, 산화에틸렌, 아세틸렌, 비닐아세틸렌, 메틸아세틸렌, 사불화에틸렌 등이다.

② 상온 → 대기중

③ 조연성가스 → 가연성가스

④ 반응폭주: 반응속도가 지수 함수적으로 증대되고, 반응용기 내에 온도, 압력이 급격히 이상 상승되어 규정조건을 벗어나고, 반응이 과격화 되는 현상을 말한다.

정답 20 ①   21 ③   22 ③   23 ①

24 폭발에 관한 설명으로 옳은 것만을 [보기]에서 있는 대로 고른 것은?   23. 공채·경채

[보기]
ㄱ. 증기폭발은 액체의 급속한 기화로 인해 체적이 팽창되어 발생하는 현상이다.
ㄴ. 가스폭발은 분진폭발보다 최소발화에너지가 크다.
ㄷ. 분해폭발은 공기나 산소와 섞이지 않더라도 가연성 가스 자체의 분해 반응열에 의해 폭발하는 현상이다.
ㄹ. 폭발(연소)범위는 초기온도 및 압력이 상승할수록 분자 간 유효충돌할 가능성이 높아지기 때문에 넓어진다.

① ㄱ, ㄴ
② ㄷ, ㄹ
③ ㄱ, ㄴ, ㄹ
④ ㄱ, ㄷ, ㄹ

25 특수화재 현상의 대응절차에 대한 설명으로 옳은 것은?   21. 소방간부

① 비등액체팽창증기폭발(BLEVE): 탱크의 드레인(Drain) 밸브를 개방하여 탱크에 고인 물을 제거한다.
② 보일오버(Boil Over): 소화수를 이용하여 개방된 탱크의 상부 냉각을 최우선으로 하고, 탱크 주변의 화재진화를 병행한다.
③ 파이어볼(Fire Ball): 밸브나 배관에서 누출되는 가스가 연소하는 화염은 소화하지 않고, 그 화염에 의해서 가열되는 면을 냉각한다.
④ 백드래프트(Back Draft): 지붕 등 상부 개방은 금지하고, 하부를 파괴하여 폭발적인 화염과 연소 확대에 따른 대피방안을 강구한다.
⑤ 플래임오버(Flame Over): 폭발력으로 건축물 변형·강도약화로 붕괴, 비산, 낙하물 피해와 방수모 등 개인보호장구 이탈에 대비해야 하며, 자세를 낮추고 대피방안을 강구한다.

26 폭연에서 폭굉으로 발전할 수 있는 폭굉유도거리가 짧아지는 조건으로 옳지 않은 것은?

① 관경이 클수록
② 압력이 높을수록
③ 연소속도가 큰 가스일수록
④ 관내가 좁아지거나 관내 표면이 거칠어진 경우

27 다음에서 설명하는 방폭구조의 종류로 옳은 것은?

> ㄱ. 점화원이 될 우려가 있는 부분을 용기 내에 넣고 불연성 가스인 보호기체를 용기의 내부에 넣어 줌으로써 용기 내부에는 압력이 발생하여 외부로부터 폭발성 가스가 침입하지 못하도록 한 구조이다.
> ㄴ. 정상 시 및 사고 시 발생하는 전기불꽃, 아크 또는 고온에 의해 폭발성 가스 또는 증기에 점화되지 않는 것이 점화시험 및 기타에 의해 확인된 구조를 말한다.
> ㄷ. 전기기기의 불꽃 또는 고온이 발생하는 부분을 절연유 속에 넣고 기름면 위에 존재하는 폭발성 가스 또는 증기에 인화될 우려가 없도록 한 구조이다.

	ㄱ	ㄴ	ㄷ
①	내압 방폭구조	본질안전증가 방폭구조	유입 방폭구조
②	압력 방폭구조	안전증가 방폭구조	유입 방폭구조
③	압력 방폭구조	본질안전증가 방폭구조	유입 방폭구조
④	내압 방폭구조	안전증가 방폭구조	압력 방폭구조

정답 및 해설

24 폭발
ㄴ. 가스폭발은 분진폭발보다 최소발화에너지가 작다. 즉, 분진폭발이 가스폭발보다 최소발화에너지가 크므로 착화는 더 어렵다.

■ 분진폭발의 특징

구분	연소 속도	폭발 압력	연소대의 길이 (연소시간)	발생 에너지	파괴력
가스폭발	○	○			
분진폭발			○	○	○

25 화구(Fire Ball)
③ 파이어볼(Fire Ball): 복사열로 인한 피해를 방지하기 위해서 밸브나 배관에서 누출되는 가스가 연소하는 화염은 소화하지 않고, 그 화염에 의해서 가열되는 면을 냉각한다.
① 비등액체팽창증기폭발(BLEVE)
• 탱크 아래 바닥과 탱크 외면으로부터 최소 5m까지의 바닥은 경사도 15°이상인 콘크리트로 경사지게 하여 누설물이 저장소 내에 체류하지 않도록 한다.
• 외부 화염으로부터 탱크로리의 입열을 억제하고, 단열(진공), 지하에 매립, 물분무소화설비를 설치한다.
• 폭발방지장치를 설치한다. 열전도가 큰 알루미늄 합금박판을 설치하여 기상부의 온도상승을 액상부로 신속히 전달시킴으로써 강판의 온도를 파괴점 이하로 유지시킨다.
• 용기 내압강도를 유지할 수 있도록 견고하게 탱크를 제작한다.

② 보일오버(Boil Over)
• 유류탱크의 저면에 수분의 층을 만들지 않거나 과열되지 않도록 한다.
• 탱크 저면이나 측면 하단에 배수관을 설치하여 수분을 배출한다.
• 기계적 교반을 실시하여 수분을 유류와 에멀젼 상태로 머무르게 한다.
④ 백드래프트(Back Draft): 배연법(지붕환기), 급냉법, 측면공격법 전술을 사용해야 한다.
⑤ 플래임오버(Flame Over): 복도 내부 벽과 천장은 비가연성 물질로 마감해야 한다.

26 폭굉유도거리(DID)
• 정의: 최초의 완만한 연소가 격렬한 폭굉으로 발전할 때까지의 거리를 말한다.
• 폭굉유도거리가 짧아지는 요인
 - 압력이 높을수록
 - 관경이 작을수록(가늘수록)
 - 관 속에 장애물이 있는 경우
 - 점화원의 에너지가 강할수록
 - 연소속도가 큰 가스일수록
 - 주위온도가 높을수록

27 방폭구조
ㄱ. 압력 방폭구조, ㄴ. 본질안전증가 방폭구조, ㄷ. 유입 방폭구조이다.

정답 24 ④ 25 ③ 26 ① 27 ③

CHAPTER 7 유류저장탱크 화재 시 이상 현상

출제 POINT
- 01 오일오버의 정의 ★☆☆
- 02 보일오버의 정의 ★★☆
- 03 슬롭오버의 정의 ★★☆
- 04 프로스오버의 정의 ★☆☆
- 05 위험성 비교 ★☆☆

1 오일오버(Oil Over)

위험물저장탱크 내에 저장된 양이 내용적의 1/2 이하(50% 이하)로 충전되어 있을 때 화재로 인하여 **증기압력**이 상승하고 저장탱크 내의 유류를 외부로 분출하면서 **탱크가 파열되는 현상**을 오일오버(Oil Over)라 한다.

▲ 오일오버(Oil Over)

영철쌤 tip

블레비(BLEVE)와 오일오버(Oil-over)
블레비(BLEVE)와 오일오버(Oil-over)의 차이점은 연료차이이다.
1. 블레비(BLEVE): LPG 등 액화저장탱크
2. 오일오버(Oil-over): 가솔린, 등유, 중유 등 인화성액체탱크

2 보일오버(Boil Over)

1. 정의

상부에 지붕이 없는 유류저장탱크이면서 비점이 다른 성분의 혼합물인 원유나 중질유 등의 유류저장탱크에 화재가 발생하여 장시간 진행되면, 비점이나 비중이 작은 성분은 유류표면층에서 먼저 증발연소되고 비점이나 비중이 큰 성분은 가열 축적되어 고온의 열류층(Heat Layer)을 형성하게 된다. 고온의 열류층이 형성되면 온도는 100℃를 초과하는 경우가 많으며, 이 고온의 열류층은 액면으로부터 액면 하부로 전파된다. 이를 열파(Heat Wave)침강이라 한다. 열파가 하부로 전파되면서 탱크 저부의 물과 접촉하면 급격한 증발에 따른 약 1,650배 이상의 수증기의 부피 팽창에 의해 상층의 유류를 밀어 올려 불붙은 기름을 탱크 밖으로 유출시키는데 이러한 현상을 보일오버(Boil Over)라 한다.

▲ 보일오버(Boil Over)

2. 보일오버(Boil Over) 과정

지붕이 없는 탱크 → 원유, 중질유(무거운 기름) → 장시간 화재 시 고온의 열류층❶ (열파) 형성(150~250℃) → 에멀젼❷ (유화) 현상 발생 → 탱크 저부까지 내려감 → 100℃ 이상 물과 만나면 수증기(부피) 팽창(1,650배) → 물과 함께 화염이 탱크 밖으로 넘침

> **핵심정리 보일오버(Boil Over)**
>
> 1. 중질류 탱크에서 장시간 조용히 연소하다가 탱크 내의 잔존기름이 갑자기 분출하는 현상이다.
> 2. 탱크 바닥에 물과 기름의 에멀젼이 섞일 때 물의 비등으로 인해 급격히 분출하는 현상이다.
> 3. 연소 유면으로부터 100℃ 이상의 열파(열파침강)가 탱크 저부로 전달되어 탱크 저부에 고여 있는 물을 비등하게 하면서 연소유를 탱크 밖으로 비산시키며 연소하는 현상이다.
> 4. 유류저장탱크의 화재 중 열류층을 형성하여 화재진행과 더불어 열류층이 점차 탱크 바닥으로 도달하게 되고 탱크 저부에 물 또는 물과 기름의 에멀젼이 수증기로 변하여 부피팽창에 의한 탱크 내의 유류가 갑작스럽게 탱크 밖으로 분출하게 되어 화재를 확대시키는 현상이다.

3. 보일오버(Boil Over)의 방지대책

(1) 탱크 저면이나 측면 하단에 배수관(드레인밸브)을 설치하여 수분(물)을 배출한다.
(2) 비등석❸, 모래 등을 탱크 내부에 집어넣어 물의 비등(끓는 점)을 억제한다.
(3) 수분을 유류와 에멀젼 상태로 머무르게 한다(기계적 교반 실시).

영철쌤 tip

물보다 무거운 중질유이지만 유체 속에 불순물의 물이 가라 앉아서 침전한다.

용어사전

❶ 고온층 또는 열류층(Heat Layer): 원유나 중질유와 같이 비점이 서로 다른 성분을 가진 제품의 저장탱크에 화재가 발생하여 장시간 진행되면 유류 중 가벼운 성분이 먼저 증발하여 연소되고 무거운 성분은 계속 축적되어 화염에 의해서 가열되면서 유면 아래에 뜨거운 층을 이루게 되는 것을 말한다.

❷ 에멀젼(유화소화, 수막, 유탁액): 비중이 물보다 큰 비수용성 기름화재 시 물을 무상(안개모양)으로 방사하거나 포소화약제를 방사하여 유류표면에 유화층(수막층)의 막을 형성시켜 공기의 접촉을 막아 소화하는 작용을 말한다.

유화층 (수막층)

❸ 비등석: 액체가 끓을 때에 과열로 갑자기 끓어오르는 현상(돌비 현상)을 막기 위하여 액체 속에 넣는 물질의 조각(예 돌, 유리구슬 등)을 말한다.

3. 슬롭오버(Slop Over)

1. 정의

(1) 상부에 지붕이 없는 유류저장탱크이면서 비점이 다른 성분의 혼합물인 원유나 중질유 등의 유류저장탱크에 화재가 발생하여 장시간 진행되면 비점이나 비중이 작은 성분은 유류표면층에서 먼저 증발연소되고 비점이나 비중이 큰 성분은 가열 축적되어 고온의 열류층(Heat Layer)을 형성하게 된다. 고온의 열류층이 형성되어 있는 상태에서 표면으로부터 소화작업으로 인하여 물이 주입되면 물의 급격한 증발에 의하여 유면에 거품이 일어나거나, 열류의 교란에 의하여 고온의 열류층 아래의 잔 기름이 급히 열팽창하여 유면을 밀어 올려 유류는 불이 붙은 채로 탱크 벽을 넘어서 나오게 되는데 이를 슬롭오버(Slop Over)라고 한다. 슬롭오버(Slop Over)는 유류의 점성이 크고 액 표면의 온도가 물의 비점보다 높은 온도에서 잘 일어난다. 즉, 고점도, 고비점에서 잘 발생한다.

(2) 뜨거운 식용유에 밀가루 반죽을 입힌 고기류로 튀김요리를 만들 때 끓는 소리를 내면서 뜨거운 기름방울이 밖으로 튀어나오는 것을 흔히 목격할 수 있는데 이것이 곧 슬롭오버(Slop Over) 현상에 의한 것이다. 그것은 밀가루 반죽 속에 들어 있는 수분의 일부가 뜨거운 기름에 의해 순간적으로 격렬히 증발하는 데 기인한다.

▲ 슬롭오버(Slop Over)

2. 슬롭오버(Slop Over) 과정

(1) 화재인 경우

지붕이 없는 탱크 → 중질유(무거운 기름) → 불을 끄기 위해 주수소화 → 물과 만나면 수증기로 1,650배 팽창 → 불과 함께 비산

(2) 화재가 아닌 경우

식용유를 두른 프라이팬에 냉동만두를 굽는 경우, 밀가루 반죽 튀김 등이 이에 해당한다.

3. 슬롭오버(Slop Over)의 방지대책

고온층으로 물 또는 포말의 주입을 방지한다.

> **핵심정리   슬롭오버(Slop Over)**
>
> 1. 물이 연소유의 뜨거운 표면에 들어갈 때 발생하는 오버플로우(Over Flow) 현상이다.
> 2. 연소유 표면온도가 100℃를 넘을 때 연소유면에 주수되는 소화용수가 비등하면서 연소유를 비산시켜 탱크 밖까지 확대시키는 현상이다.

슬롭오버 방지책 중 포말주입을 하지 않는 이유

화재가 진행된 사항에서 유류저장탱크 상부 구멍이 작은 상태에서 포를 주입하면 포가 유면을 덮기 전에 깨진다.

4 프로스오버(Froth Over)

1. 정의

탱크 속의 물이 점성을 가진 뜨거운 기름의 표면 아래에서 끓을 때 기름이 넘쳐흐르는 현상이다. 화재 이외의 경우에도 물이 고점도 유류 아래서 비등할 때 탱크 밖으로 물과 기름이 거품과 같은 상태로 넘치는 현상을 프로스오버(Froth Over)라 한다. 전형적인 예는 뜨거운 아스팔트가 물이 약간 채워진 탱크차에 옮겨질 때 일어나는 현상이다. 고온의 아스팔트에 의해서 탱크차 속의 물이 가열되고 끓기 시작하면 아스팔트는 탱크차 밖으로 넘치게 된다. 이와 비슷한 경우로 유류탱크의 아래 쪽에 물이나 물 - 기름의 혼합물이 있을 때 폐유 등이 물의 비점 이상의 온도로 상당량 주입될 때에도 프로스오버(Froth Over)가 일어난다.

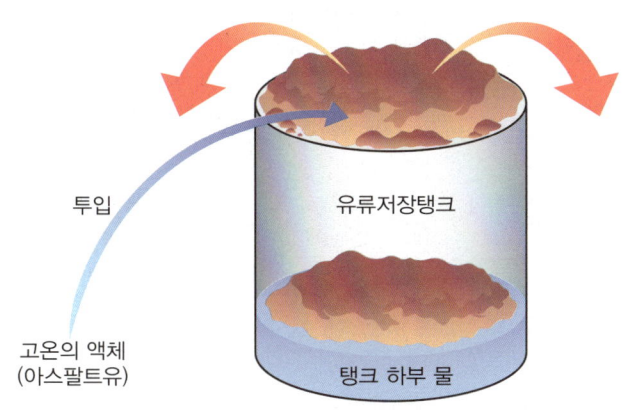

▲ 프로스오버(Froth Over)

2. 프로스오버(Froth Over) 과정

고온의 액체[아스팔트유(타르)] 투여 → 뽀글뽀글하면서 열교환 발생 → 탱크 하부 물 100℃ → 수증기 1,650배 팽창 → 고온의 액체와 함께 뽀글뽀글 넘침

▲ 아스팔트유

▲ 아스팔트유 다지기

영철쌤 tip
유류탱크 화재의 원인
1. 오일오버의 원인은 증기압이다.
2. 보일오버, 슬롭오버, 프로스오버의 원인은 물이다.

5 유류탱크 화재 시 이상 현상의 특성 비교

구분	오일오버 (Oil Over)	보일오버 (Boil Over)	슬롭오버 (Slop Over)	프로스오버 (Froth Over)
특성	화재로 저장탱크 내의 유류가 외부로 분출하면서 탱크가 파열하는 현상이다.	탱크표면 화재로 원유와 물이 함께 탱크 밖으로 흘러 넘치는 현상이다.	유류표면 온도에 의해 물이 수증기가 되어 팽창 비등함에 따라 유류를 외부로 비산시키는 현상이다.	유류표면 아래 비등하는 물에 의해 탱크 내 유류가 넘치는 현상이다.
위험성	위험성이 가장 높다.	대규모 화재로 확대되는 원인이다.	직접적 화재발생일 수도 있고 아닐 수도 있다.	직접적 화재발생 요인은 아니다.

1. 위험성
오일오버 > 보일오버 > 슬롭오버 > 프로스오버 순이다.

2. 보일오버, 슬롭오버, 프로스오버
제4류 위험물(인화성액체) 중 제3석유류(비수용성[1]) 이상인 중유, 벙커C유, 타르인 고점도[2], 고비점[3], 다비점[4]에서 발생한다. 즉, 경질유(가솔린, 경유, 등유)보다 중질유에서 잘 발생한다.

용어사전
[1] 비수용성: 물과 기름이 섞이지 않는 성질을 말한다.
[2] 고점도: 끈끈한 성질의 크기가 크다는 의미이다.
[3] 고비점: 끓는점이 높다는 의미이다.
[4] 다비점: 비점이 넓다(끓는점이 서로 다르다)는 의미이다.

6. 경질유 탱크화재 VS 중질유탱크화재

구분	경질유	중질유
증기압	100°F에서 2~4 psi 이상인 액체	100°F에서 2psi 미만인 액체
종류	휘발유, 등유	중유, 원유
비점	낮다.	높다.
증기압	높다.	낮다.
증기공간	증기공간이 상온에서 연소범위 형성	상온에서 연소범위 형성 안 됨
적용탱크	FRT(플로팅루프탱크)	CRT(콘루프탱크)
예방대책	불활성가스 주입, 증기공간 형성방지	물분무설비, Vent, 화염방지기
성분	단일성분 액체	다성분 액체
인화점	액온이 인화점보다 높다.	액온이 인화점보다 낮다.
연소형태	예혼합형 전파	예열형 전파
재해현상	증기운폭발, 블레비	보일오버, 슬롭오버

> **참고** 예혼합연소와 예열형전파의 비교
>
> 1. 예혼합전파
>   ① 액온이 인화점보다 높은 경우에 발생하는 화염전파로, 액면상의 증기에는 연소범위가 포함되어 있는 농도영역이 존재하는데 화염은 그 증기층을 통해서 전파된다. 이것은 관 속의 가연성 혼합기 화염전파와 유사한데 증기공간에 농도구배가 있고, 윗면이 대기에 개방된 것이 차이점이다.
>   ② 전파속도는 액체온도가 증가함에 따라 증가하는데 화학양론조성비로 갈수록 증가하다가 조성비를 넘으면 일정한 값을 유지하며 최대속도는 층류예혼합연소의 2~3배 정도로 밀도차에 따라 달라진다.
>
> 2. 예열형전파
>   ① 액온이 인화점보다 낮은 경우에 발생하는 화염전파로, 액면상의 농도가 연소하한계이하여서 화염이 곧바로 전파되지 않고 화염에 의해 미연소액면이 인화점까지 예열이 되어야만 화염전파가 시작된다.
>   ② 따뜻한 표면류에 의하여 차가운 미연소 액면이 가열되어 인화점에 도달하면 화염은 그 위치까지 이동하게 되는데 그 전파속도는 일정하지 않고 가속과 감속을 반복하는 맥동형 연소확대 거동을 보인다.

문제로 완성하기

CHAPTER 7 유류저장탱크 화재 시 이상 현상

01 유류저장탱크 내 유류 표면에 화재 발생 시 뜨거운 열류층이 형성되고 그 열파가 장시간에 걸쳐 바닥까지 전달되어 하부의 물이 비점 이상으로 가열되면서 부피가 팽창해 저장된 유류가 탱크 외부로 분출되었다. 이에 해당하는 현상으로 옳은 것은?

24. 공채·경채

① 보일오버(Boil Over)
② 슬롭오버(Slop Over)
③ 프로스오버(Froth Over)
④ 오일오버(Oil Over)

02 유류저장탱크 및 위험물 이송배관 등에서 발생하는 화재 현상에 관한 설명으로 옳지 않은 것은?

25. 소방간부

① 블레비(BLEVE)는 물리적 폭발에 해당한다.
② 증기운폭발(UVCE)은 저장탱크에서 유출된 가스가 증기운을 형성하여 떠다니다가 점화원과 접촉하여 발생하는 누설착화형 폭발에 해당한다.
③ 보일오버(boil over)는 상부가 개방된 저장탱크의 하부에 존재하던 물 또는 물-기름 에멀션이 뜨거운 열류층의 온도에 의해 급격히 부피가 팽창되어 다량의 불이 붙은 기름을 저장탱크 밖으로 분출시키는 현상이다.
④ 오일오버(oil over)는 저장된 유류 저장량이 내용적의 70 %를 초과하여 충전되어 있는 저장탱크에서 발생한다.
⑤ 분출화재(jet fire)는 탄화수소계 위험물의 이송배관이나 저장용기로부터 위험물이 고속으로 누출될 때 점화되어 발생하는 난류확산형 화재이다.

03 유류화재 시 유류의 액표면이 비점 이상으로 상승하고 있는 상태에서 소화용수 등이 액표면에 유입하게 되어 물이 수증기로 변하면서 갑작스럽게 부피팽창하여 유류를 탱크 외부로 분출하게 하는 현상은?

① 보일오버
② 슬롭오버
③ 프로스오버
④ 링 파이어

04 프로스오버(Froth Over) 현상으로 옳지 않은 것은?

① 유류저장탱크 내 중질유 화재 시 탱크 저부에서부터 넘치는 현상이다.
② 유류저장탱크에서 나타나는 현상이다.
③ 점성이 큰 뜨거운 아스팔트유가 탱크차로부터 넘치는 현상이다.
④ 화재를 수반하지 않고 나타나는 현상이다.

05 유류화재의 이상 현상에 대한 설명으로 옳은 것은?   20. 소방간부

① 프로스오버(Froth Over): 점성이 큰 뜨거운 유류표면 아래에서 물이 끓을 때 화재를 수반하지 않고 유류가 넘치는 현상
② 슬롭오버(Slop Over): 탱크 내의 유류가 50% 미만 저장된 경우, 화재로 인한 내부압력의 상승으로 탱크가 폭발하는 현상
③ 오일오버(Oil Over): 중질유 탱크 화재 시 액면의 뜨거운 열파가 탱크 하부로 전달될 때, 탱크 하부에 존재하고 있던 에멀젼(Emulsion) 상태의 물을 기화시켜 물의 급격한 부피 팽창으로 탱크 내의 유류가 분출하는 현상
④ 링파이어(Ring Fire): 액화가스 저장탱크의 외부 화재로 탱크가 장시간 과열되면서 내부 액화가스의 급격한 비등·팽창으로 탱크의 내부압력이 급격히 증가되고, 최종적으로 탱크의 설계압력 초과로 탱크가 폭발하는 현상
⑤ 보일오버(Boil Over): 중질유 탱크 내에 화재로 연소유의 표면온도가 물의 비점 이상 상승했을 때, 물분무 또는 폼(Foam)소화약제를 뜨거운 연소유표면에 방사하면 물이 수증기가 되면서 급격한 부피 팽창으로 연소유를 탱크 외부로 비산시키는 현상

정답 및 해설

01 보일오버(Boil Over)
지붕이 없는 탱크 → 원유, 중질유(무거운 기름) → 장시간 화재 시 고온의 열류층(열파, 열파침강)형성(150~250℃) → 에멀젼(유화)현상 → 탱크 저부까지 하강 → 100℃ 이상 물과 만나면 수증기(부피)팽창(1,650배) → 물과 함께 화염이 탱크 밖으로 넘치는 현상

02 오일오버(Oil Over)
오일오버(Oil Over)는 저장된 유류 저장량이 내용적의 50%($\frac{1}{2}$) 이하로 충전되어 있는 저장탱크에서 발생한다.

03 슬롭오버(Slop Over)
슬롭오버(Slop Over)란 연소 중인 탱크 상부의 유류온도가 100℃를 넘을 때 유류표면에 주수되는 물이 비등하여 연소유를 비등시켜 탱크 밖으로 분출시키는 현상을 말한다.

04 프로스오버(Froth Over)
프로스오버는 화재 이외의 경우에도 물이 고점도 유류 아래에서 비등할 때 탱크 밖으로 물과 기름이 거품과 같은 상태로 넘치는 현상을 말하며, 전형적인 예로는 뜨거운 아스팔트유가 물이 약간 채워진 탱크차에 옮겨질 때 일어나는 현상이다.

05 유류화재의 이상 현상
② 오일오버(Oil Over)에 대한 설명이다.
③ 보일오버(Boil Over)에 대한 설명이다.
④ 블래비(BLEVE)에 대한 설명이다.
⑤ 슬롭오버(Slop Over)에 대한 설명이다.

정답 01 ① 02 ④ 03 ② 04 ① 05 ①

CHAPTER 8 연소생성물

출제 POINT

01 연소가스의 종류 및 특성 ★★★
02 연기농도 측정법 ★★☆
03 따른 감광계수 및 가시거리 ★★☆
04 연기 유동력 ★★★
05 연기 유동속도 ★★★
06 중성대 ★★★
07 연기제어 ★☆☆

1 연소생성물의 개요

화재 시에 발생되는 최종 **연소생성물은 크게 열, 화염, 연기, 연소가스(유독가스)**로 구분할 수 있으며, 최종 연소생성물이 인체에 크게 영향을 미치는 것은 화상과 가열된 공기 및 연소가스의 흡입에 따른 독성 때문이다.

2 연소가스

1. 정의

연소가스는 연소생성물 중 기체로 발생되는 연소가스를 말하는데, 엄밀히 말하면 화열에 의해 뜨거워진 연소생성물들을 상온으로 냉각하였을 때에도 기체 상태로 존재하는 연소생성물을 말한다. 일반적으로 **화재 시 인명피해의 대부분은 연소가스(유독가스)**에 의하여 발생한다.

2. 연소가스의 독성

(1) TLV - TWA 기준
  ① **최소허용노출농도**(TLV-TWA; Threshold Limit Value-Time Weight Average): 정상인이 1일 8시간 또는 주 40시간 통상적인 작업을 수행함에 있어 건강상 나쁜 영향을 미치지 아니하는 정도의 공기 중 가스농도이다.
  ② TLV-TWA 200ppm 이하인 경우에는 독성가스로 분류한다.
  ③ TLV-TWA 값이 1ppm 미만의 경우에는 맹독성으로 분류한다.

(2) LC50 기준
  ① **반수치사농도**(LC50 1hr, Rat, Lethal Concentration 50%): 성숙한 흰쥐의 집단을 대기 중에서 1시간 동안 가스에 노출시키는 실험(흡입실험)에서 14일 이내에 실험동물의 50%를 사망시킬 수 있는 가스농도이다.
  ② LC50(1hr, Rat) 5,000ppm 이하인 경우에는 독성가스로 분류한다.
  ③ LC50 값이 200ppm 이하인 경우에는 맹독성으로 분류한다.

 **영철쌤 tip**

연소가스 및 연기 구분
고온의 연기를 추출하여(500~600℃) 21℃로 내릴 때 기체 상태로 존재하면 연소가스이고, 고체나 액체 미립자로 존재하면 연기이다.

ppm
part per million의 줄임말로 백만분의 일인 $\frac{1}{1,000,000} = 0.000001\%$이다.

연소가스 독성기준
1. TLV-TWA는 독성인 경우 200ppm 이하이고, 맹독성인 경우 1ppm 미만이다.
2. LC50은 독성인 경우 5,000ppm 이하이고, 맹독성인 경우 200ppm 미만이다.

④ 주요가스의 LC50 수치(ppm)

아황산가스	2,520
암모니아	7,338
일산화탄소	3,760
불소	185
염소	293
시안화수소	140
황화수소	444
포스겐	5
염화수소	3,120
포스핀	20
벤젠	13,700

수치가 낮을수록 독성이 강하고, 높을수록 독성이 약하다. 예를 들어, 흰쥐의 절반을 죽게 하려면, 포스핀(PH_3)은 공기 중에 백만분의 20만 있어도 가능하지만 암모니아는 공기 중에 백만분의 7,338만큼 있어야 한다.

3. 연소가스의 종류 및 특성

(1) 이산화탄소(CO_2)

① 허용농도는 5,000ppm이다.
② 무색·무취·무미의 가스로서 공기보다 무거우며, 모든 종류의 유기화합물이 완전연소할 때 발생한다.
③ 가스 자체의 독성은 거의 없으나 다량으로 존재할 때 사람에게 산소부족으로 인한 **호흡속도를 증가시킴**으로써 유해가스의 흡입을 증가시켜 위험을 가중시킨다.
④ 이산화탄소(CO_2)의 농도(%)별 인체에 미치는 영향

2	불쾌감
4	눈의 자극, 두통, 현기증, 귀울림, 혈압 상승
8	호흡곤란
9	구토, 감정둔화, 실신
10	시력 장애, 1분 이내 의식 상실
20	중추신경 마비, 단시간 내 사망

⑤ 물에 잘 녹는다(용해된다).

(2) 일산화탄소(CO)

① 허용농도는 50ppm이다.
② 무색·무취·무미의 가스로서 공기보다 약간 가볍고 모든 종류의 유기화합물이 연소할 때 발생한다. 특히 산소공급이 원활하지 못할 때 **불완전연소에 의해 다량으로 발생**한다.

연소물질과 연소생성가스

연소물질	연소생성가스
탄화수소류 등	일산화탄소 및 탄산가스
셀룰로이드, 폴리우레탄 등	질소산화물
질소성분을 갖고 있는 모사, 비단, 피혁 등	시안화수소
PVC, 방염수지, 플루오린화수지, 플루오린화수소 등의 할로겐화물	HF, HCl, HBr, 포스겐 등
멜라민, 나일론, 요소수지 등	암모니아
폴리스티렌(스티로폼) 등	벤젠

이산화탄소와 일산화탄소의 비교

이산화탄소(CO_2)	일산화탄소(CO)
· 연소가스	· 무색
· 무취	· 무미
· 완전연소	· 불완전연소
· 불연성 물질	· 가연성 물질
· 무독성	· 유독성
· 연소범위(폭발범위)가 없다.	· 연소범위(폭발범위)가 있다.
· 공기보다 무겁다.	· 공기보다 약간 가볍다.
· 물에 잘 녹는다.	· 물에 잘 녹지 않는다.

용어사전

❶ 헤모글로빈: 인체 내에서 산소를 운반한다.

③ 상온에서 염소와 작용하여 유독성 가스인 포스겐을 생성하기도 한다.

$$CO + Cl_2 = COCl_2$$
〈일산화탄소〉〈염소〉 〈포스겐가스〉

④ 가장 유독한 연소가스는 **아니지만**, 독성가스를 구성하는 성분으로 가장 큰 양을 차지하며 **인체에 질식에 의한 해를 끼치는 영향이 가장 크다.**

⑤ **일산화탄소와 헤모글로빈❶에 대한 결합력은** 산소와 헤모글로빈과의 결합력보다 210배 크기 때문에 **산소운반을 방해**하고 그에 따른 두통, 근육조절의 장애를 일으킨다. 즉, 일산화탄소는 산소와 헤모글로빈의 결합을 방해하여 질식하게 한다.

⑥ 일산화탄소(CO)가 인체에 미치는 영향

농도[%]	노출시간	생리적 반응
0.05	3시간	생명에 위험
0.15	1시간	생명에 위험
0.4	1시간 이내	치사
1.3	2~3번의 호흡으로 의식을 잃고 수분 내 치사	

⑦ 물에 잘 녹지 않는다(용해되지 않는다).

(3) 이산화황(SO_2) = 아황산가스

① 허용농도는 5ppm이다.
② 황(S)성분을 포함하고 있는 유기화합물이 완전연소할 때 발생한다.
③ 동물의 털, 고무, 나무 일부가 탈 때 생성되지만, 그 양이 적어 크게 위험하지는 않다.
④ 공기보다 무겁고 **무색의 자극성 냄새**를 가진 유독성 기체로서 눈 및 호흡기 등의 점막을 상하게 하고 질식사할 우려가 있다.
⑤ 1만 2,000여 명의 목숨을 앗아간 런던 스모그 사건의 주범이다.

(4) 황화수소(H_2S) = 유화수소

① 허용농도는 10ppm이다.
② 황(S)성분을 포함하고 있는 유기화합물이 불완전연소할 때 발생한다.
③ 동물의 털, 고무, 나무 일부가 탈 때 주로 생성된다.
④ **계란 썩는 냄새가 난다(후각을 마비시키는 마취성 가스).**
⑤ 최면·마취성 가스로서 0.2% 이상 농도에서는 냄새 감각이 마비되고, 0.4~0.7% 정도 농도에서 1시간 이상 노출되면 현기증, 장기혼란의 증상과 호흡기의 통증이 일어나며, 0.7%를 넘어서면 독성이 강해져서 신경계통에 영향을 미치고 호흡기가 무력해진다.

(5) 이산화질소(NO_2) = 아질산가스

① 허용농도는 3~5ppm이다.
② 질산셀룰로이즈, 폴리우레탄 등이 불완전연소할 때 발생한다.
③ 자극적인 냄새를 낸다.
④ 일산화질소가 산소(이산화질소)에 닿으면 생성되는 **붉은 갈색(적갈색, 오렌지색) 기체로 낮은 온도에서는 푸른색 액체**로 변하며, 물과 작용하면 질산과 산화

질소가 된다.

$$NO + O = NO_2$$

(6) 시안화수소(HCN)
① 허용농도는 10ppm이다.
② 공기보다 약간 가볍고 무색의 특이한 냄새를 가진 가연성 가스로서 일명 **청산가스**라고도 한다.
③ **질소성분을 포함**하고 있는 합성수지, 동물의 털, 인조견(비단) 등의 섬유가 **불완전연소할 때** 발생하는 독성가스로서 0.3%의 농도에서도 즉시 사망할 수가 있다(LC50 기준은 140ppm이므로 맹독성 가스이다).
④ 일산화탄소와는 다르게 헤모글로빈과 결합하지 않고 **세포에 의한 산소의 이동을 막아 순간적으로 호흡이 정지**되는 가스이다.
⑤ 대량 흡입되면 전신경련, 호흡정지, 심박동정지로 사망에 이른다.
⑥ 합성고분자 물질 중 **폴리우레탄**이 연소할 때 많이 발생한다.

(7) 암모니아(NH_3)
① **허용농도는 25ppm**이다.
② **질소성분을 포함**하고 있는 나일론, 나무, 실크, 아크릴, 플라스틱, 멜라민수지 등의 물질이 연소할 때 발생하며, **독성과 강한 자극성을 가진 무색의 가연성 가스이고 특유의 자극적인(역한) 냄새**가 난다.
③ 피부나 점막의 자극 및 부식성이 강하고 그 작용은 체내조직의 심부에 이르기 쉬우며, 고농도의 암모니아가 접촉되면 점막을 심하게 자극하여 결막부종 및 각막혼탁을 초래하고 점점 시력장해의 후유증을 남기는 경우가 있다.
④ 암모니아를 흡입하면 폐수종을 일으키거나 호흡정지를 일으키는 경우도 있다.
⑤ 주로 **비료공장** 또는 **냉동시설의 냉매**로 많이 쓰이고 있으므로 냉동창고 화재 시 누출 가능성이 크기 때문에 주의하여야 한다.
⑥ **물에 잘 녹는다(용해된다).**

(8) 염화수소(HCl)
① 허용농도는 5ppm이다.
② 염소성분을 포함하고 있는 무색의 기체로서 수지류 등이 탈 때 발생한다.
③ 건축물 내의 **전선의 절연재 및 배관재료** 등이 탈 때 발생한다.
④ 사람이 싫어하는 자극적인 냄새가 나며, 금속을 **부식**시킬 뿐만 아니라 눈과 호흡기 계통도 **부식**시킨다.
⑤ 합성고분자 물질 중 **폴리염화비닐(PVC)**이 연소할 때 많이 발생하며 향료, 염료, 의학, 농약 등의 제조에 이용되고 있다.

폴리염화비닐(PVC배관)

⑥ 물에 녹아 염산이 된다.

영철쌤 tip

시안화수소는 헤모글로빈과 관계가 없고, 일산화탄소는 헤모글로빈과 관계가 있다.

영철쌤 tip

시안화수소
1. TLV-TWA(최소허용노출농도): 10ppm이므로 독성가스로 분류
2. LC50(반수치사농도): 140ppm이므로 맹독성가스로 분류

영철쌤 tip

에틸아민
무색 기체로써 암모니아와 유사한 냄새를 가지는 물질은 에틸아민이다.

영철쌤 tip

시안화수소는 폴리우레탄 연소 시 발생하고, 염화수소는 폴리염화비닐 연소 시 발생한다.

폴리우레탄 연소 시 생성되는 가스	폴리염화비닐 연소 시 생성되는 가스
시안화수소, 황화수소, 이산화질소	염화수소 등 기타

사염화탄소(CCl_4)
1. 할론 104 소화약제의 주성분이다.
2. 고온 공기 중·고온의 습기 중·직열된 금속과 사염화탄소(CCl_4)가 반응하면 포스겐($COCl_2$)가스가 발생하므로 1975년 이후부터 사용하지 않은 소화약제이다.
3. 이산화탄소(CO_2) + 사염화탄소(CCl_4) → 포스겐($COCl_2$) 가스 발생
4. $CO + Cl_2 = COCl_2$

(9) 포스겐($COCl_2$)
① 허용농도는 0.1ppm인 맹독성 가스이다.
② 염소성분을 포함하고 있는, 독성이 매우 큰 무색의 기체로서 수지류 등이 탈 때 발생한다.
③ 일반적인 물질이 연소할 경우에는 거의 생성되지 않지만, 일산화탄소와 염소가 반응하여 생성하기도 한다.
④ 포스겐은 물과 반응하여 이산화탄소와 염산을 만든다.
⑤ 사염화탄소(CCl_4)를 고온의 공기 및 습기 중 또는 적열된 금속화재 시 사용하면 생성된다.
⑥ 건조 상태에서는 금속을 부식시키지 않으나, 수분이 존재하면 포스겐이 가수분해하여 염소를 발생시키므로 금속을 부식시킨다.
⑦ 제2차 세계대전 당시 독일군이 유태인 학살에 사용하였던 가스이다.

(10) 염소(Cl)
① 허용농도는 1ppm이다.
② 독성과 부식성이 있는 황록색 기체로서 불쾌한 냄새가 나고 눈과 호흡기관을 자극한다.
③ 염소는 조연성 가스로서 염소 자체는 폭발성이나 인화성이 없다. 단, 염소와 수소가 만나면 폭발한다.

가장 독성이 큰 것은 포스겐, 아크롤레인이다.

(11) 아크롤레인 = 아크릴알데히드 = 아크릴로레인(CH_2CHCHO)
① 허용농도는 0.1ppm인 맹독성 가스이다.
② 모든 유기화합물이 연소할 때 발생할 수 있지만, 연소되는 물질의 분자구조에 따라 발생량은 큰 차이를 보인다.
③ 석유제품, 유지류, 나무, 종이 등이 탈 때 생성되는 맹독성 가스이다.
④ 공기와 접촉하면 아크릴산이 된다.
⑤ 허용농도 10ppm 이상의 농도에서는 즉사할 수 있다.
⑥ 일반적인 화재에서는 거의 발생하지 않는다.

(12) 불화수소(HF)
① 허용농도는 3ppm이다.
② 합성수지인 불소수지가 연소할 때 발생되는 연소생성물로서 무색의 자극성 기체이며 유독성이 강하다.
③ 모래·유리를 부식시키는 성질이 있다.
④ 물에 잘 용해된다(물에 잘 녹는다).
⑤ 부식성이 있으며, 인화성·폭발성 가스를 발생시킨다.

(13) 브롬화수소(HBr)
① 허용농도는 5ppm이다.
② 방염수지류 등이 연소할 때 발생하며, 상온·상압에서 무색의 자극성 기체로 물에 잘 용해된다(물에 잘 녹는다).

> **참고** 연소성·저장성·독성 및 저장용기 색깔에 따른 분류

1. 연소성에 따른 분류
   ① 가연성가스: 아세틸렌, 수소, 메탄, 프로판, 부탄 등 산소와 결합하여 연소하는 가스이다.
   ② 조연성가스: 산소, 염소, 불소 등 다른 가연성 물질이 잘 연소되도록 도와주는 가스이다.
   ③ 불연성가스: 질소, 네온, 아르곤 등 연소가 되지 않는 가스이다.
2. 저장성에 따른 분류
   ① 압축가스(임계온도❶ < 실온❷): 비점이 낮기 때문에 액화하기 어려운 가스로서 산소, 수소, 질소 등이 해당된다.
   ② 액화가스(임계온도 > 실온): 비점이 높기 때문에 액화하기 쉬운 가스로서 프로판, 부탄, 탄산가스(이산화탄소), 염소, 암모니아 등이 해당된다.
   ③ 용해가스: 용해하여 압축한 가스로서 아세틸렌 등이 해당된다.
3. 독성에 따른 분류
   ① 독성가스: 인체에 유해한 가스로서 아크릴로레인, 포스겐, 일산화탄소, 시안화수소, 암모니아 등이 해당된다.
   ② 비독성가스: 인체에 유해하지 않은 가스로서 질소, 산소, 수소 등이 해당된다.
4. 가스저장용기 색깔

가스	저장용기 색깔	가스	저장용기 색깔
암모니아	백색	아세틸렌	황색
산소	녹색	염소	갈색
수소	주황색	그 외(기타)	회색
탄산가스	청색	-	-

영철쌤 tip
1. 압축가스는 기체로 저장하고, 액화가스는 액체로 저장한다.
2. 용해가스는 위험한 가스(아세틸렌)이므로 녹여서 운반한다.

용어사전
❶ 임계온도: 액체와 기체가 같아지는 온도를 말한다.
❷ 실온: 일반적인 실내환경의 온도로, 물리학적으로 대략 20~25℃을 말한다.

3 연기

1. 개요

(1) 정의
① 연기란 공기 중에 부유하고 있는 고체 또는 액체미립자 및 재료가 열분해 혹은 연소했을 때 발생하는 가스의 복잡한 혼합물이라 할 수 있으며, 그 크기는 0.01~10μm이다.
② 화재 시의 연기는 연기입자를 특별히 분리하지 않고 가스성분을 포함한다.
③ 눈에 보이는 것을 연기라 한다.

(2) 연기의 특성
① 유기물의 열분해 과정에서 생성, 유리되어 나온 극히 미세한 탄소입자, 즉 검댕을 말한다.
② 주로 미네랄 성분으로 구성된 재 가루이다.
③ 유기물의 열분해 과정에서 생성되어 아직 타지 아니한 응축 유기물[타르(Tar)]이 분포한다. 즉, **훈소는 액체미립자인 타르가 분포**한다.

연기의 특성
1. 연기입자가 안개입자보다 작다.
2. 연기입자가 눈에 보이는 이유는 탄소입자(고체미립자), 타르입자(액체미립자)이기 때문이다.
3. 백색연기는 수소가 많고, 흑색연기는 탄소가 많다.

④ 일반적으로 화재 시 연기는 처음에는 백색연기, 나중에는 흑색(검은)연기로 변한다.
⑤ 수소가 많으면 백색연기, 탄소가 많으면 흑색(검은)연기가 생성된다.
⑥ 화재초기의 발연량(연기의 발생량)은 화재성숙기의 발연량보다 많다고 할 수 있다.

(3) 연기의 유해성
① 심리적 영향: 패닉현상(공황), 행동판단능력 저하 등이 있다.
② 생리적 영향: 인체에 미치는 영향으로 산소결핍, 호흡곤란, CO중독, 유독가스·열·입자 자극 등이 있다.
③ 시계적(시각적) 영향: 가시거리 차단, 진압과 피난이 방해 등이 있다.

2. 연기농도

연기는 일종의 불완전한 연소생성물이다. 온도가 낮을수록 액체 상태가 되어 연기의 농도가 진해지고, 산소공급이 불충분하게 되면 역시 탄소분이 생성되어 검은색 연기가 된다.

(1) 연기농도 측정법
① 절대농도
  ㉠ 중량농도법: 연기를 여과시켜 단위체적당 물질의 무게로서 측정하며 이를 연기중량농도[mg/m^3]라 한다.
  ㉡ 입자농도법: 정해진 부피의 연기를 모아 광학밀도를 측정하는 단위체적당의 연기입자수를 연기입자농도[개/m^3]라 한다.
② 상대농도
  ㉠ 빛의 산란이나 감쇄 또는 전리전류의 감소 등에 의하여 나타내는 방법이 있다.
  ㉡ 투과율법(감광계수법): 연기 속에서 투과되는 빛의 양에 관한 광학적 농도인 감광계수[m^{-1}]에 의한 농도 표시법이다.
③ 감광계수[m^{-1}]
  ㉠ 연기농도의 변화에 따른 빛의 투과량 변화, 즉 가시거리의 변화를 나타낸 계수로서 램버트 비어 법칙에서 유도된 상대적 연기농도의 단위이다.
  ㉡ 연기의 농도가 진해지면 연기입자에 의해 빛이 차단되므로 가시거리는 짧아진다. 따라서 감광계수로 표시한 연기의 농도와 가시거리[1]는 반비례의 관계를 가진다.
  ㉢ 빛에 산란이나 감쇄를 이용하여 연기의 농도를 나타내는 척도이다.
  ㉣ 감광계수의 단위는 [m^{-1}] = [m^2/m^3]이며 단위체적당의 연기에 의한 빛의 흡수단면적, 즉 감광의 정도라고 할 수 있다.

(2) 피난한계의 투시거리와 감광계수
① 건물의 숙지자는 피난한계 투시거리[2]가 약 3~5m이며, 감광계수는 약 0.4~0.7/m이다.
② 건물의 불특정자는 피난한계 투시거리가 약 15~20m이며, 감광계수는 약 0.1/m이다.

영철쌤 tip

감광계수와 가시거리의 관계
연기로 인한 빛의 감소를 나타내는 감광계수는 가시거리와 반비례한다.

램버트 비어 법칙

$$C_s = \frac{1}{L} l_n \left(\frac{I_0}{I}\right)$$

C_s: 감광계수[m^{-1}]
L: 연기두께[m]
I_0: 연기 없을 때 빛의 세기[lx]
I: 연기 있을 때 빛의 세기[lx]

용어사전
[1] 가시거리: 사람이 목표물을 식별할 수 있는 거리이다.
[2] 피난한계 투시거리: 안전하게 피난할 수 있는 거리이다.

(3) 화재상황에 따른 감광계수 및 가시거리

감광계수[m⁻¹]	가시거리[m]	상황
0.1	20~30	연기감지기가 작동할 정도의 농도
0.3	5	건물 내부에 익숙한 사람이 피난에 지장을 느낄 정도의 농도
0.5	3	어두침침한 것을 느낄 정도의 농도
1.0	1~2	거의 앞이 보이지 않을 정도의 농도
10	0.2~0.5	화재 최성기 때의 연기농도 또는 유도등이 보이지 않을 정도의 농도
30	-	출화실에서 연기가 분출될 때의 농도

▲ 유도등

3. 연기의 유동

(1) 연기 유동력❶

① **저층 건물**: 열, 대류 이동, 화재의 압력과 같은 화재의 직접적인 영향이 연기 유동을 일으키는 주요 원인이다.

② **고층 건물**
   ㉠ 굴뚝효과(연돌효과, Stack Effect): 실내·외 온도차 및 밀도차
   ㉡ 온도에 의한 가스 팽창: 온도상승에 의해 증기가 팽창
   ㉢ 화재에 의해 직접 생성하는 부력: 비중차(화재의 연기는 가볍다)
   ㉣ 외부 바람의 영향(풍력): 바람에 의한 압력차
   ㉤ 건물 내에서의 강제적인 공기 유동: 공기조화설비(HVAC-System)❷

용어사전

❶ 연기 유동력: 연기가 움직이는 힘을 말한다.
❷ 공기조화설비(HVAC-System): 공기를 깨끗하게 정화하고 일정한 온도와 습도로 조절하여 실내에 공급하는 시설을 말한다.

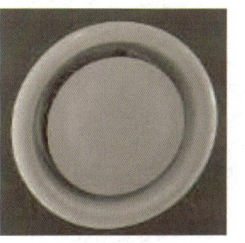
▲ 공기조화설비

핵심정리 연기의 유동력

1. 저층 건물
   ① 열
   ② 대류 이동
   ③ 압력
2. 고층 건물
   ① 굴뚝효과(연돌효과)
   ② 온도에 의한 가스팽창
   ③ 화재에 의해 직접 생성하는 부력
   ④ 외부 바람의 영향(풍력)
   ⑤ 건물 내에서의 강제적인 공기 유동[공기조화설비(HVAC-System)]

(2) 굴뚝효과(연돌효과)

① **굴뚝효과**: 건축물 내부의 온도가 외부의 온도보다 높고 밀도가 낮을 때 압력차로 인하여 건물 내부로 들어온 공기는 부력을 받아 아래 쪽에서 위 쪽으로 이동하게 되는데 이러한 상향 공기 흐름을 굴뚝효과 또는 연돌효과라고 한다.

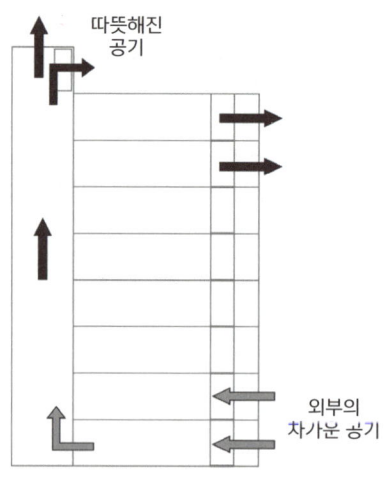

▲ 굴뚝효과(연돌효과, Stack Effect)

② **역 굴뚝효과**: 건축물 내부의 온도가 외부의 온도보다 낮고 밀도가 높을 때 압력차로 인하여 건물 내부로 들어온 공기는 위 쪽에서 아래 쪽으로 이동하게 되는데 이러한 하향 공기 흐름을 역 굴뚝효과라고 한다.

③ 굴뚝효과에 영향을 미치는 요소(수직적 개념)
　㉠ 건물의 높이
　㉡ 외벽의 기밀성
　㉢ 건물의 층간 공기 누설
　㉣ 건물 내·외 온도차

> **핵심정리** 굴뚝효과와 역 굴뚝효과의 비교
>
>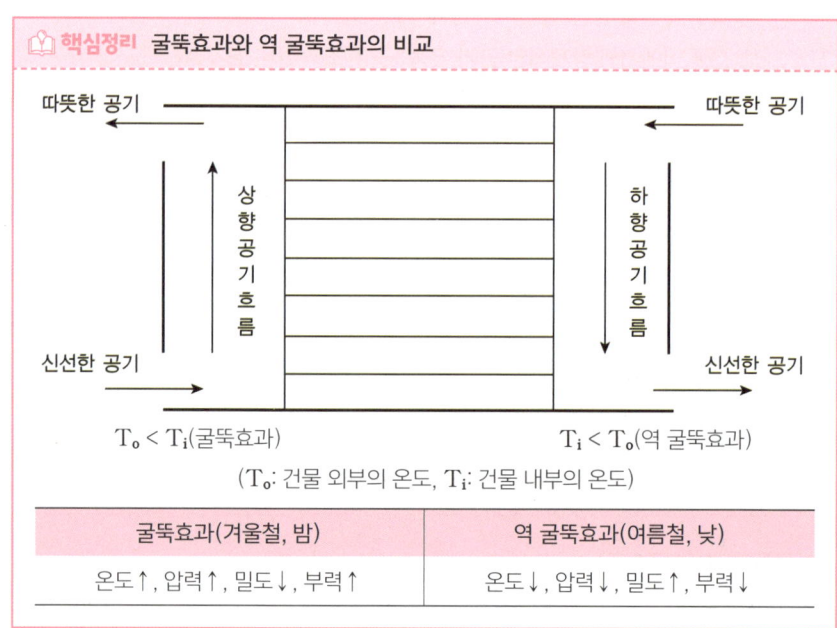
>
> (T_o: 건물 외부의 온도, T_i: 건물 내부의 온도)
>
> | 굴뚝효과(겨울철, 밤) | 역 굴뚝효과(여름철, 낮) |
> |---|---|
> | 온도↑, 압력↑, 밀도↓, 부력↑ | 온도↓, 압력↓, 밀도↑, 부력↓ |

(3) 온도에 의한 가스팽창

구획된 공간에서 화재로 인해 온도가 높아지면 그에 비례하여 압력이 높아진다. 이 압력은 화재실의 연기를 주변으로 이동시키는 역할을 하면서 화염이 수직으로 상승하여 열기둥을 생성한다.

굴뚝효과에 영향을 미치는 요소는 층의 바닥 면적(수평적 개념)과 관계가 없다.

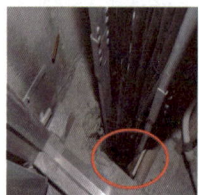

▲ 건물의 층간공기누설

외벽의 기밀성
외벽의 기밀성은 다양한 각도로 설명할 수 있다. 만약,
1. 실내에 들어오는 급기구가 없다면 외벽의 기밀도가 낮아야 공기가 실내에 들어와서 굴뚝효과가 발생한다.
2. 실내에 들어오는 급기구가 있다면 외벽이 기밀도는 높아야 굴뚝효과가 발생한다.

(4) 화재에 의해 직접 생성하는 부력

화재 시 연기는 온도에 의한 밀도 차에 의해서 상승기류를 형성한다. 밀도는 연기 온도에 반비례하기 때문에 연기 온도가 공기 온도보다 높을 경우 뜨거운 연기는 상향력이 생겨 상승기류를 형성한다. 부력에 의해 상승된 연기는 천장부에서 측면으로 퍼져나가면서 열전달, 희석 등에 의해 온도가 떨어지고, 화재구역으로부터 거리가 멀어짐에 따라 부력효과가 점차 감소한다. 또한 부력에 의한 압력차 때문에 연기는 화재구역의 문, 벽 등 누설틈새를 통해 다른 구역으로 이동하며, 특히 화재실 천장에 누설틈새가 있는 건물에서는 이 부력효과에 의해 연기가 급격히 상층부로 이동한다.

(5) 외부 바람의 영향

바람의 작용은 연기의 유동에서 또 다른 주요한 양상을 띠고 있으며 고층 건물과 저층 건물에서 다소 다르게 나타난다. 바람이 불어오는 쪽에 면한 벽은 내부로의 압력을 받게 되는 반면, 바람이 불어가는 쪽에 면한 벽과 나머지 두 면의 벽은 외부로의 압력(흡인)을 받게 된다. 즉, 지붕의 위 쪽으로의 압력을 받게 되고 바람이 불어오는 쪽의 가장자리가 가장 큰 압력을 받게 된다. 이들의 압력은 건축물 상부와 주위에서 다량의 공기 유동을 일으키는 원인이 되며 폭이 넓은 저층 건물에서는 지붕 위로 다량의 공기가 유동하게 되고 반면에 폭이 좁은 고층 건물에서는 지붕보다 측면에서 다량의 공기가 유동하게 된다.

(6) 건물 내에서의 강제적인 공기 유동(Air Handling System)

건물 내의 기류의 강제 이동은 연기의 이동을 급속히 변화시킨다. 따라서 화재 시 공기조화설비(HVAC-System)는 자동 폐쇄되거나, 제연설비와 연동으로 연기를 외부로 신속히 배출할 수 있도록 설계되고 시공되어야 한다.

(7) 피스톤 효과

① **엘리베이터에 의한 피스톤 효과**: 엘리베이터가 움직이고 있을 때 엘리베이터 샤프트에 의해 엘리베이터 뒷부분은 피스톤 작용을 하여 연기가 전실, 복도로 유입되거나 유동한다.

② **터널의 피스톤 효과**: 터널을 운행하는 차량의 공기저항에 의해 기류를 형성하는 효과로서 교통 환기력을 발생시켜 외부 자연풍 외에 자연환기를 유도하는 역할을 한다. 따라서 터널 화재 시에는 터널의 피스톤 효과가 연기확산을 더욱 빠르게 하므로 조기 경보시스템에 의해 화재 발생 시 차량이 터널을 진입하는 것을 미리 차단하여야 한다.

4. 연기의 유동속도 및 연기의 특징

(1) 수평방향 연기의 유동속도 및 연기의 온도

① 화재실에서의 수평방향 연기의 유동속도는 약 $0.5 \sim 1m/s$이다.
② 연기의 온도는 화재실로부터 멀어짐에 따라 급속히 강하하고, 연기층의 두께는 연기 온도가 강하하여도 거의 변하지 않는다.

연도강하
연기가 높은 곳에서 아래로 향하여 내려온다. 즉, 천장에 있는 연기가 바닥쪽으로 내려온다.

인간의 보행속도(1~1.2m/s)
1. 인간의 보행속도가 연기의 수평방향속도보다 빠르다.
2. 인간의 보행속도가 연기의 수직방향속도보다 느리다.
3. 지하가 등에서 연기 이동(유동) 속도는 약 1m/s 정도이지만 제트팬이 설치된 긴 터널은 약 3~5m/s에 달한다.

(2) 수직방향 연기의 유동속도
① 화재실에서의 수직방향 연기의 유동속도는 약 2~3m/s이다.
② 계단실과 같은 수직공간에서의 연기의 유동속도는 약 3~5m/s이다.

(3) 연기의 유동속도 비교
계단실 > 화재실 내 수직방향 > 화재실 내 수평방향 순이다.

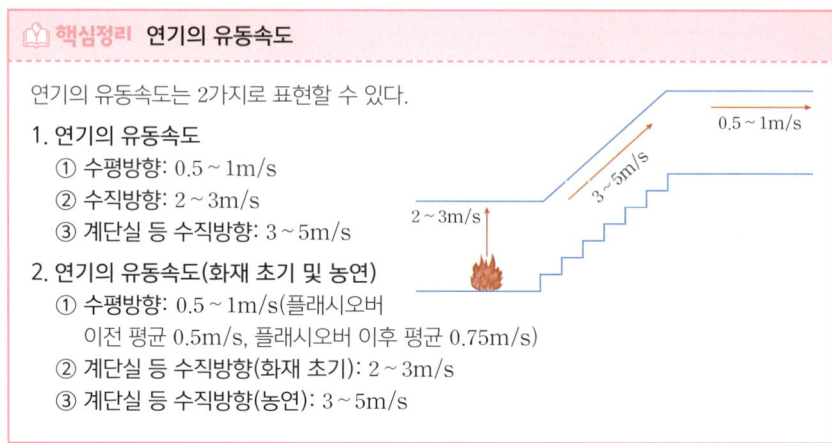

> **핵심정리 연기의 유동속도**
>
> 연기의 유동속도는 2가지로 표현할 수 있다.
> 1. 연기의 유동속도
>   ① 수평방향: 0.5~1m/s
>   ② 수직방향: 2~3m/s
>   ③ 계단실 등 수직방향: 3~5m/s
> 2. 연기의 유동속도(화재 초기 및 농연)
>   ① 수평방향: 0.5~1m/s(플래시오버 이전 평균 0.5m/s, 플래시오버 이후 평균 0.75m/s)
>   ② 계단실 등 수직방향(화재 초기): 2~3m/s
>   ③ 계단실 등 수직방향(농연): 3~5m/s

(4) 연기의 특징
① 연기입자의 크기는 0.01~10μm이며, 안개입자보다 작다.
② 화재 시 처음에는 백색(하얀색) 연기가 나오고 점차 흑색(검은색) 연기로 변한다.
③ 수소성분이 많으면 백색(하얀색) 연기, 탄소성분이 많으면 흑색(검은색) 연기가 된다.
④ 화재 초기의 발연량은 화재 성숙기의 발연량보다 많다고 할 수 있다.

5. 중성대(중성점, 중립면, 중립점; Neutral Plane)

건물에 화재가 발생하면 연소열에 의해 온도가 상승하여 부력으로 실의 천장 쪽으로 고온기체가 축적되고, 온도가 높아져 기체가 팽창하여 실내·외의 압력이 달라지는데 대체적으로 실의 상부는 실외보다 압력이 높고 하부는 압력이 낮다. 따라서 그 사이 어느 지점에 실내·외의 정압이 같아지는 경계층이 형성되는데 그 층을 중성대라고 한다. 중성대의 위 쪽은 실내 정압이 실외보다 높아 실내에서 기체가 외부로 유출되고, 중성대 아래 쪽은 실외에서 기체가 유입되어, 중성대 상층부는 열과 연기로부터 생존할 수 없는 지역이 되고 중성대의 하층부는 신선한 공기에 의해 생존할 수 있는 지역이 된다. 이것을 토대로 실내의 급기구는 중성대 아래 쪽, 배연구는 중성대 위 쪽에 설치하는 것이다. 이와 같은 것이 자연제연 방식의 기초가 된다.

연기량
가마솥의 장작을 생각하면 처음에는 연기량이 많이 나오다가 잘 타면 연기량이 감소하는 것을 볼 수 있다.

중성대(중성점, 중립면, 중립점)
건물의 내·외 수평적, 수직적 압력이 같으면 공기는 정체하는데, 압력이 0인 지대를 '중성대(중성점, 중립면, 중립점)'라 한다. 건물의 내·외 온도가 같은 면은 아니다.

불연속성
실내의 천장 쪽 고온가스와 바닥 쪽 찬공기와의 경계선으로 상·하압력이 일치하는 위치이다.

중성대의 상층부와 하층부
중성대 상층부는 생존할 수 없는 지역이고, 중성대 하층부는 생존할 수 있는 지역이다.

중성대를 위쪽으로 올리는 방법
지붕 중앙부분 파괴 → 지붕 가장자리 파괴 → 상층부 개구부 파괴

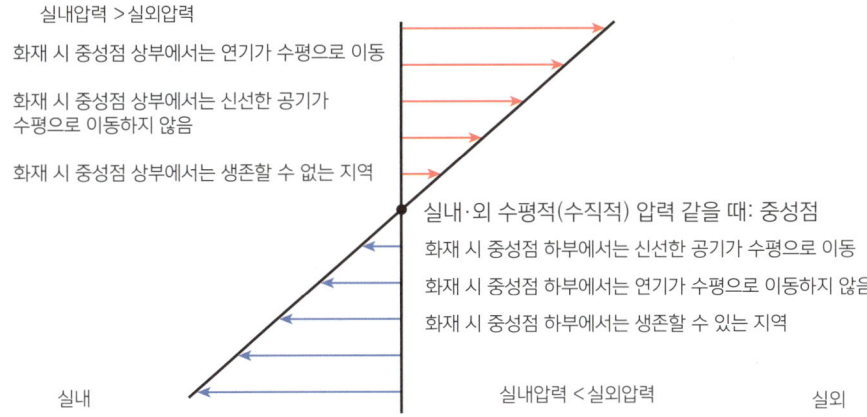

실내압력 > 실외압력
- 화재 시 중성점 상부에서는 연기가 수평으로 이동
- 화재 시 중성점 상부에서는 신선한 공기가 수평으로 이동하지 않음
- 화재 시 중성점 상부에서는 생존할 수 없는 지역

실내·외 수평적(수직적) 압력 같을 때: 중성점
- 화재 시 중성점 하부에서는 신선한 공기가 수평으로 이동
- 화재 시 중성점 하부에서는 연기가 수평으로 이동하지 않음
- 화재 시 중성점 하부에서는 생존할 수 있는 지역

실내   실내압력 < 실외압력   실외

> **영철쌤 tip**
> 연기제어는 희석, 배기, 차단이다. 급기는 해당사항 없다.

6. 연기의 제어

(1) 희석
건물 내의 연기를 계속적으로 외부로 배출하며 다량의 신선한 공기를 유입시켜 위험 수준 이하로 희석하는 방법이다.

(2) 배기
발생되는 연기를 자연적 방법 또는 팬(Fan)과 덕트 등을 이용한 강제적 방법으로 건물 외부로 배출시키는 방법이다.

▲ 팬(Fan)

(3) 차단
출입문, 벽, 댐퍼, 방화셔터, 방화문과 같은 차단물을 설치하여 다른 구역으로 연기의 이동을 차단시키는 방법이다.

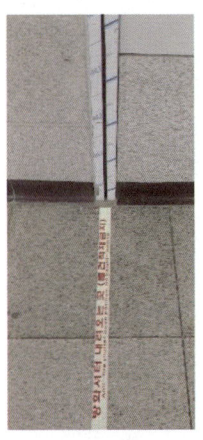
▲ 방화셔터

▲ 방화문 1

▲ 방화문 2

공기온도와 생존한계시간

공기온도[℃]	생존한계시간(분)
143℃	5분 이하
120℃	15분 이하
100℃	25분 이하
65℃	60분 이하

4 열(Heat)

1. 정의

(1) 뜨거운 공기에 대한 노출은 맥박의 증가와 더불어 탈수, 호흡장애, 기도의 폐쇄 및 화상의 원인이 된다.

(2) 사람이 고열에 장시간 노출되면 눈에 띄는 외상은 없더라도 폐 속으로 들어간 열로 인해 혈압강하와 혈액순환 장애로 사망할 수 있다.

(3) 화재 시에 안전하게 대피하기 위해서는 피난로의 온도가 40~66℃를 넘기지 않도록 건축 설계 시에 고려하는 것이 바람직하다(최소 40℃, 최대 66℃를 넘기지 않게 설계). 여기에서의 온도는 일반적으로 높은 온도를 나타내는 천장 부분이 아니라 대략 사람의 어깨 높이의 온도를 말한다.

2. 종류

(1) 열화상

화염이나 뜨거운 물체에 의한 화상을 말한다.

(2) 화학화상

화학약품의 화학적 성질에 의한 화상을 말한다.

(3) 흡입화상

고온의 열, 연기 흡입에 의한 화상을 말한다.

3. 열 또는 불의 화상 정도

(1) 1도 화상(홍반성 화상, 표피화상)

① 그 부위가 피부의 표층에 국한되는 것으로 환부가 빨갛게 되며, 가벼운 부어오름과 통증을 수반하는 화상이다.

② 치료 시 흉터 없이 치료된다.

(2) 2도 화상(수포성 화상, 부분층화상)

① 그 부위가 분홍색을 띄고 화상 직후 혹은 하루 이내에 물집(수포)이 생기는 화상이다.

② 물집이 터져 진물이 나고 감염의 위험이 있다.

(3) 3도 화상(괴사성 화상, 전층화상)

① 피부의 전체층이 죽어 궤양화하는 화상이다.

② 피부에 체액이 통하지 않아 화상부위는 건조하며 통증이 없다.

(4) 4도 화상(흑색 화상, 증기화상)

더욱 깊은 피하지방, 근육 또는 고압 전기 등으로 뼈까지 도달하는 화상이다.

2도 화상 예시

일반적으로 화상의 분류는 3도 화상까지만 논하지만, 학설에 따라 4도 화상까지 논하기도 한다.

문제로 완성하기

CHAPTER 8 연소생성물

01 유기화합물로서 불완전연소 시 가장 많이 발생하며 화재 발생 시 가장 유독한 연소가스는 아니지만 양에 있어서는 가장 큰 독성가스의 성분으로 인체에 질식에 의한 해를 끼치는 영향이 가장 큰 연소가스는?
① 일산화탄소　　　　　　　　　　② 포스겐가스
③ 염화수소　　　　　　　　　　　④ 시안화수소

02 청산가스라고도 하며 질소가 함유된 물질 연소 시 발생하는 물질로 헤모글로빈과 결합하지 않고 세포에 의한 산소의 이동을 막아 순간적으로 호흡이 정지되는 물질은?
① 암모니아　　　　　　　　　　　② 염화수소
③ 일산화탄소　　　　　　　　　　④ 시안화수소

정답 및 해설

01 일산화탄소(CO)
유기화합물로서 불완전연소 시 생성되는 일산화탄소는 가장 유독한 연소가스는 아니지만 양에 있어서는 가장 큰 독성 가스 성분이며 인체에 질식에 의한 해를 끼치는 영향이 가장 크다.

02 시안화수소(HCN)
시안화수소(HCN)는 일산화탄소보다도 급성으로 고농도의 가스를 흡입하면 거의 순간적으로 허탈해지고 호흡이 정지된다.

정답 01 ①　02 ④　03 ②

03 연소 시 발생하는 황화수소(H2S)에 대한 설명으로 옳은 것은?   25. 공채·경채

① 계란 썩는 냄새가 나는 가연성가스이다.

② 폴리염화비닐 등이 연소할 때 발생되는 맹독성가스이다.

③ 청산가스라고도 하며 동물의 털이 불완전연소할 때 발생한다.

④ 황(S)을 포함하고 있는 유기화합물이 완전연소할 때 발생한다.

04 화재 시 연소생성물에 관한 설명으로 옳지 않은 것은?   23. 공채·경채

① 황화수소는 썩은 달걀과 비슷한 냄새가 난다.

② 연기로 인한 빛의 감소를 나타내는 감광계수는 가시거리와 반비례한다.

③ 일산화탄소는 산소와 헤모글로빈의 결합을 방해하여 질식에 이르게 할 수 있다.

④ TLV(Threshold Limit Value)로 측정한 독성가스의 허용농도는 불화수소, 시안화수소, 암모니아, 포스겐 순으로 높다.

05 가연물이 연소할 때 발생하는 독성가스에 대한 설명으로 옳지 않은 것은?   21. 소방간부

① 일산화탄소(CO)는 인체 내의 헤모글로빈과 결합하여 산소의 운반기능을 약화시켜 질식하게 한다.

② 시안화수소(HCN)는 질소성분을 가지고 있는 섬유류가 불완전연소할 때 발생하는 무색의 맹독성 가스로서 청산가스라고도 불린다.

③ 염화수소(HCl)는 염소성분이 함유되어 있는 염화비닐수지, 전선 피복 등이 연소할 때 발생하며, 물에 녹아 염산이 된다.

④ 브롬화수소(HBr)는 방염수지류 등이 연소할 때 발생하며, 상온·상압에서 물에 잘 용해되지 않는다.

⑤ 아크로레인(CH_2CHCHO)은 석유제품·유지류 등이 연소할 때 발생하며, 공기와 접촉하면 아크릴산이 된다.

06 연기의 농도표시 방법 중 연기를 여과시켜 입자상 물질의 무게를 나타낸 것으로 옳은 것은?

① 중량농도법
② 입자농도법
③ 투과율법
④ 상대농도법

정답 및 해설

03 황화수소
② 포스겐
③ 시안화수소
④ 이산화황(아황산가스)

04 TLV-TWA [최소허용노출농도]
- 포스겐($COCl_2$): 0.1ppm
- HF(불화수소): 3ppm
- 시안화수소(HCN): 10ppm
- 암모니아(NH_3): 25ppm

05 브롬화수소(HBr)
브롬화수소는 방염수지류 등이 연소할 때 발생하며, 상온·상압에서 무색의 자극성 기체로 물에 잘 용해된다.

06 연기농도 측정법
중량농도법은 연기를 여과시켜 입자상 물질의 무게로서 측정하는 것으로 연기중량농도(mg/m^3)라 한다.

정답 03 ① 04 ④ 05 ④ 06 ①

07 연기의 유동현상에 대한 설명으로 옳은 것은?

① 수직 - 계단 - 수평 순으로 이동이 빠르다.
② 수직 - 계단 - 복도 순으로 이동이 빠르다.
③ 계단 - 수직 - 수평 순으로 이동이 빠르다.
④ 수평 - 계단 - 수직 순으로 이동이 빠르다.

08 고층 건축물에서 연기 유동을 일으키는 요인을 모두 고른 것은? 　　20. 공채·경채

ㄱ. 부력효과	ㄴ. 바람에 의한 압력차
ㄷ. 굴뚝효과	ㄹ. 공기조화설비의 영향

① ㄱ, ㄴ
② ㄱ, ㄷ
③ ㄴ, ㄷ, ㄹ
④ ㄱ, ㄴ, ㄷ, ㄹ

09 화재 시 연소열에 의해 기체의 온도가 상승하고 부피가 커지며 건축물 내·외의 온도차에 의해 발생하는 부력으로 연기를 유동하게 하는 힘은?

① 연돌효과
② 외부 바람의 영향
③ 온도에 의한 가스 팽창
④ 건물 내 기류의 강제 이동

10 건물에 화재가 발생했을 때, 중성대에 관한 설명으로 옳은 것만을 [보기]에서 고른 것은? 25. 소방간부

[보기]
ㄱ. 중성대의 하부 개구부로 외부 공기가 유입되면, 중성대는 위쪽으로 상승한다.
ㄴ. 중성대의 상부 면적이 커질수록 대피자들의 활동공간과 시야가 확보되어 신속히 대피할 수 있다.
ㄷ. 중성대의 상부에서는 실내에서 외부로 기체가 유출되고, 중성대의 하부에서는 외부에서 실내로 기체가 유입된다.
ㄹ. 중성대의 상부 개구부를 개방한다면 연소는 확대될 수 있지만, 연기가 빠른 속도로 상승하여 외부로 배출되므로, 중성대의 상부 면적은 감소하고 중성대의 하부 면적은 증가한다.

① ㄱ, ㄴ
② ㄱ, ㄷ
③ ㄴ, ㄷ
④ ㄴ, ㄹ
⑤ ㄷ, ㄹ

정답 및 해설

07 연기의 유동속도
- 수평방향: 0.5~1m/s
- 수직방향: 2~3m/s
- 계단실: 3~5m/s

08 연기의 유동력

저층 건축물	• 열 • 대류 이동 • 화재실의 압력
고층 건축물	• 굴뚝효과(연돌효과) • 온도에 의한 가스팽창 • 부력 • 외부 바람의 영향(풍력) • 건물 내에서의 강제적인 공기유동[공기조화설비(HVAC-SYSTEM)]

09 굴뚝효과(연돌효과)
굴뚝효과(연돌효과)는 건물 내부와 외부 공기 사이의 온도와 밀도의 차이, 즉 부력차로 인하여 건물을 통한 수직적인 자연공기 유동에 의해 변화하는 것을 말한다.

10 중성대(중성점·중립면·중립점)
ㄱ. 중성대의 하부 개구부로 외부 공기가 유입되면, 중성대는 아래쪽으로 하강한다.
ㄴ. 중성대의 하부 면적이 커질수록 대피자들의 활동공간과 시야가 확보되어 신속히 대피할 수 있다.

정답 07 ③ 08 ④ 09 ① 10 ⑤

11 화재 시 발생하는 연기(Smoke)에 대한 설명으로 옳지 않은 것은?   21. 공채·경채

① 연기의 수직 이동속도는 수평 이동속도보다 빠르다.

② 연기의 감광계수가 증가할수록 가시거리는 짧아진다.

③ 중성대는 실내 화재 시 실내와 실외의 온도가 같은 면을 의미한다.

④ 굴뚝효과는 건축물의 내부와 외부의 온도차에 의해 내부의 더운 공기가 상승하는 현상이다.

12 건축물 화재 시 나타나는 중성대에 대한 설명으로 옳지 않은 것은?   21. 소방간부

① 건물 내부의 압력이 외부의 압력과 일치하는 수직적인 위치가 생기는데, 이 위치를 중성대라 한다.

② 중성대 상부는 기체가 실내에서 외부로 유출되고 중성대 하부는 외부에서 실내로 기체가 유입된다.

③ 중성대 상부는 열과 연기로부터 생존이 어려운 지역이고 중성대 하부는 신선한 공기로 인해 생존 가능성이 높은 지역이다.

④ 중성대 하부 개구부를 개방하면 공기가 유입되면서 연기가 외부로 배출되어 중성대가 위로 상승하고 중성대 하부 면적이 커져 소화활동이 용이하게 된다.

⑤ 현장 도착 시 하부 출입문으로 짙은 연기가 배출된다면 상부 개구부 개방을 강구하고, 하부 개구부에서 연기가 배출되고 있지 않다면 상부 개구부가 개방되어 있다고 판단한다.

13 화재 시 발생하는 연기에 대한 설명으로 옳지 않은 것은?   25. 소방간부

① 연기의 농도가 높으면 피난과 소방활동에 현저한 장해가 된다.

② 감광계수와 가시거리는 반비례 관계이다.

③ 감광계수가 0.5m-1이면 어두침침한 것을 느낄 정도의 상황이다.

④ 건축물 내에서 연기의 유동속도는 수직방향보다 수평방향이 빠르다.

⑤ 연기의 제어 원리에는 희석, 배기, 차단이 있다.

14 연소가스에 대한 설명으로 옳지 않은 것은?

① 포스겐은 폴리염화비닐(PVC), 수지류 등이 연소할 때 발생한다.

② 이산화질소는 냄새가 자극적인 적갈색의 기체로 아질산가스라고도 한다.

③ 황화수소는 고무나 동물의 털 등이 연소할 때 발생하는 무색의 기체이다.

④ 염화수소는 석유제품, 유지류 등이 연소할 때 발생되는 연소생성물로 맹독성 가스이다.

정답 및 해설

11 중성대(중성점·중립면·중립점)
중성대는 건물 내·외의 압력이 일치하는 수직인 위치이다. 즉, 중성대는 압력이 0인 지대를 말한다.

12 중성대(중성점·중립면·중립점)
화재실 내 하부 개구부로 신선한 공기가 유입되면 연소 확대와 동시에 연기량은 증가하여 연기 층이 급속히 아래로 확대되면서 중성대의 경계면은 하층으로 내려오게 된다. 반대로 상부 개구부를 개방하면 연소는 확대되지만 발생한 연기는 빠른 속도로 상승하여 외부로 배출되므로 중성대의 경계선은 위로 축소되고 중성대 하층의 면적이 커지므로 소방대원과 대피자들의 활동공간과 시야가 확보되어 신속히 대피할 수 있다.

13 연기
건축물 내에서 연기의 유동속도는 수직방향보다 수평방향이 느리다.

14 연소가스
석유제품, 유지류, 나무, 종이 등이 연소할 때 발생되는 연소생성물로 맹독성 가스인 것은 아크롤레인이다.

정답 11 ③ 12 ④ 13 ④ 14 ④

CHAPTER 9 화재론

출제 POINT
- 01 화재의 정의 ★☆☆
- 02 화재의 특성 ★☆☆
- 03 화재의 분류 ★★★
- 04 정전기 방지대책 ★★☆

용어사전
❶ 실화: 사람의 의도에 반하여 발생
  → 내 의사와 관계없는 화재를 말한다.
❷ 방화: 고의에 의해 발생하는 화재를 말한다.
❸ 과실: 부주의로 인하여 발생하는 화재를 말한다.

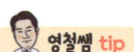
화재가 아닌 경우
1. 쓰레기통에 불이 났는데 발로 껐다면 화재가 아니다. 소화시설을 사용하지 않았기 때문이다.
2. 물리적 폭발은 화재가 아니다. 화염을 동반하지 않는 폭발이기 때문이다.

1 화재의 개요

1. 화재의 정의

(1) 일반적 화재의 정의
① 자연 또는 인위적인 원인에 의하여 불이 물체를 연소시키고, 인명과 재산에 손해를 주는 현상이다.
② 불이 그 사용목적을 넘어 다른 곳으로 연소하여 사람들에게 예기치 않은 경제상의 손해를 발생시키는 현상이다.
③ 사람의 의도에 반한 출화 또는 방화에 의하여 불이 발생하고 확대되는 현상이다.
④ 불을 사용하는 사람의 부주의와 불안정한 상태에서 발생되는 것이다.
⑤ 실화❶, 방화❷로 발생하는 연소 현상을 말하며 사람에게 유익하지 못한 해로운 불이다.
⑥ 소화의 필요가 있는 연소 현상이다.
⑦ 소화시설 또는 이와 동등의 효과가 있는 물건을 사용할 필요가 있는 연소 현상이다.

(2) 「소방의 화재조사에 관한 법률」에서 정한 화재의 정의
사람의 의도에 반하거나 고의 또는 과실❸에 의하여 발생하는 연소 현상으로서 소화할 필요가 있는 현상 또는 사람의 의도에 반하여 발생하거나 확대된 화학적 폭발현상을 말한다.

2. 화재의 특성

(1) 우발성
화재는 돌발적으로 발생하며 방화, 즉 인위적인 화재를 제외하고는 예측하기가 거의 불가능한 것에 가까우며 인간의 의도와는 전혀 상관이 없이 발생한다.

(2) 확대성
화재는 발생하게 되면 무한의 확대성을 가지게 된다.

(3) 불안정성
화재 시의 연소는 기상, 가연물, 건축구조 등의 조건이 상호 간섭을 하면서 복잡한 형상으로 진행된다.

3. 화재의 원인
가장 큰 화재의 원인은 **부주의**이며, 그 다음은 전기적 요인, 기계적 요인, 방화의 순이다.

(1) 전기적 요인
전기적 요인 중 화재의 원인이 가장 큰 것은 **합선(단락)**이며, 그 다음은 과전류, 누전의 순이다.

(2) 기계적 요인
기계장치에 의해 발생하는 화재이다. 대표적인 예로 자동차, 오토바이 등에서 발생하는 화재가 있다.

(3) 방화
방화의 원인은 불만해소, 가정불화, 정신이상 등이다.

화재원인 순서
부주의 > 전기적 > 기계적 순이다.
- 부주의 요인: 담배꽁초 > 음식물조리 > 쓰레기 소각
- 전기적 요인: 합선(단락) > 과전류 > 누전
- 기계적 요인: 자동차, 오토바이 등
- 방화: 불만해소, 가정불화, 정신이상 등

전기화재원인 순서
합선 > 과전류 > 누전 순이다.

화재성장 3요소
점화, 화염확산, 연소속도

연소의 3요소
가연물, 산소, 점화원

2 화재의 분류

1. 가연물별의 종류·급수별 및 성상별 화재의 분류

(1) 일반화재
① 급수: **A급 화재로서 보통화재**라고도 한다.
② 표시색: **백색**
③ 대상물
  ㉠ 일반가연물인 면화류, 목모, 대패밥, 넝마, 종이, 사류, 볏짚, 고무, 석탄, 목탄, 목재 등을 말한다.
  ㉡ **합성고분자❶**: 폴리에스테르, 폴리아크릴, 폴리아미드, 폴리에틸렌, 폴리프로필렌, 폴리우레탄 등을 말한다.
④ 화재: 연기는 주로 백색이며, **연소 후에는 재를 남긴다.**
⑤ 소화: **냉각소화**가 가장 효과적이므로 **다량의 물(수계 소화약제) 또는 수용액으로 소화**할 수 있다.

(2) 유류화재
① 급수: **B급 화재**이다.
② 표시색: **황색**
③ 대상물: 상온에서 액체 상태로 존재하는 유류로서 주로 인화성 액체인 제4류 위험물을 말한다.
④ 화재: 연기는 주로 검정색이며, **연소 후 재를 남기지 않으며, 연소열이 크고 연소성이 좋기 때문에 일반화재보다 위험하다.**
⑤ 소화: **질식소화**가 가장 효과적이므로 **포 또는 가스계 소화약제로 소화**할 수 있다.

(3) 전기화재
① 급수: **C급 화재로서 통전 중인 전기시설의 화재**를 말한다.
② 표시색: **청색**

화재분류를 정하는 기준
가연물의 종류, 가연물의 급수, 가연물의 성상별로 분류한다.

용어사전
❶ 고분자: 고체 분자를 말한다.

③ 화재: 전기기기가 설치되어 있는 장소에서의 화재를 말한다(예 발전실, 변전실, 분전반실, 전기실, 통신실 등).

④ 소화: 소화 시 물 또는 포 등의 전기 전도성을 가진 약제를 사용하면 감전의 우려가 있으므로 주로 가스계 소화약제를 사용하여 소화한다.

(4) 금속화재

① 급수: D급 화재로서 물과 반응하여 수소 등 가연성 가스를 발생시킨다.

② 표시색: 무색

③ 대상물: 주로 활성이 강한 알칼리금속(나트륨, 칼륨) 또는 알칼리토금속(마그네슘, 칼슘) 등을 말한다.

④ 화재: 가연성 금속류가 가연물이 되는 화재를 말하며, 괴상(덩이리)보다는 분말상으로 존재할 때 가연성이 현저히 증가한다.

⑤ 소화: 물과 반응하여 폭발성이 강한 가연성 가스를 발생시키므로 화재 시 수계 소화약제를 사용할 수 없기 때문에 마른 모래, 팽창질석❶, 팽창진주암❷ 등에 의한 질식소화 또는 금속화재용분말소화기[Dry Powder(드라이파우더)]에 의한 질식소화를 한다.

> **용어사전**
> ❶ 팽창질석(Vermiculite): 운모가 풍화 또는 변질되어 생성된 것을 말한다.
> ❷ 팽창진주암(Perlite): 천연유리를 조각으로 분쇄한 것을 말한다.

▲ 마른 모래

▲ 팽창진주암

▲ 팽창질석

(5) 가스화재

① 급수: E급 화재로서 국내에서는 가스에 의한 화재를 따로 분류하지 않고 B급 화재에 포함시킨다(단, 「고압가스 안전관리법」에는 가스화재를 E급으로 규정하고 있다).

② 대상물: 도시가스, 천연가스, LPG, 부탄 등과 기타의 가연성 가스, 액화가스, 압축가스 등을 말한다.

③ 화재: 상온·상압에서 기체로 존재하는 물질이 가연물이 되는 화재를 말한다.

④ 소화: 연료공급을 차단하는 제거소화 및 가스계 소화약제를 사용한다.

(6) 식용유 화재(주방화재)

① 급수: K급 화재 또는 F급 화재로서 식물성 및 동물성 기름에 의한 화재를 말한다.

② 원인: 식용유의 경우 일반 유류화재와는 달리 연소형태나 소화 작업에 있어 큰 차이를 보이고 있다.

㉠ 일반 석유류화재는 석유의 온도가 발화점보다 훨씬 낮은 비점에서 유면 상의 증기가 연소한다. 따라서 그 화염을 꺼버리면 재발화할 가능성이 없다.

㉡ 식용유의 경우에는 인화점과 발화점의 온도 차이가 적고 발화점이 비점 이하인 기름이 착화되면 유온이 상승하여 바로 발화점 이상이 된다. 이때 유면 상의 화염을 제거하여도 기름의 온도가 발화점 이상이기 때문에 곧 재발화(재점화)한다. 따라서 끓는 기름의 온도(발화점)를 낮추어야만 소화할 수 있다.

③ 소화: 식용유 화재의 소화방법은 가스레인지의 불을 끄고 상온의 식용유 등 물 이외의 것으로 냉각하거나 야채, 뚜껑을 덮어 질식시키는 것이 효과적이며, 소화약제는 강화액 소화약제, 비누화작용❶을 하는 제1종 분말 소화약제와 K급 소화기를 주로 사용한다.

④ K급 소화기의 특징: 발화온도를 30℃ 정도 낮추는 냉각효과와 방출 시 비누가 거품을 형성해 액체표면을 덮는 질식효과(비누화작용)가 있다.

▲ K급 소화기

용어사전

❶ 비누화작용: 기름성분과 알칼리성분을 합쳐서 비누를 만들어 소화하는 작용을 말한다.

> **참고** 가연물의 종류별·급수별 및 성상별 화재의 분류

구분		성상	소화	색상
국내 기준	A급 화재	· 일반가연물 화재(보통화재) · 연소 후 재를 남긴다(고체). · 연기는 백색이다.	냉각 (수계 소화)	백색
	B급 화재	· 유류화재(가스화재 포함) · 제4류 위험물(인화성 액체) · 연소 후 재를 남기지 않는다(액체). · 연기는 검정색이다.	질식 (포소화, 가스계 소화)	황색
	C급 화재	· 전기화재(통전 중인 전기시설) · 전기기기가 설치되어 있는 장소(발전실, 변전실, 분전반실, 전기실, 통신실 등)	질식 (가스계소화)	청색
	D급 화재	· 금속화재 · 알칼리금속[나트륨(Na), 칼륨(K)] · 알칼리토금속[마그네슘(Mg), 칼슘(Ca)] 등	질식 (소화약제 이외: 마른 모래, 팽창질석, 팽창진주암 등) [소화약제: 금속화재용 분말소화기(드라이파우더)]	무색
	F급 화재 또는 K급 화재	주방화재(식용유 화재)	냉각·질식·비누화 (상온의 식용유, 야채, 뚜껑, 마요네즈, 강화액, 제1종 분말소화약제)	무색
국외 기준	E급 화재	가스화재	제거·질식 (연료공급 차단, 가스계)	황색

영철쌤 tip

화재의 분류
화재의 분류는 가연물의 종류, 급수, 성상별로 분류한다.

성상
성질과 상태를 의미한다.

A, B, C급 화재 색상

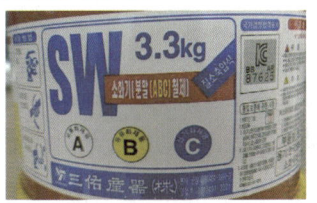

▲ 분말 소화기 명판

1. A급 화재 색상은 백색이다.
2. B급 화재 색상은 황색이다.
3. C급 화재 색상은 청색이다.

금속화재용 분말소화기

▲ 금속화재용 분말소화기(드라이파우더)

금속 표면을 덮어 산소공급을 차단하는 질식효과로 소화한다.

> **핵심정리** B급 화재와 K급 화재 비교

B급과 K급은 화재양상이 다르다.

1. 유류화재(B급)는 발화점이 비점 이상이므로 재발화의 위험이 없다. 즉,

발화점	↑ 온도
비점	

2. 식용유 화재(K급)는 발화점이 비점 이하이므로 재발화의 위험이 있다. 즉,

비점	↑ 온도
발화점	

> 「소화기구 및 자동소화장치의 화재안전기술기준(NFTC 101)」
>
> 1. "일반화재(A급 화재)"란 나무, 섬유, 종이, 고무, 플라스틱류와 같은 일반 가연물이 타고 나서 재가 남는 화재를 말한다. 일반화재에 대한 소화기의 적응 화재별 표시는 'A'로 표시한다.
> 2. "유류화재(B급 화재)"란 인화성 액체, 가연성 액체, 석유 그리스, 타르, 오일, 유성도료, 솔벤트, 래커, 알코올 및 인화성 가스와 같은 유류가 타고 나서 재가 남지 않는 화재를 말한다. 유류화재에 대한 소화기의 적응 화재별 표시는 'B'로 표시한다.
> 3. "전기화재(C급 화재)"란 전류가 흐르고 있는 전기기기, 배선과 관련된 화재를 말한다. 전기화재에 대한 소화기의 적응 화재별 표시는 'C'로 표시한다.
> 4. "주방화재(K급 화재)"란 주방에서 동식물유를 취급하는 조리기구에서 일어나는 화재를 말한다. 주방화재에 대한 소화기의 적응 화재별 표시는 'K'로 표시한다.
> 5. "금속화재(D급화재)란" 마그네슘 합금 등 가연성 금속에서 일어나는 화재를 말한다. 금속화재에 대한 소화기의 적응 화재별 표시는 'D'로 표시한다.

2. 소실 정도에 따른 화재의 분류

(1) 소실 적용 대상

　　① 건축·구조물화재

　　② 자동차·철도차량, 선박 및 항공기 등

(2) 소실 정도에 따른 화재의 분류

전소화재	건물의 70% 이상(입체면적에 대한 비율을 말한다. 이하 같다)이 소실되었거나 또는 그 미만이라도 잔존부분을 보수하여도 재사용이 불가능한 것
반소화재	건물의 30% 이상 70% 미만이 소실된 것
부분소화재	전소화재, 반소화재에 해당되지 않는 것(건물의 30% 미만 소실)

 영철쌤 tip

1. 전소화재인 경우 '화재가혹도(화재진화 후 건물의 손상 정도의 크기)가 크다'라는 표현을 사용한다.
2. 입체면적은 체적(부피, m³)을 의미한다.

3. 대상물에 따른 화재의 분류

건축·구조물화재	건축물, 구조물 또는 그 수용물이 소손된 것
자동차·철도차량화재	자동차, 철도차량 및 피견인 차량 또는 그 적재물이 소손된 것
위험물·가스제조소등 화재	위험물제조소등, 가스제조·저장·취급시설 등이 소손된 것
선박·항공기화재	선박, 항공기 또는 그 적재물이 소손된 것
임야화재	산림, 야산, 들판의 수목, 잡초, 경작물 등이 소손된 것
기타화재	위에 해당되지 않는 화재

3 정전기 화재

1. 정전기[1] 발생

(1) 마찰에 의한 대전
운동하는 두 물질이 마찰에 의한 접촉과 **분리의 과정**에서 정전기가 발생되는 현상을 말한다.

(2) 박리에 의한 대전
제지, 비닐, 면직물, 인쇄 공장에서 많이 발생되는 대전으로 상호 밀착되어 있는 물질이 서로 떨어질 때, 전하의 분리에 의한 정전기 발생 현상을 말한다.

(3) 유동에 의한 대전
유동대전은 주로 액체와 고체의 접촉에 의해서 발생되는데 액체를 파이프 등으로 수송할 때, 액체와 파이프 등의 고체와 접촉하면서 이 두 물질 사이의 경계에서 **전기 2중층**이 형성되고, 이 2중층을 형성하는 전하의 일부가 액체의 유동과 같이 이동하기 때문에 대전되는 현상을 말한다.

(4) 분출대전
분체류, 액체류, 기체류가 단면적이 작은 분출구를 통해 공기 중으로 분출될 때 **분출되는 물질과 분출구의 마찰**에 의해 발생되는 대전 현상을 말한다.

(5) 기타 대전
충돌에 의한 충돌대전, 액체류가 이송이나 교반될 때 발생하는 진동(교반)대전, 유도대전 등이 있다.

2. 정전기 발생 예시
(1) 전기 **부도체**[2]인 위험물, 섬유류, PVC 필름 등의 취급 시 마찰로 발생한다.
(2) 옥외 탱크에 석유류 주입 시 또는 유류 등 **비전도성** 유체 마찰이 클 때 발생한다.
(3) 자동차를 장시간 주행 시 와류가 형성되어 **비전도성** 유체 마찰이 클 때 발생한다.
(4) 대전서열이 **멀수록** 잘 발생한다.

3. 정전기 발생 과정
전하[3]의 발생 → 전하의 축적 → 방전[4] → 발화

4. 정전기 발생 대책
(1) 접지를 한다.
(2) 공기 중 **습도를 70% 이상** 높인다.
(3) **도체물질**을 사용한다.
(4) 공기를 이온화한다.
(5) 접촉하는 전기의 **전위차(전압)를 작게** 한다.
(6) 정전기 차폐장치를 설치한다.
(7) 제전기를 사용한다.

정전기 패드

📖 용어사전
[1] 정전기: 전기(전하)를 축적하는 것, 즉 정지해 있는 전기를 말한다.

📖 용어사전
[2] 부도체(절연체·불량도체·비전도성): 전기가 잘 흐르지 않는 물체를 말한다.
  *도체(전도성): 전기가 잘 흐르는 물체를 말한다.
[3] 전하: 전기적인 입자(+입자, -입자)를 말한다.
[4] 방전: 전지나 축전기 따위의 전기를 띤 물체에서 전기가 밖으로 흘러나오는 현상을 말한다.

영철쌤 tip
대전서열
(+) 아크릴 - 털가죽 - 상아 - 수정 - 유리 - 명주 - 나무 - 유황 - 셀룰로이드 - 에보나이트 (-)

정전기 발생 및 방지법

정전기 발생	정전기 방지법
• 유속이 빠를 때	• 접지시설
• 필터를 통과할 때	• 공기 중 습도를 70% 이상 높임
• 압력이 클 때	• 전도체물질 사용
• 습도가 낮을 때(건조할 때)	• 공기 이온화
• 비전도성(절연체, 부도체) 물질이 많을 때	• 접촉하는 전기의 전위차(전압)를 작게 함
• 접촉하는 전기의 전위차(전압)를 크게 함	• 정전기 차폐장치 설치
• 와류가 형성될 때	• 제전기 사용
• 낙차가 클 때	• 대전서열이 가까울수록
• 공기의 부상, 물 등이 침전할 때	
• 대전서열이 멀수록	

4 산불화재

1. 정의 및 원인

(1) 정의
   산불은 산림에서 일어나는 화재를 말한다.

(2) 원인
   ① **자연적 원인**: 벼락 등이 산림에 떨어질 경우 발생한다.
   ② **인위적 원인**: 인간의 부주의로 발생하는데 담배, 향 등의 화력이 있는 물질이 산림에 옮겨 붙어 발생한다.

> **영철쌤 tip**
> 산불화재는 갑작스럽게 불길이 확 타오르는 플레어업(Flare-up) 현상이다.

2. 종류

(1) 산림(산불)화재는 임지화재와 임목화재로 구분된다.
(2) 임지화재는 지중화, 지표화이며 임목화재는 수간화, 수관화이다.

지표화(地表火)	지표에 있는 잡초·관목·낙엽 등을 태운다.
수간화(樹幹火)	서 있는 나무의 줄기를 태운다.
수관화(樹冠火)	가지나 무성한 잎만 태운다.
지중화(地中火)	땅 속의 부식층(腐植層)을 태운다. 산불 진화와 잔불 정리가 어렵다.

> **영철쌤 tip**
> **침엽수와 활엽수 구분**
> 1. 잎의 모양에 따라 구분된다.
> 2. **침엽수**: 소나무, 잣나무, 향나무 등
> 3. **활엽수**: 오동나무, 뽕나무 등
>
> **참고 침엽수의 산불화재**
> 침엽수는 활엽수에 비해 수분함량이 적고, 레진(송진과 같은 기름성분)이 많이 포함되어 있어 발열량이 크고 연소속도가 빠르다. 즉, 침엽수는 활엽수에 비해 상대적으로 산불화재에 취약하다.

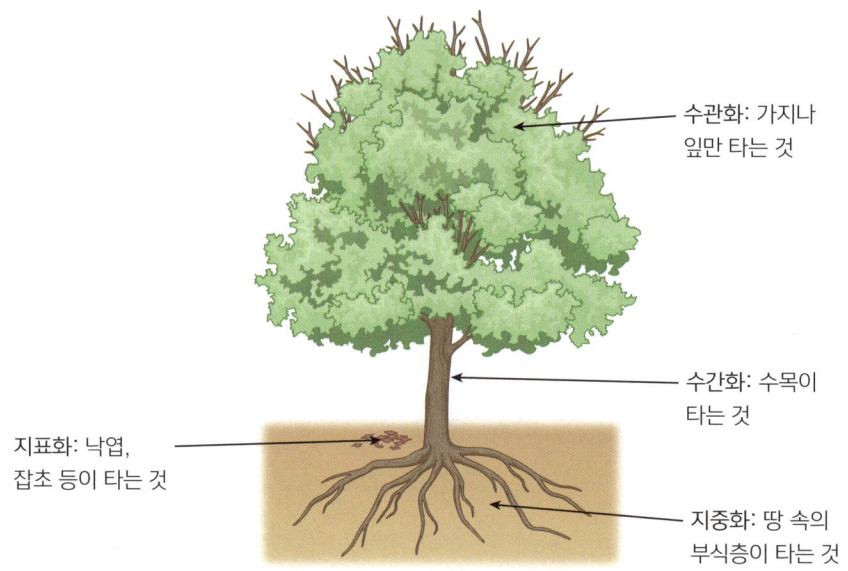

문제로 완성하기

CHAPTER 9 화재론

01 화재 분류별로 급수를 정하는 기준으로 옳은 것은?
① 산소의 농도
② 소화하는 방법
③ 가연물의 종류
④ 연기의 성상

02 화재의 구분 및 표시색상과 소화방법을 연결한 것으로 옳지 않은 것은?
① 백색 - 일반화재 - 냉각소화
② 황색 - 유류화재 - 질식소화
③ 청색 - 전기화재 - 질식소화
④ 무색 - 금속화재 - 주수소화

03 소화약제로 팽창질석 또는 팽창진주암을 사용하였을 때, 적응성이 가장 좋은 화재로 옳은 것은?
① 일반화재
② 전기화재
③ 금속화재
④ 가스화재

정답 및 해설

01 가연물별 또는 급수별 화재의 분류
가연물의 종류별, 가연물의 급수별, 가연물의 성상별로 화재를 분류한다.

02 화재의 종류 및 색상과 화재별 소화원리

급수	종류	색상	소화
A급	일반화재	백색	냉각소화
B급	유류화재	황색	질식소화
C급	전기화재	청색	질식소화
D급	금속화재	무색	질식소화
K급	식용유 화재	없음	냉각·질식·비누화소화

03 금속화재(D급 화재)
금속화재(D급 화재)는 물과 반응하여 폭발성이 강한 가연성 가스를 발생시키므로 화재 시 수계 소화약제를 사용할 수 없기 때문에 팽창질석, 팽창진주암, 마른 모래 등에 의한 질식소화를 한다.

정답 01 ③ 02 ④ 03 ③

04 전기화재에 적응성이 있는 소화약제에 해당하지 않는 것은?   21. 소방간부

① 이산화탄소소화약제   ② 인산염류 소화약제
③ 중탄산염류 소화약제   ④ 고체에어로졸화합물
⑤ 팽창질석·팽창진주암

05 일반화재에 해당하는 것만을 [보기]에서 있는 대로 고른 것은?   24. 공채·경채

[보기]
ㄱ. 통전 중인 배전반에서 불이 난 경우
ㄴ. 외출 시 전원이 차단된 콘센트에서 불이 난 경우
ㄷ. 실외 난로가 넘어지면서 새어 나온 석유에 불이 붙은 경우
ㄹ. 실험실 시험대 위 나트륨 분말에서 불이 난 경우

① ㄱ   ② ㄴ
③ ㄴ, ㄹ   ④ ㄱ, ㄷ, ㄹ

06 가연성 액체의 연소현상에 관한 설명으로 옳지 않은 것은?   23. 공채·경채

① 가연성 액체의 연소와 관련된 온도는 발화점, 연소점, 인화점 순으로 높다.
② 인화점과 발화점이 가까운 액체일수록 재점화가 어렵고 냉각에 의한 소화활동이 용이하다.
③ 인화점과 연소점의 차이는 외부 점화원을 제거했을 경우 화염 전파의 지속성 여부에 따라 구분된다.
④ 연소반응은 열생성률(heat production rate)이 외부로의 열손실률(heat loss rate)보다 큰 조건에서 지속된다.

07 전기화재(C급 화재) 및 주방화재(K급 화재)에 관한 설명으로 옳지 않은 것은?   23. 공채·경채

① 주방화재의 가연물 중 하나인 식용유의 발화점은 비점보다 낮다.
② 도체 주위의 자기장 변화에 의해 발생된 유도전류는 전기화재의 점화원으로 작용할 수 있다.
③ 식용유로 인한 화재 시 유면 상의 화염을 제거하면 복사열에 의한 기화를 차단하여 재발화를 방지할 수 있다.
④ 전기화재의 발생 원인 중 누전은 전류가 전선이나 기구에서 절연 불량 등의 원인으로 정해진 전로(배선) 밖으로 흐르는 현상이다.

08 화재에 대한 설명으로 옳은 것만을 모두 고른 것은?

20. 공채·경채

ㄱ. 낮은 산소분압에서 화재가 발생하였을 때 초기에 화염 없이 일어나는 연소를 훈소연소라 한다.
ㄴ. 목조건축물 화재는 유류나 가스화재와는 달리 일반적으로 무염착화 없이 발염착화로 이어진다.
ㄷ. A급 화재는 일반화재로 면화류, 합성수지 등의 가연물에 의한 화재를 말한다.
ㄹ. 전소란 건물의 70% 이상이 소실된 화재를 말한다.

① ㄱ, ㄴ
② ㄷ, ㄹ
③ ㄱ, ㄴ, ㄷ
④ ㄱ, ㄷ, ㄹ

정답 및 해설

04 금속화재(D급 화재)
마른 모래·팽창질석·팽창진주암은 금속화재(D급 화재)에 적응성이 있는 소화약제이다.

05 일반화재(A급 화재)
ㄱ. 전기화재(C급 화재). 전기화재란, 통전 중인(전기가 흐르고 있는 상태) 전기시설(발전실, 변전실, 분전반실, 전기실, 통신실 등)에서 화재가 일어난 것, 즉 전기에너지가 발화원으로 작용하는 화재가 아니라 전기가 흐르고 있는 전기설비에서 화재가 난 경우를 말한다.
ㄷ. 유류화재(B급 화재)
ㄹ. 금속화재(D급 화재)

06 가연성 액체의 연소현상
② 인화점과 발화점이 가까운 액체일수록 재점화가 쉽게 되어 재발화 우려가 있으므로 냉각에 의한 소화활동이 용이하다. 즉, K급 화재(식용유 화재)를 의미한다.
① 가연성 액체의 연소와 관련된 온도는 발화점, 연소점, 인화점 순으로 높다. 즉, 높은 온도는 발화점 > 연소점 > 인화점이다.
③ 인화점은 화염의 전파가 지속되지 않고 연소점은 화염의 전파의 지속된다.
④ 연소반응이 지속되기 위해서는 열생성률 > 외부 열손실률이 되어야 한다.

07 주방화재(K급 화재)
식용유로 인한 화재 시 유면 상의 화염을 제거하면 냉각 및 질식에 의한 기화를 차단하여 재발화를 방지할 수 있다.

■ 주방화재(K급 화재)
1. 인화점과 발화점의 온도차이가 적고 발화점(288~385°C)이 비점 이하인 기름이 착화되면 유온이 상승하여 바로 발화점 이상 → 재발화 → 끓는 기름의 온도(발화점)를 낮추어야만 소화할 수 있다.
2. 식용유 화재(K급)는 발화점이 비점 이하이므로 재발화의 위험이 있다.

예) 비점: 300°C
발화점: 200°C

08 화재의 종류
ㄴ. 목조건축물은 무염착화를 거쳐 발염착화로 이어진다.

정답 04 ⑤ 05 ② 06 ② 07 ③ 08 ④

09 정전기 예방대책으로 옳은 것만을 [보기]에서 있는 대로 고른 것은?

22. 소방간부

[보기]
ㄱ. 공기를 이온화한다.
ㄴ. 전기전도성이 큰 물체를 사용한다.
ㄷ. 접촉하는 전기의 전위차를 크게 한다.

① ㄱ
② ㄷ
③ ㄱ, ㄴ
④ ㄴ, ㄷ
⑤ ㄱ, ㄴ, ㄷ

10 산림화재 중 지면을 덮고 있는 낙엽 등이 연소하는 현상은?

① 지중화
② 지표화
③ 수관화
④ 수간화

정답 및 해설

09 정전기 예방대책
- 정전기의 발생이 우려되는 장소에 접지시설을 한다.
- 정전기는 습도가 낮거나 압력이 높을 때 많이 발생하므로 공기 중 습도를 70%이상으로 한다.
- 전기의 저항이 큰 물질은 대전이 용이하므로 전도체물질을 사용한다.
- 실내의 공기를 이온화(이온전류)하여 정전기의 발생을 예방한다.
- 접촉하는 전기의 전위차(전압)를 작게 한다.

■ 정전기 발생
1. 유속이 빠를 때
2. 필터을 통과할 때
3. 압력이 클 때
4. 습도가 낮을 때
5. 비전도성(절연체, 부도체) 물질이 많을 때
6. 와류가 형성될 때
7. 낙차가 클 때
8. 공기의 부상, 물 등이 침전할 때
9. 대전서열이 멀수록

10 산불화재
지표화는 지면을 덮고 있는 낙엽 등이 연소하는 현상이다.

정답 09 ③ 10 ②

CHAPTER 10 화재소화

1 소화의 정의 및 구분

1. 정의
소화란 연소의 3요소 또는 4요소 중 일부 또는 전부를 제거 또는 억제하여 연소 현상을 중지시키는 것을 말한다.

2. 구분

물리적 소화	· 제거소화: 화염의 불안정화에 의한 소화(화염을 불어 끄는 소화) · 질식소화: 소화농도 한계에 의한 소화(혼합기의 조성변화에 의한 소화) · 냉각소화: 연소에너지(열) 한계에 의한 소화(열에너지를 흡수하는 매체를 화염 속에 투입하는 소화)
화학적 소화	억제소화(부촉매소화): 연쇄반응 중단에 의한 소화

출제 POINT
01 소화의 구분 ★★★
02 소화의 원리 및 방법 ★★★

영철쌤 tip
제거요소별 소화방법

제거요소	소화방법
가연물	제거소화
산소	질식소화
에너지	냉각소화
연쇄반응	부촉매(억제)소화

2 소화의 원리 및 방법

1. 제거소화
(1) 원리

연소반응이 일어나고 있는 가연물과 그 주위의 가연물을 **제거하여** 연소반응을 중지시켜 소화하는 방법으로서, 가장 좋은 소화방법이 될 수 있고 가장 원시적인 방법이라 할 수 있다.

(2) 방법

① 액체 연료탱크에서 화재가 발생하였을 경우 **다른 빈 연료탱크로 연료를 이송하여 연료량(배유, 드레인, 감량)을 줄인다.**

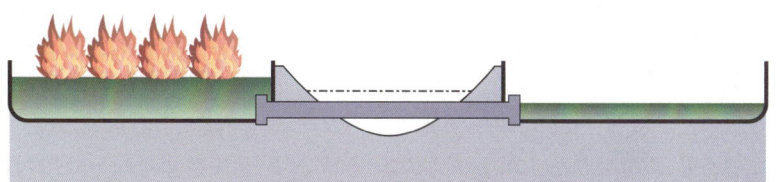

▲ 2018년 10월 7일 고양시 저유소 화재

② 차가운 아랫부분을 뜨거운 윗부분과 교체되도록 교반함으로서, 가연성증기의 발생량을 줄인다.
③ 배관이나 배관부품이 파괴되어 발생한 가스화재 시 가스가 분출되지 않도록 연료공급을 차단하거나 밸브 등으로 격리 조치한다(**가스밸브차단**).
④ 전기화재 시 **전원을 차단**한다.
⑤ 산림화재 시 불의 진행방향을 앞질러가서 **벌목함**으로써 화재전파를 차단하거나 맞불로 제거한다(**산불화재 시 방화선 구축**).
⑥ **화염을 불어** 가연성 가스를 날려 보낸다[예 양초의 촛불을 입김으로 끄거나 유정(油井)❶화재를 폭약폭발에 의한 폭풍으로 끈다].

2. 질식소화

(1) 원리
공기 중 산소를 차단하여 **산소농도가 15% 이하**가 되면 연소가 지속될 수 없으므로 이를 이용하여 소화하는 방법을 말한다.

(2) 방법
① **불연성 기체**(이산화탄소, 질소, 무상의 물 등)로 가연물을 **덮는다**.
② **불연성 액체**인 포(Foam)로 가연물을 **덮는다**.
③ **불연성 고체**(마른 모래, 팽창질석, 팽창진주암, 드라이파우더 등)로 가연물을 **덮는다**.
④ 연소실을 완전히 **밀폐**하여 소화한다.

3. 냉각소화

(1) 원리
비열이나 증발잠열이 큰 물질을 이용하여 연소하고 있는 가연물에서 **열을 뺏어 온도를 낮춤으로써** 연소물을 인화점 및 발화점 이하로 떨어뜨려 소화하는 방법이다.

(2) 방법
① 액체(**물 등**)를 사용한다.
② 가스계 소화약제(이산화탄소, 할론, 할로겐화합물 및 불활성 기체, 분말 등)에 의한 방법으로, 가스계 소화약제의 주된 소화는 질식소화, 보조 소화는 냉각소화이다.

4. 희석소화

(1) 정의
가연성 기체가 연소하려면 산소와 연소범위에 있는 혼합기가 필요하다. 따라서 산소나 가연성 물질의 둘 중 어느 것의 농도가 희박해지면 연소는 계속되지 못한다. 이와 같이 기체·고체·액체에서 나오는 분해가스, 증기의 농도를 작게 하여 연소를 중지시키는 소화를 희석소화라 한다. **즉, 농도를 엷게 하는 소화**이다.

용어사전
❶ 유정(油井): 천연 석유를 뽑아 올리기 위해 판 우물, 즉 석유정을 말한다.

영철쌤 tip
폭탄으로 소화
1. 제거소화는 질소폭탄을 이용하여 유증기를 날려보낸다.
2. 질식소화는 폭탄을 이용하여 주변공기를 일시에 소진한다.

영철쌤 tip
물의 주수형태
1. 봉상주수(직사주수, 직상주수)는 물의 모양이 막대기(예 옥내소화전설비 등) 모양이다. → 냉각소화
2. 적상주수(살수주수)는 물의 모양이 빗방울(예 스프링클러소화설비 등) 모양이다. → 냉각소화
3. 무상주수(분무주수)는 물의 모양이 안개입자(예 물분무소화설비, 미분무소화설비 등) 모양이다. → 냉각·질식·유화·희석소화

(2) 방법

① **액체농도의 희석**: 액체를 불연성의 다른 액체로 희박하게 하면 이들 가연성 액체의 농도는 저하된다. 따라서 농도에서는 액면상의 증기량이 감소하고 드디어 거기에 존재하는 공기 중 산소와의 혼합기 농도가 연소범위 이하로 되어 더 이상 연소가 계속하지 못할 극한이 생겨 소화된다.

② **강풍으로 소화하는 방법**: 일반적으로 연소물에 강렬한 바람이 닿으면 풍속이 어떤 값 이상일 때에 불꽃이 꺼진다. 이것은 연소에 관여하는 가연성 증기가 바람에 날려서 농도가 희박해지기 때문이다. 실제로 이 방법을 이용할 단계에 이르면 여러 가지 곤란이 수반되는데, 현재 이것이 이용되고 있는 유일한 장소는 유전지역이며 유전의 화재를 폭약의 폭풍으로 소화한다.

③ **불연성 기체에 의한 희석**: 불연성 기체를 화염 중에 넣으면 산소 농도가 감소하기 때문에 소화하게 된다.

5. 유화소화

(1) 원리

비중이 물보다 큰 비수용성 기름 화재 시 물을 무상(안개모양)으로 방사하거나 포소화약제를 방사하여 유류표면에 **유화층(수막층)의 막**을 형성시켜 공기의 접촉을 막아 소화하는 작용을 말한다.

영철쌤 tip

비중이 물보다 큰 비수용성 기름
중유, 벙커C유, 타르, 윤활유 등이 있다. 즉, 「위험물안전관리법」 제4류 위험물 중 제3석유류 이상이 해당된다.

유화층
유화층 = 수막층 = 유탁액이다.

유화작용
유화작용의 경우 유면에서의 타격력을 증가시켜 주어야 하므로 큰 고속의 무상 물방울이 필요한 반면, 희석작용은 유화작용에 비해 더 작은 물방울을 완만하게 분사해야 한다.

(2) 방법

물의 미립자가 기름과 섞여서 유화층(수막층)을 형성하여 유류의 증발능력을 떨어뜨려 연소를 억제하는 것이다. 이때 유류표면에 형성된 얇은 막은 물에 의해서 형성된 것으로서 수막(Water Film)이라 하며, 이 수막은 물과 유류의 중간 성질을 갖는다. 그러므로 유화소화작용을 가지는 소화약제는 대부분 상온에서 액체 또는 수용액 상태로 존재하여야 하며, 이러한 소화약제에는 무상의 물소화약제·포소화약제·무상의 강화액소화약제 등이 있다.

6. 피복소화

이산화탄소처럼 공기보다 무거운 물질로 **가연물 주위를 덮어** 산소의 공급을 차단시킴으로써 소화하는 방법이다.

7. 부촉매소화(억제소화)

연소의 4요소 중 **연쇄적인 산화반응을 약화(연쇄반응 약화, 라디칼 제거)**시켜 연소의 계속을 불가능하게 하여 소화하는 방법으로, **부촉매(억제)소화의 소화약제에는** 할론, 할로겐화합물, 분말, 강화액, 고체에어졸소화약제가 주로 사용된다. **표면연소(무염연소)**는 연쇄반응을 동반하는 연소가 아니므로 **부촉매(억제)소화효과를 얻기는 어렵다.**

01 물리적 방법에 의한 소화가 아닌 것은?
① 연소에너지 한계에 바탕을 둔 소화
② 농도 한계에 바탕을 둔 소화
③ 연쇄반응 차단에 의한 소화
④ 화재를 강풍으로 불어서 소화

02 연소의 4요소 중 순조로운 연쇄반응을 억제하여 소화하는 방법으로 옳은 것은?
① 질식소화　　　　　　　　② 냉각소화
③ 희석소화　　　　　　　　④ 부촉매소화

03 소화방법에 대한 설명으로 옳은 것만을 모두 고른 것은? 　21. 공채·경채

> ㄱ. 질식소화는 일반적으로 공기 중 산소 농도를 낮추어 소화하는 방법을 말한다.
> ㄴ. 냉각소화가 가능한 약제로는 물, 강화액, 이산화탄소(CO_2), 할론 등이 있다.
> ㄷ. 피복소화는 비중이 물보다 큰 비수용성 유류화재 시 무상주수하여 소화하는 방법을 말한다.
> ㄹ. 부촉매소화는 가스화재 시 가스공급을 차단하여 소화하는 방법을 말한다.

① ㄱ, ㄴ　　　　　　　　② ㄱ, ㄴ, ㄷ
③ ㄴ, ㄷ, ㄹ　　　　　　　④ ㄱ, ㄴ, ㄷ, ㄹ

04 제거소화방법으로 옳은 것은? 20. 소방간부

ㄱ. 전기화재 시 전원 차단
ㄴ. 가스화재 시 가스공급 차단
ㄷ. 일반화재 시 옥내소화전 사용
ㄹ. 유류화재 시 포소화약제 사용
ㅁ. 산불화재 시 방화선(도로) 구축

① ㄱ, ㄴ, ㄹ
② ㄱ, ㄴ, ㅁ
③ ㄴ, ㄷ, ㄹ
④ ㄴ, ㄹ, ㅁ
⑤ ㄷ, ㄹ, ㅁ

05 소화원리 중 제거소화의 사례에 해당하지 않는 것은? 24. 소방간부

① 촛불을 입으로 불어 소화하는 방법
② 식용유 화재 시 주변의 야채를 집어 넣어 소화하는 방법
③ 전기화재 시 신속하게 전원을 차단하여 소화하는 방법
④ 산림화재 시 화재 진행 방향의 나무를 벌목하여 소화하는 방법
⑤ 가스화재 시 밸브를 차단시켜 가스공급을 중단하여 소화하는 방법

정답 및 해설

01 소화의 구분
연쇄반응 차단에 의한 소화는 화학적 소화방법에 해당한다.

02 부촉매소화(억제소화)
부촉매소화(억제소화)는 연소의 4요소 중 연쇄적인 산화반응을 약화시켜 연소의 계속을 불가능하게 하여 소화하는 방법을 말한다.

03 소화의 방법
옳은 것은 ㄱ, ㄴ이다.
ㄱ. 공기 중 산소 농도를 낮추어 소화하는 방법은 질식소화이다.
ㄴ. 대표적인 냉각소화는 물소화약제이며 강화액, 이산화탄소(CO_2), 할론, 분말 등의 주된소화는 냉각은 아니지만 보조소화로 냉각소화를 한다.
ㄷ. 유화소화(에멀젼)는 비중이 물보다 큰 비수용성 유류화재 시 무상주수하여 소화하는 방법을 말한다.
ㄹ. 제거소화는 가스화재 시 가스공급을 차단하여 소화하는 방법을 말한다.

04 제거소화
ㄱ, ㄴ, ㅁ은 제거소화방법에 해당한다.
ㄷ. 일반화재 시 옥내소화전 사용은 냉각소화에 해당한다.
ㄹ. 유류화재 시 포소화약제 사용은 질식소화에 해당한다.

05 제거소화
식용유 화재 시 주변의 야채를 집어 넣어 소화하는 방법 – 냉각소화

정답 01 ③ 02 ④ 03 ① 04 ② 05 ②

CHAPTER 11 건축물 화재의 성상

출제 POINT

01 환기지배화재	★★☆
02 연료지배화재	★★☆
03 환기인자(연소속도)	★★☆
04 플레임오버	★☆☆
05 롤오버	★☆☆
06 플래시오버	★★★
07 백드래프트	★★★
08 목조건축물의 화재 성상	★★☆
09 내화건축물의 화재 성상	★★☆
10 화재가혹도	★★☆
11 화재하중	★★☆
12 화재강도	★★☆

영철쌤 tip

내화구조와 방화구조

1. 내화구조: 화재 시 건물의 하중을 지지할 수 있고, 인접구역으로 화재 확대를 방지할 수 있으며, 재사용이 가능하다.

 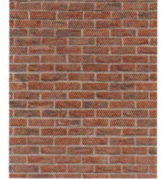
▲ 철근콘크리트   ▲ 연와조

▲ 석조

2. 방화구조: 화재 시 건물의 하중을 지지할 수 없고, 인접구역으로 화재 확대를 방지할 수 있으며, 재사용 불가하다.

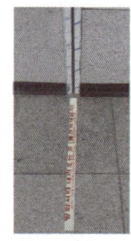 
▲ 방화셔터   ▲ 방화문

1 개요

1. 건축물의 구조

(1) 내화건축물(내화구조)

내화건축물이란 화재 시 건물의 하중을 지지할 수 있고, 인접구역으로 화재가 확대되는 것을 방지할 수 있으며, 재사용이 가능한 건축물을 말한다(예 철근콘크리트, 연와조, 석조 등).

(2) 비내화건축물(비내화구조)

비내화건축물이란 화재 시 건물의 하중을 지지할 수 없고, 인접구역으로 화재가 확대되는 것을 방지할 수 없으며, 재사용이 불가능한 건축물을 말한다(예 목조건축물 등).

2. 실내 화재의 환기량(연소속도, 연소시간)에 따른 분류

(1) 환기지배형 화재(Ventilation Control Fire) - 환기(산소) 부족(통기량지배)

① 밀폐된 실내에서 내장재나 가구가 탈 경우에는 실내의 산소농도가 한계산소량 이하로 되면 타다 말고 꺼진다. 그러나 개구부가 있으면 그곳을 통해 공기가 공급되기 때문에 계속 타게된다. 이러한 경우 가연물의 연소속도를 좌우하는 것은 실내 환기이므로 이를 환기지배형 화재(Ventilation Controlled Fire)라고 한다.

② 연료량이 많고 통기량이 적은 경우에 해당된다(연료는 정상인데 환기가 부족한 상태).

③ 환기지배형 화재인 경우에는 연소속도가 느리고 연소시간이 길다.

④ 일반적으로 내화구조건축물의 실내 화재는 환기지배형 화재가 나타난다.

▲ 환기지배형 화재

(2) 연료지배형 화재(Fuel Control Fire) – 연료(가연물) 부족(연료량지배)

① 개구부가 더욱더 커지면 공기공급은 환기 여하에 관계없이 충분하게 되며 이 때 가연물의 연소속도는 연료특성에 의해 지배되고 이 경우를 연료지배형 화재(Fuel Controlled Fire)라고 한다.
② **연료량에 비해 통기량이 충분한 경우**에 해당된다(환기는 정상인데 연료가 부족한 상태).
③ 연료지배형 화재인 경우에는 **연소속도가 빠르고 연소시간이 짧다.**
④ 일반적으로 **목조건축물**의 실내 화재는 연료지배형 화재가 나타난다.

▲ 연료지배형 화재

> **핵심정리** 환기량(연소속도·연소시간)에 따른 화재의 분류
>
> 1. 환기지배형 화재
>   ① 연료는 정상인데 환기가 부족한 상태이다.
>   ② 내화건축물 화재(환기지배형 화재)
>   • 환기지배형 화재 또는 연료지배형 화재로 구분한다. 일반적으로 환기지배형 화재의 성상을 띤다.
>   • 연소속도가 느리고 연소시간이 길다. → 저온 장시간 화재
> 2. 연료지배형 화재
>   ① 환기는 정상인데 연료가 부족한 상태이다.
>   ② 목조건축물 화재(연료지배형 화재)
>   • 연료지배형 화재의 성상을 띤다.
>   • 연소속도가 빠르고 연소시간이 짧다. → 고온 단시간 화재

3. 환기 파라미터(Ventilation Parameter)

(1) 환기지배 영역의 실내 화재에 있어서 연소속도는 개략적으로 다음의 식으로 표시된다.

$$R = KA\sqrt{H}$$

여기서, R: 연소속도[kg/min]❶ = 환기량
K: 계수(콘크리트조 건물의 경우 5.5 ~ 60)
A: 개구부면적[m²]
H: 개구부높이[m]

 **영철쌤 tip**

당량비

공기비	실제공기량 / 이론공기량
당량비[∅]	이론공기량 / 실제공기량
당량비[∅] 해석	• ∅ > 1: 공기(산소)부족, 환기지배형화재 • ∅ < 1: 연료부족(산소과잉), 연료지배형화재 • ∅ = 1: 화학양론적조성혼합기(완전연소)

 **영철쌤 tip**

목조건축물은 고온 단기형이고, 내화건축물은 저온 장기형이다.

 **영철쌤 tip**

1. 연료지배형 화재는 환기인자 크기와 연소속도가 무관하다.
2. 환기지배형 화재는 환기인자가 클수록 연소속도가 증가한다.

용어사전

❶ 연소속도[kg/min]: 1분 동안 1kg의 가연물이 타는 속도를 말한다.

(2) 개구부 면적과 높이 평방근(제곱근, 루트)의 곱($A\sqrt{H}$)을 **환기 파라미터(환기인자)**라 한다.

(3) 위 식에서 보듯 환기 파라미터가 커지면 연소속도는 상승하게 되며, 화재가 연료지배형으로 진행될 것인지 환기지배형으로 진행될 것인지를 결정짓는 주요 요소가 된다.

(4) 개구부가 많고 개구부의 면적이 넓을수록 환기량이 많아진다.

(5) 같은 면적의 개구부라도 높이가 긴 개구부일수록 환기량이 많아진다.

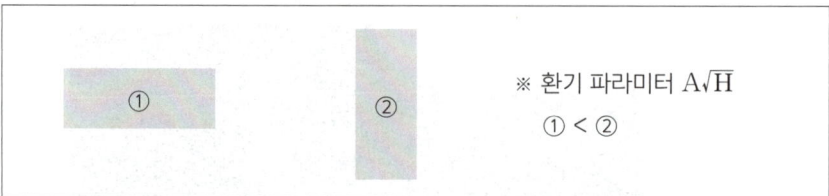

(6) **환기량**은 개구부의 면적(A)과 개구부의 높이(H)의 평방근(제곱근, 루트)에 **비례**한다.

2 내화건축물 실내 화재 성상(환기지배형, 연료지배형)

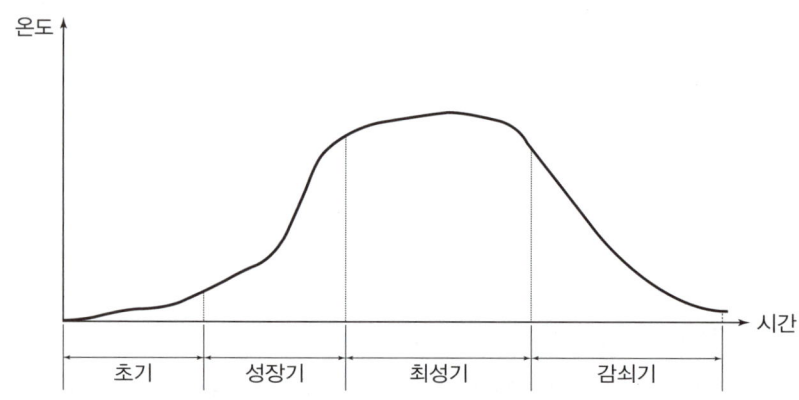

▲ 화재 성상 4단계(초기 - 성장기 - 최성기 - 감쇠기)

구분	환기지배형 화재	연료지배형 화재
초기 (발화기)	· 연료지배형 화재의 성격을 띤다. · 연기나 훈소가 발생되기도 한다. · 고열 가스의 상승류가 천장 면에 닿게 되면 천장 면을 따라 모든 옆 방향으로 빠르게 흐르는 천장열류(Ceiling Jet Flow)가 형성된다. · 천장열류에 의해 감지기나 폐쇄형 스프링클러헤드가 감지한다.	· 연료지배형 화재의 성격을 띤다. · 연기나 훈소가 발생되기도 한다. · 고열 가스의 상승류가 천장 면에 닿게 되면 천장 면을 따라 모든 옆 방향으로 빠르게 흐르는 천장열류(Ceiling Jet Flow)가 형성된다. · 천장열류에 의해 감지기나 폐쇄형 스프링클러헤드가 감지한다.

구분	환기지배형 화재	연료지배형 화재
성장기 (중기)	· 화재가 통상적으로 연료지배형 화재의 성격을 띤다. · 온도가 급격하게 증가하는데, 이를 전실화재 전 단계(Pre-Flash over)라고도 한다. · 화염의 전파는 큰 개념으로는 전도 및 대류에 의존하며(열축적), 작은 개념으로는 대류에 의존한다(열축적). · 연소영역이 점차 확대되어 화재의 성장이 시작된다. · 대체적으로 고온 상부층(Hot Upper Layer)와 저온 하부층(Cool Lower Layer)의 두 형상의 층이 형성된다. · 롤-오버(Roll-Over)현상이 발생한다.	· 연료지배형 화재의 성격을 띤다. · 온도가 급격하게 증가하는데, 이를 전실화재 전 단계(Pre-Flash over)라고도 한다. · 화염의 전파는 큰 개념으로는 전도 및 대류에 의존하며(열축적), 작은 개념으로는 대류에 의존한다(열축적). · 연소영역이 점차 확대되어 화재의 성장이 시작된다. · 대체적으로 고온 상부층(Hot Upper Layer)와 저온 하부층(Cool Lower Layer)의 두 형상의 층이 형성된다. · 롤-오버(Roll-Over)현상이 발생한다.
플래시오버 (Flash over)	· 실내 화재 시 상부의 연기 및 고열 가스층 등에서 나오는 복사열에 의해 화재실 내부에 존재하는 가연물의 모든 노출표면에 대한 가열이 계속되면, 가연물의 모든 노출표면에서 빠르게 열분해가 일어나 가연성 가스가 충만해지는데 이때 충만한 가연성 가스가 빠르게 발화하게 되면, 그때부터 가연물 모두가 격렬하게 타기 시작한다. 이와 같은 급격한 변화 현상을 플래시오버(Flash Over)라 하며 전실화재 혹은 순발연소라고도 한다. · 화염의 전파는 복사전열에 의해 지배된다. · 국부화재로부터 구획 내 모든 가연물이 타기 시작하는 큰 화재로 넘어가는 분기점이다. · 연료지배형 화재로부터 환기지배형 화재로 넘어가는 분기점이다.	· 실내 화재 시 상부의 연기 및 고열 가스층 등에서 나오는 복사열에 의해 화재실 내부에 존재하는 가연물의 모든 노출표면에 대한 가열이 계속되면, 가연물의 모든 노출표면에서 빠르게 열분해가 일어나 가연성 가스가 충만해지는데 이때 충만한 가연성 가스가 빠르게 발화하게 되면, 그때부터 가연물 모두가 격렬하게 타기 시작한다. 이와 같은 급격한 변화 현상을 플래시오버(Flash Over)라 하며 전실화재 혹은 순발연소라고도 한다. · 화염의 전파는 복사전열에 의해 지배된다. · 국부화재로부터 구획 내 모든 가연물이 타기 시작하는 큰 화재로 넘어가는 분기점이다. · 연료지배형 화재의 성격을 띤다.
최성기	· 화재가 통상적으로 환기지배형 화재의 성격을 띤다. · 전실화재 후 단계(Post-Flash over)이다. · 가연물이 본격적으로 타들어 가는 소진단계이다. · 가연물의 연소활동이 대단히 왕성해져 열방출량이 최대가 되며, 연기방출량은 감소하게 된다. · 화재 최고온도 시기이며, 실내 산소 부족으로 연소속도가 느려진다.	· 연료지배형 화재의 성격을 띤다. · 전실화재 후 단계(Post-Flash over)이다. · 가연물이 본격적으로 타들어 가는 소진단계이다. · 가연물의 연소활동이 대단히 왕성해져 열방출량이 최대가 되지만 유리창 등의 파괴로 연기방출량은 감소하게 된다. · 화재 최고온도 시기이며, 실내 산소가 부족하지 않으므로 연소속도가 빨라진다.

영철쌤 tip

최성기에는 가연물이 본격적으로 타들어가서 탈 수 있는 가연물이 거의 소진되고 있기 때문에 연기량이 감소한다. 그래서 초기연기량이 최성기보다 많다고 할 수 있다.

콘크리트 폭열 현상
콘크리트 폭열 현상은 콘크리트의 함수율이 높을수록 쉽게 발생한다.

화재플럼(Fire Plume)의 3가지 영역
연속화염, 간헐화염, 부력화염이다.

플래시오버의 발생시간(Flash Over Time)
피난허용시간을 정하는 목표의 점이다.

RSET(Required Safe Egress Time)
총 피난시간 또는 최소피난시간으로 정의된다. 재실자가 있던 장소에서 화재를 인지하고 대피를 시작하여 안전한 장소로 이동하는 데까지 소요되는 물리적 시간이다. 즉, RSET = 감지시간 + 경보시간 + 지연시간 + 피난시간이다.

ASET(Available Safe Egress Time)
허용피난시간으로 정의된다. 즉, RSET + 여유시간으로, ASET = 감지시간 + 경보시간 + 지연시간 + 피난시간 + 여유시간이다.

감지시간
감지기가 인식하여 화재신호를 발신할 때까지 걸리는 시간이다.

경보시간
감지한 후 실제경보를 발하는 데까지 걸리는 시간이다(거의 0에 가깝다).

지연시간
어디로 피난할 것인지 판단하는 데까지 걸리는 시간이다.

피난시간
실제 피난을 개시하여 피난이 완료된 시점까지 걸리는 시간이다.

여유시간
피난에 필요한 시간을 제외한 여유시간이다. 즉, 플래시오버가 도달하는 데까지 걸리는 시간이다.

	• 천장 면, 보, 기둥의 모퉁이부 플라스틱 등의 마감부분이 벗겨져 떨어지거나 콘크리트가 파열음과 함께 튀어 떨어져 철근을 노출하는 콘크리트 폭열 현상(500 ~ 600℃)을 일으킨다.	• 천장 면, 보, 기둥의 모퉁이부 플라스틱 등의 마감부분이 벗겨져 떨어지거나 콘크리트가 파열음과 함께 튀어 떨어져 철근을 노출하는 콘크리트 폭열 현상(500 ~ 600℃)을 일으킨다.
감쇠기 (쇠퇴기, 종기, 말기)	• 가연물의 양이 급속히 줄어들면서 화세가 감소되기 시작한다. • 가연물의 80%가 소진된 시점을 화재 종기로의 전환시점으로 정의하기도 한다. • 산소가 부족하여 외부의 산소공급이 이루어질 경우 백드래프트(Back Draft)가 발생한다.	• 가연물의 양이 급속히 줄어들면서 화세가 감소되기 시작한다. • 가연물의 80%가 소진된 시점을 화재 종기로의 전환시점으로 정의하기도 한다. • 산소가 부족하지 않으므로 백드래프트(Back Draft)가 발생하지 않는다. • 화세가 쇠퇴하고, 열발산율은 증가하지 않는다.

> **참고** 천장열류·천장제트흐름(Ceiling Jet Flow)
>
> 1. 화재 시 화재플럼(Fire Plume)은 부력과 팽창 등에 의해서 수직방향으로 상승하다가 천장 하면에 따라 수평방향으로 빠르게 이동하는 가스의 흐름을 말한다.
>
>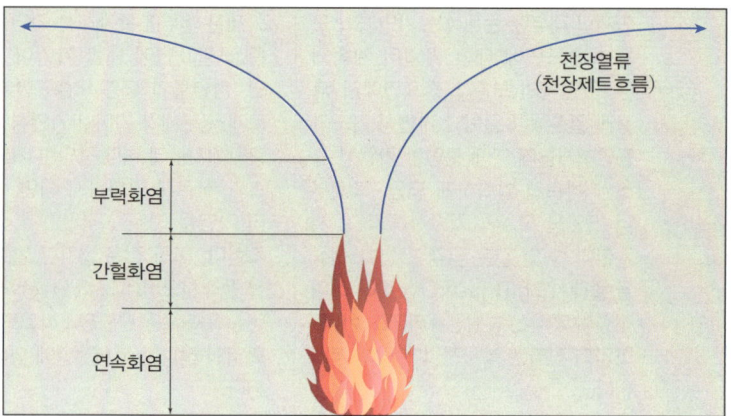
>
> 2. 일반적으로 화재 초기에 발생한다.
> 3. 천장제트흐름 영역에서의 온도는 수직 열기류로부터의 거리와 함수관계에 있다.
> 4. 천장열류보다 온도가 낮은 천장재(불연재료, 난연재료)와 유입공기쪽에서 일어나는 열손실에 의해 천장열류의 온도는 감소한다.
> 5. 천장열류는 화원으로부터 천장까지의 높이의 5 ~ 12% 정도이다.
> 6. 화재감지를 빨리 하기 위하여 스프링클러헤드나 화재감지기는 천장제트흐름(천장열류) 안에 설치하여야 한다.

핵심정리 실내 화재 성상

1. 실내 건축물의 화재발생 과정

① 점화 및 발화

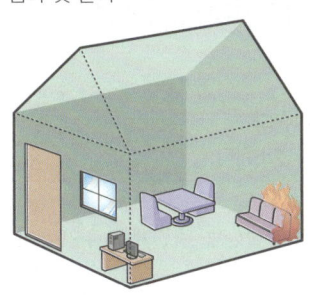

② 성장기(1차 성장기 → 2차 성장기)

③ 플래시오버(Flash Over) 현상
(전 공간의 화재 확대 현상)

④ 최성기(화염의 충만, 실온이 가장 높은 상태)

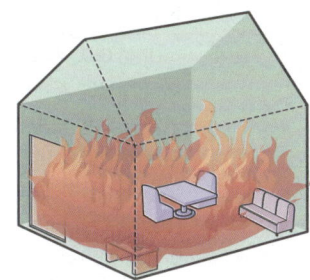

⑤ 감쇠기(화염의 소멸 → 연소 후 연기 발생)
※ 백드래프트(Back Draft)(산소 유입으로 인한 폭발 현상)

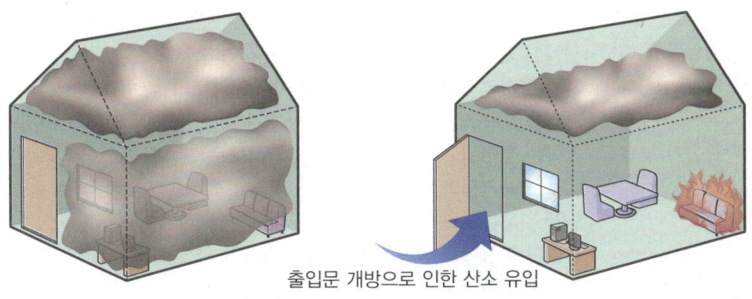

출입문 개방으로 인한 산소 유입

2. 화재성상 4단계

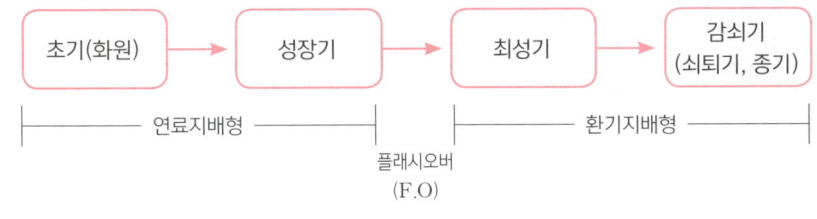

> **영철쌤 tip**
>
> **백드래프트(Back Draft)**
> 1. 화재가 발생한 공간에서 연소에 필요한 산소가 부족할 때 발생(소방관의 사망원인 중 하나)한다. 만약, 연료지배형 화재일 경우에는 백드래프트(Back Draft)가 발생하지 않는다.
> 2. 백드래프트(Back Draft)는 소방관의 인명안전이 중요한 관점이다. 플래시오버(Flash Over)는 거주자 피난이 중요한 관점이다.

연기의 색깔
1. 초기, 감쇠기에는 하얀 연기이다(백색).
2. 성장기, 최성기에는 검은 연기이다(흑색).

성장기, 최성기, 감쇠기
1. 성장기: 검은 연기 분출, 순간적으로 화염이 충만한 시기
2. 최성기
   · 화염이 분출, 화염이 충만한 시기
   · 대들보나 기둥이 내려 앉는 시기
3. 감쇠기: 대들보나 기둥이 무너져 떨어지는 (내려 앉는) 시기

3 목조건축물 실내 화재 성상(연료지배형) I

구분	연료지배형 화재
초기(발화기)	· 연료지배형 화재의 성격을 띤다. · 연기나 훈소가 발생되기도 한다. · 창 등의 개구부에서 하얀 연기가 나온다. · 실내 가구 등의 일부가 독립적으로 연소한다.
성장기(중기)	· 연료지배형 화재의 성격을 띤다. · 온도가 급격하게 증가하는데, 이를 전실화재 전 단계(Pre - Flash over)라고도 한다. · 가구 등에서 천장 면까지 화재가 확대되며, 실내 전체에 화염이 확산되는 최성기의 전초단계이다. · 개구부에서 세력이 강한 검은 연기가 분출한다. · 순간적으로 화염이 충만한 시기이다.
플래시오버 (Flash over)	· 실내 화재 시 상부의 연기 및 고열 가스층 등에서 나오는 복사열에 의해 화재실 내부에 존재하는 가연물의 모든 노출표면에 대한 가열이 계속되면, 가연물의 모든 노출표면에서 빠르게 열분해가 일어나 가연성 가스가 충만해지는데 이때 충만한 가연성 가스가 빠르게 발화하게 되면, 그때부터 가연물 모두가 격렬하게 타기 시작한다. 이와 같은 급격한 변화 현상을 플래시오버(Flash Over)라 하며 전실화재 혹은 순발연소라고도 한다. · 화염의 전파는 복사전열에 의해 지배된다. · 국부화재로부터 구획 내 모든 가연물이 타기 시작하는 큰 화재로 넘어가는 분기점이다. · 연료지배형 화재
최성기	· 연료지배형 화재의 성격을 띤다. · 전실화재 후 단계(Post - Flash over)이다. · 가연물이 본격적으로 타들어 가는 소진단계이다. · 가연물의 연소활동이 대단히 왕성해져 열방출량 이 최대가 되지만 연기방출량은 적어지고 화염이 충만한 시기이므로 화염의 분출이 강해진다. · 대들보나 기둥이 내려앉는 시기이다. · 화재 최고온도도 이 시기에 나타난다. · 강렬한 복사열로 인해 인접 건물로 연소가 확산된다. · 건축구조물이 낙하(도괴·붕괴)될 수 있다.
감쇠기 (쇠퇴기, 종기, 말기)	· 가연물의 양이 급속히 줄어들면서 화세가 감소되기 시작한다. · 화세가 쇠퇴하고, 열발산율은 증가하지 않는다. · 연소 확산의 위험은 없다. · 지붕이나 벽체가 타서 떨어지고 곧바로 대들보나 기둥도 무너져 떨어진다(내려앉음). · 연기는 흑색에서 백색으로 변한다.

대들보   기둥

4. 목조건축물 실내 화재 성상(연료지배형 화재) Ⅱ

1. 화재진행 단계

(1) 전기 화재(초기화재)

① 화재원인의 성립 → 무염착화 → 발염착화 → 발화(출화)

② 화재원인의 성립 → 발염착화 → 발화(출화)

(2) 후기 화재(본격화재)

발화(출화) → 최성기(맹화) → 감쇠기(연소낙하) → 진화(소각)

전기 화재(초기화재)
무염착화를 거치지 않고 바로 발염착화로 진행되기도 한다.

> **참고** 목조건축물 화재 성상

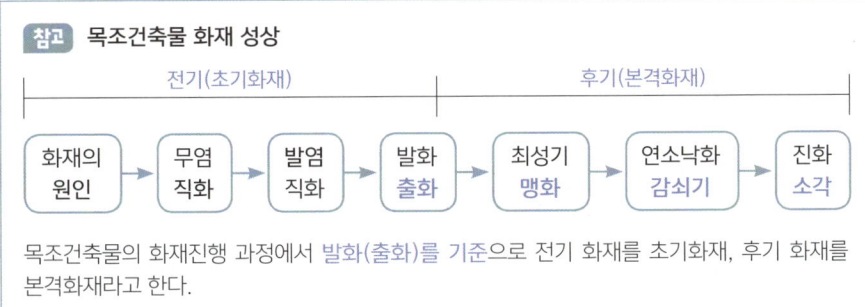

목조건축물의 화재진행 과정에서 발화(출화)를 기준으로 전기 화재를 초기화재, 후기 화재를 본격화재라고 한다.

2. 화재진행 상황에 따른 화재의 특징

구분	연료지배형 화재	
화재원인 ~ 무염착화	• 연료지배형 화재의 성격을 띤다. • 연기나 훈소가 발생되기도 한다. • 화재원인의 종류와 발생하는 장소에 따라 차이가 있다. • 자연발화의 경우는 긴 시간을 요한다.	
무염착화 ~ 발염착화	• 연료지배형 화재의 성격을 띤다. • 화재가 발생한 장소, 가연물의 종류, 바람의 상태(산소 공급조건) 등이 화재의 진행(연소속도, 시간, 방향)을 좌우한다. • 바람 등 불어넣어주면 불꽃이 발하여 착화한다.	
발염착화 ~ 발화(출화)	• 연료지배형 화재의 성격을 띤다. • 가재의 일부가 발화한 상태가 아니라 천장에 불이 붙는 시기를 말한다. • 목조건물의 천장까지 불이 번져 전체에 불기운(불기)이 도는 시기이다. • 옥내출화와 옥외출화로 구분된다.	
	옥내출화	옥외출화
	• 천장에 발염착화 • 불연천정인 경우 뒷면 판에 발염착화 • 천장 속·벽 속 등에 발염착화	• 창·출입구에 발염착화 • 건축물 외부 가연재료에 발염착화 • 가옥인 경우에는 벽·지붕에 발염착화 • 가옥인 경우에는 추녀 밑에 발염착화

▲ 창·출입구 등에 발염착화

▲ 추녀

단계	내용
발화 ~ 최성기(맹화)	• 연료지배형 화재의 성격을 띤다. • 천정, 대들보 등이 내려앉는 시기이며 검은 연기가 개구부를 통해 분출하게 된다. • 화염이 충만한 시기이므로 화염의 분출이 강해진다. • 플래쉬오버(Flash-over)가 발생하며 이때 실내온도는 800~900℃ 정도가 된다. • 대들보나 기둥이 내려앉고 이때 강한 복사열로 인해 실내온도는 1,300℃ 정도가 된다. • 무풍상태(0~3m/s)에서 출화에서 최성기까지가 약 4분에서 14분 정도 진행된다.
최성기(맹화) ~ 연소낙하 (감쇠기)	• 연료지배형 화재의 성격을 띤다. • 지붕이나 벽체가 타서 떨어지고 곧바로 대들보나 기둥도 무너져 떨어진다(내려앉음). • 최성기(맹화)부터 연소낙하(감쇠기) 또는 진화(소각)까지 약 6분에서 19분 정도 진행된다.

참고 보통 목조건물의 발화에서부터 경과시간

풍속[m/sec]	발화에서 최성기	최성기에서 소각	발화에서 소각
0~3	4~14분	6~19분	10~33분
3~10	2.5~13분	-	-
10	2.5분(1층), 7분(2층)	-	15분

참고 내화건축물과 목조건축물 비교

1. 일반적인 내화건축물[저온 장기형]
    ① 플래시오버 온도: 600℃
    ② 최고온도(최성기 온도): 800~900℃
2. 일반적인 목조건축물[고온 단기형]
    ① 플래시오버 온도: 800~900℃
    ② 최고온도(최성기 온도): 1300℃

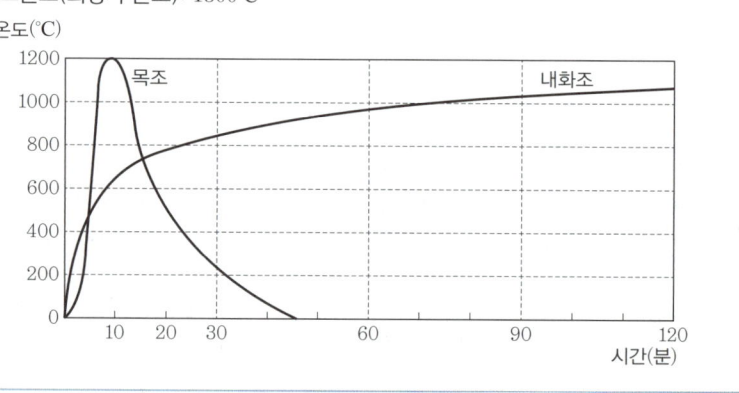

3. 목조건축물의 화재 확대원인

(1) 접염연소
화염 또는 열의 접촉으로 인한 연소를 말한다.

(2) 복사연소
화염에서 발생하는 복사열로 인해 발화점에 달하기도 한다. 복사열은 화염의 면이 크면 클수록 또는 지속시간이 길면 길수록 열을 받는 거리는 멀어져서 100m 이상에 달하는 경우도 있다.

(3) 비화연소
화점에서 먼 거리에 있는 지역에까지 **불꽃이 날아가 발화하는 현상**으로 화점으로부터 풍하방향이 약 30℃의 범위로 분포하나, 10~15℃의 범위가 가장 위험하다. 비화로 인한 연소는 바람이 강하고, 온도가 낮은 기상조건일 때이면 비화범위는 4km에까지 이르나 800m 전후에서 흔히 발생한다. 야간에는 미세한 것까지 빨갛게 보이나 주간에는 검은 물체로 보일 수 있으므로 주의하여야 한다.

비화연소
1. 비화의 3요소는 불티, 바람, 가연물이다.
2. 내화·목조건축물 화재성장에 중요한 인자는 복사이다.

4. 목재의 형태에 따른 연소 형태

목재 형태 \ 발화속도	빠름	느림
건조의 정도	수분이 적을 것	수분이 많은 것
내화성·방화성	없는 것	있는 것
두께·크기	얇고 가는 것	두껍고 큰 것
형상	▲ 사각인 것	▲ 둥근 것
표면	거친 것	매끄러운 것
기름·페인트	페인트 칠한 것	칠하지 않은 것
색	검정색	백색

5. 목재의 연소 과정

(1) 목재가열 → 수분증발 → 목재분해 → 탄화종료 → 발화(연소) 순이다.

(2) 목재가열
100~160℃에서 목재가열이 시작되며, 목재는 갈색을 띤다.

(3) 수분증발
220~260℃에서 수분이 증발되며, 목재는 갈색에서 흑갈색으로 변화한다.

모든 목재는 15% 이하의 수분을 가지고 있다. 수분함량 15% 이상이면 고온에 장시간 접촉해도 착화하기 어렵다.

용어사전

❶ 탄화종료: 탄소화가 되었다는 의미이다.

영철쌤 tip

1. 일반적으로 연료지배형 화재의 발생장소는 개방된 공간(목조건물, 개방된 큰 창문 등)에서 발생
   → 연료지배형 화재: 산소가 부족하지 않음(산소량이 충만함)
2. 환기지배형 화재의 발생장소는 밀폐된 공간(내화구조건물, 지하층, 무창층 등)에서 발생한다.
   → 환기지배형 화재: 산소가 부족함

따라서 환기량에 따라 연료지배형 화재와 환기지배형 화재로 구분한다.

(4) 목재분해

300 ~ 350°C에서 목재가 급격히 분해되어 수소, 일산화탄소 및 탄화수소 등이 생성된다.

(5) 탄화종료 및 발화

420 ~ 470°C에서 탄화종료❶ 및 발화가 시작된다.

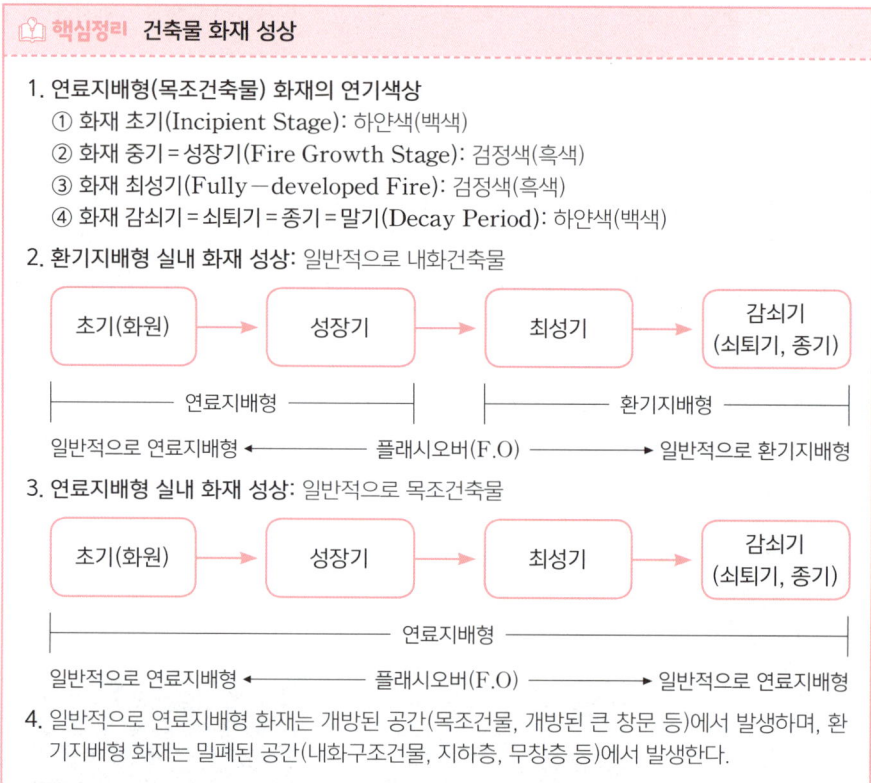

핵심정리 건축물 화재 성상

1. 연료지배형(목조건축물) 화재의 연기색상
   ① 화재 초기(Incipient Stage): 하얀색(백색)
   ② 화재 중기 = 성장기(Fire Growth Stage): 검정색(흑색)
   ③ 화재 최성기(Fully-developed Fire): 검정색(흑색)
   ④ 화재 감쇠기 = 쇠퇴기 = 종기 = 말기(Decay Period): 하얀색(백색)
2. 환기지배형 실내 화재 성상: 일반적으로 내화건축물

   초기(화원) → 성장기 → 최성기 → 감쇠기(쇠퇴기, 종기)

   |———— 연료지배형 ————|———— 환기지배형 ————|
   일반적으로 연료지배형 ← 플래시오버(F.O) → 일반적으로 환기지배형

3. 연료지배형 실내 화재 성상: 일반적으로 목조건축물

   초기(화원) → 성장기 → 최성기 → 감쇠기(쇠퇴기, 종기)

   |———————— 연료지배형 ————————|
   일반적으로 연료지배형 ← 플래시오버(F.O) → 일반적으로 연료지배형

4. 일반적으로 연료지배형 화재는 개방된 공간(목조건물, 개방된 큰 창문 등)에서 발생하며, 환기지배형 화재는 밀폐된 공간(내화구조건물, 지하층, 무창층 등)에서 발생한다.

5 건축물 실내 화재의 이상 현상

1. 플레임오버(Flame Over)

(1) 개요

1946년 12월 미국 애틀란타에 있는 위어코프 호텔의 로비 화재에서 가연성 벽을 따라 연소확대가 어떻게 진행되었는지를 묘사하는 데 처음 사용된 용어이다. 이 화재로 119명이 생명을 잃었으며, 이 사고를 계기로 미국의 주거용 건물의 벽, 천장 그리고 바닥재질에 대한 기준이 강화되기 시작하였다.

(2) 정의
① 복도와 같은 통로공간에서 벽, 바닥표면의 가연물에 화염이 급속하게 확산되는 현상을 묘사하는 용어(통로상 화재)이다.
② 벽, 바닥 또는 천장에 설치된 가연성 물질이 화재에 의해 가열되면 전체 물질 표면을 갑자기 점화할 수 있는 연기와 가연성 가스가 만들어지고 이때 매우 빠른 속도로 화재가 확산된다.
③ 화염이 연소되지 않은 가연성 가스를 통해 전파되는 현상을 말하기도 한다.

(3) 발생 시기
성장기(일반적으로 롤오버 발생 전에 먼저 일어난다)에 발생한다.

(4) 위험성 및 대책
① 출구를 따라 진행되는 화염확산은 특정 공간 내의 화염확산보다 치명적이다. 이와 같은 이유로 복도 내부 벽과 천장은 비가연성 물질로 마감되어야 한다.
② 종종 내화건축물의 1층 계단실에서 발생한 작은 화재가 계단실에 칠해진 페인트(낙서를 지우기 위해 매년 덧칠해진 것)에 의해 플레임오버(Flame Over) 현상을 발생시켜 수십 층 위에까지 확산되는 경우도 있다.
③ 복도를 통한 인명검색을 하거나 호스를 연장하고 있는 소방대원은 Flame Over에 의하여 퇴로를 차단 당할 수가 있다.
④ 통로에 있는 가연물에 의해 화염이 확산되므로, 통로상에 가연물을 놓으면 안 된다. 즉, 플레임오버(Flame Over) 때문에 통로상에 가연물을 놓으면 안 된다.

2. 롤오버(Roll Over)

(1) 정의
① 연소 과정에서 발생된 가연성 가스가 공기와 혼합되어 천장 부분에 집적된 상태에서 발화온도에 도달하여 발화함으로써 화재의 선단 부분이 매우 빠르게 확대되어 가는 현상을 말하는 것으로 화재가 발생한 장소의 실내·외 압력차에 의해 출입구 바로 바깥 쪽 복도 천장에서 연기와 고온의 가연성 가스가 산발적인 화염으로 굽이쳐(깃털모양처럼, 파도처럼) 흘러가는 현상을 지칭하는 소방 현장 용어이다. 즉, 실내 상층부 천장 쪽의 초고온 증기인 가연성 가스가 발화온도 이상 도달했을 때 발화하는 현상이다.
② 이러한 현상은 화재지역의 천장에서 집적된 고압의 뜨거운 가연성 가스가 화재가 발생되지 않은 저압의 다른 부분으로 이동하면서 화재가 매우 빠르게 확대되는 원인이 된다.
③ 이것은 출입문을 통해 방출되는 가열된 연소가스와 복도 천장 근처의 신선한 공기가 섞이면서 발생한다. 일반적으로 플래시오버(Flash Over)보다 먼저 일어난다.
④ 롤오버(Roll Over)는 전형적인 공간 내의 화재가 완전히 성장하지 않은 단계에 있고 소방관들이 화점에 진입하기 전 복도에 머무를 때 발생한다.

(2) 발생 시기
성장기(일반적으로 플래시오버 발생 전에 먼저 일어난다)에 발생한다.

영철쌤 tip

플레임오버는 통로상(복도, 계단 등) 화재이므로 통로를 비가연성 물질로 마감하여 방지한다.

용어사전

❶ 선단: 앞부분의 맨 끝을 말한다.

(3) 롤오버(Roll Over)와 플래시오버(Flash Over)의 차이점

구분	롤오버(Roll Over)	플래시오버(Flash Over)
복사열	열의 복사가 플래시오버에 비해 상대적으로 약하다.	열의 복사가 강하다.
확산 매개체	천장부의 고온증기의 발화가 매개체이다.	공간 내 모든 가연물의 동시 발화가 매개체이다.
확대범위	화염선단 부분이 주변 공간(깃털, 파도 모양)으로 확대된다.	일순간 전체 공간으로 발화가 확대된다.

3. 플래시오버(Flash Over)

(1) 정의

① **건축물 실내 화재 시** 화재가 발생하는 과정에서 화원 가까이에 한정되어 있던 연소영역이 조금씩 확대된다. 이 단계에서 화재실의 온도는 점차 증가하여 상부의 연기 및 고열의 가스층 등에서 나오는 **복사열**에 의해 화재실 내부에 존재하는 가연물의 모든 노출표면에서 빠르게 열분해 및 증발이 촉진되며 이때 발생한 가연성 가스는 천장 근처에 체류한다. 이 가스농도가 증가하여 연소범위 내의 농도에 달하면 발화하여 천장이 화염에 쌓이게 된다. 그 이후에는 천장 면으로부터 방출되는 복사열에 의하여 바닥면 위의 가연물이 급속히 가열 착화하여 바닥면 전체가 화염으로 덮이게 된다. 이와 같은 급격한 변화 현상을 **플래시오버(Flash Over)**라 한다.

② 건축물 실내 화재 시 복사열에 의한 실내 가연물이 일시에 **폭발하는 착화(착시)현상**을 말한다.

③ 국부화재로부터 구획 내 모든 가연물이 타기 시작하는 **큰 화재로 전이**된다.

④ 연료지배 화재로부터 환기지배 화재로 전이된다.

⑤ 전실화재 혹은 순발연소(순간적 연소)라고도 한다.

(2) 발생 시기

① 성장기

② 성장기에서 최성기로 넘어가는 분기점

> **참고** 플래시오버(Flash Over)의 징후와 특징
>
> | 징후 | 특징(결과) |
> | --- | --- |
> | • 고온의 연기가 발생한다.
• 롤오버(Roll Over) 현상이 관찰된다.
• 일정 공간 내에서의 전면적인 자유연소❶ (불꽃연소)가 나타난다.
• 일정 공간 내에서의 계속적인 열 집적(다른 물질의 동시 가열)이 있다.
• 두텁고 뜨거운 진한 연기가 아래로 쌓인다 (연도강하).
• 바닥에서 천장까지 고온상태가 된다. | 실내의 모든 가연물의 동시 발화현상이다. |

영철쌤 tip

폭발적인 착화(착시)현상
폭발처럼 보이는 현상을 의미한다. 즉, 폭발은 아니다.

용어사전

❶ 자유연소: 화염이 춤을 추는 것을 말한다.

(3) 지연대책
  ① 가연물
    ㉠ 내장재: 실내의 내장재에 있어, 되도록 잘 타지 않는 재료로서 두께가 두껍고 열전도율이 큰 재료를 되도록 천장 면과 벽 상부 등의 실내 높은 위치부터 우선적으로 써야 한다. 다시 말하면 **천장, 벽, 바닥 순으로 불연화**하여 화재의 발전을 지연시킨다.
    ㉡ 화원의 크기(불씨의 크기): 화원의 크기라 함은 실내의 벽이나 바닥 등의 전 표면적에 대한 가연물 표면적의 비율로 표현되는 것을 말한다. 화원의 크기가 클수록 플래시오버(Flash Over)까지의 시간이 짧아지므로 **가연성 가구 등은 되도록 소형**으로 하여야 한다. 다시 말하면, 건물 내에 가연물이 많으면 단시간 내에 연소하고 다른 가연물의 연소매체가 된다. 이를 방지하기 위해 건물 내 가연물의 양을 제한하고, **수용 가연물을 불연화 및 난연화한다.**
  ② 산소
    ㉠ 개구율이라 함은 벽 면적에 대한 개구부의 면적을 말한다.
    ㉡ **개구인자가 아주 작으면** 플래시오버(Flash Over)의 발생시기는 늦어지므로 개구부의 크기를 제한함으로써 **플래시오버(Flash Over)를 지연**시킨다. 또한 **개구인자가 아주 클수록** 플래시오버(Flash Over)의 발생시기가 늦어진다.

(4) 플래시오버(Flash Over)를 전술적으로 지연시키는 3가지 방법(소방관지연대책)
  ① **배연지연법**: 창문 등을 개방하여 배연(환기)함으로써, 공간 내부에 쌓인 열을 방출시켜 플래시오버(Flash Over)를 지연시킬 수 있으며 가시성 또한 향상시킬 수 있다.
  ② **공기차단지연법**: 배연(환기)과 반대로 개구부를 닫아 산소를 감소시킴으로써 연소속도를 줄이고 공간 내 열의 축적 현상도 늦추게 하여 지연시키는 방법을 쓸 수 있다. 이 방법은 관창호스 연결이 지연되거나 모든 사람이 대피했다는 것이 확인된 경우 적합한 방법이다.
  ③ **냉각지연법**: 분말소화기 등 이동식 소화기를 분사하여 화재를 완전하게 진압하는 것은 일시적으로 온도를 낮출 수 있으며 플래시오버를 지연시키고 관창호스를 연결할 시간을 벌 수 있다.

> **핵심정리 플래시오버(Flash Over)**
>
> 1. **정의**: 천장 면으로부터 방출되는 복사열에 의하여 바닥 면 위의 가연물이 급속히 가열착화하여 바닥 면 전체가 화염으로 덮이게 되는 현상(폭발적인 착시 현상)이다.
> 2. **화재진행에 영향을 미치는 요인**: 구획실의 크기, 형태, 천장 높이 등이 있다.

불연·난연·가연
1. 불연재료는 불에 잘 타지 않는 재료이다.
2. 준불연재료는 불연재료에 준하는 성능을 가진 재료이다.
3. 난연재료는 불에 타기 어려운 성능을 가진 재료이다.
4. 가연재료는 불에 잘 타는 재료이다.

내장재에 따른 플래시오버 지연
불연재료 > 준불연재료 > 난연재료 > 가연재료

구획실의 형태
랙크식 창고일 때 화재진행이 빨라지므로 플래시오버 시간이 짧아진다.

▲ 랙크식 창고

4. 플래시백(Flash Back)[역화(Back Fire) 현상]
출입문 등을 개방할 때 **산소유입으로 다시 연소가 시작하는 현상**을 말한다. 폭발하는 것보다 파괴력은 크지 않지만 재산피해(건물손상 등)와 인명피해를 주기에는 충분하다. 주로 고무나 우레탄 등 합성수지류일 때 잘 발생한다.

5. 백드래프트(Back Draft)
(1) 정의
① **밀폐된 공간**에서 화재 발생 시 **산소부족**으로 불꽃을 내지 못하고 가연성 가스(일산화탄소)만 축적되어 있는 상태에서 갑자기 문을 개방하면 **신선한 공기 유입**으로 폭발적인 **연소가 시작되는 현상**을 말한다.
② 소화활동이나 피난을 하기 위하여 화재실의 문을 개방할 때 신선한 공기가 유입되어 실내에 축적되었던 가연성 가스가 단시간에 폭발적으로 연소함으로써 화염이 폭풍을 동반하여 실외로 분출되는 현상을 말한다.
③ 백드래프트(Back Draft)는 농연❶의 분출, 파이어볼(화구)의 형성, 건물 벽체의 도괴(파괴) 등의 현상을 수반한다.
④ 백드래프트(Back Draft)는 **화학적 폭발**에 해당된다.

(2) 발생 시기(환기지배형 화재)
① **성장기**: 작은 실 안에 엄청 많은 가연물이 있고 출입문이 작으면 성장기 시기에도 백드래프트(Back Draft)가 발생할 수 있다.
② 감쇠기

(3) 징후
① 건물의 외부에서 관찰할 수 있는 백드래프트(역화)의 징후
  ㉠ 연기가 균열된 틈이나 작은 구멍을 통하여 빠져 나오고 건물 안으로 연기가 빨려 들어가는 현상이 발생된 경우(실 안에 산소가 부족하기 때문에 연기가 빨려 들어간다)
  ㉡ 화염은 보이지 않으나 **창문과 문손잡이가 뜨거운 경우(고온)**
  ㉢ 유리창의 안쪽으로 **타르와 유사한 기름성분의 물질이 흘러내리는 경우**
  ㉣ 창문을 통해 보았을 때 건물 내에서 연기가 소용돌이 치고 있는 경우
② 건물의 내부에서 관찰할 수 있는 백드래프트(역화)의 징후
  ㉠ 압력 차이로 인해 공기가 내부로 빨려 들어가는 듯한 특이한 소리(휘파람 소리와 유사)가 들리는 경우
  ㉡ 연기가 건물 내로 되돌아가거나 맴도는 경우
  ㉢ **훈소상태에 있는 뜨거운 화재인 경우**
  ㉣ 연기가 아주 빠르게 소용돌이 치는 경우
  ㉤ 산소공급의 감소로 약화된 불꽃이 관찰된 경우

영철쌤 tip

백드래프트
밀폐된 공간 → 산소부족 → 고온의 가연성가스(일산화탄소) → 문개방 → 산소유입 → 화학적폭발

용어사전
❶ 농연: 짙은 연기를 말한다.

영철쌤 tip

플래시백과 백드래프트는 밀폐의 차이
1. 플래시백은 환기가 잘 되지 않는 공간에서 발생하고, 역화현상이다(폭발이 아니다).
2. 백드래프트는 밀폐된 공간에서 발생하고, 역화현상, 폭발이다.

(4) 백드래프트(Back Draft)의 대책
  ① **폭발력의 억제**: 실내의 온도상승과 함께 화재의 형태를 출입문을 통하여 감지한다.
    ㉠ 실내의 온도가 상승하고 출입문이 안쪽으로 열릴 때 출입문을 폐쇄한다.
    ㉡ 출입문을 조금만 열어 다량의 신선한 공기의 유입을 차단한다.
  ② **환기**: 출입문을 개방하기 전에 천장의 환기구를 개방함으로써 고온의 가스를 방출하여 폭발력을 억제한다.
  ③ **소화**: 출입문 개방과 동시에 방수함으로써 폭발적인 연소를 방지한다.
  ④ **격리**: 화재의 상층 및 인접 건물로 확대하는 것에 대비하여 방수준비를 한다.

(5) 백드래프트(Back Draft)를 예방하거나 발생 가능성을 줄일 수 있는 3가지 전술
  ① **배연법(지붕환기)**: 연소 중인 건물 지붕 채광창을 개방하여 환기시키는 것은 백드래프트(Back Draft)의 위험으로부터 소방관을 보호할 수 있는 가장 효과적인 방법 중 하나이다. 상황이 허락된다면 지붕에 개구부를 만들어 환기한다. 비록 백드래프트(Back Draft)에 의한 폭발이 일어나더라도 대부분의 폭발력이 위로(기상부) 분산될 것이다.
  ② **급냉법(담금질)**: 화재가 발생한 밀폐공간의 출입구에 완벽한 보호 장비를 갖춘 집중 방수팀을 배치하고 출입구를 개방하는 즉시 바로 방수함으로써 폭발 직전의 기류를 급냉시키는 방법이다. 이와 같은 집중 방수의 부가적인 효과는 **일산화탄소의 농도를 폭발한계 이하**로 떨어뜨리는 것이다. 이 방법은 배연법만큼 효과적이지는 않지만 이것이 유일한 방안인 경우가 많다.
  ③ **측면공격법**: 화재가 발생한 밀폐공간의 개구부(출입구 또는 창문) 인근에서 이용 가능한 벽 뒤에 숨어 있다가 출입구가 개방되자마자 개구부 입구를 측면 공격하고 화재공간에 집중 방수함으로써 백드래프트(Back Draft) 현상을 방지한다.

> **핵심정리 백드래프트(Back Draft)**
>
> 밀폐된 공간에서 화재 발생 시 산소 부족으로 불꽃을 내지 못하고 고온의 가연성 가스만 축적되어 있는 상태에서 갑자기 문을 개방하면 신선한 공기 유입으로 폭발적인 연소가 시작되는 현상(산소 유입에 따른 화학적 폭발 또는 연기폭발)이다. 즉, 밀폐된 공간 → 산소 부족 → 고온의 가연성 가스 가득 → 문 개방(산소유입) → 화학적 폭발을 말한다.

산소 부족

불완전연소, 일산화탄소, 훈소, 백드리프트가 해당한다.

> **핵심정리** 플래시오버(Flash Over)와 백드래프트(Back Draft) 비교

구분	플래시오버(Flash Over)	백드래프트(Back Draft)
연소현상	자유연소상태(불꽃연소)	훈소상태(불완전연소)
산소량	상대적으로 산소공급이 원활	산소부족
폭발성 유무	폭발이 아님	폭발현상이며, 그에 따른 충격파, 붕괴, 폭풍 발생(연기폭발)
원인	복사열 (열-산소-연료 삼각형)	외부 유입 공기(산소) (열-산소-연료 삼각형)
발생시기	성장기, 성장기와 최성기 분기점	성장기, 종기(감쇠기)
환기량에 따른 분류	환기지배형 또는 연료지배형 화재에서 발생	환기지배형 화재에서 발생

> **참고** 시기별 이상 현상

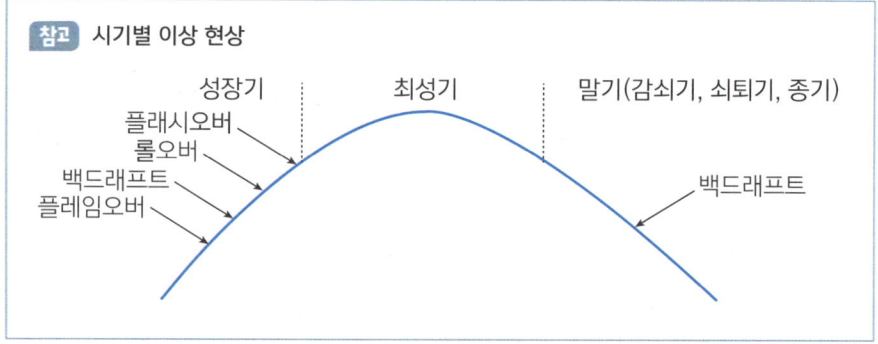

6 화재 변수

1. 화재온도
일반적으로 연소열의 실내 축적율은 최성기에서 60~80% 정도이다.

2. 화재지속시간
화재 최성기의 연소속도(R)가 일정하다면 화재지속시간은 다음과 같다.

$$T[min] = \frac{W[kg]}{R[kg/min]}$$

여기서, T: 화재지속시간
R: 연소속도[kg/min]
R: $5.5A\sqrt{H}$
W: 실내 가연물의 양[kg]

3. 화재하중(화재지속시간)

(1) 정의
① 바닥의 **단위면적당 목재로 환산 시의 등가 가연물의 중량**(kg/m²)으로 표현된다.
② **예상 최대 가연물의 양**으로 표현된다.
③ **가연물의 총 발열량**으로 표현된다.
④ **화재의 위험성을 나타내는 척도**이며, **화재규모를 결정하는 요소**이다.

(2) 화재규모의 결정 요소
① **바탕재료**: 벽, 천장, 바닥, 기둥 등
② **고정가연물**: 내장재, 붙박이가구 등
③ **적재가연물**: 서적, 의류, 기타 수납물 등

(3) 화재하중의 크기

$$q = \frac{\Sigma G_t H_t}{H_0 A} = \frac{\Sigma Q_t}{4,500A}$$

여기서, q: 화재하중[kg/m²]
A: 화재실의 바닥면적[m²]
G_t: 가연물 중량[kg]
H_t: 가연물의 단위발열량[kcal/kg]
ΣQ_t: 화재 실내 가연물의 전체발열량[kcal]
H_0: 목재의 단위발열량[kcal/kg]

즉, 가연물의 중량, 가연물의 단위발열량을 감소시키거나 화재실의 바닥면적을 넓게 하면 **화재하중은 감소**한다.

화재하중
화재하중이 큰 것은 모두 ②이다.
1. 가연물의 양이 동일할 때 화재하중이 큰 것은 바닥면적이 좁은 것이다.
   ① 바닥면적 2m²일 때 가연물의 양 10kg
   ② 바닥면적 1m²일 때 가연물의 양 10kg
2. 바닥면적이 동일할 때 화재하중이 큰 것은 가연물의 양이 많은 것이다.
   ① 바닥면적 2m²일 때 가연물의 양 10kg
   ② 바닥면적 2m²일 때 가연물의 양 20kg

단위환산
1. 1mm = 0.001m
2. 1g = 0.001kg
3. 1kcal = 4.2kJ

(4) 실내 가연물의 양(화재하중)

건물 용도	통상 범위[kg/m²]	통상 최대값[kg/m²]
주거용 건물(아파트)	35 ~ 60	60
병원	15 ~ 30	30
호텔침실	25 ~ 40	40
집회실, 오디토리움(강당)	20 ~ 35	35
사무실	30 ~ 150	120
교실	30 ~ 45	40
도서관, 서고	150 ~ 500	400
도서실(서가 및 열람실)	100 ~ 250	250
상점	200 ~ 1,000	-

> **참고** 화재하중
> 화재하중은 통상 최대값으로 표현한다.

4. 화재강도(최고온도)

(1) 정의

화재실 내에서의 열발생률과 당해 실 외부로 빠져나가는 열누설률에 따라 결정되는 **단위시간당 축적되는 열의 양[kcal/hr]**을 말한다.

(2) 화재강도의 주요 요소

① **가연물의 연소열(발열량)**
  ㉠ 물질에 따라 다른 연소 시 발생하는 열량이 연소열이다.
  ㉡ 가연물의 연소열이 클수록 화재강도가 커진다.
② 가연물의 연소속도
③ 가연물의 비표면적 및 구조적 특성
④ 공기(산소)의 공급조절 및 환기상태
⑤ 화재실의 벽·천장·바닥 등의 단열성❶

▲ 도서관, 서고

영철쌤 tip

화재강도
단열성이 우수하거나, 방열이 적으면 열 축적이 용이하므로 화재강도가 증가한다. 방열은 열을 내보내거나 내뿜는 것으로 구획된 실에 대한 열방출이다. 방열이 적으면 실 안에서의 열이 밖으로 나가지 못하므로 화재강도가 증가한다. 열방출율은 가연물에 대한 열방출로서, 가연물의 열방출이 클수록 화재강도가 증가한다.

화재강도의 주 요소
연소열, 비표면적, 공기량(산소량), 단열성이다.

용어사전

❶ 단열성: 열을 차단하는 성질을 말한다.
  *방열: 실내의 열을 방출하는 것을 말한다.

5. 화재가혹도(Fire Severity)

(1) 개요

① 방호공간 안에서 화재의 세기(화재의 심도)를 나타내는 것으로서 화재가 진행되는 과정에서 온도 및 지속시간에 따라 변화한다. 이를 표준 시간 – 온도 곡선으로 표시할 수 있는데 단위시간당 발생 열량이 많은 시점에서는 급커브를 이루게 된다.

② 발생한 화재가 당해 건물과 그 내부의 수용재산 등을 파괴하거나 손상을 입히는 능력의 정도(건물에 손상을 주는 화세의 능력)를 화재가혹도라 한다. 따라서 이는 내화성능을 판단하는 지표가 된다.

③ 화재 시 최고온도와 지속시간은 화재의 규모를 판단하는 중요한 요소가 된다. 화재 시 지속시간이 긴 것은 가연물 양(화재하중)이 많은 양적 개념이며, 연소 시 최고온도(화재강도)는 최성기의 온도로서 화재의 질적 개념이다.

④ 자동식 소화설비가 초기 화재 진압에 실패하여 화재가혹도가 일정 이상 커버리면 소방대의 능력을 초과할 수 있으므로 화재가혹도를 일정 이상 커지지 않게 화재를 가두어야 하는데 이러한 개념이 방화구획이다.

(2) 화재가혹도의 주요 요소

① 화재가혹도의 주요 요소에는 화재강도와 화재하중이 있다.

$$\text{화재가혹도} = \underset{\text{질적 개념}}{\text{최고온도(화재강도)}} \times \underset{\text{양적 개념}}{\text{화재지속시간(화재하중)}}$$

② 화재강도가 크다는 것은 화재 시 최고온도가 높아 열축적률이 큰 것을 의미하며 주수율(방사율)[L/m²·min]을 좌우하는 요소가 된다.

③ 화재하중이 크다는 것은 가연물이 많아 지속시간이 긴 것을 의미하며 주수시간(방사시간)[min]을 결정하는 요소가 된다.

④ 화재가혹도는 주수량[L/m²]을 결정짓는 요소이다.

$$\underset{\frac{L}{m^2}}{\text{화재가혹도(주수량)}} = \underset{\frac{L}{m^2 \cdot min}}{\text{화재강도(주수율)}} \times \underset{\times min}{\text{화재하중(주수시간)}}$$

⑤ 환기인자($A\sqrt{H}$)는 화재가혹도를 결정하는 중요한 요소이다.

⑥ 온도인자(개구인자)

$$\frac{\text{온도인자}}{\text{(화재강도)}} = \frac{A\sqrt{H}}{A_t}$$

여기서, $A\sqrt{H}$: 환기인자
A_t: 화재실(연소실)의 전 표면적

화재가혹도

1. 전소화재는 화재가혹도가 크다는 의미이다.
2. 화재성장속도는 횡방향보다 종방향이 빠르다.
3. 바람의 세기가 강할수록 풍하측으로 연소확대가 빠르다.

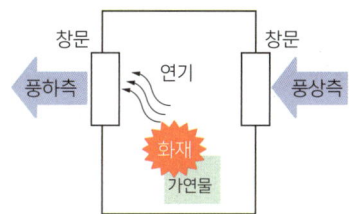

*풍상측
- 복사는 기체일 때 잘 발생하므로 풍상측에서 잘 이루어진다.
- 풍상측 또는 풍횡측(좌측, 우측)으로 피난한다.

*풍하측
- 연기가 많기 때문에 복사가 잘 일어나지 않는다.
- 바람 때문에 열, 연기는 풍하측으로 이동하므로 연소확대된다. 따라서 선착대의 소방차는 풍하측에 먼저 배치한다.
- 제연설비는 풍상측에 설치하면 효과적이다.

At

화재실(연소실)의 전표면적이라는 의미는 직육면체인 경우 6개면적의 합을 말한다.

⑦ 시간인자

$$\text{시간인자 (화재하중)} = \frac{A_f}{A\sqrt{H}}$$

여기서, $A\sqrt{H}$: 환기인자
A_f: 화재실(연소실)의 바닥면적

⑧ 따라서 **개구부가 클수록 화재강도가 커지고 개구부가 작을수록 지속시간이 길어져 화재하중이 커진다.**

⑨ 이외에도 화재가혹도 관련 인자에는 화재강도, 화재하중, 개구부 크기, 가연물의 배열상태 등이 있다.

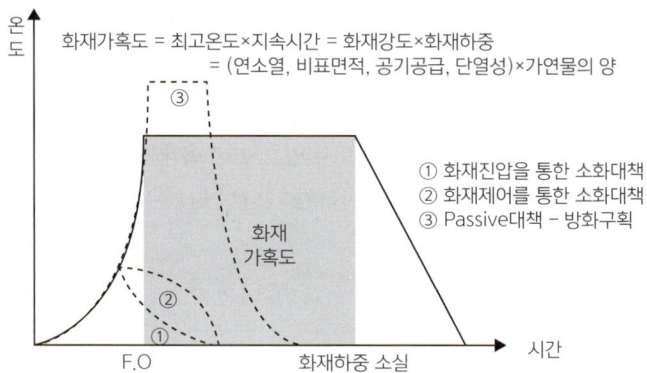

6. 화재저항

화재진행시간 동안 건축물의 주요 구성요소들이 **화재에 대항하여 제 기능을 유지할 수 있는 능력**을 말한다.

주요 구조부

1. 주요 구조부: 화재가 발생하더라도 붕괴가 일어나서는 안 되는 구조, 즉 바닥, 내력벽, 지붕틀, 기둥, 보, 주계단의 6가지를 말한다. 주요 구조부는 내화구조로 하여야 한다.

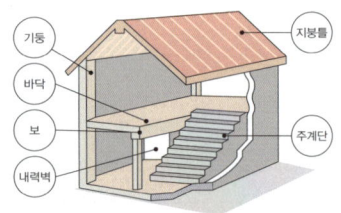

2. 주요 구조부 제외: 최하층 바닥, 비내력벽, 칸막이벽, 지붕, 사잇기둥, 수평기둥, 작은 보, 차양, 계단 등이 있다.

▲ 보

문제로 완성하기

CHAPTER 11 건축물 화재의 성상

01 연료지배형 화재와 환기지배형 화재에 대한 설명으로 옳지 않은 것은?
① 환기지배형 화재는 공기공급이 충분하지 않으므로 불완전연소가 심하다.
② 연료지배형 화재는 공기공급이 충분한 조건에서 발생한 화재가 일반적이다.
③ 연료지배형 화재는 주로 큰 창문이나 개방된 공간에서, 환기지배형 화재는 내화구조 및 콘크리트 지하층에서 발생하기 쉽다.
④ 일반적으로 플래시오버 전에는 환기지배형 화재가, 이후에는 연료지배형 화재가 지배적이다.

02 실내 일반화재 진행 과정에 관한 설명으로 옳은 것은? 24. 공채·경채
① 화재 초기에는 실내 온도가 급격하게 상승하기 시작한다.
② 성장기에는 급속한 연소 진행으로 환기지배형 화재 양상이 나타난다.
③ 최성기에는 실내 화염이 최고조에 도달하나 실내 산소 부족으로 연소속도가 느려진다.
④ 감쇠기에는 화염의 급격한 소멸로 훈소 상태가 되어 백드래프트(Back Draft)의 위험이 없다.

03 구획실 화재에 관한 설명으로 옳은 것은? 24. 공채·경채
① 플래시오버(Flash Over)는 최성기와 감쇠기 사이에서 발생하며 충격파를 수반한다.
② 굴뚝효과가 발생할 때는 개구부에 형성된 중성대 상부에서 공기가 유입되고, 중성대 하부에서 연기가 유출된다.
③ 연료지배형 화재는 환기지배형 화재보다 산소 공급이 원활하고 연소속도가 빠르다.
④ 화재플룸(Fire Plume)은 실내 공기의 압력 차이로 가연성 가스가 천장을 따라 화재가 발생하지 않은 복도 쪽으로 굴러다니는 것처럼 뿜어져 나오는 현상이다.

정답 및 해설

01 연료지배형 화재와 환기지배형 화재
- 환기지배형 화재의 경우 일반적으로 플래시오버 전에는 연료지배형 화재가 나타나고, 플래시오버 후에는 환기지배형 화재가 지배적으로 나타난다.
- 연료지배형 화재의 경우 일반적으로 연료지배형 화재로 시작해서 연료지배형 화재로 끝난다.

02 화재의 진행 과정
① 화재 초기에는 실내 온도가 서서히 상승하기 시작한다.
② 성장기에는 급속한 연소 진행으로 연료지배형 화재 양상이 나타난다.
④ 감쇠기에는 화염의 급격한 소멸로 훈소 상태가 되어 백드래프트(back draft)의 위험이 있다.

03 구획실 화재
① 플래시오버(Flash Over)는 성장기 또는 성장기와 감쇠기 사이에서 발생하며 충격파를 수반하지 않는다.
② 굴뚝효과가 발생할 때는 개구부에 형성된 중성대 하부에서 공기가 유입되고, 중성대 상부에서 연기가 유출된다.

정답 01 ④ 02 ③ 03 ③

04 구획실 화재에 관한 설명으로 옳지 않은 것은? 23. 공채·경채
① 플래시오버 이후에는 연료지배형 화재보다 환기지배형 화재가 지배적이다.
② 환기가 잘되지 않으면 환기지배형 화재에서 연료지배형 화재로 바뀌며 연기 발생이 줄어든다.
③ 연료지배형 화재는 구획실 내 가연물의 연소에 필요한 산소가 충분히 공급되는 조건의 화재이다.
④ 성장기에는 천장 부분에서 축적된 뜨거운 가스층이 발화원으로부터 떨어져 있는 가연성 물질에 복사열을 공급하여 플래시오버를 초래할 수 있다.

05 건축물 실내 화재에 대한 설명으로 옳은 것은?
① 환기지배형 화재는 연소 시 통기량의 지배를 받기 때문에 연소속도나 연소시간이 짧아진다.
② 환기인자(연소속도)는 개구부의 면적과 개구부 높이에 비례한다.
③ 연료지배형 화재는 연소 시 연료량의 지배를 받기 때문에 연소속도가 빠르고 연소시간이 짧아진다.
④ 개구부가 많고 개구부가 가로로 긴 개구부일수록 환기량이 많아진다.

06 건축물 화재 시 화재진행 과정이 옳게 연결된 것은?
① 초기 - 최성기 - 성장기 - 감쇠기
② 초기 - 성장기 - 최성기 - 감쇠기
③ 초기 - 감쇠기 - 성장기 - 최성기
④ 초기 - 감쇠기 - 최성기 - 성장기

07 실내 화재의 진행 과정을 설명한 내용으로 옳지 않은 것은? 21. 공채·경채
① 발화기: 건물 내의 가구 등이 독립 연소하고 있으며 다른 동(棟)으로의 연소위험은 없다.
② 성장기: 화재의 진행이 급속히 이루어지고 개구부에서는 검은 연기가 분출된다.
③ 최성기: 산소가 부족하여 연소되지 않은 가스가 다량 발생된다.
④ 감퇴기: 지붕이나 벽체, 대들보나 기둥도 무너져 떨어지고 열 발산율은 증가하기 시작한다.

08 건축물 화재 성상에서 시간과 온도변화에 따른 이상 현상으로 다음에 해당하는 그림을 보고 ㉠~㉤에 들어갈 것으로 옳게 연결된 것은?

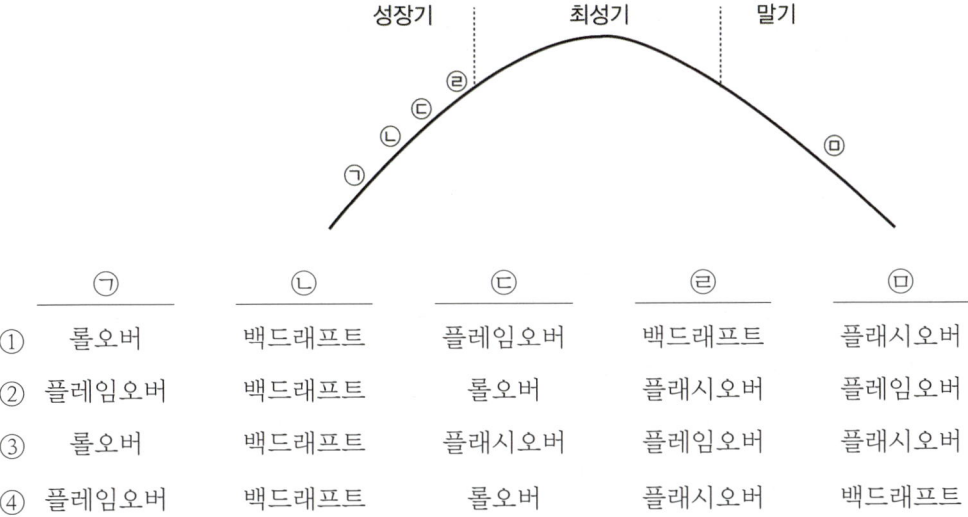

	㉠	㉡	㉢	㉣	㉤
①	롤오버	백드래프트	플레임오버	백드래프트	플래시오버
②	플레임오버	백드래프트	롤오버	플래시오버	플레임오버
③	롤오버	백드래프트	플래시오버	플레임오버	플래시오버
④	플레임오버	백드래프트	롤오버	플래시오버	백드래프트

정답 및 해설

04 구획실 화재
환기가 잘되지 않으면 연료지배형 화재에서 환기지배형 화재로 바뀌며 연기발생이 증가한다.

05 건축물 실내 화재 성상
③ 연료지배형 화재는 연소 시 연료량의 지배를 받기 때문에 연소속도가 빠르고 연소시간이 짧아진다.
① 환기지배형 화재는 연소 시 통기량의 지배를 받기 때문에 연소속도가 느리고 연소시간이 길어진다.
② 환기인자는 개구부 면적과 높이 평방근의 곱($A\sqrt{H}$)에 비례한다.
④ 같은 면적의 개구부라도 세로로 긴 개구부일수록 환기량이 많아진다.

06 건축물 화재 시 화재진행 과정
초기(화원) → 성장기 → 최성기 → 감쇠기(종기) 순으로 진행된다.

07 화재 성상의 4단계
감퇴기에는 지붕이나 벽체, 대들보나 기둥도 무너져 떨어지고 열 발산율이 감소하기 시작한다.

■ 화재 성상의 4단계
초기(발화기) → 성장기 → 최성기 → 감쇠기(쇠퇴기, 종기)

08 건축물 실내 화재의 이상 현상
㉠ 플레임오버 → ㉡ 백드래프트 → ㉢ 롤오버 → ㉣ 플래시오버 → ㉤ 백드래프트 순이다.
· 화재 성장기 발생순서: 플레임오버 → 백드래프트 → 롤오버 → 플래시오버
· 화재 종기(말기, 감쇠기 쇠퇴기): 백드래프트

정답 04 ② 05 ③ 06 ② 07 ④ 08 ④

09 다음에서 설명하는 현상으로 옳은 것은?

> 건축물의 실내에서 화재가 발생하였을 때 발화로부터 화재가 서서히 진행하다가 어느 정도 시간이 경과함에 따라 대류와 복사현상에 의해 일정 공간 안에 열과 가연성 가스가 축적되고 발화온도에 이르게 되어 일순간에 폭발적으로 전체가 화염에 휩싸이는 화재 현상을 말한다.

① 백드래프트
② 플레임오버
③ 롤오버
④ 플래시오버

10 특수화재현상 중 플래시오버(Flash Over)와 롤오버(Roll Over)에 대한 설명으로 옳지 않은 것은? 20. 소방간부

① 롤오버는 화염이 선단부에서 주변 공간으로 확대된다.
② 플래시오버는 화염이 순간적으로 공간 전체로 확대된다.
③ 플래시오버는 공간 내 전체 가연물에서 동시에 발화하는 현상이다.
④ 롤오버 시 발생되는 복사열은 플래시오버 시 발생되는 복사열보다 강하다.
⑤ 롤오버는 실의 상부에 있는 가연성 가스가 발화온도 이상 도달했을 때 발화하는 현상이다.

11 건축물 화재 시 플래시오버 발생시각에 영향을 미치는 내용으로 옳지 않은 것은?

① 개구부가 아주 적을수록 플래시오버 발생시각이 늦어진다.
② 벽의 재료보다 천장재의 열전도율이 낮을수록 더 빨라진다.
③ 내장재의 열전도율이 적을수록 발생시각은 늦어진다.
④ 화원의 크기가 클수록 플래시오버에 도달하는 시각이 짧아진다.

12 화재 시 구획실에서 발생하는 현상에 관한 설명으로 옳은 것은? 23. 공채·경채

① 개구부의 크기는 플래시오버 발생과 관련이 없다.
② 구획실의 창문과 문손잡이의 온도로 백드래프트의 발생가능성을 예측할 수 없다.
③ 준불연성이나 불연성의 내장재를 사용할 경우 플래시오버 발생까지의 소요시간이 길어진다.
④ 구획실 내의 산소가 부족하여 훈소 상태에서 공기가 갑자기 다량 공급될 때 가연성 가스가 순간적으로 폭발하듯 발화하는 현상은 플래시오버이다.

13 목조건물 화재에 대한 설명으로 옳은 것은?

① 목조건축물은 내화구조건축물에 비하여 최고온도가 낮다.
② 내화구조건축물 화재에 비해 목조건축물 화재의 특징은 고온·장시간형이다.
③ 목조건축물은 내화구조건축물에 비하여 화재가 늦게 진행된다.
④ 내화구조건축물은 목조건축물에 비하여 저온·장시간형이다.

14 백드래프트(Back Draft)에 대한 설명으로 옳은 것은?   21. 공채·경채

① 불완전연소에 의해 발생된 일산화탄소가 가연물로 작용하여 폭발하는 현상이다.
② 화재 진압 시 지붕 등 상부를 개방하는 것보다 출입문을 먼저 개방하는 것이 효과적인 전술이다.
③ 밀폐된 실내에서 발생되는 현상으로, 출입문을 한 번에 완전히 개방하여 연기를 일순간에 배출해야 폭발력을 억제할 수 있다.
④ 연료지배형 화재가 진행되고 있는 공간에 산소가 일시적으로 다량 공급됨에 따라 가연성 가스가 폭발적으로 연소하는 현상이다.

정답 및 해설

09 플래시오버(Flash Over)
성장기 상태에서 가연물이 연소하면서 발생한 열에너지가 대류 현상을 통하여 천장 부분의 공기층을 600℃ 이상 가열하게 되면 여기서 발생하는 복사열이 실내의 연소 가능한 모든 물질들을 분해시켜 가연성 가스를 방출시킴으로써 실 전체에 화재가 전파되는데, 이러한 실내 화재 상태를 전실화재(Flash Over)라 한다.

10 플래시오버(Flash Over)와 롤오버(Roll Over)
롤오버 시 발생되는 복사열은 플래시오버 시 발생되는 복사열보다 약하다.

구분	롤오버(Roll Over)	플래시오버(Flash Over)
복사열	열의 복사가 플래시오버에 비해 상대적으로 약하다.	열의 복사가 강하다.
확대범위	화염선단 부분이 주변 공간으로 확대된다.	일순간 전체 공간으로 발화가 확대된다.
확산 매개체	천장부의 고온 증기의 발화가 매개체이다.	공간 내 모든 가연물의 동시 발화가 매개체이다.

11 플래시오버의 지연대책
- 내장재(가연물): 열전도율이 큰 내장재료를 사용한다.
- 내장재(가연물): 실내의 내장재를 천장, 벽, 바닥 순으로 불연화한다.
- 개구율(산소): 주요 구조부를 내화구조로 하고 개구부의 크기를 제한한다.
- 화원의 크기(가연물): 건물 내 가연물의 양을 제한하고 수용 가연물을 불연화 및 난연화한다.

12 구획실 내 화재
① 개구부의 크기는 플래시오버 발생과 관련이 있다. 즉, 개구부의 크기에 따라 플래시오버 발생이 빠르게 또는 늦게 발생한다.
② 구획실의 창문과 문손잡이의 온도로 백드래프트의 발생가능성을 예측할 수 있다. 즉, 화염은 보이지 않으나 창문이 뜨거운 경우 또는 문손잡이가 뜨거운 경우에는 실내부의 온도가 높다는 의미이다.
④ 구획실 내의 산소가 부족하여 훈소 상태에서 공기가 갑자기 다량 공급될 때 가연성 가스가 순간적으로 폭발하듯 발화하는 현상은 백드래프트이다.

13 내화건축물 화재와 목조건축물 화재 비교
1. 건축물 화재 시 특징
   - 내화건축물: 목조건축물에 비해 저온·장시간형이다.
   - 목조건축물: 내화건축물에 비해 고온·단시간형이다.
2. 평균 최고온도
   - 내화건축물: 약 800~900℃이다.
   - 목조건축물: 약 1,300℃이다.

14 백드래프트(Back Draft)
② 화재 진압 시 출입문을 먼저 개방하는 것보다 지붕 등 상부를 개방하는 것이 효과적인 전술이다.
③ 밀폐된 실내에서 발생되는 현상으로, 출입문을 한 번에 완전히 개방하여 연기를 일순간에 배출해야 폭발력을 증대시킬 수 있다.
④ 환기지배형 화재가 진행되고 있는 공간에 산소가 일시적으로 다량 공급됨에 따라 가연성 가스가 폭발적으로 연소하는 현상이다.

■ 백드래프트(Back Draft)
밀폐된 공간에서 화재 발생 시 산소부족(불완전연소)*으로 불꽃을 내지 못하고 가연성 가스(일산화탄소)만 축적되어 있는 상태에서 갑자기 문을 개방하면 신선한 공기 유입으로 폭발적인 연소가 시작되는 현상을 말한다.
* 산소부족: 불완전연소, 일산화탄소, 훈소, 백드래프트(Back Draft)

정답 09 ④ 10 ④ 11 ③ 12 ② 13 ④ 14 ①

15 백드래프트(back draft)와 플래시오버(flash over)에 대한 설명으로 옳은 것은?   25. 소방간부

① 플래시오버의 전조 현상으로 롤오버(roll over) 현상이 관찰될 수 있다.
② 백드래프트는 연료지배형 화재에서 발생한다.
③ 백드래프트가 플래시오버보다 발생 빈도가 높다.
④ 플래시오버는 폭발의 일종이지만 백드래프트는 폭발이 아니다.
⑤ 백드래프트의 발생원인은 열이며, 플래시오버는 공기가 원인으로 작용한다.

16 백드래프트(Back Draft)의 발생 징후로 옳지 않은 것은?   24. 공채·경채

① 유리창 안쪽에 타르와 유사한 물질이 흘러내려 얼룩진 경우
② 창문을 통해 보았을 때 건물 내에서 연기가 소용돌이치는 경우
③ 화염은 보이지 않지만 창문과 문손잡이가 뜨거운 경우
④ 균열된 틈이나 작은 구멍을 통하여 건물 밖으로 연기가 밀려 나오는 경우

17 출화란 화재를 뜻하는 말로서 옥내출화, 옥외출화로 구분된다. 이 중 옥외출화 시기를 나타낸 것은?

① 칸막이의 불연 벽체의 경우 실내에서는 그 후면판에 발염착화할 때
② 건축물 외부 가연재료에 발염착화된 때
③ 보통의 목재건물 실내에서 가옥 천장에 발염착화한 때
④ 천장 속·벽 속 등에서 발염착화되었을 때

18 목조건축물 화재의 진행 과정에 관한 설명 중 [보기]의 내용에 해당하는 것은?   24. 소방간부

─[보기]─
연기의 색이 백색에서 흑색으로 변하며, 개구부가 파괴되어 공기가 공급되면서 급격한 연소가 이루어져 연기가 개구부로 분출하게 된다.

① 화재의 원인에서 무염착화
② 무염착화에서 발염착화
③ 발염착화에서 발화
④ 발화에서 최성기
⑤ 최성기에서 연소낙하

19 건축물 등의 실내 화재 시 가연물의 총 발열량을 나타내는 용어는?

① 설계최대하중
② 화재강도
③ 화재가혹도
④ 화재하중

20 건축물의 지하층에서 화재가 발생한 경우, 화재하중 산정 시 필요하지 않은 항목을 [보기]에서 있는 대로 모두 고른 것은?

25. 공채·경채

[보기]
ㄱ. 각 가연물의 양[kg]
ㄴ. 건축물의 연면적[m²]
ㄷ. 목재의 화재하중[4,500kg/m²]
ㄹ. 가연물의 단위 발열량[kcal/kg]

① ㄱ, ㄴ
② ㄱ, ㄹ
③ ㄴ, ㄷ
④ ㄴ, ㄷ, ㄹ

정답 및 해설

15 백드래프트 및 플래시오버
② 백드래프트는 환기지배형 화재에서 발생한다.
③ 백드래프트가 플래시오버보다 발생 빈도가 낮다.
④ 백드래프트는 폭발의 일종이지만 플래시오버는 폭발이 아니다.
⑤ 플래시오버의 발생원인은 열이며, 백드래프트는 공기가 원인으로 작용한다.

16 백드래프트 현상의 징후
연기가 균열된 틈이나 작은 구멍을 통하여 빠져 나오고 건물 안으로 연기가 빨려 들어가는 현상이 발생된 경우

17 옥외출화 시기
- 창, 출입구 등에 발염착화된 시기
- 건축물 외부 가연재료에 발염착화된 시기(외부가 판자 등 목재를 사용한 가옥에서는 벽·추녀 밑의 판자나 목재에 발염착화될 때)

18 발화~최성기(맹화)
- 연료지배형 화재의 성격을 띤다.
- 천정, 대들보 등이 내려앉는 시기이며 검은 연기가 개구부를 통해 분출된다.
- 화염이 충만한 시기이므로 화염의 분출이 강해진다.
- 플래시오버(Flash-over)가 발생하며 이때 실내온도는 800~900℃정도이다.
- 대들보나 기둥이 내려앉고 이대 강한 복사열로 인해 실내온도는 1300℃ 정도이다.
- 무풍상태(0~3m/s)에서 출화에서 최성기까지가 약 4분에서 14분 정도 진행된다.

19 화재하중
- 바닥의 단위면적당 목재로 환산 시의 등가 가연물의 중량(kg/m²)으로 표현된다.
- 예상 최대 가연물의 양으로 표현된다.
- 가연물의 총 발열량으로 표현된다.

즉, 화재하중은 화재의 위험성을 나타내는 척도이며, 단순한 화재위험요인의 판단자료로 활용된다.

20 화재하중
$$q = \frac{\Sigma G_t H_t}{H_0 A} = \frac{\Sigma Q_t}{4{,}500 A}$$

- q: 화재하중 (kg/m²)
- A: 화재실의 바닥면적(m²)
- G_t: 가연물 중량(kg)
- H_t: 가연물의 단위발열량(kcal/kg)
- ΣQ_t: 화재실내의 가연물의 전발열량(kcal). 전체발열량, 총발열량
- H_0: 목재의 단위발열량(kcal/kg) → 4500(kcal/kg)

정답 15 ① 16 ④ 17 ② 18 ④ 19 ④ 20 ③

21 그림은 구획실의 크기가 가로 10,000mm, 세로 8,000mm 높이 3,000mm이며 가연물 A와 가연물 B가 놓여 있는 상태를 나타낸다. 다음과 같은 조건일 때 구획실의 화재하중[kg/m²]은? (단, 주어지지 않은 조건은 무시하고, 소수점 셋째 자리에서 반올림한다)

23. 공채·경채

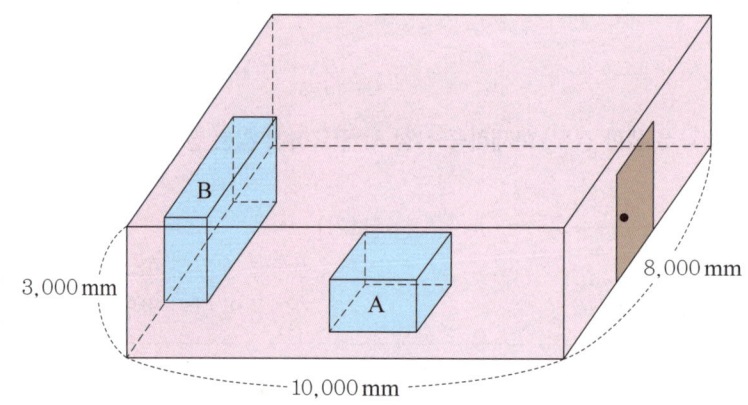

구분	단위발열량 [kcal/kg]	질량 [kg]
목재	4,500	-
가연물 A	2,000	200
가연물 B	9,000	100

① 1.20
② 2.41
③ 3.61
④ 7.22

22 화재용어에 대한 설명으로 옳지 않은 것은?

20. 소방간부

① 가연물의 비표면적이 클수록 화재강도는 증가한다.
② 화재실의 열방출율이 클수록 화재강도는 증가한다.
③ 화재강도와 화재하중이 클수록 화재가혹도는 높아진다.
④ 최고온도에서 연소시간이 지속될수록 화재가혹도는 높아진다.
⑤ 전체 가연물의 양(발열량)이 동일할 때 화재실의 바닥면적이 커지면 화재하중은 증가한다.

23 화재하중을 산출하는 요소에 해당하지 않는 것은?   21. 소방간부

① 가연물의 배열상태
② 가연물의 질량
③ 가연물의 단위발열량
④ 목재의 단위발열량
⑤ 화재실의 바닥면적

24 내화구조물의 화재가혹도 판단을 위한 주요 요소 중 화재지속시간을 산정하기 위한 인자로 옳지 않은 것은? (단, 환기지배형 화재로 가정한다)   25. 공채·경채

① 화재실의 바닥면적
② 화재실의 최고온도
③ 화재실의 개구부 높이
④ 화재실의 개구부 면적

정답 및 해설

21 화재하중

$$q = \frac{\Sigma G_t H_t}{H_0 A} = \frac{\Sigma Q_t}{4500A} = \frac{(200 \times 2,000)+(100 \times 9,000)}{4,500 \times 80} = 3.611 = 3.61[kg/m^2]$$

$$q = \frac{\Sigma G_t H_t}{H_0 A} = \frac{\Sigma Q_t}{4,500A}$$

여기서, q: 화재하중[kg/m²]
A: 화재실의 바닥면적[m²]
G_t: 가연물 중량[kg]
H_t: 가연물의 단위발열량[kcal/kg]
ΣQ_t: 화재실내의 가연물의 전발열량[kcal]
H_0: 목재의 단위발열량[kcal/kg] → 4,500[kcal/kg]

22 화재하중
전체 가연물의 양(발열량)이 동일할 때 화재실의 바닥면적이 커지면 화재하중은 감소한다. 즉, 화재하중과 바닥면적은 반비례한다.

23 화재하중
화재하중을 산출하는 요소에 해당하지 않는 것은 가연물의 배열상태이다.

$$q = \frac{\Sigma G_t H_t}{H_0 A} = \frac{\Sigma Q_t}{4,500A}$$

여기서, q: 화재하중[kg/m²]
A: 화재실의 바닥면적[m²]
G_t: 가연물 중량[kg]
H_t: 가연물의 단위발열량[kcal/kg]
ΣQ_t: 화재 실내의 가연물의 전발열량[kcal]
H_0: 목재의 단위발열량[kcal/kg]

24 화재지속시간

· 화재지속시간 $T(min) = \frac{W(kg)}{R(kg/min)}$

  T: 화재지속시간, R: 연소속도(kg/min)
  $R = 5.5A\sqrt{H}$, W: 실내가연물의 양(kg)

· 온도 인자(화재강도) $= \frac{A\sqrt{H}}{A_t}$

· 시간 인자(화재하중) $= \frac{A_f}{A\sqrt{H}}$

여기서, $A\sqrt{H}$: 환기인자, A_t: 화재실(연소실)의 전 표면적,
A_f: 화재실(연소실)의 바닥면적

개구부가 클수록 화재강도가 커지고 개구부가 작을수록 지속시간이 길어져 화재하중이 커진다.

정답 21 ③ 22 ⑤ 23 ① 24 ②

25 화재가 발생된 당해 건물과 그 내부의 수용재산 등을 파괴하거나 손상을 입히는 능력의 정도를 나타내는 화재 변수는?
① 화재하중　　　　　　　　② 화재저항
③ 화재강도　　　　　　　　④ 화재가혹도

26 화재가혹도에 대한 설명으로 옳지 않은 것은?　　　　　　　　　　　　　　　　20. 공채·경채
① 화재가혹도란 화재발생으로 당해 건물과 내부 수용재산 등을 파괴하거나 손상을 입히는 정도를 말한다.
② 최고온도는 화재가혹도의 질적 개념으로 화재강도와 관련이 있다.
③ 지속시간은 화재가혹도의 양적 개념으로 화재하중과 관련이 있다.
④ 화재가혹도에 영향을 미치는 환기요소는 개구부 면적의 제곱근에 비례하고 개구부 높이에 비례한다.

27 「건축법」상 건축물의 주요 구조부에 해당하지 않는 것은?
① 내력벽　　　　　　　　　② 바닥
③ 옥외계단　　　　　　　　④ 보

28 화재가혹도(re severity)에 관한 설명으로 옳지 않은 것은?　　　　　　　　　　25. 소방간부
① 화재가혹도는 발생한 화재가 당해 건물과 그 내부의 수용재산 등을 파괴하거나 손상을 입히는 정도를 말한다.
② 화재가혹도의 주요 요소에는 화재강도와 화재하중이 있다.
③ 화재강도가 크면 열축적이 크므로 주수율이 높아져야 한다.
④ 화재하중은 입체면적(m^3)당 중량(kg)이다.
⑤ 화재가혹도에 영향을 주는 환기요소는 온도와 비례 관계이고, 시간과 반비례 관계이다.

29 화재가혹도(Fire Severity)에 대한 설명으로 옳지 않은 것은? (단, A는 개구부의 면적, H 는 개구부의 높이이다)

22. 공채·경채

① 화재가혹도의 크기는 화재강도와 화재하중의 영향을 받는다.

② 화재실의 최고온도와 지속시간은 화재가혹도를 판단하는 중요한 인자이다.

③ 화재실의 환기요소($A\sqrt{H}$)는 화재가혹도에 영향을 준다.

④ 화재가혹도는 화재실이나 화재구획의 단열성에 영향을 받지 않는다.

정답 및 해설

25 화재가혹도
- 방호공간 안에서 화재의 세기를 나타내는 것으로서 화재가 진행되는 과정에서 온도 및 지속시간에 따라 변화한다. 이를 표준 시간-온도 곡선으로 표시할 수 있는데 단위시간당 발생 열량이 많은 시점에서는 급커브를 이루게 된다.
- 발생한 화재가 당해 건물과 그 내부의 수용재산 등을 파괴하거나 손상을 입히는 능력의 정도(건물에 손상을 주는 화세의 능력)를 화재가혹도라 한다. 따라서 내화성능 판단의 지표가 된다.
- 화재 시 최고온도와 지속시간은 화재의 규모를 판단하는 중요한 요소가 된다. 화재 시 지속시간이 긴 것은 가연물 양(화재하중)이 많은 양적 개념이며, 연소 시 최고온도(화재강도)는 최성기의 온도로서 화재의 질적 개념이다.

26 화재가혹도
화재가혹도는 '최고온도(화재강도)×화재지속시간(화재하중)'으로 구한다. 연소속도(환기속도)는 개구부 면적과 높이 평방근(루트)의 곱($A\sqrt{H}$)에 비례한다.

$$R = KA\sqrt{H}$$

여기서, R: 연소속도[kg/min]
K: 계수(콘크리트조 건물의 경우 5.5~60)
A: 개구부 면적[m²]
H: 개구부 높이[m]

27 주요 구조부
내력벽(耐力壁), 기둥, 바닥, 보, 지붕틀 및 주계단(主階段)을 말한다. 다만, 사이 기둥, 최하층 바닥, 작은 보, 차양, 옥외계단, 그 밖에 이와 유사한 것으로 건축물의 구조상 중요하지 아니한 부분은 제외한다.

28 화재하중
화재하중은 단위면적(m²)당 목재로 환산 시의 등가 가연물의 중량(kg)이다.

29 화재가혹도(화재의 세기, 화재심도)
화재가혹도는 건물에 손상을 주는 화세의 능력(건물에 손상정도의 크기)이므로 단열성이 우수할수록 화재실의 열축적이 잘 되어 화재가혹도가 커진다.

정답 25 ④ 26 ④ 27 ③ 28 ④ 29 ④

CHAPTER 12 기타 연소

> **출제 POINT**
> 플라스틱 연소 ★☆☆

천연섬유
1. 식물성 섬유는 위험성이 크다.
2. 동물성 섬유는 소화하기 쉽다.

발화온도
1. 면의 발화온도는 400℃이며 식물성 섬유로서 연소시키기가 쉽고, 연소속도가 빠르다.
2. 모의 발화온도는 600℃이며 동물성 섬유로서 연소시키기가 어렵고, 연소속도가 느리다.

1 섬유류 연소

1. 천연섬유

(1) 식물성 섬유

① 식물성 섬유의 주성분은 **셀룰로오스로 구성**되어 있다.
② 면, 황마, 대마, 아마, 사이잘삼 등이 있다.
③ **착화(발화)성이 용이**하다.
④ 면의 발화점은 **약 400℃**이다.

(2) 동물성 섬유

① 동물성 섬유의 주성분은 탄소, 수소, 산소, 복합단백질(질소성분 포함), 유황 등으로 구성되어 있다.
② 모(Wool)의 발화점은 **약 600℃**이다.
③ **연소시키기가 어렵고, 착화가 어렵다.**
④ 연소속도는 느리고, 면에 비해 소화가 쉽다.
⑤ 시안화수소(HCN)가 발생한다.

2. 합성섬유

(1) 불에 접촉했을 때 줄어들고 용융하여 망울이 되는 성질이 있다.

(2) 레이온과 아세테이트는 화학적으로 식물성 섬유와 비슷하며, 대개의 합성섬유는 전혀 다르다.

(3) 합성섬유의 연소 특성 중 대표적인 물질은 나일론이다. 나일론은 점화원에 의하여 녹아내리고, 쉽게 탈 수 있다. 용융점은 160~260℃ 정도이며, 발화점은 425℃ 이상이다. 나일론의 구성요소는 $CO-NH_2$이다. **식물성 섬유와 비슷한 발화온도를 가지고 있다.**

2. 플라스틱 연소

1. 플라스틱
플라스틱(Plastic)은 열과 압력을 가해 성형할 수 있는 고분자화합물이다. 많은 종류가 있으며, **열을 가하여 재가공이 가능한가에 따라 열가소성 수지와 열경화성수지**로 나눌 수 있다.

2. 열가소성 수지(Thermoplastics)
(1) 정의
열가소성 수지는 가열하여 성형한 후 냉각시키면 그 모양을 유지하며, 여러 번 재가열하여 새로운 모양으로 **재성형할 수 있다.**

(2) 종류
① 폴리에틸렌(PE; Polyethylene)
② 폴리프로필렌(PP; Polypropylene)
③ 폴리스틸렌(PS; Polystyrene)
④ 폴리염화비닐(PVC; Poly vinyl chloride)
⑤ 염화비닐수지
⑥ 아크릴수지
⑦ 초산비닐수지

3. 열경화성 수지(Thermosetting Plastics)
(1) 정의
열경화성 수지는 **재용융하면 다른 모양으로 재성형할 수 없는 화학반응이 되어 영구 성형이 경화**되지만, 너무 높은 온도로 가열하면 분해된다.

(2) 종류
① 페놀수지
② **아미노계수지(Aminoresin)**: 요소수지, 멜라민수지
③ 폴리우레탄(Polyurethane)
④ 에폭시수지
⑤ 불포화폴리에스테르

영철쌤 tip

열가소성 수지와 열경화성 수지의 종류
1. 열가소성 수지의 종류에는 폴리에틸렌, 폴리프로필렌, 폴리스틸렌, 폴리염화비닐이 있다.
2. 열경화성 수지의 종류에는 폴리우레탄이 있다.

CHAPTER 13 건축방화계획

출제 POINT

- 01 대응방법에 따른 대응성격 ★☆☆
- 02 피난시설 계획 시 기본원칙 ★★☆
- 03 피난안전구획 ★★☆
- 04 피난본능 ★★★
- 05 피난로 방향 ★★☆

영철쌤 tip

방화구획
방화구획은 면적별, 층별, 용도별로 구분한다.

방화문
1. 60분+ 방화문은 연기 및 불꽃을 차단할 수 있는 시간이 60분 이상이고, 열을 차단할 수 있는 시간이 30분 이상인 방화문이다.
2. 60분 방화문은 연기 및 불꽃을 차단할 수 있는 시간이 60분 이상인 방화문이다.
3. 30분 방화문은 연기 및 불꽃을 차단할 수 있는 시간이 30분 이상 60분 미만인 방화문이다.

전원
1. 상용전원은 일상적으로 쓰는 전원이다.
2. 비상(예비)전원은 상용전원이 정전될 경우 비상으로 쓰는 전원이다.

용어사전

❶ **방화문**: 화재를 막기 위하여 설치한 문이다.
❷ **전원**: 기계·기구에 전기를 공급하는 것이다.

▲ 방염블라인드

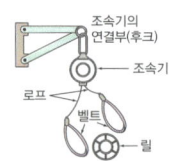
▲ 피난기구(완강기)

▲ 방화문

▲ 유도등

1 안전성 부여를 위해 고려하여야 할 사항

1. 대응성격
(1) 대항성
(2) 회피성
(3) 도피성

2. 대응방법에 따른 대응성격

(1) 공간적 대응

재해가 발생한 공간에서 안전한 공간으로 벗어나게 하기 위한 대응방법을 말한다.

① **대항성(구조상 대응, 적극적 대응)**: 대항성이란 건물의 내화성능, 방화성능, 방화구획성능, 화재방어 대응성, 초기 소화 대응력 등의 화재사상과 대항하여 저항하는 성능 또는 항력을 말한다.

② **회피성(재료상 대응, 예방적 대응)**: 건축물의 난연화, 불연화, 내장재 제한, 구획의 세분화, 방화훈련, 불조심 등 방화유발·확대 등을 저감시키고자 하는 예방적 조치 또는 상황을 말한다.

③ **도피성(피난 대응)**: 그 사상과 공간과의 대응관계 사이에서 사람이 궁지에 몰리지 않고 보다 안전하게 재난으로부터 도피·피난할 수 있는 공간성과 시스템 등의 성상을 말한다.

(2) 설비적 대응

적당한 설비로서 공간적 대응을 보조하는 것을 말한다.

① **대항성**: 제연설비, 방화문❶, 방화셔터, 자동화재탐지설비, 자동소화설비 등의 설비로 보조한다.
② **회피성**: 방염커텐, 방염블라인드, 수막설비 등을 설치하여 보조한다.
③ **도피성**: 유도등, 비상전원❷, 피난기구 등을 설치하여 보조한다.

> **참고** 내화구조와 방화구조(건축법 기준)

1. **내화구조**: 화재 시 건물의 하중을 지지할 수 있고 화재 시 인접구역으로 확대를 방지할 수 있으며 재사용이 가능한 구조를 말한다.
   > **예** 철근 콘크리트, 연와조, 석조 등

2. **내화구조 두께 기준**
   ① **벽의 경우**
   - 가. 철근콘크리트조 또는 철골철근콘크리트조로서 두께가 10센티미터 이상인 것
   - 나. 골구를 철골조로 하고 그 양면을 두께 4센티미터 이상의 철망모르타르(그 바름 바탕을 불연재료로 한 것으로 한정한다) 또는 두께 5센티미터 이상의 콘크리트블록·벽돌 또는 석재로 덮은 것
   - 다. 철재로 보강된 콘크리트블록조·벽돌조 또는 석조로서 철재에 덮은 콘크리트블록등의 두께가 5센티미터 이상인 것
   - 라. 벽돌조로서 두께가 19센티미터 이상인 것
   - 마. 고온·고압의 증기로 양생된 경량기포 콘크리트패널 또는 경량기포 콘크리트블록조로서 두께가 10센티미터 이상인 것

   ② **기둥의 경우에는 그 작은 지름이 25센티미터 이상인 것**
   - 가. 철근콘크리트조 또는 철골철근콘크리트조
   - 나. 철골을 두께 6센티미터(경량골재를 사용하는 경우에는 5센티미터)이상의 철망모르타르 또는 두께 7센티미터 이상의 콘크리트블록·벽돌 또는 석재로 덮은 것
   - 다. 철골을 두께 5센티미터 이상의 콘크리트로 덮은 것

   ③ **바닥의 경우**
   - 가. 철근콘크리트조 또는 철골철근콘크리트조로서 두께가 10센티미터 이상인 것
   - 나. 철재로 보강된 콘크리트블록조·벽돌조 또는 석조로서 철재에 덮은 콘크리트블록등의 두께가 5센티미터 이상인 것
   - 다. 철재의 양면을 두께 5센티미터 이상의 철망모르타르 또는 콘크리트로 덮은 것

   ④ **보(지붕틀을 포함한다)의 경우**
   - 가. 철근콘크리트조 또는 철골철근콘크리트조
   - 나. 철골을 두께 6센티미터(경량골재를 사용하는 경우에는 5센티미터) 이상의 철망모르타르 또는 두께 5센티미터 이상의 콘크리트로 덮은 것
   - 다. 철골조의 지붕틀(바닥으로부터 그 아랫부분까지의 높이가 4미터 이상인 것에 한한다)로서 바로 아래에 반자가 없거나 불연재료로 된 반자가 있는 것

   ⑤ **지붕의 경우**
   - 가. 철근콘크리트조 또는 철골철근콘크리트조
   - 나. 철재로 보강된 콘크리트블록조·벽돌조 또는 석조
   - 다. 철재로 보강된 유리블록 또는 망입유리(두꺼운 판유리에 철망을 넣은 것을 말한다)로 된 것

   ⑥ **계단의 경우**
   - 가. 철근콘크리트조 또는 철골철근콘크리트조
   - 나. 무근콘크리트조·콘크리트블록조·벽돌조 또는 석조
   - 다. 철재로 보강된 콘크리트블록조·벽돌조 또는 석조
   - 라. 철골조

⑦ 요약정리

구분	철근, 철골 철근 콘크리트조	철골조		철재에 덮은 콘크리트 블록등	벽돌조	경량기포 콘크리트 블록조
		재질	두께			
내화구조 벽	10cm	철망 모르타르	양면 4cm	5cm	19cm	10cm
		콘크리트 블록, 벽돌, 석재	양면 5cm			
내화구조 기둥	25cm	철망 모르타르	양면 6cm	철골을 두께 5cm 이상 콘크리트로 덮은 것	인정 안 함	인정 안 함
		콘크리트 블록, 벽돌, 석재	양면 7cm			
내화구조 바닥	10cm	철망 모르타르	양면 5cm	5cm	인정 안 함	인정 안 함
내화구조 보 (지붕틀)	인정	철망 모르타르	양면 6cm	인정안함	인정 안 함	인정 안 함
		콘크리트	양면 5cm			

3. **방화구조**: 화재 시 건물의 하중을 지지할 수 없고 화재 시 인접구역으로 확대를 방지할 수 있으며 재사용이 불가능한 구조를 말한다.

   예 방화셔터, 방화문, 목조건축물에 황토(불연재료)를 바르는 경우

4. **방화구조 두께 기준**
   ① 철망모르타르로서 그 바름두께가 2센티미터 이상인 것
   ② 석고판 위에 시멘트모르타르 또는 회반죽을 바른 것으로서 그 두께의 합계가 2.5센티미터 이상인 것
   ③ 시멘트모르타르 위에 타일을 붙인 것으로서 그 두께의 합계가 2.5센티미터 이상인 것
   ④ 심벽에 흙으로 맞벽치기한 것
   ⑤ 「산업표준화법」에 따른 한국산업표준(이하 '한국산업표준'이라 한다)에 따라 시험한 결과 방화 2급 이상에 해당하는 것
   ⑥ 요약정리

구분	기준
철망모르타르	바름두께가 2cm
• 석고판 위에 시멘트모르타르 또는 회반죽 을 바른 것 • 시멘트모르타르 위에 타일을 붙인 것	두께의 합계가 2.5cm
심벽에 흙으로 맞벽치기한 것	인정

2 피난계획

1. 피난의 정의
피난이란 화재, 기타 재해의 위험으로부터 생명의 안전을 지키기 위해 보다 안전한 장소로 이동하는 행위를 말한다.

2. 피난계획의 방법 및 목적
건물의 용도, 규모에 따른 수용인원의 성격과 인원 수 등을 고려하여 피난자가 안전한 구획(1, 2, 3차 안전구획)을 통과하여 최종적으로 지상 또는 피난층까지 피난할 수 있는 계획을 고려하여야 한다.

3. 피난행동
(1) 피난계획은 연기의 전파속도가 문제이고, 피난행동은 이것을 상회하는 속도이어야 한다.

(2) 피난행동의 속도를 결정하는 요소

   피난행동의 속도를 결정하는 큰 요소는 **군집보행속도와 군집유동계수**이다.
   ① **자유보행속도(인간의 보행속도)**: 사람이 아무런 제약 없이 생각대로 걷는 속도로 $1 \sim 1.2 \text{m/s}$이다. 즉, 수평방향속도($0.5 \sim 1 \text{m/s}$)가 자유보행속도($1 \sim 1.2 \text{m/s}$)보다 **늦다**.
   ② **군집보행속도**: 후속보행자가 앞의 보행자의 보행속도에 동조하는 상태로서 1m/s이다.
   ③ **군집유동계수**: 협소한 출구로 통과시킬 수 있는 인원을 단위폭, 단위시간으로 나타낸 것으로 **평균 1.33인/m·s**이다.

> **핵심정리 속도 등**
>
> 1. 연기의 속도 등
>   ① 연기의 수평속도: $0.5 \sim 1 \text{m/s}$
>   ② 연기의 수직속도: $2 \sim 3 \text{m/s}$
>   ③ 연기의 계단 등 수직속도: $3 \sim 5 \text{m/s}$
>   ④ 자유보행속도(인간의 보행속도): $1 \sim 1.2 \text{m/s}$
>   ⑤ 군집보행속도: 1m/s
>   ⑥ 군집유동계수: 1.33인/m·s
> 2. **피난행동의 속도를 결정하는 요소**: 군집보행속도, 군집유동계수
> 3. 건물 내에서 연기는 수평방향속도($0.5 \sim 1 \text{m/s}$)가 자유보행속도($1 \sim 1.2 \text{m/s}$)보다 늦다.
> 4. 건물 내에서 연기는 수직방향속도($2 \sim 3 \text{m/s}$)가 자유보행속도($1 \sim 1.2 \text{m/s}$)보다 빠르다.

승강기
1. 비상용 승강기(E/L): 소방관 사용
2. 피난용 승강기(E/L): 거주자 사용
3. 고층 건출물에는 피난용 승강기를 1대 이상 설치해야 한다.

용어사전
❶ 가반식 기구: 마음대로 옮기거나 움직일 수 있는 기구를 말한다.

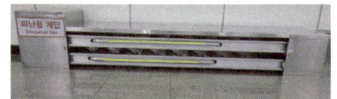
▲ 가반식 기구(피난용 계단)

스위치를 바닥으로부터 0.8 ~ 1.5m 높이에 설치하는 이유는, 인간이 가장 편안하게 누를 수 있는 위치이기 때문이다.

4. 피난시설 계획 시 기본원칙

(1) **두 방향의 피난로를 상시 확보한다.**
피난경로 중 한 방향이 화재 등의 재해로 사용할 수 없을 경우에 다른 방향이 사용되도록 고려한다(Fail Safe).

(2) **피난경로는 간단, 명료하여야 한다.**
굴곡지고, 복잡하며 전체 길이가 긴 것은 부적당하다. 복도와 통로의 말단부에는 출구나 계단 등이 있는 것이 이상적(Fool Proof)이다.

(3) **피난의 수단으로서 가장 기본적인 방법에 의한 것을 원칙으로 한다.**
복잡한 조작을 필요로 하는 장치는 부적당하며 가장 원시적인 인간 보행에 의한 것을 원칙으로 해야 한다(엘리베이터 사용 불가 등). 즉, 피난수단으로 계단을 이용하는 것이 원칙이다.

(4) **피난설비는 고정시설에 의한다.**
① 고정시설에는 미끄럼대, 피난용 트랩, 피난 사다리, 완강기, 구조대, 공기안전매트가 해당된다.
② 가반식 기구❶는 탈출에 늦은 소수 사람에 대한 극히 예외적인 보조수단으로 간주된다.

(5) **풀프루프(Fool Proof) 원칙**
① 정의: 비상사태에서는 정신이 혼란하여 동물과 같은 지능상태가 되므로 문자보다는 누구나 알아보기 쉬운 그림과 색채를 이용하는 방식이다.
② 인간공학적 원칙: 행동이나 판단의 능력이 떨어지더라도 안전하여야 한다.
③ 실 예시
  ㉠ 소화설비, 경보기기 위치, 유도등, 유도표지에 쉬운 판별을 위한 색채를 사용한다.
  ㉡ 피난방향으로 문을 열 수 있게 해 준다.
  ㉢ 도어의 노브는 회전식이 아닌 레버식으로 해둔다.
  ㉣ 정전 시에도 피난구를 알 수 있도록 외광이 들어오는 위치에 도어를 설치한다.
  ㉤ 피난계단의 위치를 적절하게 설계한다.
  ㉥ 전원스위치의 높이를 적절하게 설계한다(바닥으로부터 0.8m 이상 1.5m 이하).

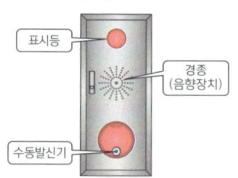
▲ 경보기기 위치

▲ 피난구 유도등

▲ 피난구 유도표지

▲ 레버식 도어

(6) 페일 세이프(Fail Safe)의 원칙
  ① 정의: 하나의 수단이 고장 등으로 실패하여도 다음의 수단에 의하여 그 기능이 발휘될 수 있도록 고려하는 방식이다.
  ② 안전공학적 원칙
    ㉠ 실패하더라도 안전하여야 한다.
    ㉡ 2중, 3중의 안전조치를 마련하여야 한다.
  ③ 실 예시
    ㉠ 2방향 이상의 피난경로를 설치하여야 한다.
    ㉡ 비상전원 등을 확보한다.
    ㉢ 시스템의 여분 또는 병렬화❶를 확보한다.
    ㉣ 재해 초기부터 서브시스템 일부가 적극적으로 붕괴되도록 해두며, 이상사태의 전체파급을 방지한다.
    ㉤ 화재의 발생이나 확대방지를 위한 안전율을 높여 설계한다.

용어사전
❶ 병렬화: 분기하는 형태를 말한다.
  *직렬화: 분기하지 않는 형태를 말한다.

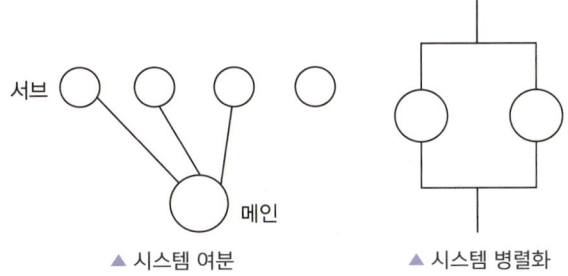
▲ 시스템 여분   ▲ 시스템 병렬화

5. 건축물의 피난계획
(1) 피난동선을 일상생활동선과 같이 계획한다.
(2) 평면계획에 대한 복잡성을 지양한다.
(3) 두 방향 이상의 피난로를 확보한다.
(4) 막다른 골목과 미로를 지양❷한다.
(5) 피난경로의 내장재를 불연화한다.
(6) 초고층 건축물의 체류공간을 확보(피난안전구역)한다.

용어사전
❷ 지양: '하지 말아라'라는 의미이다.
  ↔ 지향

영철쌤 tip
고층 건축물
1. 고층 건축물은 30층 이상의 건축물, 높이가 120m 이상인 건축물이다.
2. 준고층 건축물은 30층 이상 49층 이하의 건축물, 높이가 120m 이상 200m 미만인 건축물이다.
3. 초고층 건축물은 50층 이상의 건축물, 높이가 200m 이상인 건축물(30층마다 피난안전구역 있음)이다.

6. 피난동선의 특징

(1) 수평동선(복도 등)과 수직동선(계단 등)으로 구분한다.

(2) 가급적 단순한 형태가 좋다.

(3) 상호 반대 방향으로 다수의 출구와 연결되는 것이 좋다.

(4) 어느 곳에서도 2개 이상의 방향으로 피난할 수 있으며 그 말단은 화재로부터 안전한 장소이어야 한다.

7. 피난안전구획

(1) 제1차 안전구획

거실에 대하여 **복도**를 방화·방연구획하여 피난의 일시적 안전도모가 가능한 곳을 확보한다.

(2) 제2차 안전구획

복도에 연결된 계단(직통계단, 피난계단) 또는 **특별피난계단의 부속실, 발코니, 노대** 등으로서 어느 정도 장시간 피난대기가 가능한 곳을 확보한다.

(3) 제3차 안전구획

현관 로비 및 **특별피난계단의 계단실**이 이에 해당되며, 화재 최성기에도 안전성의 확보가 가능한 곳을 확보한다.

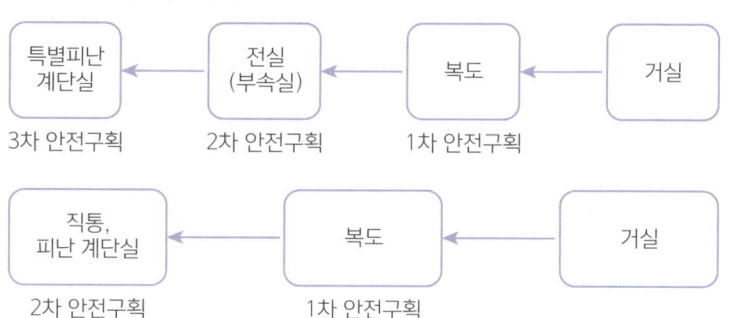

안전구획
1. 부속실이 있으면 계단실은 특별피난의 계단실에 해당된다(제3차 안전구획).
2. 부속실이 없으면 계단실은 직통계단 또는 피난계단실에 해당된다(제2차 안전구획).

바람의 방향에 따른 피난
1. 화재 현장에서는 보통 바람이 불어오는 쪽(풍상)이 공기가 많아 복사에 의한 열전달이 잘 이루어진다. 즉, 복사열은 풍상측이 더 잘 일어난다. 그러나 바람의 세기가 강할수록 풍하측으로 연소확대가 빠르다.
2. 제연설비는 풍하방향으로 설치하면 효과적이다.
3. 대피는 풍상측 또는 풍횡측(좌측, 우측)으로 피난한다.

▲ (옥외)직통계단   ▲ 부속실(전실)

▲ 발코니   ▲ 노대

8. 피난계획 수립 시 인간행동을 지배하는 5가지 본능

(1) 귀소본능
인간은 본능적으로 비상시 자신의 신체를 보호하기 위하여 원래 온 길 또는 늘 사용하는 경로에 의해 탈출을 도모하고자 한다. 따라서 일상의 경로, 즉 복도나 계단 등이 그 말단까지 알기 쉽고 안전하게 보호되는 것이 중요하다(자신이 왔었던 길로 되돌아가려는 경향).

(2) 퇴피(회피)본능
이상상황이 발생하면 확인하려 하고, 긴급사태가 확인되면 반사적으로 그 지점에서 떨어지려고 한다. 건물의 중심부에서 연기와 불꽃이 상승하면 외주❶방향으로, 외주부가 위험하면 중앙방향으로 퇴피하려고 한다(반사적으로 위험으로부터 멀리하려는 경향).

용어사전
❶ 외주: 바깥쪽의 둘레를 말한다.

(3) 지광본능
화재 시 정전 또는 검은 연기의 유동으로 주위가 어두워지면 사람들은 밝은 곳으로 피난하고자 한다. 따라서 채광이 나쁜 옥내의 피난경로는 집중적으로 밝게 하고 이와 혼동하기 쉬운 장식등 등은 제한 또는 소등될 수 있도록 하여야 한다. 또한 출입구 계단 등은 가능한 한 외부에 접하게 한다(밝은 불빛을 따라 행동하려는 경향).

(4) 좌회본능
오른손잡이인 경우 오른손, 오른발이 발달해 있기 때문에 왼쪽으로 도는 것이 자연스럽다. 피난로의 관리에 이를 적용할 수 있을 것이다(왼쪽으로 돌게 되는 경향, 시계반대방향).

(5) 추종본능
비상시에는 많은 군중이 한 사람의 리더를 추종하는 경향이 있다. 불특정 다수인이 모이는 시설에서는 피난유도를 할 수 있는 리더의 육성이 중요한 문제가 된다(최초로 행동을 함으로써 전체가 이끌려지는 경향).

 **영철쌤 tip**

이성적 안전 지향성
이성적 안전 지향성은 안전하다고 생각되는 경로로 피난하려는 경향이다.

9. 피난방향 및 피난로의 방향

구분	피난방향의 종류	피난로의 방향
X형	✛	가장 확실한 피난로가 보장된다.
Y형	⅄	
T형	⊥	방향을 확실하게 분간하기 쉽다.
I형	↔	
Z형	∠	중앙 복도형에서 코어(Core)식 중 양호하다.
ZZ형	⊐	
H형	⊢⊣	중앙 코어(Core)식으로 피난자들의 집중으로 인하여 패닉(Panic) 현상이 일어날 우려가 있다. 그러므로 피난방향 및 피난로의 방향으로 H형, CO형은 절대 안 된다.
CO형	→□←	

문제로 완성하기

CHAPTER 13 건축방화계획

01 피난대책의 일반적인 원칙으로 옳지 않은 것은?
① 피난경로는 간단, 명료하게 한다.
② 피난설비는 고정식 설비보다 이동식 설비 위주로 설치한다.
③ 2방향 이상의 피난통로를 확보한다.
④ 피난수단은 원시적 방법에 의한 것을 원칙으로 한다.

02 피난계획의 일반원칙 중 페일 세이프(Fail Safe) 원칙에 해당하는 것은?
① 소화설비, 경보기기 위치, 유도표지에 쉬운 판별을 위한 색채를 사용한다.
② 피난방향으로 문을 열 수 있게 해준다.
③ 피난수단은 이동식 시설을 원칙으로 한다.
④ 한 가지 피난기구가 고장이 나도 다른 수단을 이용할 수 있도록 고려하는 것을 말한다.

정답 및 해설

01 피난시설 계획 시 기본원칙
피난설비에는 급박한 상태의 행동이기 때문에 인간의 본능이 작용되며, 이동식 설비보다 고정식 설비 위주로 설치함을 원칙으로 한다.

02 페일 세이프(Fail Safe)
페일 세이프(Fail Safe)는 하나의 수단이 고장 등으로 실패하여도 다음의 수단에 의하여 구제할 수 있도록 고려하는 것을 의미하며, 한 가지 피난기구가 고장이 나도 다른 수단을 이용할 수 있도록 고려하는 것도 해당된다.

정답 01 ② 02 ④

03 피난계획의 일반원칙 중 풀프루프(Fool Proof) 원칙에 해당하는 것은?

① 소화설비, 경보기기 위치, 유도표지에 쉬운 판별을 위한 색채를 이용한다.

② 피난로 설계 시 2방향 피난원칙을 중시하여야 한다.

③ 정전 시에도 피난구를 알 수 있도록 외광이 들어오는 반대쪽 위치에 도어를 설치한다.

④ 재해 초기부터 서브시스템 일부가 적극적으로 붕괴하도록 둔다.

04 피난시설의 안전구획 중 제3차 안전구획에 속하는 것은?

① 복도　　　　　　　　　　　　　② 복도에 연결된 계단실
③ 특별피난계단의 계단실　　　　　④ 발코니

05 피난계획 수립 시 인간행동을 지배하는 5가지 본능에 대한 설명으로 옳지 않은 것은?

① 귀소본능: 항상 사용하는 복도와 계단, 엘리베이터 부근에 모이는 본능을 이용하여 그 주변에 피난계단 또는 출구를 설치하는 본능을 말한다.

② 퇴피본능: 이상하다 눈치 챈 사람들은 우선 실태를 확인하려고 하며 그 근방에 접근하려고 하지만 사태의 급함을 안 경우 반사적으로 그 지점에서 멀어지려고 하는 본능을 말한다.

③ 좌회본능: 시계방향으로 회전하는 본능을 말한다.

④ 추종본능: 최초로 행동을 함으로써 전체가 이끌려지는 본능을 말한다.

06 피난방향에 따른 패닉에 우려가 있는 피난로는?
① 중앙 CO형
② Y형
③ T형
④ X형

07 방향을 확실하게 분간하기 쉬운 피난로는?
① T형
② X형
③ Z형
④ H형

정답 및 해설

03 풀프루프(Fool Proof)
풀프루프(Fool Proof)라고 하는 것은 비상사태에서는 정신이 혼란하여 동물과 같은 지능 상태가 되므로 누구나 알아보기 쉬운 방법을 선택하는 것을 의미한다.

04 피난안전구획
- 제1차 안전구획: 거실에 대하여 복도를 방화·방연구획하여 피난의 일시적 안전도모가 가능한 곳이다.
- 제2차 안전구획: 복도에 연결된 계단 또는 특별피난계단의 부속실, 발코니, 노대 등으로서 어느 정도 장시간 피난대기가 가능한 곳이다.
- 제3차 안전구획: 현관로비, 특별피난계단의 계단실이 해당되며 화재 최성기에도 안전성이 확보되는 곳이다.

05 좌회본능
오른손잡이인 경우 오른손, 오른발이 발달해 있기 때문에 왼쪽으로 도는 것이 자연스럽다. 피난로 관리에 이를 적용할 수 있다(왼쪽으로 돌게 되는 경향, 시계반대방향).

06 피난방향에 따른 피난로 방향의 특징
- X형, Y형: 확실한 피난로가 보장된다.
- I형, T형: 방향을 확실하게 분간하기 쉽다.
- 중앙 CO형, H형: 피난자들의 집중으로 패닉 현상이 일어날 우려가 있다.

07 피난방향에 따른 피난로 방향의 특징
I형, T형은 방향을 확실하게 분간하기 쉬운 피난로이다.

정답 03 ① 04 ③ 05 ③ 06 ① 07 ①

한눈에 정리하기

PART 1 연소론 및 화재론

다시 학습하기   p.012

1 연소 관련 기초이론

1. 보일 - 샤를의 기체법칙

$$\frac{P_1 V_1}{T_1} = \frac{P_2 V_2}{T_2}$$

보일의 법칙	온도가 일정한 상태에서 기체의 압력과 부피는 반비례한다.
샤를의 법칙	압력이 일정한 상태에서 기체의 부피와 온도는 비례한다.
샤를의 법칙 또는 게이뤼삭의 법칙	부피가 일정한 상태에서 기체의 압력과 온도는 비례한다.

2. 열전달

전도	· 물체간의 직접적인 접촉을 통해서 열이 전달되는 현상(고정된 물질 - 대부분 고체)이다. · 열에너지가 물질의 이동 없이 고온부에서 저온부로 연속적으로 전달되는 현상을 말하며, 주로 고체 내부에서 일어난다. · 매개체(매질)가 존재한다.
대류	· 유동하는 유체, 기체 내에 일어나는 열전달 현상이다. · 매개체(매질)가 존재(물, 공기, 가스 등)한다. · 자연대류(난로), 강제대류(온풍기, 감지기, 스프링클러헤드) 등이 있다.
복사	· 매개체(매질)가 없다(진공 내 열이동). · 전자기파가 방출된다(전자기파는 빛의 속도와 같음). · 스테판 - 볼츠만의 법칙 $$q = \sigma A T^4 = \varepsilon \sigma A T^4$$ (복사에 대한 열이동량은 물체의 표면적에 비례하고, 절대온도 4승에 비례한다)

2 연소 개론

1. 연소(Combustion)

연소의 정의	· 자발적인 발열반응 과정 · 빛과 열의 발생을 수반하는 급격한 산화반응 과정 · 가연물질이 공기 중 산소와 결합하여 발열과 발광을 수반하는 화학반응
연소의 3요소 (표면, 무염)	· 가연물(연료) · 산소공급원 · 점화원(초기 열에너지)
연소의 4요소 (불꽃, 유염)	· 가연물(연료) · 산소공급원 · 점화원(초기 열에너지) · 순조로운 연쇄반응

2. 가연물(가연성 물질)

가연물의 구비조건	· 산소와 친화력이 클 것 · 반응열(연소열)이 클 것 · 비표면적(공기와의 접촉면적)이 클 것 · 열전도도(열전도율)가 작을 것 · 활성화 에너지가 작을 것 · 연쇄반응을 일으킬 수 있을 것 · 건조도가 높을 것
불연성 물질 (가연물이 될 수 없는 조건)	· 주기율표의 0족원소 · 반응 종결 물질 · 산화·흡열반응 물질 · 자체가 연소하지 않는 물질

3. 산소공급원

공기	공기 중에 약 21%[Vol%]	
산화제	불연성(O_2) + 가열, 충격, 마찰 등 → O_2↑	
	제1류 위험물	산화성 고체(불연성)
	제6류 위험물	산화성 액체(불연성)
자기반응성 물질	가연성(O_2) + 가열, 충격, 마찰 등 → 가연성 가스↑, O_2↑	
	제5류 위험물	자기반응성 물질(가연성)

4. 점화원(열원)

화학적 열원	연소열, 자연발열, 분해열, 용해열
기계적 열원	마찰열, 마찰스파크열, 압축열(단열압축)
전기적 열원	저항열, 유도열, 유전열, 아크열, 정전기열, 낙뢰열

3. 연소의 과정과 특성

1. 인화점 · 연소점 · 발화점

인화점	점화원 접촉 시 불이 붙는 최저온도이다.
연소점	점화원 접촉 시 지속적으로 불이 붙는 최저온도이다.
발화점(착화점)	점화원 접촉 없이 불이 붙는 최저온도이다.

2. 발화점이 낮아지는 조건

① 화학적 활성도가 클수록(산소의 농도 및 친화력)
② 반응계의 압력이 클수록, 고체인 경우 증기압력이 낮을수록
③ 활성화 에너지가 적을수록, 열전도율이 적을수록
④ 분자구조가 복잡할수록, 발열량이 클수록
⑤ 직쇄탄화수소계열의 분자량이 클수록 또는 탄소쇄의 길이가 길수록

3. 연소범위에 영향을 미치는 요소(연소범위가 넓어지는 요소)

① 온도 증가
② 압력 증가(일산화탄소 제외)
③ 산소 증가
④ 불활성 가스 감소

4. 최소산소농도(MOC)

$$\text{최소산소농도(MOC)} = \text{산소의 양론계수}\left(\frac{\text{산소몰수}}{\text{연소가스몰수}}\right) \times \text{연소하한계(폭발하한계)}$$

5. 연소속도에 영향을 미치는 요소

① 온도 증가
② 압력 증가
③ 완전연소(화학양론혼합 조성, 가연성 물질과 산화제의 당량비)
④ 난류
⑤ 가연물의 종류
⑥ 공기 중의 산소량
⑦ 촉매의 존재 유무와 농도
⑧ 불활성 가스(억제제) 첨가

4 연소의 형태

1. 불꽃연소 및 표면연소

불꽃연소	표면연소
· 불꽃(화염)이 있다. · 연소속도가 빠르고 시간당 방출열량이 많다. · 연소의 4요소에 해당한다. · 물리적 + 화학적 소화를 한다.	· 불꽃(화염)이 없다. · 연소속도가 느리고 시간당 방출열량이 적다. · 연소의 3요소에 해당한다. · 물리적 소화를 한다.

2. 물질상태에서 연소형태

가연성 기체	가연성 액체	가연성 고체
· 확산연소 · 예혼합연소 · 부분예혼합연소 · 폭발연소	· 증발연소 · 분해연소	· 분해연소 · 표면연소 · 증발연소 · 자기연소(내부연소)

3. 연소 시 발생하는 이상 현상

구분		역화(Back Fire) [연료분출속도 < 연소속도]	선화(Lifting) [연료분출속도 > 연소속도]
원인	혼합 가스량(1차 공기)	↓	↑
	압력	↓	↑
	염공 직경(관경)	↑	↓
	버너의 과열	상관있다.	상관없다.
결과		염공의 안쪽으로 불꽃이 들어간다.	염공의 바깥쪽으로 불꽃이 공중부양한다.

4. 불완전연소의 원인

① 가스의 조성이 균일하지 못할 경우
② 공기의 공급량이 부족할 경우
③ 주위온도가 너무 낮을 경우
④ 환기 또는 배기가 잘 되지 않을 경우
⑤ 노즐의 분무상태가 나쁠 경우
⑥ 공급연료(가연물)가 많아 상태가 불안정할 경우

5. 연소불꽃의 색상

연소불꽃의 색	온도[℃]	연소불꽃의 색	온도[℃]
담암적색	520	황적색	1,100
암적색	700	백적색	1,300
적색	850	휘백색	1,500 이상
휘적색	950		

5 자연발화

자연발화는 인위적으로 외부에서 점화에너지를 부여하지 않았는데도 상온에서 물질이 공기 중 화학변화를 일으켜 오랜 시간에 걸쳐 열의 축적이 생겨 마침내 발화점에 도달하여 발화하는 현상이다.

구분	발생	방지법
열축적	· 밀폐된 공간 · 열전도율, 증기압력, 휘발성 ↓ · 분말	· 개방된 공간 · 열전도율, 증기압력, 휘발성 ↑ · 괴상(덩어리)
열 발생속도	· 온도↑, 수분↑ (고온다습) · 발열량 ↑ · 표면적 ↑	· 온도↓, 수분↓ (저온건조) · 발열량 ↓ · 표면적 ↓

6 폭발

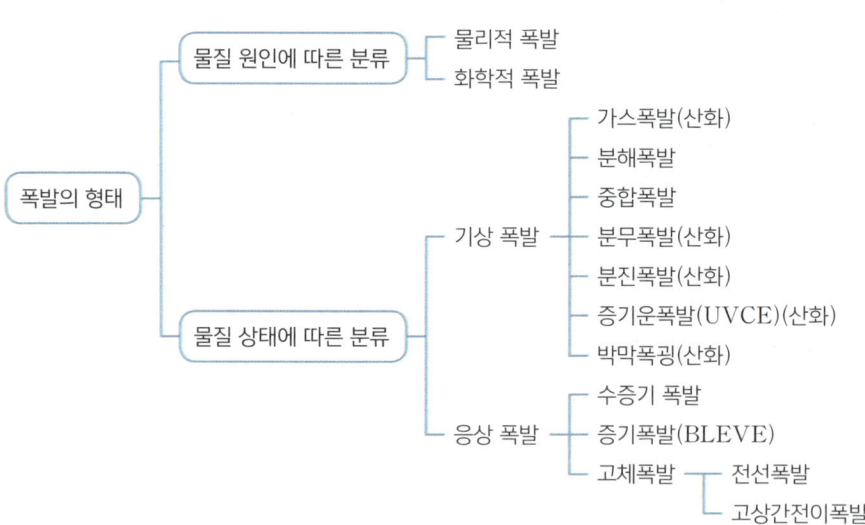

기상폭발은 화염을 동반하므로 물질 원인에 따른 분류에서 화학적 폭발에 속하며, 응상 폭발은 화염을 동반하지 않으므로 물질 원인에 따른 분류에서 물리적 폭발에 속한다.

7 유류저장탱크 화재 시 이상 현상

 다시 학습하기 　　p.122

오일오버	위험물저장탱크 내에 저장된 양이 내용적의 1/2 이하로 충전되어 있을 때 화재로 인하여 증기압력이 상승함에 따라 저장탱크 내의 유류를 외부로 분출하면서 탱크가 파열되는 현상이다.
보일오버	유류저장탱크의 화재 중 열류층을 형성하여 화재진행과 더불어 열류층(열파침강)이 점차 탱크 바닥으로 도달하여 탱크 저부에 물 또는 물과 기름의 에멀전이 수증기로 변하여 부피팽창에 의한 탱크 내의 유류가 갑작스럽게 탱크 밖으로 분출하게 되어 화재를 확대시키는 현상이다.
슬롭오버	물이 연소유의 뜨거운 표면에 들어갈 때(유입될 때, 주수할 때) 발생하는 오버플로우(Over Flow) 현상이다.
프로스오버	화재 이외의 경우에도 물이 고점도 유류 아래서 비등하여 탱크 밖으로 물과 기름이 거품과 같은 상태로 넘치는 현상이다.

1. 유류화재 시 이상 현상
오일오버, 보일오버

2. 유류화재 시 이상 현상과 관련 없는 이상 현상
슬롭오버

3. 유류화재와 관련 없는 이상 현상
프로스오버

8 연소생성물

다시 학습하기 　　p.130

1. 연소가스

이산화탄소	가스 자체의 독성은 거의 없으나 다량으로 존재할 때 산소부족으로 사람의 호흡속도를 증가시켜 유해가스의 흡입을 증가시킴으로써 위험을 가중시킨다.
일산화탄소	가장 유독한 연소가스는 아니지만 양에 있어서는 독성가스의 성분에서 가장 큰 비중을 차지하며, 인체에 질식에 의한 해를 끼치는 영향이 가장 크다.
황화수소	계란 썩는 냄새가 난다(후각마비).
시안화수소	청산가스라고도 하며, 헤모글로빈과 결합하지 않고 세포에 의한 산소의 이동을 막아 순간적으로 호흡이 정지되는 가스이다.
암모니아	냉동시설의 냉매로 많이 쓰이고 있으므로 냉동창고 화재 시 주의하여야 한다.
염화수소	건축물 내 전선의 절연재 및 배관재료 등이 탈 때 발생한다.
포스겐	맹독성 가스이다.

2. 연기의 유동력

저층건물	· 열 · 대류 이동 · 압력
고층건물	· 굴뚝효과(연돌효과) · 온도에 의한 가스팽창 · 부력 · 외부 바람의 영향(풍력) · 건물 내에서의 강제적인 공기 유동(공기조화설비)
굴뚝(연돌) 효과에 영향을 끼치는 요소	· 건물의 높이 · 외벽의 기밀성 · 건물의 층간 공기 누설 · 건물 내·외 온도차
연기의 속도	· 수평방향: 0.5 ~ 1m/s · 수직방향: 2 ~ 3m/s · 계단 등 수직방향: 3 ~ 5m/s
연기제어	· 희석 · 배기 · 차단

3. 열의 화상 정도

1도 화상(홍반성 화상)	가벼운 부어오름과 통증을 수반하는 화상이다.
2도 화상(수포성 화상)	하루 이내에 물집이 생기는 화상이다.
3도 화상(괴사성 화상)	피부의 전체층이 죽어 궤양화하는 화상이다.
4도 화상(흑색화상)	더욱 깊은 피하지방, 근육 또는 뼈까지 도달하는 화상이다.

🚨 다시 학습하기   p.150

9 화재론

1. 가연물의 종류별·급수별 및 성상별 화재의 분류

구분	성상	소화
A급 화재	· 일반가연물화재(보통화재) · 연소 후 재를 남긴다(고체). · 연기는 백색이다.	냉각(수계 소화)
B급 화재	· 유류화재(가스화재 포함) · 제4류 위험물(인화성 액체) · 연소 후 재를 남기지 않는다(액체). · 연기는 검정색이다.	질식(포소화, 가스계 소화)

C급 화재	• 전기화재(통전 중인 전기시설) • 전기기기가 설치되어 있는 장소 (발전실, 변전실, 분전반실, 전기실, 통신실 등)	질식(가스계 소화)
D급 화재	• 금속화재 • 알칼리금속[나트륨(Na), 칼륨(K)] • 알칼리토금속[마그네슘(Mg), 칼슘(Ca)] 등	질식(소화약제 이외: 팽창질석, 팽창진주암, 마른 모래 등) (소화약제: 금속화재용 분말소화기〈드라이파우더〉)
F급 화재 또는 K급 화재	주방화재(식용유 화재)	냉각·질식·비누화(야채, 소금, 소다, 상온의 식용유, 뚜껑, 마요네즈, 제1종 분말소화약제, 강화액소화약제)

2. 소실 정도에 따른 화재의 분류

전소화재	건물의 70% 이상이 소실되었거나 또는 그 미만이라도 잔존부분을 보수하여도 재사용이 불가능한 것
반소화재	건물의 30% 이상 70% 미만이 소실된 것
부분소화재	전소 및 반소화재에 해당되지 아니하는 것(건물의 30% 미만이 소실된 것)

3. 정전기

정전기 발생	전하의 발생 → 전하의 축적 → 방전 → 발화
정전기 방지법	• 접지를 한다. • 공기 중 습도를 70% 이상 높인다. • 도체물질을 사용한다. • 공기를 이온화한다. • 접촉하는 전기의 전위차(전압)를 작게한다. • 정전기 차폐장치를 설치한다. • 제전기를 사용한다.

10 화재소화

물리적 소화	• 제거소화: 연소반응이 일어나고 있는 가연물과 주위의 가연물을 제거해서 연소반응을 중지시켜 소화하는 방법(화염의 불안정화에 의한 소화)이다. • 질식소화: 공기 중 산소를 차단하여 산소농도가 15% 이하가 되면 연소가 지속될 수 없는 것을 이용하여 소화하는 방법(소화농도 한계에 의한 소화)이다. • 냉각소화: 비열이나 증발잠열이 큰 물질을 이용하여 연소하고 있는 가연물에서 열을 뺏어 온도를 낮춤으로써 연소물을 인화점 및 발화점 이하로 떨어뜨려 소화하는 방법[연소에너지(열) 한계에 의한 소화]이다.
화학적 소화	부촉매(억제)소화: 연쇄적인 산화반응을 약화(라디칼 제거)시켜 연소의 계속을 불가능하게 하여 소화하는 방법(연쇄반응 중단에 의한 소화)이다.

11 건축물 화재의 성상

1. 실내 화재의 환기량에 따른 분류

환기지배형 화재	· 연료는 정상인데 환기가 부족한 상태이다. · 일반적으로 내화건축물 화재에서 나타난다.
연료지배형 화재	· 환기는 정상인데 연료가 부족한 상태이다. · 일반적으로 목조건축물 화재에서 나타난다.

2. 건축물 실내 화재의 이상 현상

플레임오버	· 통로상 화재 · 발생시기: 성장기
롤오버	· 화재의 선단부분에 화염이 굽이쳐(깃털모양, 파도처럼) 흘러가는 현상 · 발생시기: 성장기
플래시오버	· 복사열에 의한 폭발적인 착시 현상(순발연소, 순간연소) · 발생시기: 성장기 또는 성장기에서 최성기로 넘어가는 분기점 · 전술적으로 지연시키는 전술: 배연지연법, 공기차단지연법, 냉각지연법
백드래프트	· 산소유입으로 인한 화학적 폭발 현상 · 발생시기: 성장기 또는 감쇠기 · 전술적으로 지연시키는 전술: 배연법, 급냉법, 측면공격법 · 연료지배형 화재일 경우에는 발생하지 않는다.

3. 화재변수

화재하중 [kg/m²]	· 바닥의 단위면적당 목재로 환산 시의 등가 가연물의 중량(kg/m^2)으로 표현된다. · 예상 최대 가연물의 양으로 표현된다. · 가연물의 총 발열량으로 표현된다.
화재강도[kcal/hr]	단위시간당 축적되는 열의 양이다.
화재가혹도 (화재심도, 화재세기)	· 건물에 손상을 주는 화세의 능력(건물에 손상정도의 크기)이다. · 주요 요소: 화재가혹도 = 최고온도(화재강도)×화재지속시간(화재하중)
화재저항	화재진행시간 동안 건축물의 주요 구성요소들이 화재에 대항하여 제 기능을 유지할 수 있는 능력이다.

12 건축방화계획

 다시 학습하기   p.200

1. 대응성격
① 대항성
② 회피성
③ 도피성

2. 방화구획
① 면적별 구획
② 층별 구획
③ 용도별 구획

3. 피난계획 시 기본원칙

풀프루프(Fool Proof) 원칙	비상사태에서는 정신이 혼란하여 동물과 같은 지능 상태가 되므로 문자보다는 누구나 알아보기 쉬운 그림과 색채를 이용하는 방식이다.
페일 세이프(Fail Safe) 원칙	하나의 수단이 고장 등으로 실패하여도 다음의 수단에 의하여 그 기능이 발휘될 수 있도록 고려하는 방식이다.

4. 피난안전구획

1차 안전구획 (일시적인 안전도모)	복도
2차 안전구획 (장시간 피난대기)	복도에 연결된 계단, 발코니, 특별계단의 부속실, 노대
3차 안전구획 (최성기에도 안정성 확보)	현관로비, 특별피난계단의 계단실

5. 피난계획 시 인간행동을 지배하는 5가지 본능
① 귀소본능
② 퇴피(회피)본능
③ 지광본능
④ 좌회본능
⑤ 추종본능

6. 피난방향 H형, CO형은 공황상태(패닉상태)가 일어날 우려가 있다.

"꿈에 눈이 멀어라, 시시한 현실 따위 보이지 않게"
소방공무원이 될 때까지 경주마처럼 달려 달려!

해커스소방 **이영철 소방학개론** 기본서

PART 2

소화약제

CHAPTER 1   소화약제의 개설

CHAPTER 2   물소화약제

CHAPTER 3   강화액소화약제

CHAPTER 4   산·알칼리소화약제

CHAPTER 5   포소화약제

CHAPTER 6   이산화탄소소화약제

CHAPTER 7   할론소화약제

CHAPTER 8   할로겐화합물 및 불활성기체 소화약제

CHAPTER 9   분말소화약제

CHAPTER 1 소화약제의 개설

출제 POINT
소화약제의 구비조건 ★☆☆

영철쌤 tip
연소와 소화의 4요소

연소의 4요소	소화의 4요소
가연물	제거소화
산소	질식소화
점화원	냉각소화
연쇄반응	부촉매소화 (억제소화)

영철쌤 tip
분말소화약제 소화설비가 가스계 소화약제의 소화설비와 유사하기 때문에 흔히 가스계 소화약제로 분류된다.

1 소화약제의 정의 및 구비조건

1. 소화약제의 정의

소화약제란 연소의 3요소 중의 하나인 가연물질이 산소와 점화원의 존재하에 연소현상을 일으키며, 이러한 연소현상이 확대되어 화재를 일으켜 인적·물적 재해를 수반하므로 이와 같은 화재를 제어하기 위해서 사용되는 물리·화학적 방법에 의해서 제조된 물질을 말한다.

2. 소화약제의 구비조건

(1) 가격이 저렴하여야 한다.
(2) 소화성능이 우수하여야 한다.
(3) 저장 안정성이 있어야 한다.
(4) 환경에 대한 오염이 적어야 한다.
(5) 인체에 대한 독성이 없어야 한다.
(6) 연소의 4요소 중 한 가지 이상을 제거할 수 있는 능력이 탁월하여야 한다.

2 소화약제에 의한 분류

소화약제는 그 성상과 기능을 기준으로 수계(水系)와 가스계로 대별되며 이들을 세분하면 다음과 같다.

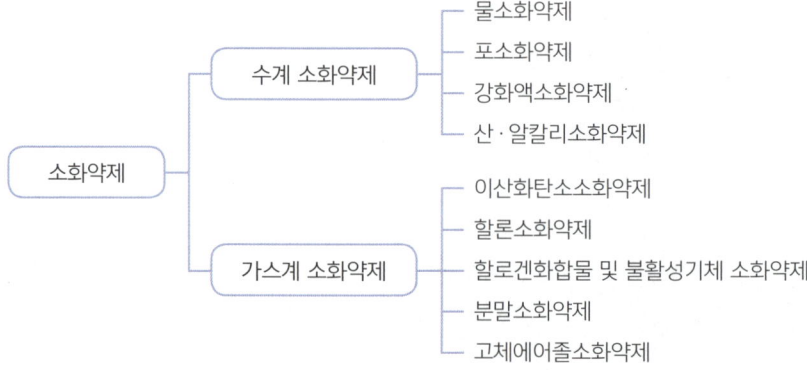

문제로 완성하기

CHAPTER 1 소화약제의 개설

01 소화약제의 구비조건에 대한 설명 중 가장 옳지 않은 것은?
① 소화력이 증가된 소화약제는 가격이 비싸도 상관없다.
② 저장 안정성이 있어야 한다.
③ 환경에 대한 오염이 적어야 한다.
④ 인체에 대한 독성이 없어야 한다.

02 다음 중 수계 소화약제에 해당하지 않는 것은?
① 포소화약제
② 강화액소화약제
③ 산·알칼리소화약제
④ 할로겐화합물소화약제

정답 및 해설

01 소화약제의 구비조건
소화약제는 가격이 저렴하여야 한다.

02 소화약제의 분류
할로겐화합물소화약제는 가스계 소화약제에 해당한다.

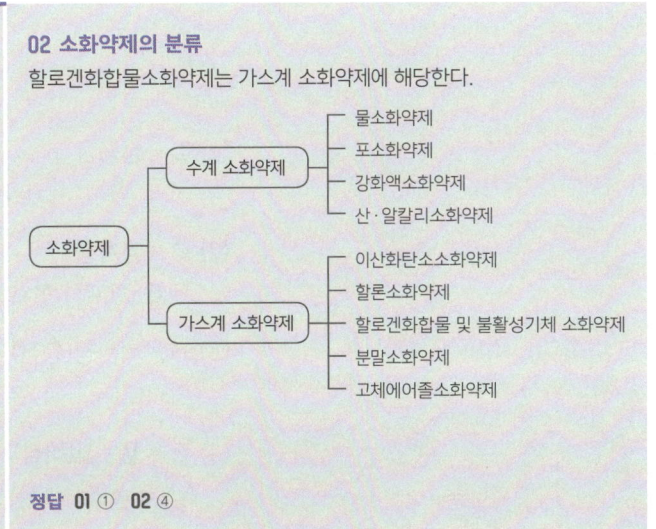

정답 01 ① 02 ④

CHAPTER 2 물소화약제

출제 POINT
01 물의 물리적 특성 ★★★
02 소화효과·적응화재·주수형태 ★★☆
03 물소화약제 첨가제 ★★☆

영철쌤 tip
물소화약제는 가스계소화약제에 비해 증거보존이 어렵다.

1 개요

1. 물의 장·단점

(1) 장점
① 열용량·비열 및 증발잠열(기화열)이 커서 냉각효과가 우수하다.
② 주변에서 구하기 쉽고 경제적이다.
③ 펌프, 파이프, 호스 등을 사용하여 운송이 용이하다.

(2) 단점
① 소화 작업 후 오염의 정도가 심하다.
② 동결의 우려가 있어 추운 곳에서 사용할 수 없다.
③ 주로 일반화재(A급 화재)에 적용한다.

2. 물의 열역학적 상태도(Phase Diagram)

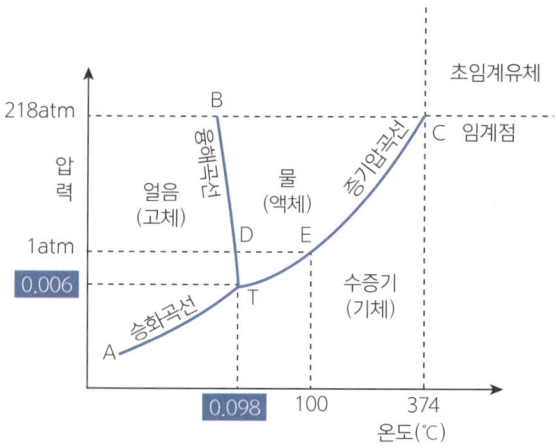

(1) T - 삼중점
고체, 액체, 기체가 공존하는 점[압력(atm) - 0.006, 온도(℃) - 0.098(0.1)]

(2) C - 임계점
액체, 기체가 공존하는 점[압력(atm) - 218, 온도(℃) - 374]

(3) D - 녹는점(융점)
압력(atm) - 1, 온도(℃) - 0

(4) E - 끓는점(비점)
압력(atm) - 1, 온도(℃) - 100

3. 물의 특성

(1) 물의 물리적 특성

① 물의 비열

  ㉠ 비열이란 일반적으로 어떤 **물질 1g을 1℃ 올리는 데 필요한 열량**을 말한다.

  ㉡ 물의 경우는 14.5℃의 물 1g을 15.5℃로 1℃의 온도를 상승시키는 데 필요한 열량이다.

  ㉢ 물의 비열: 1cal/g·℃, 얼음의 비열: 0.487cal/g·℃

② 물의 융해열(용융열)

  ㉠ 0℃의 얼음 1g이 0℃의 액체상인 물 1g으로 상(相)의 변화를 가져오는 데 필요한 열량을 말한다.

  ㉡ 물의 융해열: 80cal/g

③ 물의 기화열(증발열)

  ㉠ 100℃의 물 1g이 기체상인 수증기 1g으로 100℃의 상(相)의 변화를 가져오는 데 필요한 열량을 말한다.

  ㉡ 물의 기화열: 539cal/g

④ 잠열(숨은열)

  ㉠ 물질의 형태가 변화하면서 방출하거나 흡수하는 열을 말한다. 온도계로 측정이 불가능하므로 숨은열이라고도 한다.

  ㉡ 종류: 기화열, 승화열, 액화열, 응고열, 융해열(응해열) 등으로 구분한다. **물질의 상태변화 과정 중에는 온도의 변화는 없다.**

⑤ 현열(감열): 현열은 물질의 상태 중 한 가지 형태를 취한 비율이 100%인 상태를 유지하면서 가감되는 열은 온도의 변화로 나타나는 열을 말한다(물 0℃에서 끓는물 100℃).

> **참고** 물질의 용융열·증발잠열·비열
>
> 1. 물질의 용융열과 증발잠열
>
> | 물질명 | 용융열
[cal/g] | 증발잠열
[cal/g] | 물질명 | 용융열
[cal/g] | 증발잠열
[cal/g] |
> |---|---|---|---|---|---|
> | 물 | 80 | 539 | 에틸알코올 | 24.9 | 204.0 |
> | 아세톤 | 23.4 | 124.5 | 납 | 5.4 | 222.6 |
> | 벤젠 | 30.1 | 94.3 | 파라핀왁스 | 35.0 | - |
> | 사염화탄소 | 4.1 | 46.3 | LPG | - | 98.0 |
>
> 2. 물질의 비열
>
> | 물질명 | 비열[cal/g·℃] | 물질명 | 비열[cal/g·℃] |
> |---|---|---|---|
> | 물(얼음, 0℃) | 1.000(0.487) | 구리 | 0.019 |
> | 아세톤 | 0.528 | 유리 | 0.161 |
> | 공기 | 0.240 | 철 | 0.113 |
> | 알루미늄 | 0.217 | 수은 | 0.033 |
> | 부탄 | 0.549 | 나무 | 0.420 |

물의 물리적 특성

1. 물의 융해열

  | 고체
(얼음 0℃) | 80cal/g
→ | 액체
(물 0℃) |

2. 물의 기화열은

  | 액체
(물 100℃) | 539cal/g
→ | 기체
(수증기 100℃) |

비열

물이 얼음보다 열을 잘 뺏는다. 물의 비열은 1cal/g·℃이고, 얼음의 비열은 0.487cal/g·℃이다.

잠열(숨은열)

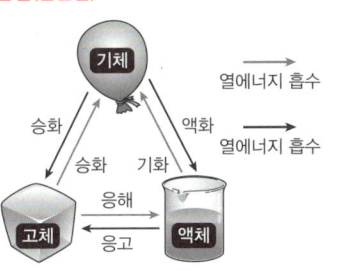

핵심정리 물의 물리적 특성

1. 잠열과 현열의 의의
 ① 잠열(융해열, 기화열): 온도변화는 없고 물질상태만 변한다.
  · 융해열: 80cal/g
  · 기화열: 539cal/g
 ② 현열: 물질상태는 변화가 없고 온도만 변한다.

2. 얼음 0℃ → 물 0℃ → 물 100℃ → 수증기 100℃

얼음 0℃ $\xrightarrow{1g}$ 수증기 100℃   · 열용량 q = 80cal + 100cal + 539cal = 719cal
<고체>   <기체>   (융해열) (현열) (기화열)

물 0℃ $\xrightarrow{1g}$ 수증기 100℃   · 열용량 q = 100cal + 539cal = 639cal
<액체>   <기체>   (현열) (기화열)

3. 물의 열용량
 ① 1g 얼음 0℃가 수증기 100℃로 변할 때 열용량은 719cal이다.
 ② 1g 물 0℃가 수증기 100℃로 변할 때 열용량은 639cal이다.
 ③ 구간별 열용량

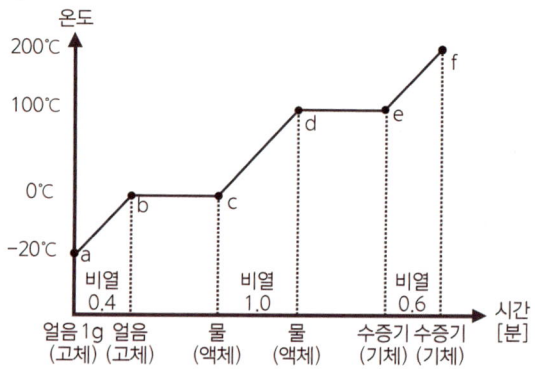

 ㉠ 얼음 -20℃(a) → 얼음 0℃(b) → 물 0℃(c) → 물 100℃(d) → 수증기 100℃(e) → 수증기 200℃(f)
  · 구간 b~c, 구간 d~e: 잠열(융해, 기화)
  · 구간 a~b, 구간 c~d, 구간 e~f: 현열
  · 구간 a~b의 열용량: 8cal
  · 구간 b~c의 열용량: 80cal
  · 구간 c~d의 열용량: 100cal
  · 구간 d~e의 열용량: 539cal
  · 구간 e~f의 열용량: 60cal
  · 구간 a~f의 열용량: 8 + 80 + 100 + 539 + 60 = 787cal
 ㉡ 열용량[q] 공식
  · 잠열 열용량 q = 질량[m]×잠열
  · 현열 열용량 q = 비열[c]×질량[m]×온도차($t_2 - t_1$)

화학 결합
1. 금속 + 금속 → 금속 결합이다.
2. 비금속 + 비금속 → 공유 결합이다.
3. 금속 + 비금속 → 이온 결합이다.
즉, 물(H_2O)은 수소 2원자와 산소 1원자로서 '비금속 + 비금속'이므로 공유 결합이다.

(2) 물의 화학적 특성

물은 수소 2원자와 산소 1원자로 이루어져 있으며 이들 사이의 화학 결합은 **극성 공유 결합**이다. 즉, 물은 **분자 내**에서는 극성공유결합을, **분자 간**에는 수소결합을 하여 소화약제로서의 효과가 뛰어나다.

> **핵심정리 물의 특성**
>
> 1. 물은 4℃일 때 가장 무겁고, 물의 온도가 상승하면 점성과 표면장력이 작아진다.
> 2. 물은 압력을 받으면 약간의 압축은 되지만 기체에 비해 너무 작기 때문에 비압축성 유체라고 하며, 온도에 따라 차이는 있지만 압력이 증가하면 부피는 약간씩 감소한다.
> 3. **물과 얼음의 밀도**: 질량이 같을 경우 물의 부피는 얼음의 부피보다 작다(물의 부피 < 얼음의 부피). 따라서 물의 밀도는 얼음의 밀도보다 크다(물의 밀도 > 얼음의 밀도). → 얼음이 물 위에 뜬다.
>
> $$밀도 = \frac{질량}{부피}[kg/m^3]$$

영철쌤 tip

1. 물의 부피는 1기압, 4℃에서 가장 작다.
2. 물의 밀도는 1기압, 4℃에서 가장 크다.

2 물소화약제의 소화작용

1. 냉각소화

(1) 물의 **비열(cal/g · ℃) 및 기화열(cal/g)값이 크다.**

(2) 물이 수소 결합을 하고 있어서 **열용량이 크다.**

(3) 물 1L/min은 건물 내의 일반가연물을 약 $0.75m^2$만큼 진화할 수 있다.

(4) 화재 발생 시 소화약제로 사용할 경우 화재 발생 장소의 주위로부터 많은 열을 흡수하기 때문에 빠른 시간 내에 화재의 온도를 발화점 이하로 **냉각시켜 소화한다.**

냉각소화

물이 냉각효과에 우수한 이유는 비열, 기화열(증발잠열), 열용량이 크기 때문이다.

2. 질식소화

100℃의 물이 100℃의 수증기가 되는 경우 체적이 약 1,650배로 팽창하며, 이렇게 팽창된 수증기가 공기 중의 산소의 농도를 희석하여 **산소의 농도를 저하시켜 질식소화**한다.

3. 유화소화

하나의 액체에 상호 혼합이 되지 않는 두 액체의 한쪽이 작은 방울로 되어서 미세한 입자의 상태로 균일하게 분산시켜 생성된 분산계를 **에멀전 또는 유탁액유화(Emulsification)라고 한다.** 또한 물소화약제를 분무노즐을 사용하여 **고압으로** 분사할 경우에 발생되는 분무상의 미립자가 물보다 비중이 큰 제4류, 제3석유류인 중유 또는 윤활유 등의 화재에 접촉하면 화재의 표면에 엷은 막의 유화층(Emulsification Layer)을 형성하는데 이 유화층의 엷은 막이 공기 중의 산소 공급을 차단하고(질식소화), 가연성 증기의 발생을 억제(제거소화)하여 화재를 소화하는 기능을 유화소화작용이라 한다.

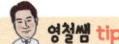

유화소화(수막, 에멀젼, 유탁액)

비중이 물보다 큰 비수용성 기름 화재 시 물을 무상(안개모양)으로 방사하거나 포소화약제를 방사하여 유류표면에 유화층(수막층)의 막을 형성시켜 공기의 접촉을 막아 소화하는 작용을 말한다.

유화층(수막층)

4. 희석소화

물에 용해되는 수용성 가연물질인 알코올·에테르·에스테르·케톤류 등의 화재 시 많은 양의 물을 일시에 방사하여 가연물질의 연소농도를 소화농도 이하로 묽게 희석시켜 소화하는 방법을 희석소화 작용이라 한다.

5. 타격(파괴)에 의한 소화

일반가연물화재(A급 화재)에 적용되며, 화재 시 물소화약제를 고압으로 방사하는 경우 방사노즐로부터 방출되는 고압의 물이 가연물질의 화재위력을 저하시키거나 화재가 확산되는 것을 파괴함으로써 화재가 더 이상 확산되지 않도록 제한하여 소화하는 작용을 말한다.

3 소화약제의 적응화재

1. 적응화재

(1) 적응화재의 종류

① 일반가연물화재(A급 화재)를 말한다.

② 유류화재(B급 화재)

  ㉠ 비수용성 기름화재: 분무상의 물소화약제를 사용하는 경우이다.

  ㉡ 수용성 기름화재

③ 전기화재(C급 화재): 분무상의 물소화약제를 사용하는 경우이다.

분무상의 물소화약제에는 물분무소화약제, 미분무소화약제가 있다(A, B, C급 가능).

(2) 장점

① 구입가격이 저렴하다.

② 장기간 저장이 가능하다.

③ 소화에 대한 냉각소화효과가 우수하다.

④ 분무상으로 방사 시 유류화재 및 전기화재에도 적합하다.

(3) 단점

① 동결의 우려가 있으므로 보온이 필요하다.

② 피연소물질에 대한 수손의 영향이 크다.

③ 소화에 소요되는 시간이 길다(무상으로 방사하는 경우).

1. 무상으로 방사하는 경우 물의 입자가 작아서 오래 방사된다.
2. 물에 반응하는 전기·전자제품은 봉상 및 적상주수를 의미한다.

2. 비적응성 화재

(1) 물에 심하게 반응하는 물질인 활성금속화재

(2) 물에 반응하는 전기·전자제품 등으로 인한 화재

4 물소화약제의 주수방법

1. 봉상주수(직상주수 · 직사주수)

(1) 정의

① 막대 모양의 굵은 물줄기를 가연물에 직접 주수하는 방법이다.
② 소방용 방수노즐을 이용한 주수가 대부분 여기에 포함된다.
③ 현재에도 가장 널리 사용되고 있으며, 일반가연물화재로서 화세가 강하여 신속하게 화재의 소화가 필요한 경우에 유효한 주수형태이다.
④ 수용성 가연물질의 화재 시 짧은 시간에 많은 양의 소화약제가 요구되는 상황에 대처하기에 유효한 주수형태이다.
⑤ 전기 전도성이 있으므로 전기화재(C급 화재)에는 부적합하다.
⑥ 주된 소화원리는 냉각소화이다.

(2) 적용 소화설비

① 물소화기
② 옥내소화전설비
③ 옥외소화전설비
④ 연결송수관설비

2. 적상주수(살수주수)

(1) 정의

① 스프링클러소화설비 헤드의 주수형태로서, 살수라고도 한다.
② 저압으로 방출되기 때문에 물방울의 평균 직경은 0.5~4mm 정도이다.
③ 일반적으로 실내 고체가연물의 화재에 적합하다.
④ 전기 전도성이 있으므로 전기화재(C급 화재)에는 부적합하다.
⑤ 주된 소화원리는 냉각소화이다.

(2) 적용 소화설비

① 스프링클러설비
② 연결살수설비
③ 연소방지설비

3. 무상주수(분무주수)

(1) 정의

① 물분무소화설비의 헤드나 소방대의 분무노즐에서 고압으로 방수할 때 나타나는 안개 형태의 주수방법이다.
② 물방울의 평균 직경: 0.01~1.0mm 정도이다.
③ 소화효과의 측면에서 본 이론적 최적입경: 0.35mm 정도이다.

스프링클러헤드

▲ 폐쇄형   ▲ 개방형

주수방법별 수압
1. 봉상주수, 무상주수: 고압으로 주수한다.
2. 적상주수: 저압으로 주수한다.

(분)무상주수
1. 같은 물의 양이라면 소화효과는 좋으나, 소화시간이 길다.
2. (분)무상이라는 문구가 없으면 일반적인 물을 말한다.

④ 중질유화재(중질의 연료유, 윤활유, 아스팔트 등과 같은 고비점유의 화재)의 경우에는 **물을 무상으로 주수하면 에멀젼(유탁액, 유화)효과에 의해 소화가 가능**하다.
⑤ 전기의 전도성이 없어 **전기화재(C급 화재)의 소화에도 적합**하다.

(2) 적용 소화설비
① 물소화기(분무노즐 사용)
② 옥내소화전설비(분무노즐 사용)
③ 옥외소화전설비(분무노즐 사용)
④ 물분무소화설비(헤드 사용)
⑤ 미분무소화설비(헤드 사용)

> **핵심정리 무상주수**
>
> 1. 일반화재(A급 화재)일 때 물을 무상으로 사용할 경우 주된 소화: 냉각소화
> 2. 유류화재(B급 화재)일 때 물을 무상으로 사용할 경우 주된 소화: 질식소화

> **핵심정리 소화효과·적응화재 및 주수형태(봉상·적상·무상)**
>
> | 물의 주수형태 | 주된 소화 | 적응화재 | 적용설비[호스(노즐), 헤드] |
> | --- | --- | --- | --- |
> | 봉상
(물의 모양: 막대기) | 냉각 | A급 화재 | 호스: 옥내·외소화전설비, 연결송수관설비 |
> | 적상
[물의 모양: 물(빗)방울] | 냉각 | A급 화재 | 헤드: 스프링클러설비, 연결살수설비, 연소방지설비 |
> | (분)무상
(물의 모양: 안개입자) | 냉각, 질식, 유화, 희석 | A, B, C급 화재 | ・호스: 옥내·외 소화전설비, 연결송수관설비
・헤드: 물분무소화설비, 미분무소화설비 |

영철쌤 tip

물의 주수형태
1. 봉상, 적상은 전도성이다(C급에 사용할 수 없음).
2. 무상은 비전도성이다(C급에 사용할 수 있음).

▲ 방사형관창(무상주수로 소화)

▲ 방사형관창

▲ 직사형관창

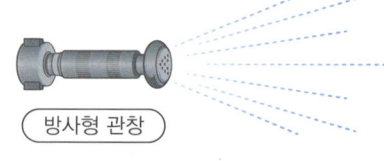

(방사형 관창)

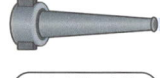

(직사형 관창)

▲ 봉상, 무상   ▲ 봉상

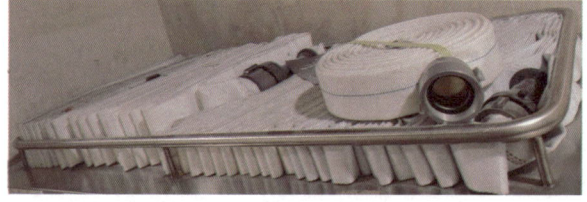

▲ 호스 및 관창

> **참고** 연결송수관설비와 연결살수설비

1. **연결송수관설비:** 높은 건물에 화재가 발생했을 경우 소방대가 도착하여 화재를 진압하기 위한 설비를 말한다.

▲ 송수구

▲ 방수구

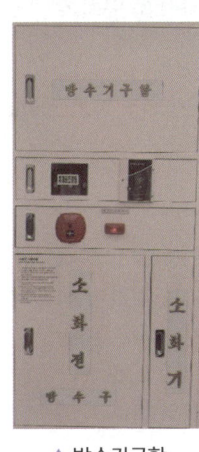
▲ 방수기구함

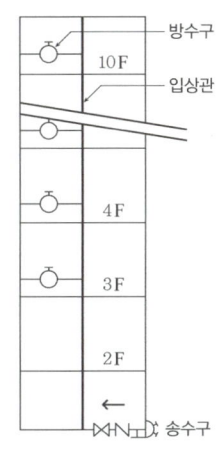
▲ 연결송수관설비 현장도면

2. **연결살수설비:** 지하가, 건축물의 지하층은 화재가 발생할 경우 연기가 외부로 쉽게 배출되지 않아 소방대의 진입이 어려워서 만든 설비를 말한다.

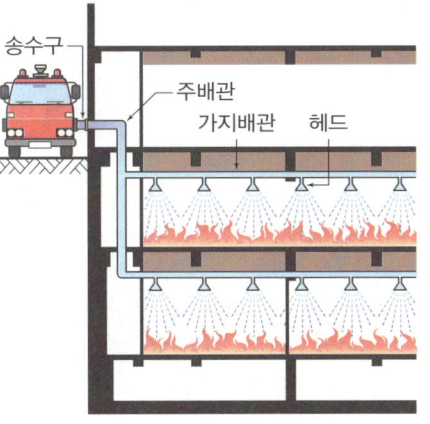
▲ 연결살수설비 현장도면

▲ 연결살수헤드

3. **연소방지설비:** 지하공동구에 설치하는 설비를 말한다.

5 물소화약제의 첨가제

1. 첨가제의 정의
물소화약제의 침투능력·분산능력·유화능력 등을 증대시키기 위하여 첨가하는 물질을 총칭하여 첨가제라 한다.

2. 부동제(Antifreeze Agent) - 동결방지제, 부동액
(1) 물의 빙점(0℃)하에서 동파 및 물의 응고현상을 방지하기 위하여 물에 첨가하는 물질이다.

(2) 동결 시 약 9%의 체적 팽창과 250MPa의 압력효과가 발생하여 배관, 기기 등을 파손시킨다.

(3) 부동제의 종류
① 유기물 계통: 에틸렌글리콜, 프로필렌글리콜, 디에틸렌글리콜, 글리세린 등이 사용되며, 동결방지제로 에틸렌글리콜을 가장 많이 사용되고 있다.
② 무기물 계통: 염화나트륨, 염화칼슘 등이 사용되고 있다.

3. 침투제(Wetting Agent) - 습윤제❶, 침윤제
(1) 물에 계면활성제 계통의 물질을 첨가시켜 물이 가지고 있는 표면장력❷을 낮추어 침투성을 강화시킨 물질이다.

(2) 물의 표면장력은 72dyen/cm이므로, A급 심부화재의 경우 침투력이 떨어져서 속불을 소화하는 데 부적절하므로 침투성을 강화시킨 물질이다.

(3) 1% 이하의 계면활성제를 가해 표면장력을 낮추어 침투효과를 높이기 위한 첨가 물질을 침투제라 한다.

(4) 속불화재(심부화재, 원면화재) 등에 매우 효과적이다.

(5) 유수(Wet Water)
물의 표면장력을 감소시켜서 물의 침투성을 증가시키는 침투제(Wetting Agent❸)를 혼합시킨 수용액을 말한다. 즉, 물+침투제(합성계면활성제)를 혼합한 것을 말한다.

영철쌤 tip

물소화약제 첨가제
1. 부동액은 에틸렌글리콜이다.
2. 침투제는 Wet Water이다.
3. 증점제는 Thick Water이다.
4. 유동제는 Rapid Water이다.

부동제
부동제는 유기물 계통인 에틸렌글리콜을 가장 많이 사용한다. 무기물 계통인 염화나트륨, 염화칼슘은 부식으로 인해 사용하지 않는다.

용어사전
❶ 습윤제: 고체표면에 액체와 접촉하여 축축해지는 성질을 말한다.
❷ 표면장력: 물이 뭉치는 힘을 말한다.
❸ 웨팅 에이전트(Wetting Agent): 젖어 있는 약제(침윤제, 습윤제)를 말한다.

4. 증점제(Viscosity Agent[1])

(1) 가연물질에 대한 물소화약제의 **부착성(접착성)을 증가**시키기 위하여 첨가하는 물질이다.

(2) 많은 열을 발생하는 화재(산림화재 등)에 매우 효과적이다.

(3) 증점제로는 CMC, DAP, Gelgard, Organic-Gel 등이 있다.

(4) Thick Water

물의 점도를 증가시키는 증점제를 혼합한 수용액을 말한다. 즉, **물+증점제(카르복시메틸셀룰로오스)를 혼합**한 것을 말한다.

(5) 장·단점

① 장점
  ㉠ 연료 표면에 붙어 밀착력 향상에 뛰어나다.
  ㉡ 물보다 두꺼운 층을 만드는 효과가 있다.
  ㉢ 표면에 존재하는 수량에 비례한 열 흡수능력 향상에 뛰어나다.
  ㉣ 바람이나 화재플럼에 저항한다.

② 단점
  ㉠ 침투효과가 저하된다.
  ㉡ 호스나 배관에서 마찰손실이 증대한다.
  ㉢ 미끄럽다(안전사고의 원인).
  ㉣ 사용 전 혼합해야 한다.

> **참고** 유동성 보강제(Rapid Water, 빠른물)
>
> 소방활동에서 호스 내의 물의 마찰손실을 줄이면 보다 많은 양의 방수가 가능해지고 가는 호스로도 방수가 가능해진다. 이와 같은 목적을 위해 첨가하는 약제로 미국 유니언카바이드(Union Carbide)사에서의 Rapid Water라는 명칭의 첨가제를 발매하고 있다. Rapid Water의 성분은 폴리에틸렌옥사이드로서 이것을 첨가하면 물의 점성이 약 70% 감소하여 방수량이 증가하게 된다. 즉, 물의 마찰손실을 줄여 방사량을 증가시키는 첨가제이다.

용어사전

[1] 비스커스 에이전트(Viscosity Agent): 점성이 있는 약제를 말한다.

영철쌤 tip

증점제인 CMC는 카르복시메틸셀룰로오스를 말한다.

▲ Thick Water

영철쌤 tip

첨가제
1. 물+동결방지제(에틸렌글리콜)
2. 물+침투제(합성계면활성제)
 → 유수(Wet Water)
3. 물+증점제[카르복시메틸셀룰로오스(CMC)]
 → Thick Water
4. 물+유동제(폴리에틸렌옥사이드)
 → Rapid Water

문제로 완성하기

01 물소화약제의 성질에 대한 설명으로 옳지 않은 것은?

① 0℃의 얼음 1g이 0℃의 액체 물로 변하는 데 필요한 용융열은 약 80cal/g이다.
② 20℃의 물 1g을 100℃까지 가열하는 데 필요한 100cal의 열을 현열이라 한다.
③ 100℃의 액체 물 1g을 100℃의 수증기로 만드는 데 필요한 증발잠열은 약 539cal/g이다.
④ 대기압하에서 100℃의 물이 액체에서 수증기로 바뀌면 체적은 1,650배 정도 증가한다.

02 0℃ 얼음 1kg이 수증기 100℃가 되려면 몇 kcal가 필요한가?

① 619kcal ② 639kcal
③ 719kcal ④ 1,278kcal

03 중질유화재 시 무상주수를 함으로써 기대할 수 있는 소화효과로 올바르게 묶인 것은?   22. 공채·경채

① 질식소화, 부촉매소화   ② 질식소화, 유화소화
③ 유화소화, 타격소화   ④ 피복소화, 타격소화

04 다음 [보기]에서 물소화약제에 대한 설명으로 옳은 것만을 모두 고른 것은?

―――[보기]―――
ㄱ. 현열이란 물질의 상의 변화는 없고 온도의 변화만 있을 때 필요한 열량을 말한다.
ㄴ. 기화열이란 물질의 온도 변화는 없고 상의 변화만 있을 때 필요한 열을 말한다.
ㄷ. 물은 다른 물질에 비해 증발잠열(kJ/kg)이 크다.
ㄹ. 100℃의 물이 100℃의 수증기로 모두 기화하였을 경우 부피는 1,650배로 증가되어 질식효과가 있다.

① ㄱ   ② ㄱ, ㄴ
③ ㄱ, ㄴ, ㄷ   ④ ㄱ, ㄴ, ㄷ, ㄹ

05 [보기]에서 설명하는 물소화약제의 첨가제로 옳지 않은 것은?

25. 공채·경채

[보기]

물의 어는점(1기압, 0℃) 이하에서 동파 및 응고현상을 방지하기 위하여 첨가하는 물질

① 염화칼슘(Calcium Chloride)
② 글리세린(Glycerin)
③ 프로필렌글리콜(Propylene Glycol)
④ 폴리에틸렌옥사이드(Polyethylene Oxide)

정답 및 해설

01 현열
현열이란 상(相)의 변화가 없고 온도 변화가 요구되는 데 필요한 열을 말하며, 20℃의 물 1g을 100℃까지 가열하는 데 80cal의 현열이 필요하다.

02 물의 물리적 특성
0℃의 얼음 1kg이 100℃의 수증기가 될 때 필요한 총 열량은 80+100+539 = 719kcal이다.

■ 물의 융해열·현열·기화열
1. 물의 융해열(용융열)
   - 0℃의 얼음 1g이 0℃의 액체상인 물 1g으로 상(相)의 변화를 가져오는 데 필요한 열량을 말한다.
   - 물의 융해열: 80cal/g
2. 물의 현열
   - 0℃의 물 1g이 100℃ 물로 변화를 가져오는 데 필요한 열량을 말한다.
   - 물의 현열: 100cal/g
   - 물의 현열 영역은 100등분하여 계산한다.
3. 물의 기화열(증발열)
   - 100℃의 물 1g이 기체상인 수증기 1g으로 100℃의 상(相)의 변화를 가져오는 데 필요한 열량을 말한다.
   - 물의 기화열: 539cal/g

03 소화효과
중질유는 비수용성이므로 무상주수 시 기대할 수 있는 소화효과는 질식, 유화소화이다.

물의 주수형태	주된 소화	적응 화재	적용설비 [호스(노즐), 헤드]
봉상(물의 모양 막대기)	냉각	A급 화재	호스: 옥내·외 소화전설비, 연결송수관설비
적상[물의 모양 물(빗)방울]	냉각	A급 화재	헤드: 스프링클러설비, 연결살수설비, 연소방지설비
(분)무상(물의 모양 안개입자)	냉각, 질식 유화, 희석	A, B, C급 화재	• 호스: 옥내·외 소화전설비, 연결송수관설비 • 헤드: 물분무소화설비, 미분무소화설비

04 현열
ㄱ. 현열은 물질의 상태 중 한 가지 형태를 취한 비율이 100%인 상태를 유지하면서 가감되는 열은 온도의 변화로 나타나는 열을 말한다(물 0℃에서 끓는물 100℃).
ㄴ. 잠열(숨은열)은 물질의 상태변화 과정 중에서 온도의 변화는 없고 물질의 상태가 변화하는 과정 중에 방출하거나 흡수되는 열을 말한다(융해열, 기화열 등).
ㄷ. 소화약제의 증발잠열
  · 물: 539.63cal/g
  · 할론 1301: 26.5cal/g
  · 이산화탄소: 56.13cal/g
ㄹ. 물소화약제의 소화작용
  물입자가 화재 시 기화되어 수증기가 되면 화면을 차단하여 산소의 공급을 억제하는 것으로 물이 수증기로 전환될 때 대기압 내에서의 부피팽창은 약 1,650배 정도가 되어 연소에 이용될 산소의 양을 감소시킨다.

05 부동제
동결방지제(부동제, 부동액[영하20℃])
· 유기물계통: (에틸렌, 프로필렌, 디에틸)글리콜, 글리세린
· 무기물계통: 염화나트륨, 염화칼슘
④ 폴리에틸렌옥사이드(Polyethylene Oxide): 유동제
  - 물의 마찰손실을 줄여 방사량을 증가하는 첨가제
  - Rapid Water: 물 + 유동제(폴리에틸렌옥사이드)

정답 01 ② 02 ③ 03 ② 04 ④ 05 ④

06 물 소화약제의 물리적·화학적 특성으로 옳은 것만을 [보기]에서 있는 대로 고른 것은? 25. 소방간부

[보기]
ㄱ. 물은 수소 원자 2개와 산소 원자 1개가 극성공유결합을 하고 있다.
ㄴ. 물의 비중은 1기압, 0℃에서 가장 크다.
ㄷ. 물의 표면장력은 온도가 상승하면 작아진다.
ㄹ. 물의 비열은 대기압 상태에서 0.5cal/g·℃이다.

① ㄱ, ㄴ
② ㄱ, ㄷ
③ ㄷ, ㄹ
④ ㄱ, ㄴ, ㄷ
⑤ ㄴ, ㄷ, ㄹ

07 물 또는 수용액 속에서 물질이 용해될 때 발생하는 표면장력을 감소시켜 퍼짐성과 습윤성을 증가시키는 물질은?
① 셀룰로오스
② 염화나트륨
③ 계면활성제
④ 트리크롤페놀

08 물소화약제의 첨가제 중 주요 기능이 물의 표면장력을 작게 하여 심부화재에 대한 적응성을 높여 주는 것은? 20. 공채·경채
① 부동제
② 증점제
③ 침투제
④ 유화제

09 물소화약제에 대한 설명으로 옳지 않은 것은?
① 물의 빙점(0℃) 이하에서 동파 및 물의 응고현상을 방지하기 위하여 물에 첨가하는 물질을 부동제라 한다.
② 증점제는 많은 열을 발생하는 화재, 즉 산림화재 등에 매우 효과적이다.
③ 물의 표면장력을 감소시켜서 물의 침투성을 증가시키는 침투제를 혼합시킨 수용액을 유수라 한다.
④ 물에 알칼리염류를 첨가시켜 물이 가지고 있는 표면장력을 낮추어 침투성을 강화시킨 물질을 침투제라 한다.

10 소화방법에 관한 설명으로 옳은 것만을 [보기]에서 있는 대로 고른 것은? 23. 공채·경채

[보기]
ㄱ. 산림화재 시 화재 진행방향의 나무를 벌목하는 것은 제거소화의 방법 중 하나이다.
ㄴ. 물은 비열, 증발잠열의 값이 작아서 주로 냉각소화에 사용된다.
ㄷ. 부촉매 소화는 화학적 소화에 해당한다.
ㄹ. 유류화재는 포소화약제를 방사하여 유류 표면에 얇은 층을 형성함으로써 공기 공급을 차단해 소화한다.
ㅁ. 물에 침투제를 첨가하는 이유는 표면장력을 증가시켜 소화능력을 향상하기 위함이다.

① ㄱ, ㄷ, ㄹ
② ㄴ, ㄹ, ㅁ
③ ㄱ, ㄴ, ㄷ, ㄹ
④ ㄱ, ㄷ, ㄹ, ㅁ

11 일반화재, 유류화재 및 전기화재에도 적응성이 있는 물소화약제의 주수방법으로 옳은 것은?

① 봉상주수
② 직사주수
③ 적상주수
④ 무상주수

정답 및 해설

06 물 소화약제의 물리적·화학적 특성
ㄴ. 물의 비중은 1기압, 4℃에서 가장 크다.
ㄹ. 물의 비열은 대기압 상태에서 1cal/g·℃이다.

07 침투제
물에 1% 이하의 계면활성제를 가해 표면장력을 낮춰 침투효과를 높이기 위한 첨가 물질을 침투제라 하며, 또한 표면장력의 약화는 액체 표면적을 넓게 하여 열 흡수 능력을 증가시킨다.

08 침투제
· 물의 표면장력을 낮추어 침투성을 강화한다.
· 유수(Wet Water): 물 + 침투제(합성계면활성제)이다.
· 속불화재(심부화재)에 적합하다.

09 물소화약제의 첨가제
물에 알칼리염류를 첨가시켜 물이 가지고 있는 표면장력을 낮추어 침투성을 강화시킨 물질은 강화액소화약제이다.

10 소화방법
ㄴ. 물은 비열, 증발잠열의 값이 커서 주로 냉각소화에 사용된다.
ㅁ. 물에 침투제를 첨가하는 이유는 표면장력을 감소시켜 소화능력을 향상하기 위함이다.

11 무상주수
무상주수는 입자의 크기가 0.01~1.0mm 정도인 주수방법으로 일반화재, 유류화재, 전기화재 모두 적응성이 있다. 일반적으로 물분무소화설비의 헤드나 소방대의 분무노즐에서 고압으로 방수할 때 나타나는 안개형태의 주수를 말한다.

정답 06 ② 07 ③ 08 ③ 09 ④ 10 ① 11 ④

12 물소화약제에 대한 설명으로 옳은 것은?

21. 공채·경채

① 질식소화작용은 기대하기 어렵다.

② 분무상으로 방사 시 B급 화재 및 C급 화재에도 적응성이 있다.

③ 물은 비열과 기화열 값이 작아 냉각소화효과가 우수하다.

④ 수용성 가연물질인 알코올, 에테르, 에스테르 등으로 인한 화재에는 적응성이 없다.

13 물소화약제에 관한 설명으로 옳지 않은 것은?

24. 소방간부

① 물은 분자 내에서는 수소결합을, 분자 간에는 극성공유결합을 하여 소화약제로써의 효과가 뛰어나다.

② 물의 증발잠열은 100℃, 1기압에서 539kcal/kg이므로 냉각소화에 효과적이다.

③ 물의 주수형태 중 무상은 전기화재에도 적응성이 있다.

④ 물소화약제를 알코올 등과 같은 수용성 액체 위험물 화재에 사용하면 희석작용을 하여 소화효과가 있다.

⑤ 중질유화재에 물을 무상으로 주수 시 급속한 증발에 의한 질식효과와 함께 에멀션(emulsion) 형성에 의한 유화효과가 있다.

정답 및 해설

12 물소화약제

① 무상주수는 질식소화가 가능하다.
③ 물은 비열과 기화열 값이 커서 냉각소화효과가 우수하다.
④ 수용성 가연물질인 알코올, 에테르, 에스테르 등으로 인한 화재에는 무상주수 시 희석소화 적응성이 있다.

물의 주수형태	주된 소화	적응화재	적용설비[호스(노즐),헤드]
봉상 (물의 모양: 막대기)	냉각	A급 화재	호스: 옥내·외소화전설비, 연결송수관설비
적상 [물의 모양: 물(빗)방울]	냉각	A급 화재	헤드: 스프링클러설비, 연결살수설비, 연소방지설비
무상 (물의 모양: 안개입자)	냉각, 질식, 유화, 희석	A, B, C급 화재	· 호스: 옥내·외소화전설비, 연결송수관설비 · 헤드: 물분무소화설비, 미분무소화설비

13 물소화약제

물은 분자 내에서는 극성공유결합을, 분자 간에는 수소결합을 하여 소화약제로써의 효과가 뛰어나다.

정답 12 ② 13 ①

CHAPTER 3 강화액소화약제

1 개요

1. 정의
강화액은 물의 단점을 보완한 약제로서 알칼리금속염류의 수용액이다. 이는 물의 동결방지 및 소화능력을 향상시키기 위해서 물에 탄산칼륨(K_2CO_3)을 용해시킨 것으로, 겨울철 및 한랭지역에서 사용이 가능하다.

2. 소화약제의 특성
(1) 비중이 1.3 ~ 1.4이다(물보다 무겁다).
(2) 응고점은 −30℃이다.
(3) 사용온도범위는 영하 20℃ 이상 ~ 영상 40℃ 이하이다.
(4) 강알칼리성으로 독성이 없고 장기 보관 시 분해, 침전, 노화가 일어나지 않는다.
(5) 한랭지역 및 겨울철에 사용이 가능하다.
(6) 물 + 알칼리금속염류(탄산칼륨, 탄산나트륨, 황산칼륨, 인산암모늄) + 침투제 + 방염제로 혼합되어 있다.
(7) 부촉매효과(K^+, Na^+, NH_4^+), 물보다 뛰어난 침투력으로 재연소를 방지할 수 있다.
(8) 무색 또는 황색으로 약간의 점성이 있는 알칼리금속염류의 수용액이다.

2 소화효과

1. 봉상과 무상
(1) 봉상일 경우에는 부촉매 및 냉각작용에 의한 일반화재(A급)에 적합하다.
(2) 무상일 경우에는 부촉매·냉각 및 질식작용에 의해 일반화재(A급) 및 유류화재(B급), 전기(C급)화재에도 적응한다.

주수형태	주된 소화	적응화재
봉상	부촉매(억제), 냉각	A급 화재(B, K급 가능)
무상	부촉매(억제), 냉각, 질식	A, B, C급 화재(K급 가능)

출제 POINT
강화액소화약제 소화효과 ★☆☆

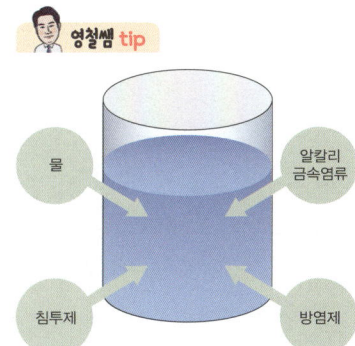
▲ 강화액소화약재

부촉매효과
1. 강화액은 액체 소화약제 중 유일하게 연쇄반응을 차단하는 부촉매효과(K^+, Na^+, NH_4^+, F^-, Cl^-, Br^-)가 있다.
2. 첨가제로 사용하는 황산칼륨과 인산암모늄 등의 일부가 화염에 의하여 분말이 되어 부촉매작용으로 연쇄반응을 억제한다.

침투제와 방염제
1. 침투제: 표면장력을 낮추어 침투성을 강화시킨 물질로서 합성계면활성제를 사용한다.
2. 방염제: 염색할 때에 염료용액이 옷감에 물드는 것을 막는 약제를 말한다.

강화액소화기, 분말소화기의 사용온도 범위는 영하 20℃ 이상 ~ 영상 40℃ 이하이다. 일반적으로 물소화약제를 사용하는 온도범위는 영상 0℃ 이상 ~ 영상 40℃ 이하이다.

문제로 완성하기

CHAPTER 3 강화액소화약제

01 강화액에 대한 설명으로 옳지 않은 것은?

① -50℃에서 사용이 가능하다.
② 침투제와 방염제가 첨가되어 A급 화재의 소화능력이 뛰어나다.
③ 연쇄반응을 단절하는 부촉매효과와 물보다 침투력이 뛰어나 재연소를 방지한다.
④ 황색 또는 무색의 약간의 점성이 있는 액체이다.

02 다음은 강화액소화약제에 대한 설명이다. 빈칸에 들어갈 단어로 옳은 것은?

탄산칼륨을 함유한 강화액은 ( )로 인해 부촉매소화효과를 가진다.

① K^+
② CO_3^{2-}
③ H^+
④ OH^-

정답 및 해설

01 강화액소화약제
강화액소화약제의 사용온도범위는 영하 20℃ 이상 영상 40℃ 이하이다.

02 강화액소화약제
강화액소화약제는 'K^+, Na^+, NH_4, F^-, Cl^-, Br^-'로 인해 부촉매소화효과를 가진다.

정답 01 ① 02 ①

CHAPTER 4 산·알칼리소화약제

1 개요

1. 정의
산은 무기산 또는 염류이어야 하며 알칼리는 물에 잘 용해되는 알칼리염류이어야 한다.

2. 반응식

$$2NaHCO_3 + H_2SO_4 \rightarrow Na_2SO_4 + 2CO_2 + 2H_2O$$

산·알칼리소화약제는 현재 사용하지 않는 약제이다.

2 산·알칼리소화약제의 특성 및 소화방법

1. 산·알칼리소화약제의 특성
(1) 탄산수소나트륨과 황산과의 화학반응에 의하여 생성된 **이산화탄소(CO_2)가 압력원**으로 작동한다.
(2) 사용온도는 0℃ 이상 ~ 40℃ 이하이다.
(3) 방사액의 수소이온농도는 pH5.5 이하의 산성을 나타내지 않아야 한다.

2. 산·알칼리소화약제에 의한 소화
(1) 봉상주수일 때는 냉각시켜 소화하며 일반(A급)화재에 적용된다.
(2) 무상주수의 경우에는 냉각효과 및 질식효과를 가지게 되어, 일반(A급)화재, 유류(B급)화재, 전기(C급)화재에 적응소화한다.

문제로 완성하기

CHAPTER 4 산·알칼리소화약제

01 산·알칼리소화약제에 대한 설명으로 옳지 않은 것은?

① 산으로는 진한 황산과 알칼리로는 화학포소화약제의 외통약제인 탄산수소칼륨을 소화약제로 사용한다.
② 산·알칼리소화약제의 사용온도는 0℃ 이상 ~ 40℃ 이하이다.
③ 화학반응 시 생성물질은 황산나트륨, 수증기, 이산화탄소이다.
④ 봉상주수일 때에는 냉각시켜 소화하며, 주로 A급 화재에 적용되고, 무상방사의 경우에는 B급 화재 및 C급 화재에도 적응성이 있다.

02 산·알칼리소화약제를 외부로 방출시켜주는 방출원 역할을 하는 물질은 무엇인가?

① 이산화탄소 ② 질소
③ 수증기   ④ 황산나트륨

정답 및 해설

01 산·알칼리소화약제
산은 무기산 또는 염류이어야 하며 알칼리는 물에 잘 용해되는 알칼리염류이어야 한다. 즉, 탄산수소나트륨과 황산과의 화학반응에 의하여 생성된 이산화탄소(CO_2)가 압력원으로 작동한다.

$$2NaHCO_3 + H_2SO_4 \rightarrow Na_2SO_4 + 2CO_2 + 2H_2O$$

02 산·알칼리소화약제
탄산수소나트륨과 황산과의 화학반응에 의하여 생성된 이산화탄소(CO_2)가 방출원(압력원)으로 작동한다.

정답 01 ① 02 ①

CHAPTER 5 포소화약제

1 개요

1. 정의
포(Foam)에는 두 가지 약제의 혼합 시 화학반응으로 발생하는 이산화탄소를 핵으로 하는 **화학포**와 포수용액과 공기를 교반·혼합하여 공기를 핵으로 하는 **기계포(일명 '공기포'라고도 한다)** 가 있다. 이와 같이 생성된 포는 유류보다 가벼운 미세한 기포의 집합체로 연소물의 표면을 덮어 공기와의 접촉을 차단하여 **질식효과를 나타내며, 함께 사용된 물에 의한 냉각효과도 나타난다.** 즉, 포소화약제는 질식효과와 냉각효과로 화재를 진압한다.

2. 포소화약제의 종류

(1) 발포방법(Mechanism)에 의한 분류
① 화학포: 산성액(황산알루미늄)과 알칼리성액(탄산수소나트륨)의 화학반응에 의해 발생되는 **탄산가스(이산화탄소)를 핵으로 한 포**를 말한다.
② 기계포(공기포): 물과 약제의 혼합액(포수용액)의 흐름에 **공기를 불어넣어서 발생시킨 포**를 말하며, 기계적으로 발생시켰기 때문에 기계포(Mechanical Foam)라고도 한다.

(2) 기계포의 발포배율(팽창비)에 의한 분류
① 발포배율(팽창비)
  ㉠ 최종 발생한 포 체적을 원래 포(포발생 전) 포수용액 체적으로 나눈 값을 말한다.
  ㉡ 포수용액의 체적에 대해 발생하는 포 거품의 체적비를 말한다.

$$\text{발포배율(팽창비)} = \frac{\text{발포 후 포의 체적[L]}}{\text{발포 전 포수용액의 체적[L]}} = \frac{\text{발포 후 포의 체적[L]}}{\text{포소화약제 체적[L]}}$$
$$\text{포 원액의 농도}$$

$$\text{포의 비중} = \frac{\text{발포 전 포수용액의 체적[L]}}{\text{발포 후 포의 체적[L]}}$$

출제 POINT
01 포소화약제의 종류 ★☆☆
02 포소화약제의 특징 및 성상 ★★☆
03 포소화약제 중 수성막포 ★★☆
04 포혼합방식(기계포) ★★★
05 포소화약제의 구비조건 ★☆☆

▲ 포소화약제

영철쌤 tip
발포배율(팽창비) 계산
1. 발포 전 포수용액 체적은 1L이다.
2. 발포 후 포의 체적은 10L이다.
3. 팽창비 = $\frac{10L}{1L}$ = 10배이다.

내열성
고발포보다 저발포가 내열성이 우수하다.

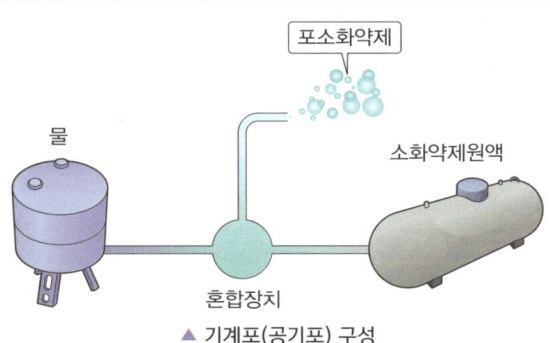
▲ 기계포(공기포) 구성

② 발포배율(팽창비)에 의한 기계포소화약제의 분류
  ㉠ **저발포: 팽창비가 20 이하**이며, **가연성 액체의 화재 시 주로 사용**된다.
  ㉡ **고발포: 팽창비가 80 이상 1,000 미만**이며, 주로 지하실, 선창, 탄광 등 소방대원이 진입하기 어려운 장소의 **A급 화재에 사용**된다. 고팽창포는 수분이 매우 적어서 증기 밀폐성, 재연 방지성, 유류에 대한 내성 및 바람에 대한 저항력 등이 좋지 않기 때문에 **가연성 액체의 화재에는 적당하지 않다.**
    ⓐ 1종: 팽창비 80 이상 250 미만
    ⓑ 2종: 팽창비 250 이상 500 미만
    ⓒ 3종: 팽창비 500 이상 1,000 미만
③ 발포배율(팽창비)에 따른 포소화약제의 종류 및 성분비
  ㉠ 저발포소화약제
    ⓐ 포원액 지정농도: 3%, 6%형
    ⓑ 비수용성 액체용 포소화약제: 단백포, 불화단백포, 합성계면활성제포, 수성막포
    ⓒ 수용성 액체용 포소화약제: (내)알코올포
    ⓓ 포방출구: 포헤드, 호스, 고정포방출구(위험물옥외탱크저장소)
  ㉡ 고발포소화약제
    ⓐ 포원액 지정농도: 1%, 1.5%, 2%형
    ⓑ 종류: 합성계면활성제포
    ⓒ 포방출구: 고발포형 고정포방출구

발포배율에 따른 포소화약제
1. 3%형은 물 97% + 포원액 3%를 섞어 사용하는 형이다.
2. 1%형은 물 99% + 포원액 1%를 섞어 사용하는 형이다.
3. 저발포, 고발포 둘 다 쓸 수 있는 약제는 합성계면활성제포이다.
4. 일반적으로 저발포는 B급 화재에, 고발포는 A급 화재에 사용된다.

핵심정리 발포배율(팽창비)에 따른 포소화약제의 종류 및 성분비

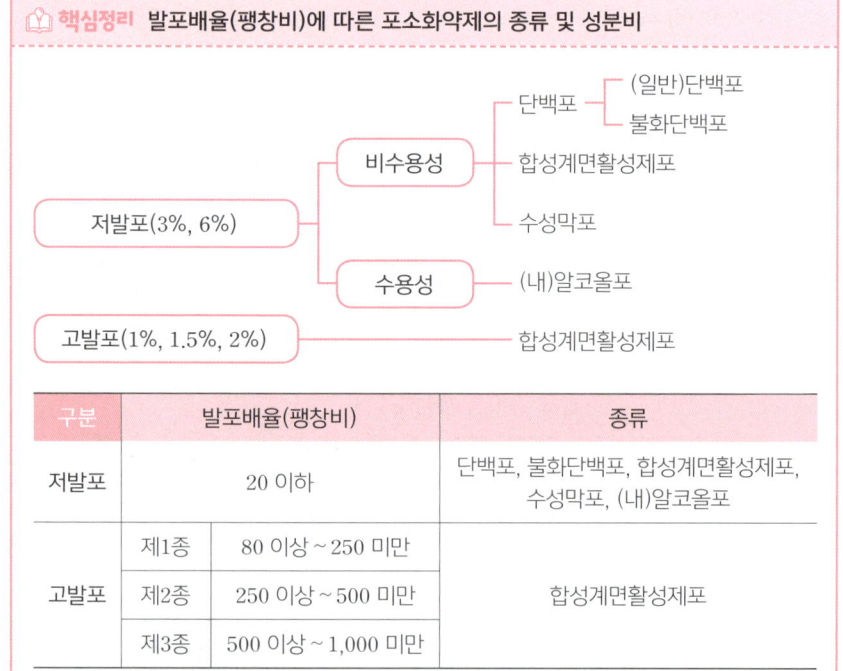

구분		발포배율(팽창비)	종류
저발포		20 이하	단백포, 불화단백포, 합성계면활성제포, 수성막포, (내)알코올포
고발포	제1종	80 이상 ~ 250 미만	합성계면활성제포
	제2종	250 이상 ~ 500 미만	
	제3종	500 이상 ~ 1,000 미만	

2. 포소화약제의 특징

1. 화학포소화약제

(1) 개요

화학포는 2가지의 소화약제(탄산수소나트륨과 황산알루미늄)가 화학반응을 일으켜 생성되는 기체(이산화탄소)를 핵으로 하는 포이다. 우리나라에서는 이 약제를 사용한 소화기가 가장 먼저 보급되었다. 이 소화기는 구조가 간단하고 고장이 없으며, 조작이 간편하여 사용하기 쉽고, 소화효과가 우수하기 때문에 널리 보급되어 사용되었으나 동결이 잘 되고(응고점: -5℃) 약제의 부식성, 발포장치의 복잡성 등의 문제가 있어 현재는 사용을 인정하지 않고 있다.

(2) 성분 및 특성

화학포는 A약제인 탄산수소나트륨(중조 또는 중탄산나트륨, $NaHCO_3$)과 B약제인 황산알루미늄[$Al_2(SO_4)_3$]의 수용액에 발포제와 안정제 및 방부제를 첨가하여 제조한다. 이들 두 약제의 화학반응식은 다음과 같다.

$$6NaHCO_3 + Al_2(SO_4)_3 \cdot 18H_2O \rightarrow 6CO_2 + 3Na_2SO_4 + 2Al(OH)_3 + 18H_2O$$

(3) 소화효과

두 가지 수용액을 혼합하면 화학반응에 의해 다량의 이산화탄소가 발생되어 소화기 내부가 고압 상태가 되고 그 압력에 의하여 반응액이 밖으로 밀려 나가 방사된다. 방사되는 순간에 이산화탄소를 핵으로 하는 포가 불꽃을 덮어서 불이 꺼지게 된다. (2)의 반응에 의해 생성된 수산화알루미늄은 끈적끈적한 교질 상으로 여기에 A약제에 포함된 수용성 단백질이 혼합되면 점착성이 좋은 포가 생성되어 가연물 표면에 부착되어 불꽃을 질식시킨다.

(4) 장·단점

① 장점
  ㉠ 일반화재 및 유류화재에 적응성이 있다.
  ㉡ 소화 후에는 재연소의 위험이 없다.
  ㉢ 가연물질의 내부까지 침투하여 소화한다.

② 단점
  ㉠ 영하 5℃ 이하에서는 보온을 필요로 한다.
  ㉡ 소화약제의 수명이 짧다.
  ㉢ 소화약제에 의한 피연소물질의 피해가 우려된다.

2. 기계포(공기포)소화약제

(1) 개요

공기포는 포소화약제와 물을 기계적으로 교반시키면서 공기를 흡입하여(공기를 핵으로 하여) 발생시킨 포로, 일명 기계포라고도 한다. 이 소화약제는 화학포소화약제보다 농축되어 있기 때문에 약제 탱크의 용량이 작아질 수 있다는 큰 장점이 있다.

영철쌤 tip

화학포를 사용하지 않는 이유
1. 동결이 잘 된다.
2. 약제의 부식성이 있다.
3. 발포장치가 복잡하다.

이 약제는 크게 **단백계와 계면활성제계**로 나누어지며 **단백계에는** 단백포소화약제, 불화단백포소화약제, **계면활성제계에는** 수성막포소화약제, 합성계면활성제포소화약제, (내)알코올포(수용성 액체용포)소화약제가 있다.

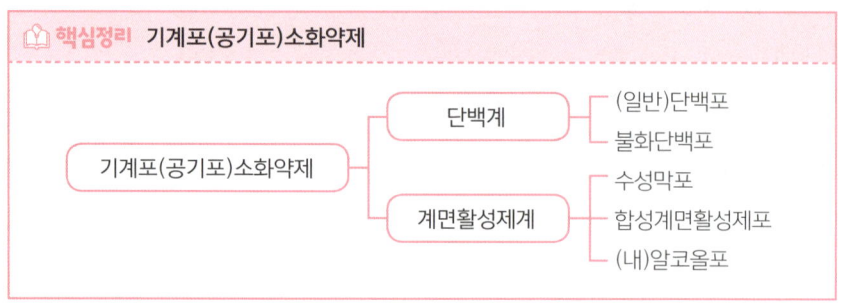

핵심정리 기계포(공기포)소화약제

- 기계포(공기포)소화약제
  - 단백계
    - (일반)단백포
    - 불화단백포
  - 계면활성제계
    - 수성막포
    - 합성계면활성제포
    - (내)알코올포

(2) 단백포소화약제
  ① 성분 및 소화작용
    ㉠ 동물 및 식물성 단백질을 가수분해한 생성물에 안정제, 방부제, 부동액을 첨가한 것으로 저발포용으로 이용된다. 흑갈색의 특이한 냄새가 나는 점도가 있는 액체로 동물의 뼈, 발톱 등으로부터 주원료인 젤라틴을 채취하여 가성소다로 분해하고 중화시켜 농축시킨 것이다. 즉, 동물의 뼈·뿔·발톱 등으로부터 젤라틴을 채취하여 단백질을 추출하고, 이를 가수분해한 것에 황산과 제1철염 첨가제를 혼합하여 제조한다.
    ㉡ 다량의 포가 신속하게 연소유면에 전개되면 단백질과 안정제가 결합하여 내열성이 우수한 포가 유면을 피복 질식소화한다.
  ② 적응화재: 유류화재(석유류, 방향족 등의 B급 화재)에 적응성이 있다.
  ③ 장·단점
    ㉠ 장점
      ⓐ 안정성이 높고 내열성이 우수하여 화재 시 포가 잘 소멸되지 않는다.
      ⓑ 포 층이 장시간 유면에 남아 있어 재연소 방지효과가 우수하다.
      ⓒ 부동액이 첨가된 내한용으로 −15℃에서 얼지 않는다.
      ⓓ 인간과 가축에 무해하다.
      ⓔ 가격이 싸다.
    ㉡ 단점
      ⓐ 포의 유동성이 낮아 유면을 덮는 데 시간이 걸리며 이로 인하여 소화의 속도가 늦다.
      ⓑ 유류에 대한 내유성이 약하여 오염되기 쉽다.
      ⓒ 변질, 부패가 우려되어 경년기간이 짧고 장기(약 3년) 저장이 불가능하다.

(3) 불화단백포소화약제
  ① 성분 및 소화작용: 주성분이 단백질 분해액이며 여기에 불소계 계면활성제를 첨가하여 **단백질과 불소계 계면활성제를 잘 결속시켜 이들 두 성분의 장점을 모두 갖춘 것**이다. 거품이 기름에 오염되지 않아 수성막포소화약제와 같이 표면하주입방식을 취할 수 있고, 거품이 타오르거나 열에 의해 소멸되지 않아 대형 유류탱크설비에 가장 적합한 포소화약제이며, **사용 시 윤화 현상도 발생하지 않는다**.

단백포 소화약제
1. 동물의 뼈, 뿔, 발톱 등으로부터 젤라틴 → 단백질 추출 → 가수분해 → 황산+제1철염 첨가제 혼합 제조
2. 제1철염을 사용하는 이유는 방부제(변질되지 말라고 첨가하지만 침전이 생긴다) 및 내열성을 높이기 위해서이다.
3. 단백계(단백포 및 불화단백포) 소화약제가 봉쇄성(밀봉성)이 좋다.

불화단백포는 단백포의 단점을 보완한 것이다.

② 적응화재: 유류화재(B급 화재)에 적응성이 있다.
③ 장·단점
  ㉠ 장점
    ⓐ 내열성이 좋아 대형 유류저장탱크 화재 시 가장 적합한 약제이다.
    ⓑ 기름에 오염되지 않아 표면하주입방식에 적합하다.
    ⓒ 철염의 첨가가 적어 단백포보다 장기(8~10년) 보관이 가능하다.
    ⓓ 내한용으로 -15℃에서 얼지 않는다.
    ⓔ 유동성이 좋아 소화속도가 빠르다.
    ⓕ 분말소화약제와 병용하여 소화작업(Comatible Dry Chemical)을 할 수 있다.
  ㉡ 단점
    ⓐ 단백포보다 가격이 비싸다.
    ⓑ 초내한용으로 사용이 어렵다.

(4) 합성계면활성제포소화약제
① 성분 및 특징: 계면활성제(고급 알코올 황산 에스테르염)를 기제로 하여 기포안정제를 첨가하여 제조한 것으로 고발포용과 저발포용이 있다. 저발포로 사용할 경우에는 내열성 및 내유성이 불량하여 단백포보다 유류화재에 적응성이 낮으며, 이로 인하여 일반적으로는 고발포용으로 사용한다.
② 적응화재: 유류화재 및 일반화재(A급, B급 화재)에 적응성이 있다.
③ 장·단점
  ㉠ 장점
    ⓐ 저발포에서 고발포까지 팽창비를 조정할 수 있어 유류화재 이외에 기체, 고체 연료 또는 일반 건물화재 등 광범위하게 사용할 수 있다.
    ⓑ 중·고발포의 경우 유동성이 좋아 단백포보다 소화속도가 빠르다.
    ⓒ 지하상가 또는 창고 화재에 적합하다(A급 화재).
    ⓓ 유류화재, 일반화재 공용이다.
    ⓔ 수명이 반영구적이다.
  ㉡ 단점
    ⓐ 내열성과 내유성이 약하여 대형 유류탱크 화재에서 윤화(Ring Fire) 현상이 일어날 염려가 있다.
    ⓑ 고팽창포로 사용하는 경우 방사거리가 짧다.
    ⓒ 저팽창포로 사용할 경우 단백포보다 유류화재에 불리하다.

(5) 수성막포(AFFF)소화약제
① 개요: 수성막포소화약제는 미국에서 말하고 있는 AFFF(Aqueous Film Forming Foam)를 우리말로 번역한 것이다. 1960년대에 미국해군연구소의 R. L. Tuve와 3M사가 공동 개발한 것으로 상품명은 라이터 워터이다.
② 성분 및 소화작용: 수성막포소화약제는 불소계 계면활성제가 주성분으로 탄화불소계 계면활성제의 소수기에 붙어있는 수소원자의 그 일부 또는 전부를 불소원자로 치환한 계면활성제가 주체이다.

표면하주입방식에는 수성막포소화약제 및 불화단백포소화약제가 있고, CDC분말소화약제는 수성막포소화약제 및 불화단백포소화약제가 있다.

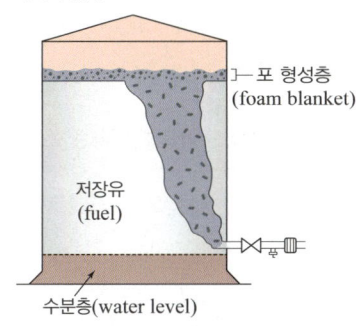
▲ 표면하주입방식

수성막포는 유면에 방사되면 포에서 불소계 계면활성제의 수용액이 신속하게 아래로 흘러내려 기름 위에 전개 기름의 증발을 억제하는 동시에 내유성과 유동성이 좋은 포가 수성막 위를 덮어 주기 때문에, 특별히 빨리 소화하여야 하는 기름층이 얇은 유출화재나 항공기 화재 또는 화학공장의 유출화재에 적합하며 이 경우 분말과 함께 2약제(Twin Agent System)방식으로 소화하는 것이 효과적이다.

③ 적응화재: 유류화재(B급 화재)에 적응성이 있다.

④ 장·단점

    ㉠ 장점

        ⓐ 유동성이 좋은 포와 수성막이 형성되어 초기 소화속도가 빨라 유출 화재에 가장 적합하다.

        ⓑ 소화성능은 단백포소화약제에 비하여 5배 정도이며, 소화에 사용되는 소화약제의 양도 1/3밖에 되지 않는다.

        ⓒ 내유성이 좋아 표면하주입방식을 할 수 있다.

        ⓓ 분말소화약제와 병용하여 소화작업(Comatible Dry Chemical)을 할 수 있으며, 병용 시 7~8배 소화효과가 있다.

        ⓔ 화학적으로 매우 안정되며 장기보존이 가능하다.

        ⓕ 소화 후 포와 막의 차단효과로 재연방지에 효과가 있다.

        ⓖ 영하에서도 포의 유동이 가능하며, 인체에 무해하다.

    ㉡ 단점

        ⓐ 내열성이 약하며, 값이 비싸다.

        ⓑ 내열성이 약해 윤화(Ring Fire) 현상❶이 일어날 염려가 있어 탱크설비에서는 탱크벽면에 물분무, 미분부설비 등(Water Spray 설비)과 병용설비를 하여야 효과적이다.

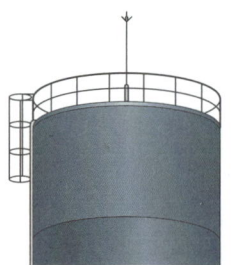  

▲ 유류저장탱크   ▲ 윤화(Ring Fire) 현상

        ⓒ 표면장력이 적으므로 금속 및 페인트칠에 대한 부식성이 크다.

(6) 알코올포소화약제(수용성 가연성 액체용 포소화약제)

수용성 가연성 액체용 포소화약제 또는 내알코올포소화약제라고 하며 학술적으로는 극성용제용 포소화약제이다. 이 약제는 알코올류, 케톤류, 에스테르류, 아민류, 초산글리콜류 등과 같은 가연성인 물질의 화재 진압에 적합하다. 약제의 종류에는 금속비누형, 불화단백형, 고분자겔형 포소화약제가 있으며, 금속비누형은 현재는 거의 사용되지 않고 불화단백형 내알코올포소화약제가 많이 사용되고 있다.

📖 **용어사전**

❶ 윤화(Ring Fire) 현상: 대형 유류저장탱크의 소화작업 시 불꽃이 치솟는 유면에 폼을 투입하였을 때 탱크 윗면의 중앙부는 불이 꺼졌어도 탱크의 벽면을 따라 환상(원)으로 화염이 남아 연소가 지속되는 현상을 말한다.

알코올포소화약제의 종류
금속비누형, 불화단백형, 고분자겔형 포소화약제가 해당한다.

핵심정리 기계포소화약제의 장·단점

구분	주성분	장점	단점
단백포	동·식물성 단백질을 가수분해 + 안정제, 방부제, 부동액을 첨가	· 내열성·점착성(봉쇄성, 밀봉성) 및 재연소 방지 효과가 우수하다. · 얼지 않는다. · 인체에 무해하다. · 가격이 싸다.	· 유동성 작아 소화속도가 늦다. · 내유성이 약해 오염되기 쉽다. · 변질·부패의 우려가 있다.
불화 단백포	단백포 + 불소계면활성제	· 내열성이 가장 우수하다. · 표면하주입방식(내유성 우수)이다. · 장기보관이 가능하다. · 얼지 않는다. · 유동성이 좋아 소화속도가 빠르다. · 분말소화약제(Comatible Dry Chemical)와 동시 사용이 가능하다.	· 가격이 비싸다. · (초)내한용으로 사용이 어렵다.
수성 막포	불소계 계면활성제 + 불소원자로 치환한 계면활성제	· 초기 소화속도가 빨라 소화력이 가장 우수하다. · 내유성과 유동성이 우수하다. · 표면하주입방식이다. · 분말소화약제와 병용하여 소화 작업한다. · 화학적으로 매우 안정되며 장기보존이 가능하다. · 재연방지에 효과적이다. · 인체에 무해하다.	· 내열성이 약해 윤화(Ring Fire) 현상이 있다(열화현상). · 값이 비싸다. · 부식성이 크다.
합성 계면 활성 제포	계면활성제 + 기포안정제	· 저발포에서 고발포까지 팽창비를 조정할 수 있어 유류화재 이외에 기체, 고체 연료 또는 일반 건물화재 등 광범위하게 사용된다. · 중·고발포의 경우 일반 화재에서는 유동성이 좋아 단백포보다 소화 속도가 빠르다. · 유류화재, 일반화재 공용으로 사용한다. · 수명이 반영구적이다.	· 내열성과 내유성이 약하여 윤화(Ring Fire) 현상이 있다(열화현상). · 방사거리(사정거리)가 짧다. · 저팽창포로 사용할 경우에는 단백포보다 유류화재에 불리하다. · 소화약제의 분해가 어려우므로 약간의 환경오염이 있다.
(내) 알코올포	· 금속비누형: 단백포 + 기포안정제 (지방산복염 등) · 불화단백형: 단백포 + 계면활성제	수용성에 적합하다.	침전우려로 바로 사용 가능하다.

단친매성과 양친매성
1. 단친매성(친수성): 물하고만 친한 성질이다. 단친매성물질로는 불소를 함유하고 있는 불화단백포, 수성막포가 있다.
2. 양친매성(친수성 + 친유성): 물과 기름 모두 친한 성질이다. 양친매성물질로는 단백포, 합성계면활성제포가 있다.

친수성과 친유성
1. 친수성: 물하고만 친한 성질
2. 친유성: 기름하고만 친한 성질

분말소화약제(Comatible Dry Chemical)와 동시 사용이 가능하다. 분말소화약제 중 제3종이 가장 소포성이 없다. 그러므로 CDC 분말소화약제는 제3종 분말을 사용한다.

> **핵심정리** 포소화약제

1. (반)표면하주입방식을 사용할 수 있는 포는 내유성이 우수한 수성막포, 불화단백포이다.
2. 분말소화약제와 포소화약제의 장·단점

구분	분말소화약제	포소화약제
장점	겉 불꽃 소화능력이 우수하다.	속 불꽃 소화능력이 우수하다. (재발화 우려 없음)
단점	속 불꽃 소화능력이 떨어진다. (재발화 우려)	겉 불꽃 소화능력이 떨어진다.

※ CDC 분말소화약제와 병용하여 소화작업(불화단백포, 수성막포)한다.

3. 포소화약제의 현상

1. 파포 현상

포소화약제의 포는 94~97%가 수분으로 구성되어 있다. 포가 수용성 가연성 액체에 접하면 포에 함유된 수분이 재빨리 수용성 가연성 액체 쪽으로 녹아 들어가고 포에서 탈수 현상이 일어나 **포가 순간적으로 소멸**되고, 동시에 수용성 가연성 액체는 반대로 포 쪽으로 이동하여 포의 형성을 유지하게 하는 유기물질을 응고시켜 파포 현상이 계속된다.

2. 윤화(Ring Fire)

(1) 정의

대형 유류저장탱크의 소화작업 시 불꽃이 치솟는 유면에 폼을 투입하였을 때 탱크 윗면의 중앙부는 불이 꺼졌어도 **탱크의 벽면을 따라 환상(원)으로 화염이 남아 연소가 지속되는 현상**을 말한다.

(2) 원인

가열된 탱크의 철재 벽면의 열로 인해 벽 주위의 폼이 열화되어 안정성이 저하된 상태에서, 철재 벽의 열에 의해 기름을 증발시켜 생성된 가연성 증기가 폼을 뚫고 상승하여 그 증기에 불이 붙는 현상이다. 대형 유류저장탱크에 화재가 나면 대개 탱크 벽면의 온도가 700~800°C까지 상승한다.

(3) 대책

① 탱크 벽면에 물분무, 미분무(Water Spray) 등의 설비를 **고정포방출설비와 병행하여 설치**한다.
② 윤화(Ring Fire)를 잘 일으키지 않는 내화성의 안정된 포를 소화약제로 사용한다(예 불화단백포 등).

4 포 특성의 상관관계

1. 발포배율과 환원시간
발포배율이 커지면 환원시간[1]은 짧아진다.

2. 발포배율과 유동성
동일한 원액에서 발포배율이 커지면 유동성은 증가한다.

3. 환원시간과 내열성
같은 원액으로부터 만들어진 포에서도 환원시간이 긴 것이 내열성이 우수하다.

4. 유동성과 내열성
소화 활동에는 내열성도 있고 유동성도 좋은 포가 바람직하지만 일반적으로 유동성이 좋은 것은 내열성이 부족하다.

용어사전

[1] 환원시간: 포수용액 상태로 환원되는 시간이다. 즉, 포가 깨지는 시간이다.

참고 25% 환원시간 시험

25%가 다시 포수용액 상태로 환원되는 시간은 다음과 같다.

종류	25% 환원시간
단백포 및 수성막포	60초
합성계면활성제포	30초

5 포소화약제의 혼합 방식

1. 화학포소화약제의 혼합 방식

(1) 1약제식 건식 설비

탄산수소나트륨과 황산알루미늄을 1개의 저장탱크에 저장하였다가 필요시 물을 주입하여 방출시키는 설비이다.

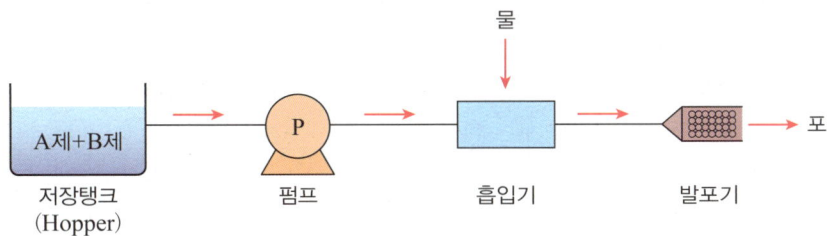

(2) 2약제식 건식 설비
탄산수소나트륨과 황산알루미늄을 분리하여 저장탱크에 저장한 후 필요 시 두 약제를 혼합한 후 물을 주입시켜 방출하는 설비이다.

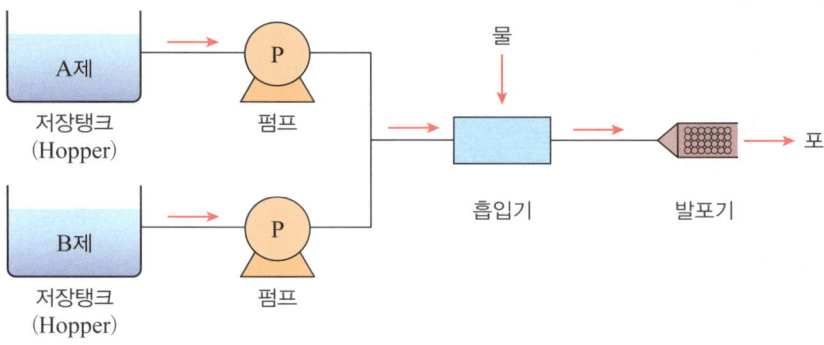

(3) 2약제식 습식 설비
탄산수소나트륨과 황산알루미늄의 수용액을 각각의 탱크에 저장해 두었다가 필요시 두 액체의 수용액을 혼합하여 방출시키는 설비이다.

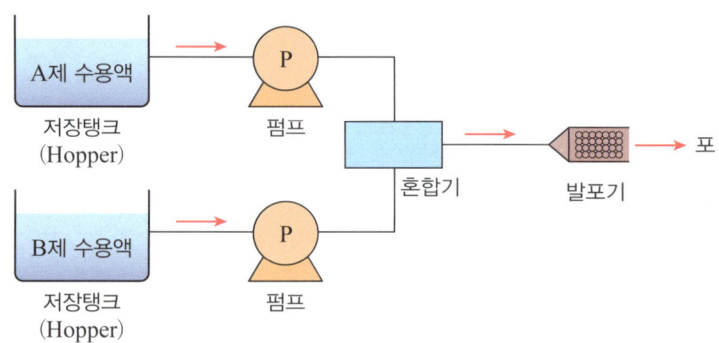

2. 공기포소화약제의 혼합 방식

(1) 펌프 프로포셔너 방식(Pump Proportioner Type)
펌프의 토출관과 흡입관 사이의 배관 도중에 설치된 흡입기에 펌프에서 토출된 물의 일부는 보내고 농도조절밸브에서 조정된 포소화약제의 필요량을 포소화약제 탱크에서 펌프 흡입 측으로 보내어 이를 혼합하는 방식이다.

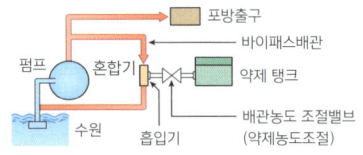

① **사용처**: 화학소방차
② **특징**
  ㉠ 포소화설비 전용펌프를 사용한다.
  ㉡ 압력손실이 적고 유지보수가 용이하다.
  ㉢ 압력손실 발생 시 약제탱크 쪽으로 물이 역류한다.

(2) 라인 프로포셔너 방식(Line Proportioner Type): 관로 혼합 방식
펌프와 발포기의 중간에 설치된 벤츄리관의 벤츄리 작용에 의하여 포소화약제를 흡입·혼합하는 방식으로, 소형이며 경제적이다.

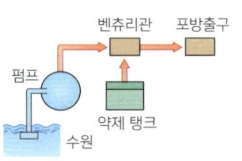
▲ 벤츄리관의 벤츄리 작용

① **사용처**: 포소화전

② 특징
ㄱ. 혼합기(벤츄리관)의 흡입가능 높이가 낮다(흡입가능 높이 1.8m 이하).
ㄴ. 혼합기(벤츄리관)의 압력손실이 크며 유량범위가 좁다.
ㄷ. 소형이며 경제적이다(가격이 저렴).

(3) **프레셔 프로포셔너 방식(Pressure Proportioner Type)**
펌프와 발포기의 중간에 설치된 벤츄리관의 벤츄리 작용과 펌프 가압수의 포소화약제 저장탱크에 대한 압력에 의하여 포소화약제를 흡입·혼합하는 방식으로, 압입식과 압송식이 있다.
① **사용처**: 대부분 건물(가장 많이 사용)
② 특징
ㄱ. 혼합기(벤츄리관)의 흡입가능 높이가 높다(흡입가능 높이 1.8m 이상).
ㄴ. 혼합기(벤츄리관)의 압력손실이 작고 유량범위가 넓다.
ㄷ. 약제 원액 잔량을 버리지 않고 계속 사용할 수 있다.

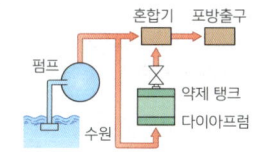
▲ 벤츄리관의 벤츄리 작용과 펌프 가압수 (가장 많이 사용함)

(4) **프레셔 사이드 프로포셔너 방식(Pressure side Proportioner Type)**
펌프의 토출관에 압입기를 설치하여 포소화약제 압입용 펌프로, 포소화약제를 압입시켜 혼합하는 방식으로 대형설비에 사용한다.
① **사용처**: 항공기 격납고, 석유화학공장, 대형설비
② 특징
ㄱ. 혼합기(벤츄리관)의 흡입가능 높이가 높다(흡입가능 높이 1.8m 이상).
ㄴ. 혼합기(벤츄리관)의 압력손실이 작고 유량범위가 넓다.
ㄷ. 가격이 비싸다.

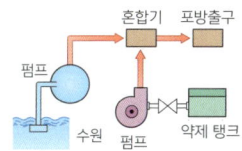
▲ 포소화약제 압입용 펌프

(5) **압축공기포 믹싱챔버방식(Compressed Air Foam Mixing Chamber Type)**
포수용액에 가압원으로 압축된 공기 또는 질소를 일정비율로 혼합하는 방식으로, 공기혼합기 및 압축공기공급기 등으로 구성된다[포원액＋물＋공기(질소)를 미리 혼합한 상태]. 유일하게 A, B, C급 모두 사용 가능한 방식이다.
① **사용처**: 발전기실, 엔진펌프실, 변압기, 전기케이블실, 유압설비
② 특징
ㄱ. 가장 점도가 커서 접착력이 우수하다.
ㄴ. 감전의 우려가 없으므로 C급 화재(발전기실, 변압기, 전기케이블)에 적응성이 있다(물론 A, B급 화재에도 적응성 있음).
ㄷ. 가격이 비싸다.

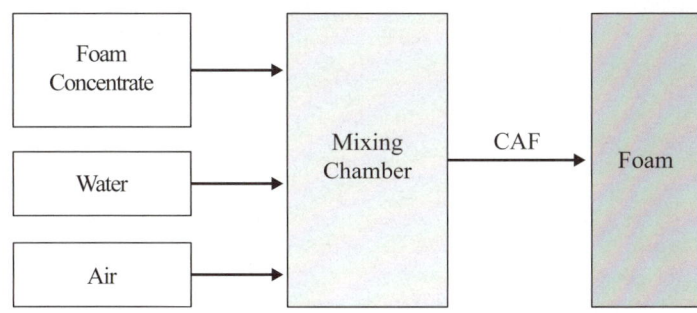

> **용어사전**
>
> ① 내열성: 열에 견디는 성질을 말한다.
> ② 내유성: 포가 유류에 오염되지 않는 성질(포가 유류에 견디는 성질)을 말한다.
> ③ 유동성: 포가 자유로이 유동하여 확산되는 성질을 말한다.
> ④ 점착성: 포가 유류에 달라붙는 성질을 말한다.

6 포소화약제의 구비조건

1. 내열성[1]

화염 및 화열에 대한 내력이 강해야 화재 시 포(Foam)가 파괴되지 않으며 A급 화재의 경우 물의 냉각에 의존하나 B급 화재의 경우는 포의 내열성이 중요한 요소가 된다. **발포배율이 낮을수록, 환원시간이 길수록 내열성이 우수하다.**

2. 내유성[2]

포(Foam)가 유류에 오염되어 파괴되지 않아야 하므로 내유성 또한 중요하며 특히 **표면하주입식의 경우는 포(Foam)가 유류에 오염될 경우 적용할 수 없다.**

3. 유동성[3]

포(Foam)가 연소하는 유면 상을 자유로이 유동하여 확산되어야 소화가 원활해지므로 유동성은 매우 중요하다.

4. 점착성[4]

포(Foam)가 표면에 잘 흡착하여야 질식의 효과를 극대화시킬 수 있으며 특히 점착성이 불량할 경우 바람에 의하여 포(Foam)가 달아나게 된다.

문제로 완성하기

CHAPTER 5 포소화약제

01 포소화약제의 주된 소화원리는?

① 질식소화 ② 냉각소화
③ 억제소화 ④ 희석소화

02 젤라틴을 주원료로 가성소다로 분해하고 중화시켜 농축시킨 것으로 짐승의 뼈, 뿔 등을 주원료로 하여 제조하며, 흑갈색의 특이한 냄새가 나는 점도가 있는 포소화약제는?

① 단백포 ② 수성막포
③ 알코올형포 ④ 합성계면활성제포

03 계면활성제를 기제로 하여 기포 안정제를 첨가하여 제조한 것으로 고발포용과 저발포용 2가지가 있으며, 일반적으로 고발포용으로 사용되는 포소화약제는?

18. 공채 · 경채

① 합성계면활성제포 ② 수성막포
③ 알코올포 ④ 단백포

정답 및 해설

01 포소화약제의 소화원리
포(Foam)는 유류보다 가벼운 미세한 기포의 집합체로 연소물의 표면을 덮어 공기와의 접촉을 차단하여 질식효과를 나타내며 함께 사용된 물에 의한 냉각효과도 나타난다. 즉, 포소화약제는 질식효과와 냉각효과에 의해 화재를 진압한다.

02 단백포소화약제
단백포소화약제는 동물의 뼈, 발톱 등으로부터 주원료인 젤라틴을 채취하여 가성소다로 분해하고 중화시켜 농축시킨 소화약제이다.

03 합성계면활성제포소화약제
합성계면활성제포는 계면활성제를 기제로 하여 기포 안정제를 첨가하여 제조한 것으로 고발포용과 저발포용이 있다. 저발포로 사용할 경우는 내열성 및 내유성이 불량하여 단백포보다 유류화재에 적응성이 낮으며, 이로 인하여 일반적으로는 고발포용으로 사용한다.

정답 01 ① 02 ① 03 ①

04 포(Foam)에 대한 일반적인 설명으로 옳은 것은? 22. 공채·경채

① 불화단백포 및 수성막포는 표면하 주입방식에 사용할 수 있다.
② 불소를 함유하고 있는 합성계면활성제포는 친수성이므로 유동성과 내유성이 좋다.
③ 단백포는 유동성은 좋으나, 내화성은 나쁘다.
④ 알콜형포 사용 시 비누화현상이 일어나면 소화능력이 떨어진다.

05 포소화약제에 관한 설명으로 옳지 않은 것은? 24. 공채·경채

① 불화단백포소화약제는 불소계 계면활성제를 첨가하여 단백포소화약제의 단점인 유동성을 보완하였다.
② 알콜형포소화약제는 케톤류, 알데히드류, 아민류 등 수용성용제의 소화에 사용할 수 있다.
③ 단백포소화약제는 단백질을 가수분해 한 것을 주원료로 하며 내유성이 뛰어나 소화속도가 빠르다.
④ 합성계면활성제포소화약제는 유동성과 저장성이 우수하며 저팽창포부터 고팽창포까지 사용할 수 있다.

06 기계포 소화약제 중 단백포 소화약제에 관한 설명으로 옳은 것만을 [보기]에서 있는 대로 고른 것은? 24. 소방간부

──────[보기]──────
ㄱ. 유동성이 좋다.   ㄴ. 내열성이 나쁘다.
ㄷ. 유류를 오염시킨다.   ㄹ. 유면 봉쇄성이 좋다.

① ㄱ, ㄷ   ② ㄷ, ㄹ   ③ ㄱ, ㄴ, ㄹ
④ ㄴ, ㄷ, ㄹ   ⑤ ㄱ, ㄴ, ㄷ, ㄹ

07 다음 그림의 주입 방식에 가장 적합한 포소화약제로만 짝지어진 것은? 23. 공채·경채

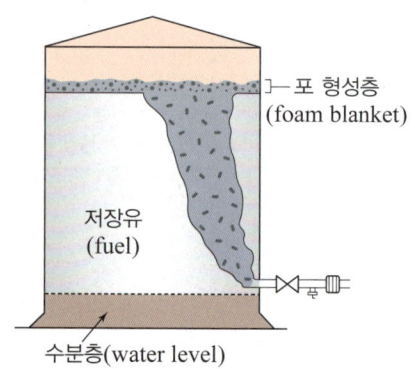

① 단백포, 불화단백포
② 수성막포, 불화단백포
③ 합성계면활성제포, 수성막포
④ 단백포, 수성막포

08 수용성 가연물 화재 시 사용하는 알코올포소화약제의 종류에 해당되지 않는 것은?

① 금속비누형
② 불화단백형
③ 합성계면활성제형
④ 고분자겔생성형

정답 및 해설

04 불화단백포 및 수성막포
표면하 주입방식에는 내유성이 우수한 수성막포, 불화단백포를 사용한다.

05 포소화약제
단백포소화약제는 단백질을 가수분해 한 것을 주원료로 하며 내열성이 뛰어나 소화속도가 빠르다.

06 단백포

주성분	동·식물성 단백질을 가수분해+안정제, 방부제, 부동액을 첨가
장점	• 내열성·점착성 및 재연소 방지효과 우수 • 얼지 않음 • 인체무해 • 저렴한 가격
단점	• 유동성 작아 소화속도 늦음 • 내유성이 약해 오염되기 쉬움 • 변질·부패 우려

07 포소화약제
그림은 포를 아래에서 방사하는 표면하주입방식을 나타낸다. 표면하주입방식을 사용하는 포소화약제는 수성막포, 불화단백포이다.

08 알코올포소화약제
알코올포소화약제의 종류에는 금속비누형, 불화단백형, 고분자겔형 포소화약제가 있다. 금속비누형은 현재는 거의 사용되지 않고, 불화단백형 내알코올포소화약제가 많이 사용되고 있다.

정답 04 ① 05 ③ 06 ② 07 ② 08 ③

09 수성막포소화약제에 관한 내용으로 옳은 것만을 [보기]에서 있는 대로 고른 것은? 23. 소방간부

[보기]
ㄱ. 불소계 계면활성제를 주성분으로 한 것으로 안정성이 좋아 장기보존이 가능하다.
ㄴ. 알코올류, 케톤류, 에스테르류 등과 같은 수용성 위험물 화재에 소화적응성이 아주 우수하다.
ㄷ. 내유성이 있어 탱크 하부에서 발포하는 표면하주입방식이 가능하며 분말소화약제와 함께사용 시 소화능력이 강화된다.
ㄹ. 유류의 표면에 거품과 수성막을 형성함으로써 질식과 냉각 소화 작용이 우수하며 '라이트워터(Light Water)'라고도 불린다.

① ㄱ
② ㄴ, ㄷ
③ ㄱ, ㄴ, ㄹ
④ ㄱ, ㄷ, ㄹ
⑤ ㄴ, ㄷ, ㄹ

10 다음은 수성막포에 대한 설명이다. ( ) 안에 들어갈 내용으로 옳은 것은? 22. 소방간부

수성막포는 (ㄱ)이 강하여 표면하주입방식에 효과적이며, 내약품성으로 (ㄴ)소화약제와 Twin Agent System이 가능하다. 반면에 내열성이 약해 탱크 내벽을 따라 잔불이 남게 되는 (ㄷ)현상이 일어날 우려가 있으며, 대형화재 또는 고온화재 시 수성막 생성이 곤란한 단점이 있다.

	ㄱ	ㄴ	ㄷ
①	점착성	강화액	윤화
②	점착성	분말	선화
③	내유성	분말	선화
④	내유성	강화액	선화
⑤	내유성	분말	윤화

11 고발포인 제2종 기계포의 팽창비에 해당하는 것은? 20. 공채·경채

① 10배 이상 20배 이하
② 100배 이상 200배 이하
③ 300배 이상 400배 이하
④ 500배 이상 600배 이하

12 포소화약제가 갖추어야 할 조건으로 옳지 않은 것은?

① 점착성이 있을 것
② 유동성을 가지고 내열성이 있을 것
③ 내유성과 안정성이 있을 것
④ 파포성을 가지고 기화가 용이할 것

정답 및 해설

09 수성막포소화약제
수성막포는 비수용성이므로 수용성인 알코올류, 케톤류, 에스테르류 등의 화재에는 소화적응성이 없다.

■ 수성막포[AFFF(Aqueous Film Forming Foam)]
1. 상품명: 라이터 워터
2. 유출된 기름화재, 항공기 화재
3. 유동성 가장 우수(수막층과 유출된 기름이 같은속도로 이동)
4. 분말소화약제와 병행가능[CDC분말소화약제](겉 불꽃 – 분말, 속 불꽃 – 포)
5. 내유성이 우수하여 표면하 주입방식, 반 표면화 주입방식 가능
6. 내열성이 약해 윤화(Ring Fire)현상 발생

10 수성막포
수성막포는 내유성이 강하여 표면하주입방식에 효과적이며, 내약품성으로 분말소화약제와 Twin Agent System이 가능하다. 반면에 내열성이 약해 탱크 내벽을 따라 잔불이 남게 되는 윤화현상이 일어날 우려가 있으며, 대형화재 또는 고온화재 시 수성막 생성이 곤란한 단점이 있다.

종류	주성분	장점	단점
수성막포	불소계 계면활성제 + 불소원자로 치환한 계면활성제이다.	· 초기 소화속도가 빨라 소화력이 가장 우수하다. · 내유성과 유동성이 우수하다. · 표면하주입방식이다. · 분말소화약제와 병용하여 소화 작업한다. · 화학적으로 매우 안정되며 장기보존이 가능하다. · 재연방지에 효과적이다. · 인체에 무해하다.	· 내열성이 약해 윤화(Ring Fire) 현상이 있다. · 값이 비싸다. · 부식성이 크다.

11 팽창비
1. 저발포: 20 이하
2. 고발포
   · 제1종 기계포: 80 이상 250 미만
   · 제2종 기계포: 250 이상 500 미만
   · 제3종 기계포: 500 이상 1,000 미만

12 포소화약제의 구비조건
· 내열성
· 내유성
· 유동성
· 점착성(부착성)

■ 파포현상
포소화약제의 포는 94~97%가 수분으로 구성되어 있다. 포가 수용성 가연성 액체에 접하면 포에 함유된 수분이 재빨리 수용성 가연성 액체 쪽으로 녹아들어가고 포에서 탈수현상이 일어나 포가 순간적으로 소멸된다. 동시에 수용성 가연성 액체는 반대로 포 쪽으로 이동하여 포의 형성을 유지하게 하는 유기물질을 응고시켜 파포현상이 계속된다.

정답 09 ④ 10 ⑤ 11 ③ 12 ④

13 펌프와 발포기의 중간에 설치된 벤츄리관의 벤츄리 작용과 펌프 가압수의 포소화약제 저장탱크에 대한 압력에 따라 포소화약제를 흡입·혼합하는 방식은?

① 프레셔 사이드 프로포셔너 방식　　② 라인 프로포셔너 방식
③ 프레셔 프로포셔너 방식　　　　　④ 펌프 프로포셔너 방식

14 (가) ~ (라)의 포소화약제 혼합방식에 관한 설명으로 옳지 않은 것은?　　25. 공채·경채

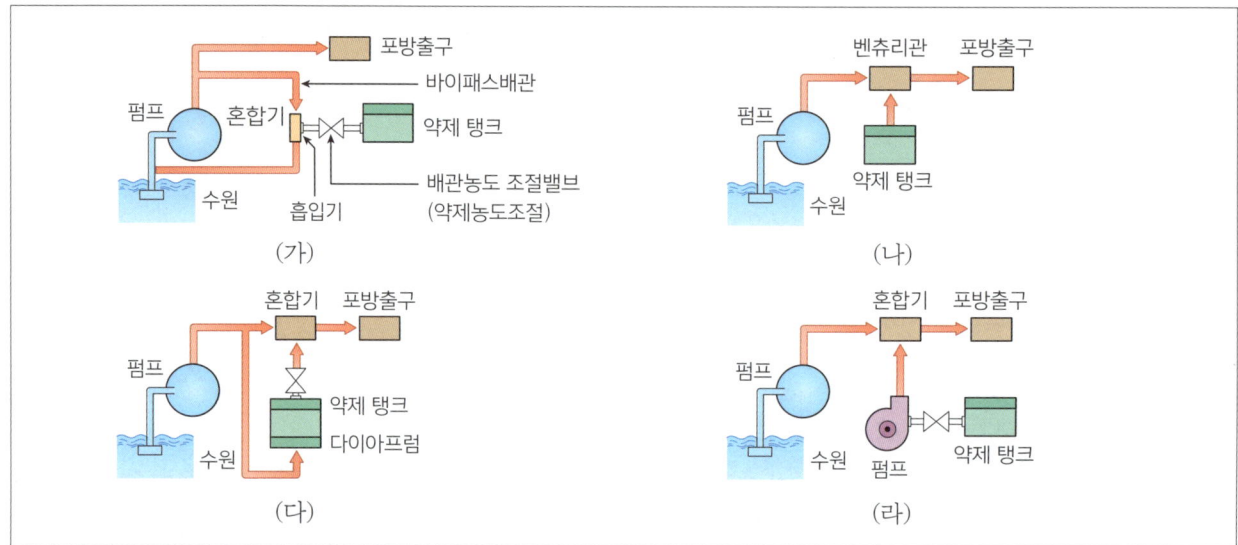

① (가): 화학소방차에 주로 사용하는 방식이다.
② (나): 혼합기의 압력손실이 적고, 흡입 가능한 유량의 범위가 넓다.
③ (다): 약제 원액 잔량을 버리지 않고 계속 사용할 수 있다.
④ (라): 비행기 격납고, 석유화학 플랜트 등과 같은 대단위 고정식 소화설비에 주로 사용하며, 설치비가 비싸다.

15 「포소화설비의 화재안전성능기준」상 포 소화약제 혼합장치 중 '프레셔사이드 프로포셔너방식'에 대한 설명으로 옳은 것은?　　25. 소방간부

① 펌프와 발포기의 중간에 설치된 벤추리관의 벤추리작용과 펌프 가압수의 포 소화약제 저장탱크에 대한 압력에 따라 포 소화약제를 흡입·혼합하는 방식을 말한다.
② 펌프와 발포기의 중간에 설치된 벤추리관의 벤추리작용에 따라 포 소화약제를 흡입·혼합하는 방식을 말한다.
③ 펌프의 토출관과 흡입관 사이의 배관 도중에 설치한 흡입기에 펌프에서 토출된 물의 일부를 보내고, 농도 조정밸브에서 조정된 포 소화약제의 필요량을 포 소화약제 저장탱크에서 펌프 흡입측으로 보내어 이를 혼합하는 방식을 말한다.
④ 물, 포 소화약제 및 공기를 믹싱챔버로 강제주입시켜 챔버 내에서 포수용액을 생성한 후 포를 방사하는 방식을 말한다.
⑤ 펌프의 토출관에 압입기를 설치하여 포 소화약제 압입용펌프로 포 소화약제를 압입시켜 혼합하는 방식을 말한다.

16 포혼합장치 중 펌프 프로포셔너(Pump Proportioner) 방식에 해당하는 것은? 21. 공채·경채

①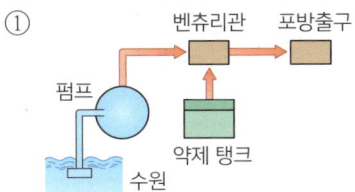

②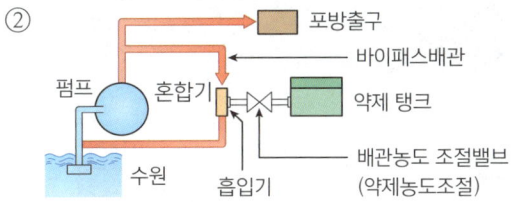

③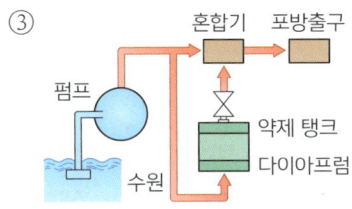

④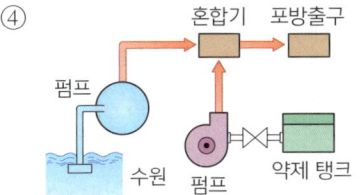

정답 및 해설

13 프레셔 프로포셔너 방식(Pressure Proportioner type)
프레셔 프로포셔너는 펌프와 발포기의 중간에 설치된 벤츄리관의 벤츄리 작용과 펌프 가압수의 포소화약제 저장탱크에 대한 압력에 의하여 포소화약제를 흡입·혼합하는 방식이다.

14 라인 프로포셔너 방식(Line Proportioner type)
(나) 라인 푸로포셔너 방식: 혼합기의 압력손실이 크며, 흡입 가능한 유량의 범위가 좁다.

15 프레셔 사이드 프로포셔너 방식(Pressure side Proportioner type)
① 프레셔 프로포셔너방식
② 라인 프로포셔너방식
③ 펌프 프로포셔너방식
④ 압축공기포 믹싱챔버방식

16 포혼합장치
② 펌프 프로포셔너 방식(Pump Proportioner Type): 펌프의 토출관과 흡입관 사이의 배관 도중에 설치된 흡입기에 펌프에서 토출된 물의 일부는 보내고 농도조절밸브에서 조정된 포소화약제의 필요량을 포소화약제 탱크에서 펌프 흡입 측으로 보내어 이를 혼합하는 방식이다.
① 라인 프로포셔너 방식(Line Proportioner Type): 관로 혼합 방식으로, 펌프와 발포기의 중간에 설치된 벤츄리관의 벤츄리 작용에 의하여 포소화약제를 흡입·혼합하는 방식이다.
③ 프레셔 프로포셔너 방식(Pressure Proportioner Type): 펌프와 발포기의 중간에 설치된 벤츄리관의 벤츄리 작용과 펌프 가압수의 포소화약제 저장탱크에 대한 압력에 의하여 포소화약제를 흡입·혼합하는 방식이다.
④ 프레셔 사이드 프로포셔너 방식(Pressure side Proportioner Type): 펌프의 토출관에 압입기를 설치하여 포소화약제 압입용 펌프로 포소화약제를 압입시켜 혼합하는 방식이다.

정답 13 ③ 14 ② 15 ⑤ 16 ②

CHAPTER 6 이산화탄소소화약제

출제 POINT
- 01 이산화탄소의 일반적인 성질 ★☆☆
- 02 이산화탄소의 품질 ★★☆
- 03 소화작용 ★★★
- 04 적응화재 ★★☆
- 05 소화농도 및 설계농도 ★★☆

1 개요

1. 정의

이산화탄소는 탄소의 최종 산화물로 더 이상 연소반응을 일으키지 않기 때문에 질소, 수증기, 아르곤, 할론 등의 불활성기체와 함께 가스계 소화약제로 널리 이용되고 있다. 이산화탄소는 유기물의 연소에 의해 생기는 가스로, 공기보다 약 1.53배 정도 무거운 기체이다. 상온에서는 기체이지만 압력을 가하면 액화되기 때문에 고압가스 용기 속에 액화시켜 보관한다. **방출 시에는 배관 내를 액상으로 흐르지만 분사 헤드에서는 기화되어 분사**된다.

가스계 소화약제(이산화탄소 · 할론 · 할로겐화합물 및 불활성기체 소화약제)는 공통적인 사항이 많으므로 묶어서 학습하는 것이 좋다.

2. 이산화탄소의 일반적인 성질

(1) 상온에서 무색 · 무취 · 무미의 기체로서 **독성이 없다.**

(2) 공기 중에 약 0.03vol% 존재한다.

(3) 부식성이 없고 비중이 1.52(1.53)로 **공기보다 무겁다.**

(4) 이산화탄소는 압축냉각하면 쉽게 액화할 수 있으며 더욱 압축냉각하면 고체(드라이아이스)가 된다.

3. 이산화탄소의 열역학적 상태도(Phase Diagram)

열역학적 상태도에서와 같이 이산화탄소는 일반적인 다른 물질과는 달리 보통의 대기압하에서 액체 상태가 아닌 기체 상태와 고체 상태로만 존재할 수 있다.

▲ 드라이아이스

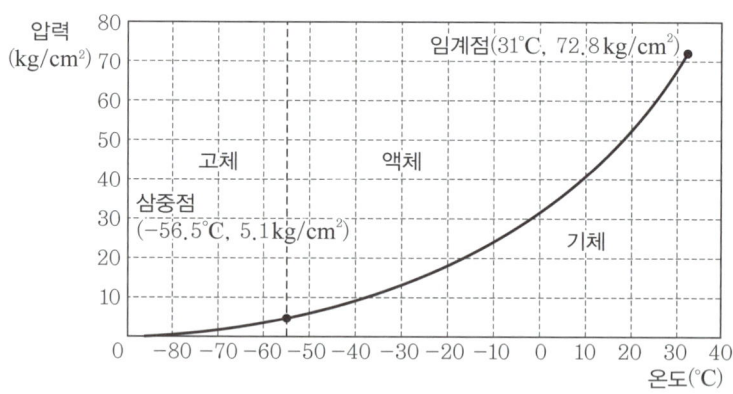

(1) 임계점(Critical Point)
① **액체 밀도와 기체 밀도가 같아지는 점**이다.
② 임계온도 이상에서는 기상으로만 존재하며, 액체로 존재할 수 있는 가장 높은 온도이다.

(2) 삼중점(Triple Point)
① **고체, 액체, 기체가 공존하는 상태점**이다.
② 삼중점 이하의 압력에서는 액체 상태로 존재할 수 없고 온도에 따라 기체 또는 고체 상태로 존재한다.

4. 이산화탄소의 품질
이산화탄소소화약제라 함은 한국산업규격(KS)에 적합한 액화이산화탄소는 99.5vol% 이상의 이산화탄소와 0.05wet% 이하의 수분을 함유한 **제2종과 제3종**을 말한다.

구분 \ 종별	제1종	제2종	제3종
이산화탄소[vol%]	99.0 이상	99.5 이상	99.5 이상
수분[wet%]	–	0.05 이하	0.005 이하
특성	무색 · 무취	무색 · 무취	무색 · 무취

 **영철쌤 tip**
1. 이산화탄소는 대기압 또는 삼중점 이하에서는 액체 상태로 존재할 수 없다.
2. 이산화탄소 저장은 액화상태이다.

2 이산화탄소소화약제의 소화작용

1. 소화원리
주된 소화원리는 질식소화이며, **보조적으로 냉각소화**(줄톰슨효과❶에 의해 주위열을 흡수) 및 **피복소화**의 작용이 있다.

용어사전
❶ 줄톰슨(Joule-Thomson)효과: 계 내에서 단열팽창의 경우 온도 강하가 일어나는 현상을 말한다.

2. 질식소화
이산화탄소는 비중이 1.53으로서 공기 또는 산소보다 무거워 가연물질(액체 가연물질)에 방출되면 가연물질의 표면에 불연층을 형성하거나 이를 둘러싸게 되어 산소의 공급을 차단시킨다. 이는 화재를 소화하는 질식소화작용이 다른 소화약제에 비하여 우수하다.

3. 냉각소화
고압용기에 액체상으로 저장하여 두었다가 화재 시 방호대상물에 방출하면, 액체상의 이산화탄소가 기체상의 이산화탄소로 기화하면서 화재 발생 장소의 주위로부터 많은 열을 흡수함으로써 화재를 발화점 이하로 냉각시켜 소화하는 기능을 한다. 특히, 액화이산화탄소가 대기에 급격하게 방출되는 경우, 주위로부터 일시에 많은 기화열을 흡수하지 못하고 방출량의 약 25%가 고체상의 드라이아이스로 생성된다. 이 드라이아이스는 기화하며 주위로부터 열을 흡수하므로 냉각소화기능도 한다.

참고 소화약제로 사용되는 물질의 기화열(증발잠열)

소화약제명	기화열[cal/g]	소화약제명	기화열[cal/g]
물(H_2O)	539	할론 2402	25
이산화탄소(CO_2)	56	할론 1211	32
할론 1301	28	할론 104	46.4

4. 피복소화

이산화탄소의 비중이 공기 또는 순수한 산소보다 무거워 화재 발생 시 가연물에 방출하면 미연소된 가연물질(피연소물질)의 표면뿐만 아니라 내부의 구석구석까지 침투하여 **가연물질의 주위를 둘러싸 산소의 공급을 차단**함으로써 화재 시 더 이상 연소가 확대되는 것을 방지하는 소화작용이다(피연소물질 보호).

3 이산화탄소소화약제의 특징

1. 적응화재의 종류
(1) 일반화재(A급 화재)

(2) 유류화재(B급 화재)

(3) 전기화재(C급 화재)

2. 장·단점
(1) 장점

① 전역방출방식(**실이 밀폐인 경우**)으로 할 때에는 일반가연물화재(A급 화재)에도 적용된다.

② 화재를 소화할 때에는 피연소물질의 내부까지 침투한다(피복소화).

③ 피연소물질에 피해를 주지 않는다(물과 비교했을 때).

④ 증거보존이 가능하다.

⑤ 소화약제의 구입비가 저렴하다.

⑥ **전기의 부도체(비전도성, 불량도체)**이다.

⑦ 장기간 저장하여도 변질·부패 또는 분해를 일으키지 않는다.

⑧ **자체압력으로 방출이 가능**하다(외부동력 필요 없음).

가스계소화설비의 소화약제방출방식
1. 전역방출방식은 전체실에 약제방출한다.
2. 국소방출방식은 화재발생부분에만 집중적으로 약제방출한다.
3. 호스릴방출방식은 이동식으로 약제방출한다.

(2) 단점

① **고압가스에 해당되므로 저장 및 취급 시 주의**를 요한다.

② 소화약제의 방출 시 **동상이 우려**된다.

③ 저장용기에 충전하는 경우 고압을 필요로 한다.

④ **인체의 질식이 우려**된다.

⑤ 소화약제의 방출 시 **소리가 요란**하다.

⑥ 소화시간이 다른 소화약제에 비하여 길다(물리적 소화로서 주된 소화는 질식소화).

> **핵심정리** 이산화탄소소화약제의 특징
>
> 1. 부도체이므로 전기화재(C급 화재)에 적합하다.
> 2. 자체압력으로 방출이 가능하므로 외부동력원이 필요 없다.
> 3. 방사 시 운무(雲霧) 현상 때문에 가시거리가 짧아질 수 있다.
> 4. 고압으로 방사하므로 분사헤드와 마찰에 의해 방출 시 소리가 요란하다.
> 5. **화학적 소화가 아닌 물리적 소화**이므로 소화시간이 길다.

3. 설치 제외 장소

(1) 방재실·제어실 등 사람이 상시 근무하는 장소

(2) 소화약제에 의해 질식 또는 인체의 위해가 발생할 우려가 있는 밀폐장소

(3) 제5류 위험물(니트로셀룰로오스·셀룰로이드 제품 등 자기연소성 물질)을 저장·취급하는 장소

(4) 이산화탄소와 반응성이 있는 활성금속물질인 나트륨(Na)·칼륨(K)·칼슘(Ca) 등을 저장·취급하는 장소

(5) 전시장 등의 관람을 위하여 다수인이 출입·통행하는 통로 및 전시실 등

> **핵심정리** 이산화탄소소화약제 설치 제외 장소
>
> 1. 사람이 있는 장소
> 2. 제3류 위험물과 제5류 위험물을 저장·취급하는 장소

이산화탄소소화약제
1. 가스계소화약제 중 냉각효과가 가장 우수하다.
2. 가스계소화약제 중 유일하게 피복소화한다.

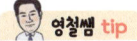

제3류 위험물과 제5류 위험물을 저장·취급하는 장소
1. 제3류 위험물 소화는 일반적으로 마른 모래, 팽창질석, 팽창진주암, 드라이파우더로 질식소화한다.
2. 제5류 위험물 소화는 일반적으로 대량의 주수소화한다.

가스계소화약제의 공통사항
제3류 위험물과 제5류 위험물을 저장·취급하는 장소에는 사용할 수 없다.

4 이산화탄소의 인체에 대한 위험

1. 질식위험
이산화탄소 자체는 무독성이지만 방사 후 산소농도가 14 ~ 16%까지 저하되기 때문에 질식의 위험이 있다.

2. 냉각에 의한 동상위험
액화이산화탄소가 분사노즐에서의 팽창 및 기화 시 줄톰슨효과와 주위로부터의 기화열 흡수에 의하여 -83℃까지 하강하게 되므로 냉각에 의한 동상의 위험이 있다.

5 이산화탄소소화약제의 소화농도 · 설계농도 및 체적

1. 방호구역 내에 이산화탄소(CO_2)가스 방사 시 이산화탄소(CO_2) 소화농도

(1) 최소 이산화탄소(CO_2)의 소화농도[%]

$$\text{최소 이산화탄소}(CO_2)\text{의 소화농도}[\%] = \frac{\text{방출 후 이산화탄소}(CO_2) \text{ 체적}}{\text{방호체적} + \text{방출 후 이산화탄소}(CO_2) \text{ 체적}} \times 100$$

$$\text{최소 이산화탄소}(CO_2)\text{의 소화농도}[\%] = \frac{21 - O_2}{21} \times 100 \quad [O_2: \text{한계산소농도}]$$

(2) 이산화탄소(CO_2) 체적(Q)

$$Q(CO_2)[m^3] = \frac{21 - O_2}{O_2} \times V$$

2. 최소 설계농도

(1) **표면재**[1]**인 경우** 최소 설계농도는 가스계 설비의 경우 설계나 설치상 미세한 실수를 보상하기 위해 최소 이론농도에 **안전율 20%를 고려하여 설계(20% 더한 값)** 하여야 한다. 따라서 어떠한 경우도 **설계농도가 34% 미만이 되어서는 안 된다.**

$$\text{최소 설계농도} = \text{최소 이론(소화)농도} \times 1.2$$

(2) **심부화재**[2]**인 경우** 최소 설계농도는 가스계 설비의 경우 설계나 설치상 미세한 실수를 보상하기 위해 최소 이론농도에 **안전율 80%를 고려하여 설계(80% 더한 값)** 하여야 한다. 따라서 어떠한 경우도 **설계농도가 50% 미만이 되어서는 안 된다.**

$$\text{최소 설계농도} = \text{최소 이론(소화)농도} \times 1.8$$

📖 용어사전

[1] 표면재: 가연성 물질의 표면에서 연소하는 화재를 말한다.
[2] 심부화재: 목재 또는 섬유류와 같은 고체가연물에서 발생하는 화재형태로서 가연물 내부에서 연소하는 화재를 말한다.

심부화재

1. 이산화탄소소화설비의 화재안전기술기준(NFTC 106)에서 "심부화재"란 목재 또는 섬유류와 같은 고체가연물에서 발생하는 화재형태로서 가연물 내부에서 연소하는 화재를 말한다.
2. 이산화탄소소화설비의 화재안전성능기준(NFPC106)에서 "심부화재"란 종이·목재·석탄·섬유류 및 합성수지류와 같은 고체가연물에서 발생하는 화재형태로서 가연물 내부에서 연소하는 화재를 말한다.

예제

CO₂ 소화농도, 체적, 설계농도

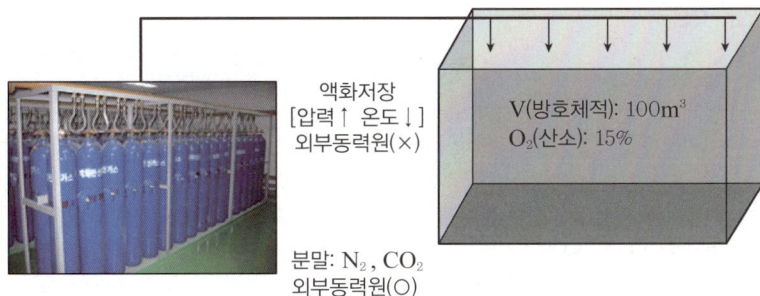

1. CO_2 소화농도(%) $= \dfrac{21-O_2}{21} \times 100 = \dfrac{21-15}{21} \times 100 = 28.57\%$

2. CO_2 체적 $Q(CO_2)[m^3] = \dfrac{21-O_2}{O_2} \times V = \dfrac{21-15}{21} \times 100 = 40m^3$

3. CO_2 소화농도(%) $= \dfrac{\text{방출 후 } CO_2 \text{ 체적}}{\text{방호체적}+\text{방출 후 } CO_2 \text{ 체적}} \times 100 = \dfrac{40}{100+40} \times 100 = 28.57\%$

4. CO_2 설계농도(%) = CO_2 소화농도(%)×1.2[표면화재] = 28.57×1.2 = 34%
   CO_2 소화농도(%)×1.8[심부화재] = 28.57×1.8 = 50%

문제로 완성하기

CHAPTER 6 이산화탄소소화약제

01 이산화탄소소화약제에 대한 설명으로 옳지 않은 것은?
① 상온에서 무색·무취의 기체로서 독성이 없다.
② 이산화탄소소화약제로 사용할 수 있는 기준은 순도가 99.5% 이상이고 수분의 함량은 0.5% 이하로 하여야 한다.
③ 소화원리는 질식소화, 냉각소화, 피복효과이다.
④ 제5류 위험물(니트로셀룰로오스·셀룰로이드 제품 등 자기연소성 물질)을 저장·취급하는 장소에는 사용할 수 없다.

02 이산화탄소소화약제의 특징으로 옳은 것은? 24. 공채·경채
① 무색, 무취로 전도성이며 독성이 있다.
② 질식소화 효과와 기화열 흡수에 의한 냉각효과가 있다.
③ 제3류 위험물, 제5류 위험물의 소화에 사용한다.
④ 자체 증기압이 매우 낮아 별도의 가압원이 필요하다.

03 다음 [보기]의 특성에 해당하는 소화약제는? 18. 공채·경채

[보기]
- 소화 후 소화약제에 의한 오손이 없고, 비전도성이다.
- 장기보존이 용이하고, 추운 지방에서도 사용 가능하다.
- 자체 압력으로 방출이 가능하고, 불연성 기체로서 주된 소화효과는 질식효과이다.

① 이산화탄소소화약제
② 산·알칼리소화약제
③ 포소화약제
④ 할로겐화합물소화약제

04 이산화탄소소화약제에 대한 설명으로 옳지 않은 것은?
① 전역방출방식(실이 밀폐인 경우)으로 할 때에는 일반가연물화재(A급 화재)에도 적용된다.
② 증거보존이 가능하다.
③ 고압가스에 해당되므로 저장 및 취급 시 주의를 요한다.
④ 소화시간이 다른 소화약제에 비하여 빠르다.

05 이산화탄소소화약제에 대한 설명으로 옳지 않은 것은?

① 전기의 부도체(불량도체)이므로 전기화재에 적합하다.

② 인체의 질식이 우려된다.

③ 소화약제의 방출 시 소리가 거의 없으므로 주의를 요한다.

④ 장기간 저장하여도 변질·부패 또는 분해를 일으키지 않는다.

06 연소하한계(LFL)가 2.1vol%인 프로페인(C_3H_8)가스 화재 시 소화할 때 필요한 이산화탄소 소화약제의 농도는 최소 몇 vol%를 초과해야 하는가? (단, 공기 중 산소농도는 21vol%로 한다) 25. 소방간부

① 25　　② 34　　③ 50
④ 67　　⑤ 75

정답 및 해설

01 이산화탄소소화약제의 품질
이산화탄소소화약제라 함은 한국산업규격(KS)에 적합한 액화이산화탄소는 99.5vol% 이상의 이산화탄소와 0.05wet% 이하의 수분을 함유한 제2종과 제3종을 말한다.

02 이산화탄소소화약제의 특징
① 무색, 무취로 비전도성이며 독성이 없다.
③ 사람이 있는 장소, 제3류 위험물, 제5류 위험물의 소화에 사용할 수 없다.
④ 자체 증기압이 매우 높아 별도의 가압원이 필요없다(외부동력원 필요 없음).

03 이산화탄소소화약제의 장·단점

장점	단점
· 전역방출방식(실이 밀폐인 경우)으로 할 때에는 일반가연물화재(A급 화재)에도 적용할 수 있다. · 화재를 소화할 때에는 피연소물질의 내부까지 침투한다(피복소화). · 피연소물질에 피해를 주지 않는다(물과 비교). · 증거보존이 가능하다. · 소화약제의 구입비가 저렴하다. · 전기의 부도체(비전도성, 불량도체)이다. · 장기간 저장하여도 변질·부패·분해를 일으키지 않는다. · 자체압력으로 방출이 가능하다(외부동력원이 필요없다).	· 고압가스에 해당되므로 저장 및 취급시 주의를 요한다. · 소화약제의 방출 시 동상의 우려가 있다. · 저장용기에 충전하는 경우 고압을 필요로 한다. · 인체의 질식에 대한 우려가 있다. · 소화약제의 방출 시 소리가 요란하다. · 소화시간이 다른 소화약제에 비하여 길다(물리적 소화로서 주된 소화는 질식소화).

04 이산화탄소소화약제의 특징
이산화탄소소화약제의 소화시간이 다른 소화약제에 비하여 느리다.

05 이산화탄소소화약제의 특징
이산화탄소소화약제는 방출 시 소리가 요란하다.

06 이산화탄소 소화농도

CO_2 소화농도(%) = $\dfrac{21-O_2}{21} \times 100 = \dfrac{21-10.5}{21} \times 100 = 50\%$

최소산소농도(MOC)

= 산소의 양론계수 $\left(\dfrac{산소몰수}{연소가스몰수}\right) \times$ 연소하한계(폭발하한계)

= $\dfrac{5}{1} \times 2.1 = 10.5\%$

프로페인가스의 화학방정식: $C_3H_8 + 5O_2 \rightarrow 3CO_2 + 4H_2O$

정답 01 ②　02 ②　03 ①　04 ④　05 ③　06 ③

07 이산화탄소소화약제의 설계농도는 소화농도에 몇 %를 가산하여야 하는가?

① 10%　　　　　　　　　　　② 20%
③ 30%　　　　　　　　　　　④ 40%

08 공기 중 산소농도가 20%일 때, 이산화탄소를 방사해서 산소농도 10%가 되었다면 이때 이산화탄소의 농도는?

① 50　　　　　　　　　　　② 25
③ 20　　　　　　　　　　　④ 15

09 밀폐된 구획공간에서 이산화탄소 방사 시 산소농도를 10%로 설계할 때 방사하는 이산화탄소의 농도는? (단, 소수점은 올림 처리한다)
21. 소방간부

① 15%　　　　　　　　　　　② 24%
③ 35%　　　　　　　　　　　④ 45%
⑤ 53%

정답 및 해설

07 이산화탄소소화약제의 설계농도
이산화탄소소화약제 최소 설계농도[%]는 산출된 최소 소화농도[v%]에 20%를 더하여 산출한 농도[%]이다. 이산화탄소소화약제 최소 설계농도[%]는 최소 소화농도[%]×1.2이다.

08 이산화탄소소화약제의 소화농도
이산화탄소의 소화농도 $CO_2[\%]$
$= \dfrac{21-O_2}{21} \times 100 = \dfrac{20-O_2}{20} \times 100 = \dfrac{20-10}{20} \times 100 = 50$

09 이산화탄소소화약제의 소화농도
이산화탄소 소화농도 $CO_2[\%]$
$= \dfrac{21-O_2}{21} \times 100 = \dfrac{21-10}{21} \times 100 = 52.38 = 53\%$

정답 07 ②　08 ①　09 ⑤

CHAPTER 7 할론소화약제

1 개요

출제 POINT
01 명명법 ★☆☆
02 소화작용 ★☆☆
03 적응화재 ★☆☆

1. 정의

할론소화약제는 지방족 탄화수소인 메탄(CH_4), 에탄(C_2H_6)에 할로겐족 원소인 불소(Fluorine)·염소(Chlorine) 및 브롬(취소, Bromine)을 수소원자와 치환시켜 제조된 물질로서 상온에서 증발성이 강하여 증발성 액체 소화약제라 하였으나 할로겐물질에 의해서 제조된 것이라 하여 국제적으로 명명법에 의해 Halon(Halogenated Hydrocarbon)이라는 명칭을 사용하도록 함으로써 할론(Halon)소화약제로 불리고 있다.

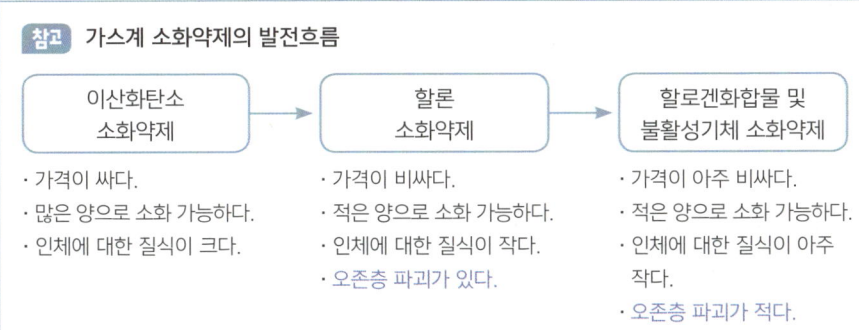

참고 가스계 소화약제의 발전흐름

이산화탄소 소화약제 → 할론 소화약제 → 할로겐화합물 및 불활성기체 소화약제
- 가격이 싸다.
- 많은 양으로 소화 가능하다.
- 인체에 대한 질식이 크다.

- 가격이 비싸다.
- 적은 양으로 소화 가능하다.
- 인체에 대한 질식이 작다.
- 오존층 파괴가 있다.

- 가격이 아주 비싸다.
- 적은 양으로 소화 가능하다.
- 인체에 대한 질식이 아주 작다.
- 오존층 파괴가 적다.

가스계 소화약제의 발전흐름
1. 이산화탄소소화약제의 단점을 보완한 것이 할론소화약제이다.
2. 할론소화약제의 단점을 보완한 것이 할로겐화합물 및 불활성기체 소화약제이다.

2. 할론 명명법에 의한 명명

할로겐화합물소화약제에 대한 명명은 탄화수소인 메탄(CH_4)·에탄(C_2H_6)의 수소원자와 치환되는 할론(Halon)족 원소의 종류와 치환되는 위치 및 수에 따라 부여되고 있다.

첫번째 번호는 할론번호의 주체가 되는 탄소의 수, 두번째 번호는 활성이 가장 강한 불소의 수, 세번째 번호는 염소의 수, 마지막은 부촉매소화(화학소화)기능이 가장 우수한 브롬(취소)의 수를 나타낸다. 특히, 수소원자와 치환되는 할론(Halon)족 원소가 없을 때에는 0으로 한다.

(1) 제일 앞에 Halon이란 명칭을 쓴다.
(2) 그 뒤에 구성원소들의 개수를 C, F, Cl, Br, I의 순서대로 쓰되, 해당 원소가 없는 경우 0으로 표시한다.
(3) 맨 끝의 숫자가 0으로 끝나면 0을 생략한다(단, I의 경우는 없어도 0을 표시하지 않는다).
(4) 탄소를 제외한 다른 원소들의 위치는 바꾸어 표기해도 무방하다.

7족	
19	F
9	
불소(플루오린)	
35.5	Cl
17	
염소	
80	Br
35	
브로민(브롬)	
127	I
53	
아이오딘(요오드)	
할로겐족	

1. 할론(Halon) 1301, 1211, 2402: 2010년 사용금지
2. 할론(Halon) 104: 1975년 사용금지

Br(브로민, 브롬)
부촉매소화효과 가장 우수하나 오존층을 파괴한다. 그래서 오존층을 보호하는 할로겐화합물에는 Br(브로민)을 사용하지 않는다.

▲ 할론1211소화기

핵심정리 할론소화약제의 명명법

예 Halon 1 3 0 1
 C F Cl Br → C F_3 Br

예 Halon 2 4 0 2
 C F Cl Br → C_2 F_4 Br_2

예 Halon 1 2 1 1
 C F Cl Br → C F_2 Cl Br

예 Halon 1 0 4 0
 C F Cl Br → C Cl_4

2 할론소화약제의 분류

할론소화약제는 탄화수소인 메탄(CH_4)·에탄(C_2H_6)에 치환되는 할로겐족 원소의 종류와 치환되는 위치 및 수에 따라 여러 가지의 물질로 분류되고 있으나 그 물질의 자체 및 열분해 생성가스의 유독성으로 인하여 현행 소방법령에서 3가지 할론소화약제만 사용하도록 규정하고 있다.

1. 할론(Halon) 1301 소화약제

포화탄화수소인 메탄(CH_4)에 불소 3분자와 취소 1분자를 치환시켜 제조된 물질(CF_3Br)로서 비점이 -57.8℃이며, 모든 할론소화약제 중 소화성능이 가장 우수하다. 다만, 오존층을 구성하는 오존(O_3)과의 반응성이 강하여 오존파괴지수(ODP)가 가장 높다.

2. 할론(Halon) 1211 소화약제

포화탄화수소인 메탄(CH_4)에 불소 2분자·염소 및 취소 1분자를 치환시켜 제조된 물질(CF_2ClBr)로서 비점이 -3.4℃이며, 소화약제로 사용되는 할로겐화합물 중 오존파괴지수(ODP)가 가장 낮다. 특히 할론 1211 소화약제는 소화기용 소화약제로 사용하는 경우 일반가연물화재·유류화재·전기화재 및 가스화재에 적응되는 유일한 소화약제(ABC 소화약제)이다.

3. 할론(Halon) 2402 소화약제

포화탄화수소인 에탄(C_2H_6)에 불소 4분자·취소 2분자를 치환시켜 제조된 물질($CF_2Br \cdot CF_2Br \cdot CF_2Br$)로서 비점이 +47.5℃이므로 상온에서 액체상으로 존재한다.

물질명 구분	1취화 3불화 메탄	1취화 1염화 2불화메탄	2취화 4불화 에탄	1취화 1염화 메탄	4염화탄소
화학식	CF_3Br	CF_2ClBr	CF_2Br_2	CH_2ClBr	CCl_4
할론(Halon) 명칭	할론(Halon) 1301	할론(Halon) 1211	할론(Halon) 2402	할론(Halon) 1011	할론(Halon) 104

> **참고** 할론소화약제의 물성치
>
> | 종류
특성 | 할론(Halon)
1301 | 할론(Halon)
1211 | 할론(Halon)
2402 | 할론(Halon)
104 |
> |---|---|---|---|---|
> | 분자식 | CF_3Br | CF_2ClBr | $C_2F_4Br_2$ | CCl_4 |
> | 분자량 | 148.9 | 165.4 | 259.8 | 153.8 |
> | 비점[℃, 1atm] | -57.8 | -3.4 | 47.5 | 76.8 |
> | 증발잠열
[cal/g, 비점] | 28.4 | 32.3 | 25.0 | 46.3 |
> | 액체비중(20℃) | 1.57 | 1.83 | 2.18 | - |
> | 기체비중(공기=1) | 5.1 | 5.7 | 9.0 | 5.3 |
> | 증기압[kg/cm²] | 14 | 2.5 | 0.48 | - |
> | 상태(상온, 상압) | 기체 | 기체 | 액체 | 액체 |
> | 소화효과 | 크다. | - | - | 작다. |
> | 특성 | 작다. | - | - | 크다. |
> | 오존층 파괴 | 크다. | 작다. | - | - |

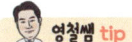 영철쌤 tip

1. 할론 1301: 소화효과가 가장 우수하며, 가장 독성이 작다.
2. 할론 104: 소화효과가 가장 낮으며, 가장 독성이 크다.

3. 할론소화약제의 소화작용

할론소화약제의 주된 소화는 **부촉매소화**이며, 보조적으로 질식, 냉각의 작용이 있다.

1. 부촉매소화작용(화학적 소화)

(1) 할론소화약제에 함유되어 있는 불소(F)·염소(Cl) 및 취소(Br)가 가연물질을 구성하고 있는 수소(H)·산소(O)로부터 활성화되어 생성된 활성종인 수소기(H^+)·수산기(OH^-)와 작용하여 가연물질의 연속적인 연소반응을 방해·차단 또는 억제시키며 더 이상 진행하지 못하게 하여 화재를 소화시키는 작용을 한다. 이와 같이 연속적인 연소반응을 강제적으로 진행하지 못하게 하는 것을 부촉매소화효과라 한다.

(2) 할론소화약제에 함유된 할로겐족 원소 중 작은 열에도 활성화가 용이한 취소(Br)가 부촉매효과가 가장 우수하며, 그 다음이 염소(Cl)·불소(F)이다. 또한 할론소화약제는 현재 사용하고 있는 소화약제(할로겐화합물 및 불활성기체 소화약제는 제외) 중 부촉매효과가 가장 우수하다.

2. 냉각소화(물리적 소화)

할론소화약제는 저비점물질로서 대부분 비점이 낮고 액체로부터 기체로 기화하는 과정에서 주위로부터 증발열을 흡수하여 그 물질의 발화점 이하로 냉각시켜 소화한다.

3. 질식소화(물리적 소화)

할론소화약제는 그 자체가 열에 연소하지 않는 물질이다. 따라서 대기에 방출되면, 비중이 공기보다 무겁고 전기의 절연성이 높아 가연물질이 연소할 때 필요한 공기 중의 산소의 공급을 차단하며, 열에 의해서 발생된 열분해생성가스($HF \cdot Br_2 \cdot COF_2 \cdot COBr_2$ 등) 역시 대부분 비중이 산소보다 무겁기 때문에 가연물질에 공급되는 산소를 차단하여 일정한 농도를 형성하게 함으로써 화재를 질식시켜 소화한다.

4. 할론소화약제의 특징

1. 적응화재

(1) 일반화재(A급 화재)

(2) 유류화재(B급 화재)

(3) 전기화재(C급 화재)

2. 장·단점

(1) 장점

① 부촉매효과로 연쇄반응을 억제하므로 소량의 농도로도 소화가 가능하다.

② 비전도성이므로 전기화재에 적합하다.

③ 소화약제의 분해 및 변질이 없다(화학적으로 안정, 결합력이 강함).

④ 수명이 반영구적이다.

⑤ 화재 진화 후 증거보존이 가능하다.

⑥ 전역방출방식으로 사용하는 경우 일반화재(A급 화재)에도 적응된다.

(2) 단점

① 가격이 비싸다.

② 오존층파괴지수(ODP)가 높아 지구오존층 파괴의 원인을 제공한다.

③ 할론(Halon) 1301 소화약제 이외의 할론소화약제는 인체에 유해하므로 취급 시 주의를 요한다.

④ 열분해 시 발생하는 열분해 생성가스는 인체에 유해하므로 주의를 요한다.

5 할론소화약제의 응용

1. 안정도(안정성)

(1) 원소의 전기적 음성도란 화학적 반응에서 분자 내의 전자가 원자와 결합되는 능력의 척도로서 같은 족에서는 원자번호가 증가할수록 작아지며, 다른 원자의 전기음성도는 불소(F)의 전기음성도를 기준으로 하여 그 상대적인 크기의 값을 나타낸다.

(2) 따라서 할로겐원소의 화합물의 경우에는 전기적 음성도에 따라 F > Cl > Br > I의 순서로 강하게 결합되는 안정성을 가지게 된다.

2. 소화강도

(1) 화재 시 소화약제 방사 후 할론(Halon) 1301은 열분해하여 부촉매역할을 하는 취소(Br)가 공기 중에서 연쇄연락자로서 연쇄반응을 억제하여 소화작용을 하게 되므로, 화합물이 빨리 분해되어야 소화작용이 시작된다. 다만 약제 방사 후 이 분해 능력은 안정성과는 반대된다.

(2) 따라서 할로겐화합물의 소화의 강도는 반대로 F 화합물 < Cl 화합물 < Br 화합물 < I 화합물의 순서가 된다. 다만, I 화합물은 소화강도가 가장 강하나, 분해가 너무 용이하여 다른 물질과 쉽게 결합하여 독성을 띤 분해 부산물을 많이 생성하게 되고 경제성이 없어 일반적으로 소화약제로서는 잘 사용하지 않는다.

> **영철쌤 tip**
>
> **안전성 및 소화효과**
>
> 안정성 1위는 불소이고, 소화효과 1위는 요오드이다.
>
>
>
> | 안정성↑(안정도) | F(불소) | ↓소화효과 |
> |---|---|---|
> | | Cl(염소) | |
> | | Br(브롬) | |
> | | I(요오드) | |

> **참고** 할론(Halon)소화약제의 소화강도 및 안정도

할로겐(Halogen)족	소화강도	안정도
F 화합물	4위	1위
Cl 화합물	3위	2위
Br 화합물	2위	3위
I 화합물	1위	4위

3. 오존파괴지수(ODP) 및 지구온난화지수(GWP)

(1) 오존파괴지수(ODP; Ozone Depletion Potential)

오존파괴지수(ODP)는 3염화 1불화메탄($CFCl_3$)인 CFC - 11이 오존층의 오존을 파괴하는 능력을 1로 기준하였을 때 다른 할로겐화합물질이 오존층의 오존을 파괴하는 능력을 비교한 지수로서 다음 식에 의해서 산출된다.

$$ODP = \frac{어떠한\ 물질\ 1kg이\ 파괴하는\ 오존량}{CFC-11의\ 1kg이\ 파괴하는\ 오존량}$$

(2) 지구온난화지수(GWP; Global Warming Potential)

지구온난화지수(GWP)는 지표면 및 대기의 온도를 상승시켜 지구의 온난화를 초래하는 정도를 나타내는 지수로서 CO_2 물질 1kg이 지구의 온난화에 영향을 주는 정도를 1로 기준하였을 때 어떠한 물질 1kg이 지구의 온난화에 영향을 주는 정도를 말한다. **이산화탄소는 지구의 온난화를 초래하는 주된 역할**을 하고 있다.

$$GWP = \frac{어떤\ 물질\ 1kg이\ 기여하는\ 온난화\ 정도}{CO_2의\ 1kg이\ 기여하는\ 온난화\ 정도}$$

> **영철쌤 tip**
> 1. 오존파괴지수(ODP)는 CFC-11(삼염화 불화메탄) 기준으로 비교한다.
> 2. 지구온난화지수(GWP)는 CO_2 기준으로 비교한다.

> **참고** 할론(Halon) 물질 및 기타 소화약제의 소화능력과 오존파괴지수

약제명	분자식	소화능력	오존파괴지수
할론(Halon) 1301	CF_3Br	100%	14.1
할론(Halon) 1211	CF_2ClBr	46%	2.4
할론(Halon) 2402	$C_2F_4Br_2$	57%	6.6
분말(제1종)	$NaHCO_3$	66%	0
이산화탄소	CO_2	33%	0

문제로 완성하기

CHAPTER 7 할론소화약제

01 가연물의 화학적 연쇄반응 속도를 줄여 소화하는 방법으로 옳은 것은?   20. 공채·경채

① 다량의 물을 주수하여 소화한다.
② 할론소화약제를 사용하여 소화한다.
③ 연소물이나 화원을 제거하여 소화한다.
④ 에멀션(Emulsion) 효과를 이용하여 소화한다.

02 소화능력이 가장 큰 할로겐원소는 어느 것인가?

① F
② Cl
③ Br
④ I

03 오존파괴지수가 가장 큰 할론소화약제는?

① 할론 1301
② 할론 1211
③ 할론 2402
④ 할론 104

정답 및 해설

01 부촉매(억제)소화
연소의 4요소 중 연쇄적인 산화반응을 약화시키며, 할론소화약제, 할로겐화합물소화약제, 분말소화약제, 강화액소화약제, 고체에어졸소화약제 등을 사용한다.

02 할론소화약제의 소화강도
할로겐원소의 소화강도는 F < Cl < Br < I의 순서가 된다.

03 오존파괴지수
할론 1301이 오존파괴지수가 가장 크다.

정답 01 ② 02 ④ 03 ①

04 소화약제 할론(Halon) 1301의 화학식으로 옳은 것은?

① CF_3Br
② CF_2BrCl
③ $CHCl_2CF_3$
④ $C_2F_4Br_2$

05 할론소화약제 중 할론 1211의 화학식은?

① CH_2ClBr
② CF_2ClBr
③ CBr_2F_2
④ $CBrF_3$

정답 및 해설

04 할론소화약제의 화학식
- 할론(Halon) 1301: CF_3Br
- 할론(Halon) 1211: CF_2BrCl
- 할론(Halon) 2402: $C_2F_4Br_2$

05 할론소화약제의 화학식
할론 1211 소화약제는 포화탄화수소인 메탄에 불소 2분자, 염소 및 취소 1분자를 치환시켜 제조된 물질로서 1취화 1염화 2불화메탄이며, 화학식은 CF_2ClBr이다.

정답 04 ① 05 ②

CHAPTER 8 할로겐화합물 및 불활성기체 소화약제

1 개요

1. 정의

(1) 할로겐화합물 및 불활성기체 소화약제

할로겐화합물[할론(Halon) 1301, 할론(Halon) 2402, 할론(Halon) 1211 제외] 및 불활성기체로서 전기적으로 비전도성이며 휘발성이 있거나 증발 후 잔여물을 남기지 않는 소화약제를 말한다.

(2) 할로겐화합물 소화약제

불소, 염소, 브롬 또는 요오드 중 하나 이상의 원소를 포함하고 있는 유기화합물을 기본성분으로 하는 소화약제를 말한다.

(3) 불활성기체 소화약제

헬륨, 네온, 아르곤 또는 질소가스 중 하나 이상의 원소를 기본성분으로 하는 소화약제를 말한다.

2. 약제의 분류

(1) 할로겐화합물 및 불활성기체 소화약제는 크게 할겐화합물계 소화약제(Halocarbon Clean Agent)와 불활성기체계 소화약제(Inert Gas Clean Agent)로 나눌 수 있다. 이들은 소화효과 면에서 구별되며, 할로겐화합물(Halocarbon)계 약제는 주로 부촉매효과, 질식·냉각소화에 의해, 불활성기체(Inert Gas)계 약제는 주로 질식·냉각소화에 의해 소화효과를 거둔다.

(2) 화재안전기준에 제정된 할로겐화합물 및 불활성기체 소화약제는 모두 14종으로, 10종은 할로겐화합물(Halocarbon)계 약제(액화저장)이고 4종은 불활성 기체(Inert Gas)계 약제(기체저장)이다.

(3) 우리나라에서 현재까지 설계 및 시공되어 온 약제는 HCFC Bland A(NAF S-Ⅲ), IG-541(Inergen), HFC-227ea(FM-200), HFC-23(FE-13), HFC-125, FK-5-1-12의 여섯 종류 정도이다.

출제 POINT

- 01 정의 ★☆☆
- 02 기본구성 및 호칭방법 ★☆☆
- 03 소화효과 ★★☆
- 04 적응화재 ★★☆
- 05 구비조건 ★☆☆

영철쌤 tip

할로겐화합물 및 불활성기체 소화약제

1. 할로겐화합물에 브롬(Br)이 있지만, 오존층을 파괴하므로 사용하지 않는다.
2. 할로겐화합물 소화약제의 주된 소화는 부촉매(억제)소화이며, 보조소화는 질식·냉각소화이다. 즉, 물리적·화학적 소화를 한다.
3. 불활성기체 소화약제는 IG 가스(Inert gas) 또는 비활성 가스 또는 불활성 가스라고도 한다.
4. 불활성기체 소화약제의 주된 소화는 질식소화이며, 보조소화는 냉각소화이다. 즉, 물리적 소화를 한다.
5. 이산화탄소, 불활성기체 소화약제는 부촉매(억제)효과가 없다.

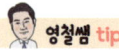
하이드로클로로플루오로카본혼합제
HCFC-123, HCFC-22, HCFC-124, $C_{10}H_{16}$을 혼합한 소화약제인데, 이 중 HCFC-123을 100% 이용한 소화기도 존재한다

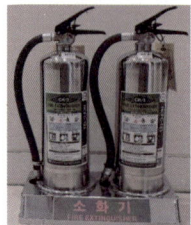
▲ HCFC-123 소화기

IG-01
불활성기체소화약제 중 질소(N_2)를 포함하지 않는 약제는 IG-01이다. IG-01은 아르곤(Ar)만 있는 소화약제이다.

IG-541
불활성기체소화약제 중 이산화탄소를 포함하고 있는 소화약제이다.

소화약제	화학식
퍼플루오로부탄(FC-3-1-10)	C_4F_{10}
도데카플루오로-2-메틸펜탄-3-원 (FK-5-1-12)	$CF_3CF_2C(O)CF(CF_3)_2$
하이드로클로로플루오로카본혼합제 (HCFC BLEND A)	HCFC-123($CHCl_2CF_3$): 4.75% HCFC-22($CHClF_2$): 82% HCFC-124($CHClFCF_3$): 9.5% $C_{10}H_{16}$: 3.75%
클로로테트라플루오르에탄 (HCFC-124)	$CHClFCF_3$
펜타플루오로에탄(HFC-125)	CHF_2CF_3
헵타플루오로프로판(HFC-227ea)	CF_3CHFCF_3
트리플루오로메탄(HFC-23)	CHF_3
헥사플루오로프로판(HFC-236fa)	$CF_3CH_2CF_3$
트리플루오로이오다이드(FIC-13I1)	CF_3I
불연성·불활성기체혼합가스(IG-01)	Ar
불연성·불활성기체혼합가스(IG-100)	N_2
불연성·불활성기체혼합가스(IG-541)	N_2: 52%, Ar: 40%, CO_2: 8%
불연성·불활성기체혼합가스(IG-55)	N_2: 50%, Ar: 50%
도데카플루오로-2-메틸펜탄-3-원 (FK-5-1-12)	$CF_3CF_2C(O)CF(CF_3)_2$

3. 기본구성

구분	메타	에타	프로파	부타	펜타	헥사	헵타	옥타	노나	데카	운데카	도데카
물질명 표시	1	2	3	4	5	6	7	8	9	10	11	12
수표시	모노	디	트리	테트라	–	–	–	–	–	–	–	–

할로겐화 탄소 대체 물질은 탄소, 수소, 브롬, 염소, 불소 그리고 요오드를 포함하는 화합물로 이루어지며 다음과 같이 다섯 종류로 나누어진다.

(1) 불화탄소(FC; Fluoro Carbons)

(2) 불화탄화수소(HFC; Hydro Fluoro Carbons)

(3) 염화불화탄화수소(HCFC; Hydro Chloro Fluoro Carbons)

(4) 불화요오드화탄소(FIC; Fluoro Iodine Carbons)

(5) 불화케톤기(FK; Fluoro Ketones)

4. 호칭방법

1의 자릿수	불소(F)의 수
10의 자릿수	수소(H)의 수 + 1
100의 자릿수	탄소(C)의 수 - 1
나머지	염소(Cl)의 수(숫자로 표시 안 함)

할로겐화합물 기본구성 중 브롬(Br)은 없다.

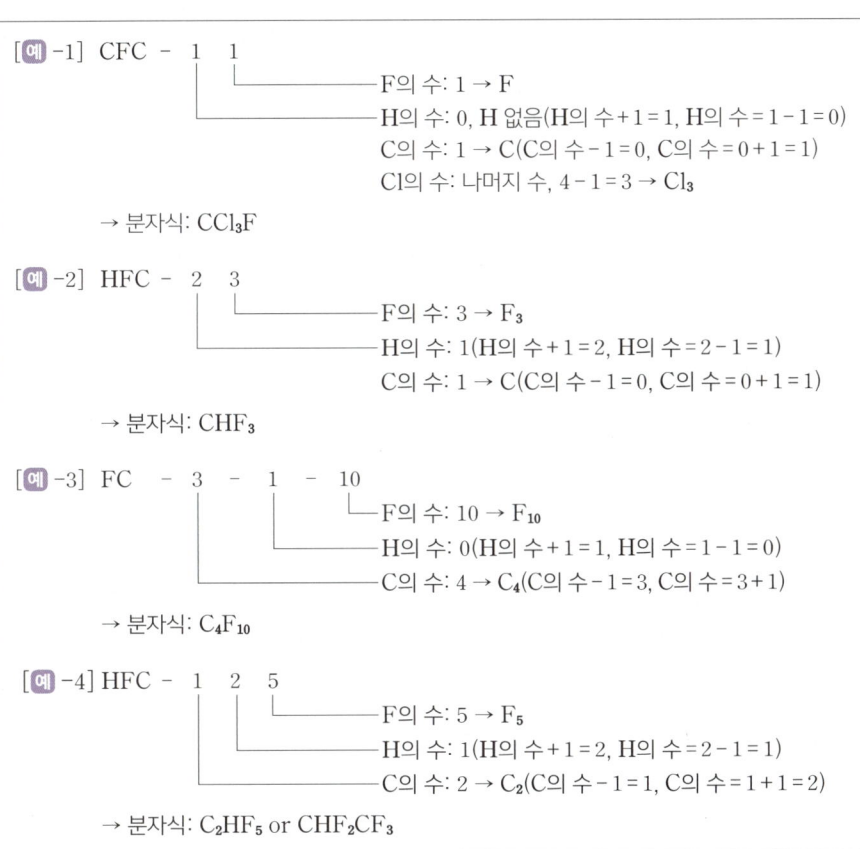

[예-1] CFC - 1 1
- F의 수: 1 → F
- H의 수: 0, H 없음(H의 수 + 1 = 1, H의 수 = 1 - 1 = 0)
- C의 수: 1 → C(C의 수 - 1 = 0, C의 수 = 0 + 1 = 1)
- Cl의 수: 나머지 수, 4 - 1 = 3 → Cl_3

→ 분자식: CCl_3F

[예-2] HFC - 2 3
- F의 수: 3 → F_3
- H의 수: 1(H의 수 + 1 = 2, H의 수 = 2 - 1 = 1)
- C의 수: 1 → C(C의 수 - 1 = 0, C의 수 = 0 + 1 = 1)

→ 분자식: CHF_3

[예-3] FC - 3 - 1 - 10
- F의 수: 10 → F_{10}
- H의 수: 0(H의 수 + 1 = 1, H의 수 = 1 - 1 = 0)
- C의 수: 4 → C_4(C의 수 - 1 = 3, C의 수 = 3 + 1)

→ 분자식: C_4F_{10}

[예-4] HFC - 1 2 5
- F의 수: 5 → F_5
- H의 수: 1(H의 수 + 1 = 2, H의 수 = 2 - 1 = 1)
- C의 수: 2 → C_2(C의 수 - 1 = 1, C의 수 = 1 + 1 = 2)

→ 분자식: C_2HF_5 or CHF_2CF_3

2. 할로겐화합물 및 불활성기체 소화약제의 소화효과

1. 화학적 효과에 의한 소화작용(부촉매소화효과)

(1) 할론(Halon)소화약제처럼 화재 시 열에 의해서 가연물질로부터 활성화된 활성 유리기인 수소기(H^+) 또는 수산기(OH^-)와 반응하여 가연물질의 연쇄반응을 억제·차단 및 방해하는 부촉매소화효과가 우수하다. 할로겐화합물 및 불활성기체 소화약제는 오존층의 오존과의 반응성이 강한 취소(Bromine)를 대부분 함유하지 않기 때문에 가연물질의 활성 유리기인 수소기(H^+) 또는 수산기(OH^-)와 반응성은 크지 않지만 제1세대 할론(Halon) 대체물질인 염소 또는 불소원자가 활성화되어 부촉매소화작용을 한다.

(2) 제2세대 할론(Halon) 대체물질인 FIC-13I1의 경우 함유되어 있는 요오드가 활성화되어 가연물질로부터 활성화된 활성 유리기인 수소기(H^+) 또는 수산기(OH^-)와 반응하며, 부촉매소화작용을 한다.

2. 물리적 효과에 의한 소화작용

(1) 질식소화

일정한 방호구역 또는 방호대상물에 방출되어 공기 중 산소의 농도를 낮게 하여 화재를 소화하는 것을 말한다. 할로겐화합물 및 불활성기체 소화약제는 대부분 자신이 오존층을 파괴하는 취소(Bromine)를 함유하지 않기 때문에 할론(Halon)소화약제에 비하여 소화농도가 높은 편이다. 할로겐화합물 및 불활성기체 소화약제 중 FIC-13I1의 경우 질식소화작용이 가장 우수하다.

(2) 냉각소화효과

화재의 소화과정에서 주위로부터 많은 증발잠열을 흡수하여 냉각소화작용을 하지만 비열 값은 물에 비해 낮다.

3. 할로겐화합물 및 불활성기체 소화약제의 특징

1. 적응화재

(1) 일반화재(A급 화재)

(2) 유류화재(B급 화재)

(3) 전기화재(C급 화재)

2. 장·단점

(1) 장점
① 전역방출방식으로 사용하는 경우 일반화재(A급 화재)에도 적응된다.
② 전기의 불량도체이다(전기 절연성이 우수하다).
③ 부촉매에 의한 연소의 억제작용이 크며(할로겐화합물 소화약제), 소화능력이 우수하다.
④ 수명이 반영구적이다(제2세대 할론 대체물질인 FIC – 13I1은 제외).
⑤ 증거보존이 가능하다.
⑥ 변질·부패·분해 등의 화학변화를 일으키지 않는다.
⑦ 피연소물질에 물리적·화학적 변화를 초래하지 않는다.
⑧ 오존층을 파괴하지 않는다(HCFC 계열의 대체 소화약제는 제외).
⑨ 지구온난화지수가 낮다(FC – 5 – 1 – 14 물질은 제외).

(2) 단점
① 소화약제의 가격이 비싸다.
② HCFC – 124 물질과 HFC – 125 물질은 인체에 유해하므로 사람이 있는 장소에서 사용하여서는 안 된다.
　㉠ HCFC – 124 물질: 인체에 유해하고 오존층을 파괴한다.
　㉡ HFC – 125 물질: 인체에 유해하다.

3. 할로겐화합물 및 불활성기체 소화약제의 구비조건

(1) 할론(Halon)의 최소 소화농도에 해당하는 소화성능을 가져야 한다.
(2) 오존파괴지수(ODP) 지구온난화지수(GWP)가 작아야 한다.
(3) 독성이 작고 및 부식성이 적어야 한다.
(4) 대기 중에 잔존시간이 짧을수록 좋다. 즉, 대기잔존년수(ALT)가 짧을수록 좋다.
(5) 전기전도도가 낮아야 한다.
(6) 할로겐화합물소화약제는 질소로 축압하여 저장하고(질소축압), 상온에서 자체증기압이 높은 HFC – 23은 자체증기압을 이용한다.
(7) 불활성기체소화약제는 기체 상태로 압축하여 저장한다.
(8) 사용 후 잔사가 없어야 한다.

4. 할로겐화합물 및 불활성기체 소화약제의 설치 제외 장소

(1) 사람이 상주하는 곳으로서 최대 허용설계농도를 초과하는 장소(HCFC BLEND A: 10[%], HFC – 227ea: 10.5[%], IG – 541: 43[%] 등)
(2) 제3류 위험물 및 제5류 위험물을 사용하는 장소

영철쌤 tip

할로겐화합물 및 불활성기체 소화약제
할로겐화합물 및 불활성기체 소화약제가 갖추어야 할 조건으로는 독성이 적을수록, 지구온난화에 끼치는 영향이 적을수록, 대기 중에 잔존시간이 짧을수록, 오존층 파괴에 미치는 영향이 적을수록 좋다.

최대 허용설계농도
IG – 541: 43[%] 농도를 초과하면 질식의 우려가 있다.

4 NOAEL과 LOAEL

1. NOAEL(No Observed Adverse Effect Level)
(1) 무독성량을 뜻하며 인간의 심장에 영향을 주지 않는 최대 허용농도로서 관찰이 불가능한 부작용 수준이라 정의된다.
(2) 국내 기준에서는 농도를 증가시킬 때 아무런 악영향을 감지할 수 없는 최대 농도라 정의되어 있다.

> **영철쌤 tip**
> NOAEL은 증가·최대이며, LOAEL은 감소·최소이다.

2. LOAEL(Lowest Observed Adverse Effect Level)
(1) 사람이 가스에 노출되었을 때 독성 또는 생리적 변화가 관찰되는 최소 농도라 정의된다.
(2) 국내 기준에서는 농도를 감소시킬 때 악영향을 감지할 수 있는 최소 농도라 정의되어 있다.

> **영철쌤 tip**
> 일반적인 조건으로 오존파괴지수(ODP), 지구온난화지수(GWP), 대기잔존연수(ALT)가 대기 중에 잔존시간이 짧을수록 좋다.

> **참고** 용어의 정의
>
> 1. 오존파괴지수(ODP; Ozone Depletion Potential)
>
> $$ODP = \frac{\text{비교물질 1kg이 파괴하는 오존량}}{\text{CFC-11 1kg이 파괴하는 오존량}}$$
>
> 2. 지구온난화지수(GWP; Global Warming Potential)
>
> $$GWP = \frac{\text{비교물질 1kg이 기여하는 지구온난화 정도}}{\text{이산화탄소}(CO_2)\text{ 1kg이 기여하는 지구온난화 정도}}$$
>
> 3. 대기잔존연수(ALT; Atmosphere Life Time): 어떤 물질이 방사되어 분해되지 않은 채로 존재하는 기간, 즉 대기 중에 존재하는 기간을 연수로 표시한 것이다.
> 4. NOAEL(No Observed Adverse Effect Level): 소화약제를 방출시킨 후 농도를 증가시켰을 때 인체(심장)에 생리학적 또는 독성의 악영향이 감지되지 않는 최대 농도이다.
> 5. LOAEL(Lowest Observed Adverse Effect Level): 공간에 방출된 소화약제의 농도를 감소시켰을 때 인체(심장)에 생리학적 또는 독성의 악영향이 감지되는 최소 농도이다.
> 6. 반수치사농도(LC50; Lethal Concentration 50%): 성숙한 흰 쥐의 집단에 대해 대기 중에서 1시간 동안의 흡입실험(노출시키는 실험)에 의하여 14일 이내에 실험동물의 50%를 사망시킬 수 있는 독성물질의 최저 농도이다.
> 7. 근사치사농도(ALC; Approximate Lethal Concentration): 실험대상 동물(쥐)의 50%가 15분 이내에 사망하는 농도이다.

문제로 완성하기

CHAPTER 8 할로겐화합물 및 불활성기체 소화약제

01 신체에 악영향을 감지할 수 있는 최소 농도, 즉 심장에 독성을 미칠 수 있는 최소 농도를 나타내는 용어는?

① GWP(오존파괴지수)
② ODP(지구온난화지수)
③ NOAEL
④ LOAEL

02 할로겐화합물 및 불활성기체 소화약제 중 불활성기체 소화약제를 구성할 수 있는 물질에 해당하지 않는 것은? 21. 소방간부

① 헬륨
② 네온
③ 염소
④ 질소
⑤ 아르곤

03 불활성기체 소화약제의 표기와 화학식의 연결이 옳지 않은 것은?

① IG - 01: Ar
② IG - 100: N_2
③ IG - 541: N_2 (52%), Ar(40%), Ne(8%)
④ IG - 55: N_2(50%), Ar(50%)

정답 및 해설

01 LOAEL(Lowest Observed Adverse Effect Level)
- 사람이 가스에 노출되었을 때 독성 또는 생리적 변화가 관찰되는 최소 농도라 정의한다.
- 국내 기준에서는 농도를 감소시킬 때 악영향을 감지할 수 있는 최소 농도(심장에 독성이 미치는 최저 농도)라 정의한다.

02 불활성기체 소화약제
헬륨, 네온, 아르곤 또는 질소가스 중 하나 이상의 원소를 기본성분으로 하는 소화약제를 말한다.

03 불활성기체 소화약제(4종): IG - OOO(N_2, Ar, CO_2)
- IG - 01: Ar
- IG - 100: N_2
- IG - 541: N_2(52%), Ar(40%), CO_2(8%)
- IG - 55: N_2(50%), Ar (50%)

정답 01 ④ 02 ③ 03 ③

04 할로겐화합물 및 불활성기체 소화약제에 관한 설명으로 옳지 않은 것은? 23. 공채·경채

① IG-01, IG-55, IG-100, IG-541 중 질소를 포함하지 않은 약제는 IG-100이다.
② 할로겐화합물 소화약제 중 HFC-23(트리플루오르메탄)의 화학식은 CHF_3이다.
③ 부촉매소화효과는 불활성기체 소화약제에는 없으나 할로겐화합물 소화약제는 있다.
④ 할로겐화합물 소화약제는 불소, 염소, 브롬 또는 요오드 중 하나 이상의 원소를 포함하고 있는 유기화합물을 기본 성분으로 하는 소화약제를 말한다.

05 할로겐화합물 소화약제가 갖추어야 할 일반적인 조건으로 옳지 않은 것은? 22. 공채·경채

① 독성이 적을수록 좋다.
② 지구 온난화에 끼치는 영향이 적을수록 좋다.
③ 대기 중에 잔존 시간이 길수록 좋다.
④ 오존층 파괴에 끼치는 영향이 적을수록 좋다.

06 'FM-200'이라는 상품명을 가지며 오존파괴지수(ODP)가 0인 할론(Halon) 대체 소화약제는 어느 계열인가?

① HFC 계열
② HCFC 계열
③ FC 계열
④ Blend 계열

07 할로겐화합물 소화약제 중 'HCFC BLEND A'의 구성 요소가 아닌 것은? 22. 소방간부

① HCFC-123
② C_3HF_7
③ HCFC-22
④ HCFC-124
⑤ $C_{10}H_{16}$

08 할로겐화합물 및 불활성기체 소화약제 중 IG-541에 대한 설명으로 옳지 않은 것은?

① 사람의 호흡에 문제가 없으므로 사람이 있는 곳에서도 사용할 수 있다.

② 할론(Halon)이나 분말 소화약제와 같이 화학적 소화특성을 지니고 있다.

③ 오존파괴지수(ODP)가 0이다.

④ IG-541은 질소 52%, 아르곤 40%, 이산화탄소 8%로 이루어진 혼합소화약제이다.

정답 및 해설

04 할로겐화합물 및 불활성기체 소화약제
IG-01, IG-55, IG-100, IG-541 중 질소를 포함하지 않은 약제는 IG-01이다. 즉, IG-01은 아르곤으로만 구성되어 있는 약제이다.

■ **불활성기체 소화약제(4종)**
1. IG-01: Ar
2. IG-100: N_2
3. IG-541: $N_2(52\%)$, Ar(40%), $CO_2(8\%)$
4. IG-55: $N_2(50\%)$, Ar(50%)

05 할로겐화합물 소화약제
- 대기잔존연수(ALT; Atmosphere Life Time)는 어떤 물질이 방사되어 분해되지 않은 채로 대기 중에 존재하는 기간을 연수로 표시한 것이다.
- 대기 중에 잔존하는 시간이 길수록 오래 머물기 때문에 잔존시간이 짧을수록 좋다.

06 HFC-227ea(FM-200)
우리나라에서 현재까지 설계 및 시공되어 온 약제는 HCFC BLEND A(NAF S-Ⅲ), IG-541(Inergen), HFC-227ea(FM-200), HFC-23(FE-13), HFC-125의 다섯 종류 정도이다.

07 HCFC BLEND A

소화약제	화학식
하이드로클로로플루오로카본혼화제 (HCFC BLEND A)	HCFC-123($CHCl_2CF_3$): 4.75% HCFC-22($CHClF_2$): 82% HCFC-124($CHClFCF_3$): 9.5% $C_{10}H_{16}$: 3.75%
헵타플루오로프로판	C_3HF_7

08 IG-541
- 할로겐화합물 및 불활성기체 소화약제는 크게 할로겐화합물계 소화약제(Halocarbon Clean Agent)와 불활성기체계 소화약제(Inert Gas Clean Agent)로 나눌 수 있으며 이들은 소화효과면에서 구별된다. 할로겐화합물(Halocarbon)계 약제는 주로 질식·냉각, 부촉매효과(물리적·화학적 소화)에 의해, 불활성기체(Inert Gas)계 약제는 주로 질식효과(물리적 소화)에 의해 소화효과를 거둔다.
- 화재안전기준에 제정된 할로겐화합물 및 불활성기체 소화약제는 모두 13종이며 9종은 할로겐화합물(Halocarbon)계 약제이고 4종은 불활성기체(Inert Gas)계 약제이다.

정답 04 ① 05 ③ 06 ① 07 ② 08 ②

CHAPTER 9 분말소화약제

출제 POINT
- 01 제1종 분말소화약제 종류·특성 ★★☆
- 02 제2종 분말소화약제 종류·특성 ★★☆
- 03 제3종 분말소화약제 종류·특성 ★★★
- 04 제4종 분말소화약제 종류·특성 ★★☆

1 개요

1. 정의

화재 발생 시 기체·액체상의 소화약제를 사용하여 화재를 유효적절하게 제어하여 왔으나, 온도나 습도가 높은 하절기나 온도가 낮은 동절기에 저장·취급 및 유지관리가 원활하지 못하여 이들의 단점을 보완하기 위해서 연구·개발된 소화약제가 분말소화약제이다. 이러한 분말소화약제는 탄산수소나트륨, 탄산수소칼륨, 제1인산암모늄 등의 물질을 미세한 분말로 만들어 유동성을 높인 후 이를 가스압(주로 N_2, 또는 CO_2의 압력)으로 분출시켜 소화하는 약제이다. **사용되는 분말의 입도는 10~75μm 범위이며 최적의 소화효과를 나타내는 입도는 20~25μm**이다.

 영철쌤 tip

건축물이 대부분 고체이기 때문에, A급 적응이 가능한 제3종 분말소화약제를 가장 많이 사용한다.

 영철쌤 tip

분말입도(입자)가 너무 작아도, 너무 커도 소화효과가 있는 것이 아니라 최적 소화효과를 나타내는 입도는 20~25μm이다.

2. 분말 소화약제의 종류 및 특성

종별	주성분	화학식	표시색상	적응화재
제1종 분말	탄산수소나트륨 (중탄산나트륨)	$NaHCO_3$	백색	B, C급 (K급 가능)
제2종 분말	탄산수소칼륨 (중탄산칼륨)	$KHCO_3$	담회색 (보라색)	B, C급
제3종 분말	제1인산암모늄	$NH_4H_2PO_4$	담홍색 (황색)	A, B, C급
제4종 분말	탄산수소칼륨 + 요소	$KHCO_3 + (NH_2)_2CO$	회색	B, C급

2 소화약제의 종류별 성상

1. 제1종 분말소화약제

분말소화약제로 사용되고 있는 제1종 분말의 주성분인 탄산수소나트륨($NaHCO_3$)을 중탄산나트륨 또는 중조, 중탄산소다라고도 한다.

(1) 첨가제

① **방습처리제(발수제)**[1]: 금속의 스테아린산아연 또는 마그네슘
② **유동제(고결방지제)**[2]: 탄산마그네슘, 인산칼슘
③ **안료**: 착색제(백색)

(2) 화재 시 열분해 방정식

$$\cdot 2NaHCO_3 \xrightarrow[\Delta]{270℃} Na_2CO_3 + CO_2\uparrow + H_2O\uparrow - 30.3kcal$$

탄산수소나트륨   탄산나트륨   이산화탄소   수증기   − Q
(중탄산나트륨) Na^+ 나트륨이온   <질식>   <냉각효과>
                <부촉매효과, 비누화효과>

$$\cdot NaHCO_3 \xrightarrow[\Delta]{850℃} Na_2O + 2CO_2\uparrow + H_2O\uparrow - 104.4kcal$$

(3) 소화효과

① **냉각소화작용(흡열반응)**: 제1종 분말소화약제인 탄산수소나트륨은 화재 시 열에 의해서 이산화탄소·수증기·탄산나트륨 등으로 열분해하는 과정에서 주위로부터 열을 흡수함으로써 가연물질의 연소온도를 발화점 이하로 낮게 하여 냉각소화를 한다. 또한 열분해 시 흡열반응에 의한 냉각소화작용을 한다.

② **질식소화작용(이산화탄소·수증기)**: 제1종 분말소화약제인 탄산수소나트륨의 열분해 과정에서 발생하는 기체 상태의 이산화탄소·수증기가 가연물질의 연소에 필요한 공기 중의 산소농도를 한계산소농도 이하로 희석시켜 산소량의 부족으로 인한 질식소화작용을 한다.

③ **부촉매소화작용(나트륨이온)**: 제1종 분말소화약제인 탄산수소나트륨으로부터 유리되어 나온 나트륨이온(Na^+)이 가연물질 내부에 함유되어 있는 연쇄연락자인 수산이온(OH^-)과 반응하여 더 이상 연쇄반응이 진행되지 않도록 함으로써 소화시키는 작용을 말한다.

④ **복사열 차단효과**: 제1종 분말소화약제는 방출되면 화염과 가연물 사이에 분말의 운무를 형성하여 화염으로부터의 방사열을 차단한다. 따라서 가연물질의 온도가 저하되어 연소가 지속되지 못한다.

(4) 적응화재의 종류

① 유류화재(B급 화재)
② 전기화재(C급 화재)

용어사전

① 방습처리제(발수제): 습기에 의해 굳지 않게 하기 위한 첨가제
② 유동제(고결방지제): 분말입자가 잘 흘러가게 하기 위한 첨가제

주방화재(식용유화재)
제1종 분말소화약제는 나트륨이온(Na^+)에 의한 비누화효과로 주방화재(식용유화재)에 효과가 있다.

(5) 장·단점
  ① 장점
    ㉠ 소화약제의 구입가격이 저렴하다.
    ㉡ 화재를 신속하게 소화한다.
    ㉢ 유류·전기화재에 적응성이 있다.
  ② 단점
    ㉠ 일반가연물화재에는 적응성이 없다.
    ㉡ 소화 후 다시 착화할 우려가 있다.
    ㉢ 분말소화약제 중 소화성능이 가장 떨어진다.

2. 제2종 분말소화약제

분말소화약제로 사용되고 있는 제2종 분말의 주성분인 탄산수소칼륨($KHCO_3$)을 중탄산칼륨이라고도 하며, 제1종·제3종 소화분말에 비해 소화성능은 우수하다.

(1) 첨가제
  ① **방습처리제(발수제)**: 금속의 스테아린산아연 또는 마그네슘
  ② **유동제(고결방지제)**: 탄산마그네슘, 인산칼슘
  ③ **안료**: 착색제(담회색, 보라색)

(2) 화재 시 열분해 방정식

$$2KHCO_3 \xrightarrow{190℃} K_2CO_3 + CO_2\uparrow + H_2O\uparrow - 29.82kcal$$

탄산수소칼륨   탄산칼륨   이산화탄소   수증기 $-Q$
(중탄산칼륨) K^+ 칼륨이온   <질식>   <냉각효과>
             <부촉매효과>

$$2KHCO_3 \xrightarrow{891℃} K_2O + 2CO_2\uparrow + H_2O\uparrow - 127.1kcal$$

(3) 소화효과
  ① **냉각소화작용(흡열반응)**: 제2종 분말소화약제인 탄산수소칼륨은 화재 시 열에 의해서 이산화탄소·수증기·탄산칼륨 등으로 열분해하는 과정에서 주위로부터 열을 흡수함으로써 가연물질의 연소온도를 발화점 이하로 낮게 하여 냉각소화를 한다. 탄산수소칼륨은 탄산수소나트륨보다 낮은 온도에서 열분해를 하며, 금속칼륨(K)이 금속나트륨(Na)에 비하여 반응성이 크므로 냉각소화작용이 우수하다.
  ② **질식소화작용(이산화탄소·수증기)**: 제2종 분말소화약제인 탄산수소칼륨의 열분해 과정에서 발생하는 기체 상태의 이산화탄소·수증기가 가연물질의 연소에 필요한 공기 중의 산소농도를 한계산소농도 이하로 희석시켜 산소량의 부족으로 인한 질식소화작용을 한다.
  ③ **부촉매소화작용(칼륨이온)**: 제2종 분말소화약제인 탄산수소칼륨으로부터 유리되어 나온 칼륨이온(K^+)이 가연물질 내부에 함유되어 있는 연쇄연락자인 수산이온(OH^-)과 반응하여 더 이상 연쇄반응이 진행되지 않도록 함으로써 소화시키는 작용을 말한다.

④ 복사열 차단효과: 제2종 분말소화약제는 방출되면 화염과 가연물 사이에 분말의 운무를 형성하여 화염으로부터의 방사열을 차단한다. 따라서 가연물질의 온도가 저하되어 연소가 지속되지 못한다.

(4) 적응화재의 종류
① 유류화재(B급 화재)
② 전기화재(C급 화재)

(5) 장·단점
① 장점
㉠ 제1종 분말소화약제보다 2배의 소화능력이 있다.
㉡ 화재를 신속하게 소화한다.
㉢ 유류·전기화재에 적응성이 있다.

② 단점
㉠ 일반가연물화재의 소화에는 부적합하다.
㉡ 소화가 종료된 후에도 과열된 금속 등에 의해서 다시 착화할 우려가 있다.

3. 제3종 분말소화약제

분말소화약제는 불꽃연소에는 대단한 소화력을 발휘하지만 작열연소의 소화에는 그다지 큰 소화력을 발휘하지 못하는 단점이 있다. 이와 같은 단점을 보완하기 위해서 만들어진 약제가 제3종 분말소화약제이다. A급, B급, C급의 어떤 화재에도 사용할 수 있기 때문에 일명 ABC 분말소화약제라고도 부른다. 주성분은 알칼리성의 제1인산암모늄이며 인산염류라고도 한다.

(1) 인산의 종류
인산은 물과의 결합 정도에 따라 메타인산, 피로인산, 올소(올트)인산 3가지로 나누어지며, 이것을 수화(水和)된 정도에 따라 구별해 보면 다음과 같다.
① 메타인산: $P_2O_5 + H_2O$(물1개) → $2HPO_3$
② 피로인산: $P_2O_5 + H_2O$(물2개) → $H_4P_2O_7$
③ 올소인산: $P_2O_5 + H_2O$(물3개) → $2H_3PO_4$

(2) 인산암모늄의 종류
세 개의 수소원자와 결합하는 암모니아의 수에 따라 다음과 같은 세 종류의 인산암모늄이 생성된다.
① 제1인산암모늄: $H_3PO_4 + NH_3$ → $NH_4H_2PO_4$
② 제2인산암모늄: $H_3PO_4 + 2NH_3$ → $(NH_4)_2HPO_4$
③ 제3인산암모늄: $H_3PO_4 + 3NH_3$ → $(NH_4)_3PO_4$

(3) 성분
① 주성분: 제1인산암모늄
② 방습처리제(발수제): 실리콘유(제1인산암모늄은 수분의 흡수율이 높다)
③ 유동제(고결방지제): 활석분 또는 운모분
④ 안료: 착색제(담홍색, 황색)

영철쌤 tip

암모니아(NH_3)는 가연성가스는 맞지만 낮은 온도에서는 반응이 없으므로 연소하지 않습니다. 온도가 많이 올라가야 가연성가스가 됩니다.

(4) 화재 시 열분해 방정식

$$NH_4H_2PO_4 \xrightarrow[\triangle]{166℃} H_3PO_4 + NH_3\uparrow$$
올소인산　　암모니아
<탈수, 탈화효과> <질식효과>
　　　　　　NH_4^+
　　　　　　<부촉매효과>

$$NH_4H_2PO_4 \xrightarrow[\triangle]{360℃} HPO_3 + NH_3\uparrow + H_2O\uparrow - 76.95kcal$$
제1인산암모늄　메타인산　암모니아　수증기　　-Q
<방진효과> <질식효과> <질식> <냉각효과>
　　　　　　NH_4^+
　　　　　　<부촉매효과>

(5) 소화효과

① **냉각소화작용(흡열반응)**: 제3종 분말소화약제인 제1인산암모늄은 166℃에서 기체 상태인 암모니아를 발생하면서 주위로부터 많은 열을 흡수하며, 360℃ 이상에서 열분해하여 불연성 가스인 수증기 및 암모니아와 액체 상태의 메타인산을 발생한다. 이 과정에서 기체상의 수증기는 외부로부터 많은 열을 흡수함으로써 암모니아와 함께 냉각소화작용을 한다. 또한 열분해 시 흡열반응에 의한 냉각소화작용을 한다.

② **질식소화작용(수증기)**: 제3종 분말소화약제인 제1인산암모늄의 열분해 과정에서 발생하는 기체 상태의 암모니아·수증기가 가연물질의 연소에 필요한 공기 중의 산소농도를 한계산소농도 이하로 희석시켜 산소량의 부족으로 인한 질식소화작용을 한다.

③ **부촉매소화작용(암모늄이온)**: 제3종 분말소화약제인 제1인산암모늄으로부터 유리되어 나온 암모늄이온(NH_4^+)이 가연물질 내부에 함유되어 있는 연쇄연락자인 수산이온(OH^-)과 반응하여 더 이상 연쇄반응이 진행되지 않도록 함으로써 소화시키는 작용을 말한다.

④ **방진소화작용(메타인산)**: 제1인산암모늄으로부터 360℃ 이상의 온도에서 열분해하는 과정 중에 생성되는, 액체 상태의 점성을 가진 메타인산(HPO_3)이 일반가연물질인 종이·나무·섬유 등의 연소 과정인 잔진상태(불꽃 없이 숯불모양으로 연소하는 상태)의 숯불표면에 유리(Glass)상의 피막을 이루어 공기 중의 산소의 공급을 차단시키며, 숯불모양으로 연소하는 작용을 방지한다. 이러한 과정에 의해서 소화된 화재는 주위에 점화원이 존재하더라도 다시 착화할 위험이 없다.

⑤ **탈수·탄화 작용**: 제1인산암모늄이 열분해 시 생성되는 올소인산(H_3PO_4)이 목재, 섬유, 종이 등을 구성하고 있는 섬유소를 탈수·탄화시켜 수분을 빼앗고 난연성의 탄소로 변화시키기 때문에 연소반응이 중단된다.

$$C_6H_{10}O_5 \xrightarrow{H_3PO_4} 6C + 5H_2O$$

영철쌤 tip

메타인산(HPO_3)의 방진소화

액체상태의 점성으로 유리상의 피막으로 소화하므로 재착화의 우려가 없다. 즉, A급 화재에 효과가 좋아 재착화의 우려가 없다. 그러나 B, C급 화재에서는 재착화의 우려가 있다.

ⓑ 복사열 차단효과: 제3종 분말소화약제는 방출되면 화염과 가연물 사이에 분말의 운무를 형성하여 화염으로부터의 방사열을 차단한다. 따라서 가연물질의 온도가 저하되어 연소가 지속되지 못한다.

(6) 적응화재
① 적응화재의 종류
㉠ A급 화재(일반화재)
㉡ B급 화재(유류화재)
㉢ C급 화재(전기화재)

② 일반화재에 대한 소화효과
㉠ 열분해 시 흡열반응에 의한 냉각효과
㉡ 열분해 시 발생되는 불연성 가스(H_2O)에 의한 질식효과
㉢ 올소인산에 의한 섬유소의 탈수·탄화 작용
㉣ 열분해 시 유리된 암모늄이온(NH_4^+)과 분말 표면의 흡착에 의한 부촉매효과
㉤ 반응과정에서 생성된 메타인산의 방진효과 및 재연소방지
㉥ 분말입자의 운무에 의한 열복사의 차단효과

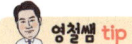

제3종 분말소화약제를 A급 화재에 적용할 수 있는 이유
메탄인산(HPO_3)의 방진작용과 올소인산(H_3PO_4)의 탈수·탄화작용 때문이다.

(7) 장·단점
① 장점
㉠ 소화성능이 좋다.
㉡ 모든 화재(A급, B급, C급)에 적용이 가능하다.
㉢ 수명이 반영구적이다.

② 단점
㉠ 유류화재인 경우 불꽃이 남아 있으면 재발화한다.
㉡ 주위에 과열된 금속 등이 있으면 재연소한다.
㉢ 일반가연물인 솜·종이·스폰지 뭉치의 화재 시 내부까지 약제가 침투하지 못함으로써 효력을 기대할 수 없다.

제3종 분말소화약제
일반화재(A급)은 재연소(재발화)를 방지할 수 있으나, 유류화재(B급) 및 전기화재(C급)은 재연소(재발화)할 수 있다.

4. 제4종 분말소화약제
탄산수소칼륨($KHCO_3$)과 요소[$(NH_2)_2CO$]의 반응물을 주성분으로 하며, 이는 제2종 분말에 요소를 반응시킨 것이다. 소화력이 1, 2, 3종보다 높은 이유는 분말약제가 불꽃과 접촉하면 미세한 입자로 분해되며, 이 경우 약제의 표면적이 증가하게 되어 소화효과가 증대하게 된다.

(1) 첨가제
① 방습처리제(발수제): 금속의 스테아린산아연 또는 스테아린산마그네슘
② 유동제(고결방지제): 탄산마그네슘, 인산칼슘
③ 안료: 착색제(회색)

분말소화약제별 방습처리제·유동제
1. 제3종 분말소화약제의 방습처리제(발수제): 실리콘유 사용
2. 제1, 2, 4종 분말소화약제의 방습처리제(발수제): 금속의 스테아린산 아연 또는 마그네슘
3. 제3종 분말소화약제의 유동제(고결방지제): 활석분 또는 운모분을 사용
4. 제1, 2, 4종 분말소화약제의 유동제(고결방지제): 탄산마그네슘 또는 인산칼슘

(2) 화재 시 열분해 방정식

$$2KHCO_3 + (NH_2)_2CO \longrightarrow K_2CO_3 + 2NH_3 + 2CO_2\uparrow - Qkcal$$
　　탄산수소칼륨　　요소　　　　탄산칼륨　암모니아 이산화탄소
　　　　　　　　　　　　　　　K^+　　　NH_4^+　 <질식>　　<냉각효과>
　　　　　　　　　　　　　　<부촉매효과> <부촉매효과>

(3) 소화효과

제4종 소화분말은 제2종 소화분말인 탄산수소칼륨($KHCO_3$)과 요소[$(NH_2)_2CO$]가 화합되어 있으므로 제2종 소화분말의 소화작용과 같이 부촉매소화효과 · 냉각 및 질식효과 등의 소화효과를 갖는다.

(4) 적응화재의 종류

① B급 화재(유류화재)
② C급 화재(전기화재)

(5) 장 · 단점

① 장점
　㉠ 화재를 신속하게 소화한다.
　㉡ **분말소화약제 중 소화성능이 가장 우수**하다.
　㉢ 수명이 반영구적이다.

② 단점
　㉠ 일반가연물화재에는 적응성이 없다.
　㉡ 소화 후 재착화할 우려가 있다.
　㉢ **구입가격이 고가**이다.

> **참고** 분말소화약제 장 · 단점
>
> | 장점 | 단점 |
> |---|---|
> | · 주된 소화는 부촉매(억제)효과이다.
· 보조소화는 질식, 냉각, 복사열 차단효과가 있다. | 재착화의 우려가 있다. |
> | · 약제수명이 반영구적이며 무독성 및 비전도성(불량도체, 부도체) 물질이다.
· 진화(소화)시간이 짧다. | 배관으로 방출할 때 별도의 외부동력원(질소 또는 이산화탄소)이 필요하다. |
> | 표면화재에 효과가 빠른 속효성[1]이 있다. | · 금속화재(D급)에는 효과가 없다.
· 방사된 잔여물이 피연소물질에 피해를 주고, 증거보존이 어렵다.
· 습기의 흡입에 주의하여야 한다. |

영철쌤 tip

제3종 및 제4종 생성물
제3종 분말소화약제의 생성물에는 CO_2가 없고, 제4종 분말소화약제의 생성물에는 H_2O가 없다.

영철쌤 tip

분말소화약제의 소화력
소화력이 가장 우수한 것은 제4종 분말소화약제이며, 소화력이 가장 안좋은 것은 제1종 분말소화약제이다.

분말소화기
분말소화기의 내용연수는 10년이다. 성능에 이상 없으면 1회에 한하여 3년 연장이 가능하다.

용어사전

[1] **속효성**: 효과가 빠르게 나타나는 성질을 말한다.

5. CDC 분말소화약제(Compatible Dry Chemical)

CDC는 포와 함께 사용할 수 있는 분말소화약제를 의미한다. 분말소화약제는 빠른 소화 능력을 갖고 있으나 유류화재 등에 사용되는 경우는 소화 후 재착화의 위험성이 있다. 반면, 포소화약제는 소화에 걸리는 시간은 길지만 소화 후 장시간에 걸쳐 포가 유면을 덮고 있기 때문에 재착화의 위험은 아주 적다. 따라서 두 가지 약제를 함께 사용하기 위하여(먼저 분말소화약제를 사용하여 빠른 시간 내에 화염을 제거하고 이어서 포를 방사하여 재착화를 방지하는 방법) 어떤 분말소화약제와 만나도 소포되지 않는 수성막포소화약제와 소포성이 없는 분말소화약제인 CDC가 개발되었으며, 이들을 함께 사용하는 2약제 소화방식(Twin Agent System)으로 사용되었다. 즉, CDC 분말소화약제에 사용되는 포는 수성막포, 불화단백포이다. 분말소화약제 중에서는 ABC 분말소화약제가 가장 소포성이 적기 때문에 이것을 개량해서 소포성이 거의 없는 CDC를 개발하게 되었다. 이들은 주로 비행장에서 사용되고 있다.

6. 분말소화약제의 Knock Down 효과

분말소화약제의 분말운(미세가루)은 연소 중의 불꽃을 포위하여 연료표면에 흡착되며 분말운에 의한 활성종의 흡착으로 부촉매작용에 의하여 연쇄반응을 억제하여 순식간에 불꽃을 사그러지게 하는데 이를 분말소화약제의 Knock Down 효과라 한다. 일반적으로 약제 방사개시 후 10~20초 이내에 소화된다.

7. 분말소화약제의 비누화현상

제1종 분말소화약제인 중탄산나트륨을 지방이나 기름(식용유)의 화재에 사용할 때 기름의 지방산과 중탄산나트륨의 Na^+ 이온이 비누가 되어 연료물질인 기름을 포위하거나 연소생성물의 가스에 의해 폼을 형성하기도 하여 소화작용을 돕게 되는데 이를 분말소화약제의 비누화현상이라 한다. 즉, 제1종 분말소화약제는 식용유 화재에 가장 소화력이 뛰어나다.

> **참고** 수계와 가스계 비교
>
> | | |
> |---|---|
> | 수계 | 전기가 통한다(전도성).
 예 물소화약제, 강화액소화약제, 산·알칼리소화약제, 포소화약제(C급소화 불가능) |
> | 가스계 | 전기가 통하지 않는다(비전도성).
 예 이산화탄소소화약제, 할론소화약제, 할로겐화합물 및 불활성기체 소화약제, 분말소화약제, 고체에어졸 소화약제(C급소화 가능) |

01 분말소화약제의 특성에 대한 설명 중 옳지 않은 것은?
① 차고, 주차장에는 주성분이 요소가 첨가된 인산염인 분말소화약제가 적당하다.
② 탄산수소칼륨을 주성분으로 한 분말은 담회색으로 착색되어 있다.
③ CDC(Compatible Dry Chemical)는 수성막포와 함께 사용할 수 있다.
④ 분말소화약제는 입도가 20~25㎛일 때 최적의 소화효과를 나타낸다.

02 분말소화약제의 특성에 대한 설명으로 옳지 않은 것은?
① 제3종 분말소화약제의 주성분은 인산염이 적당하다.
② 중탄산나트륨을 주성분으로 한 분말은 담홍색으로 착색되어 있다.
③ 분말소화약제의 소화효과의 주된 작용은 부촉매효과이다.
④ 분말소화약제로 사용가능한 입도의 크기는 10~75㎛이다.

03 제1종 분말 소화약제의 주성분으로 옳은 것은?　　　　　　　　　　　25. 소방간부
① $KHCO_3$
② $NaHCO_3$
③ NH_4HCO_3
④ $NH_4H_2PO_3$
⑤ $KHCO_3 + (NH_2)_2CO$

04 제3종 분말소화약제가 열분해될 때 생성되는 물질로써 방진작용을 하는 물질은?　　　22. 소방간부
① N_2(질소)
② H_2O(수증기)
③ K_2CO_3(탄산칼륨)
④ HPO_3(메타인산)
⑤ Na_2CO_3(탄산나트륨)

05 제4종 분말소화약제는 제2종 분말소화약제와 어떠한 물질과의 혼합물로 되어 있는가?

① 올소인산 ② 요소
③ 질소 ④ 인산염

06 제3종 분말소화약제의 방습가공제로 사용되는 것은?

① 스테아린산 아연 ② 스테아린산 마그네슘
③ 실리콘오일 ④ 탄산마그네슘

07 제3종 분말소화약제의 열분해 결과로 생성되는 물질의 소화효과로 옳지 않은 것은? 25. 공채·경채

① H_2O: 냉각작용 ② HPO_3: 방진작용
③ NH_3: 부촉매작용 ④ H_3PO_4: 탈수탄화작용

정답 및 해설

01 분말소화약제의 특성
화재 발생 시 차고, 주차장에는 주성분이 인산염인 제3종 분말소화약제가 적당하다.

02 분말소화약제의 특성
주성분이 탄산수소나트륨[$NaHCO_3$(중탄산나트륨)]인 제1종 분말소화약제의 착색은 백색이다.

03 제1종 분말 소화약제
제1종 분말 소화약제의 주성분은 탄산수소나트륨(중탄산나트륨)[$NaHCO_3$]이다.

04 제3종 분말소화약제 화학반응식

$$NH_4H_2PO_4 \xrightarrow[\Delta]{360℃} HPO_3 + NH_3\uparrow + H_2O\uparrow - 76.95kcal$$

제1인산암모늄 메타인산 암모니아 수증기 -Q
<방진효과> <질식효과> <질식> <냉각효과>
NH_4^+
<부촉매효과>

05 분말소화약제의 주성분
제4종 분말소화약제의 주성분으로는 제2종 소화분말의 주성분인 탄산수소칼륨($KHCO_3$)과 요소[$(NH_2)_2CO$]가 화합되었다.

06 제3종 분말소화약제
제3종 분말소화약제의 주성분인 제1인산암모늄($NH_4H_2PO_4$)은 수분의 흡습율이 높아 발수제(방습가공제)로는 실리콘오일을 사용하며, 소화분말의 종별을 구분하기 위해서 담홍색의 안료로 착색한다.

07 제3종 분말소화약제
③ NH_4(암모늄): 부촉매작용
① 수증기 H_2O: 질식작용(냉각작용가능)
② 메타인산 HPO_3: 방진작용
④ 올소인산 H_3PO_4: 탈수탄화작용

정답 01 ① 02 ② 03 ② 04 ④ 05 ② 06 ③ 07 ③

08 분말소화약제에 관한 설명으로 옳지 않은 것은?

① 제2종 분말소화약제의 주성분은 $KHCO_3$이다.

② 제1·2·3종 분말소화약제는 열분해 반응에서 CO_2가 생성된다.

③ $NaHCO_3$이 주된 성분인 분말소화약제는 B·C급 화재에 사용하고 분말 색상은 백색이다.

④ $NH_4H_2PO_4$이 주된 성분인 분말소화약제는 A·B·C급 화재에 유효하고 비누화현상이 일어나지 않는다.

09 주성분이 인산염류인 제3종 분말소화약제가 일반화재에 적합한 이유로 옳은 것은?

① 열분해 생성물인 이산화탄소가 열을 흡수하므로 냉각효과로 소화한다.

② 열분해 생성물인 암모니아가 부촉매작용을 하므로 억제소화한다.

③ 열분해 생성물인 불활성탄소와 이산화탄소가 탈수·탄화작용을 한다.

④ 열분해 생성물인 메타인산이 방진작용 및 재착화 방지를 한다.

10 식용유, 지방질유 화재 시 표면에 비누막을 형성하여 산소의 공급을 차단, 질식소화시키는 분말소화약제는?

① 제1종 분말소화약제 ② 제2종 분말소화약제

③ 제3종 분말소화약제 ④ 제4종 분말소화약제

11 차고·주차장에 사용이 가능한 분말소화약제는?

① 탄산수소칼륨
② 제1인산암모늄
③ 탄산수소나트륨
④ 탄산수소칼륨 + 요소

정답 및 해설

08 분말소화약제
제1·2종 분말소화약제는 열분해 반응에서 CO_2가 생성된다. 그러나 3종 분말소화약제는 열분해 반응에서 CO_2가 생성되지 않는다.

■ 분말소화약제

구분	화학식	생성물
제1종 분말소화약제 [B, C, K급] <백색>	$2NaHCO_3 \xrightarrow{270℃} Na_2CO_3 + CO_2\uparrow + H_2O\uparrow - 30.3kcal$ 탄산수소나트륨 탄산나트륨 이산화탄소 수증기 -Q (중탄산나트륨) Na^+ 나트륨이온 <질식> <냉각> <부촉매효과, 비누화효과>	CO_2 H_2O
제2종 분말소화약제 [B, C급] <담회색>	$2KHCO_3 \xrightarrow{190℃} K_2CO_3 + CO_2\uparrow + H_2O\uparrow - 29.82kcal$ 탄산수소칼륨 탄산칼륨 이산화탄소 수증기 -Q (중탄산칼륨) K+칼륨이온 <질식> <냉각> <부촉매효과>	CO_2 H_2O
제3종 분말소화약제 [A, B, C급] <담홍색>	$NH_4H_2PO_4 \xrightarrow{360℃} HPO_3 + NH_3\uparrow + H_2O\uparrow - 76.95kcal$ 제1인산암모늄 메타인산 암모니아 수증기 -Q <방진효과><질식효과> <질식> <냉각> NH_4^+ <부촉매효과>	H_2O
제4종 분말소화약제 [B, C급] <회색>	$2KHCO_3 + (NH_2)_2CO \rightarrow K_2CO_3 + 2NH_3 + 2CO_2\uparrow - Qkcal$ 탄산수소칼륨 요소 탄산칼륨 암모니아 이산화탄소 <질식효과> K^+ NH_4^+ <질식> <냉각> <부촉매효과><부촉매효과>	CO_2

09 제3종 분말소화약제
제1인산암모늄으로부터 360℃ 이상의 온도에서 열분해하는 과정 중에 생성되는 메타인산(HPO_3)은 액체 상태의 점성을 가지고 있어서 일반가연물질인 나무·종이·섬유 등이 연소과정인 잔진상태(불꽃 없이 숯불모양으로 연소하는 형태)의 숯불표면에 유리상의 피막을 이루어 공기 중의 산소의 공급을 차단시켜 숯불모양으로 연소하는 작용을 방지한다. 이러한 과정에 의해서 소화된 화재는 주위에 점화원이 존재하더라도 재착화할 위험이 없다.

10 제1종 분말소화약제
제1종 분말소화약제인 중탄산나트륨을 지방이나 기름(식용유)의 화재에 사용할 때 기름의 지방산과 중탄산나트륨의 Na^+ 이온이 비누가 되어 연료물질인 기름을 포위하거나 연소생성물의 가스에 의해 폼을 형성하기도 하여 소화작용을 돕게 되는데, 이를 분말소화약제의 비누화 현상이라 한다.

11 제3종 분말소화약제
차고·주차장에서 차량 화재 시 차량 실내화재는 A급 화재이며, 차량에서 유출된 기름화재는 B급 화재이므로 일반화재(A급 화재), 유류화재(B급 화재), 전기화재(C급 화재)에 적응성이 있는 제3종 분말소화약제인 제1인산암모늄을 사용한다.

정답 08 ② 09 ④ 10 ① 11 ②

12 분말소화약제의 열분해 반응식으로 옳지 않은 것은?

① $2KHCO_3 \rightarrow K_2CO_3 + CO_2 + H_2O$
② $2NaHCO_3 \rightarrow 2NaCO_3 + 2CO_2 + H_2O$
③ $NH_4H_2PO_4 \rightarrow H_3PO_4 + NH_3$
④ $2KHCO_3 + (NH_2)_2CO \rightarrow K_2CO_3 + 2NH_3 + 2CO_2$

13 제3종 분말소화약제에 대한 설명으로 옳지 않은 것은?

18. 공채·경채

① 백색으로 착색되어 있다.
② ABC급 분말소화약제라고도 부른다.
③ 주성분은 제1인산암모늄($NH_4H_2PO_4$)이다.
④ 현재 생산되고 있는 분말소화약제의 대부분을 차지하고 있다.

14 인산암모늄을 기제로 한 분말소화약제의 소화효과와 직접 관련되지 않은 것은?

① 메타인산(HPO_3)에 의한 방진작용
② 열분해에 의한 흡열반응에 의한 냉각작용
③ 열분해에 의해 발생된 이산화탄소에 의한 질식작용
④ 수산기에 작용하여 연소에 필요한 연쇄반응 차단효과

정답 및 해설

12 제1종 분말소화약제
제1종 분말소화약제의 열분해 반응식은 다음과 같다.

$$2NaHCO_3 \rightarrow Na_2CO_3 + CO_2 + H_2O$$

13 분말소화약제의 종류 및 특성
제3종 분말소화약제는 담홍색으로 착색되어 있다.

종별	주성분	화학식	표시색상	적응화재
제1종 분말	탄산수소나트륨 (중탄산나트륨)	$NaHCO_3$	백색	B, C, K급
제2종 분말	탄산수소칼륨 (중탄산칼륨)	$KHCO_3$	담회색 (보라색)	B, C급
제3종 분말	제1인산암모늄	$NH_4H_2PO_4$	담홍색 (황색)	A, B, C급
제4종 분말	탄산수소칼륨 + 요소	$KHCO_3 + (NH_2)_2CO$	회색	B, C급

14 제3종 분말소화약제
제3종 분말소화약제 열분해에 의한 생성물질에서 이산화탄소는 발생하지 않는다.

$$NH_4H_2PO_4 \xrightarrow[\Delta]{360℃} HPO_3 + NH_3\uparrow + H_2O\uparrow - 76.95kcal$$

정답 12 ② 13 ① 14 ③

한눈에 정리하기

PART 2 소화약제

1 물소화약제

 다시 학습하기 p.226

1. 물의 물리적 특성 및 화학적 특성

물의 물리적 특성	· 융해열: 80cal/g · 기화열: 539cal/g · 현열: 가감되는 열
물의 화학적 특성	극성 공유 결합
물의 열용량	· 1g 얼음 0℃가 수증기 100℃로 변할 때 열용량은 719cal이다. · 1g 물 0℃가 수증기 100℃로 변할 때 열용량은 639cal이다.

2. 물주수 형태·주된 소화 및 적응화재

봉상 (물의 모양: 막대기)	· 냉각소화 · A급 화재
적상 (물의 모양: 물방울)	· 냉각소화 · A급 화재
무상 (물의 모양: 안개입자)	· 냉각·질식·유화·희석소화 · A, B, C급 화재

3. 물소화약제의 첨가제

부동제	에틸렌글리콜
침투제	유수(Wet Water)
증점제	Thick Water
유동제	Rapid Water

2 포소화약제

1. 발포배율에 따른 포소화약제의 종류 및 성분비

구분	포원액 농도	팽창비		종류
저발포	3%, 6%형	20 이하		· 비수용성 액체용 포소화약제: 단백포, 불화단백포, 합성계면활성제포, 수성막포 · 수용성 액체용 포소화약제: (내)알코올포
고발포	1%, 1.5%, 2%형	제1종	80 이상 ~ 1,000 미만	비수용성 액체용 포소화약제: 합성계면활성제포
			80 이상 ~ 250 미만	
		제2종	250 이상 ~ 500 미만	
		제3종	500 이상 ~ 1,000 미만	

2. 수성막포소화약제

주성분	장점	단점
불소계 계면활성제 + 불소원자로 치환한 계면활성제	· 초기 소화속도가 빨라 소화력이 가장 우수하다. · 내유성과 유동성이 우수하다. · 표면하주입방식이다. · 분말소화약제와 병용하여 소화 작업한다. · 화학적으로 매우 안정되며 장기 보존이 가능하다. · 재연방지에 효과적이다. · 인체에 무해하다.	· 내열성이 약해 윤화(Ring Fire) 현상이 있다. · 값이 비싸다. · 부식성이 크다.

3. 공기포(기계포)소화약제의 혼합 방식

펌프 프로포셔너 방식	농도조절밸브 작용
라인 프로포셔너 방식	벤츄리관의 벤츄리 작용
프레셔 프로포셔너 방식	벤츄리관의 벤츄리 작용과 펌프 가압수 작용
프레셔 사이드 프로포셔너 방식	압입용 펌프 작용
압축공기포 믹싱챔버 방식	포원액 + 물 + 공기(질소)를 미리 혼합한 상태로 작용

4. 포소화약제의 구비조건

① 내열성이 좋을 것
② 내유성이 좋을 것
③ 유동성이 좋을 것
④ 점착성이 좋을 것

| 3 | 이산화탄소소화약제 |

1. 이산화탄소소화약제의 소화원리 및 적응화재

소화원리	· 질식소화 · 냉각소화 · 피복소화
적응화재	· 유류화재(B급 화재), 전기화재(C급 화재) · 전역방출방식일 경우 일반화재(A급 화재)도 가능

2. 이산화탄소소화약제 설치 제외 장소

① 사람이 있는 장소
② 제3류 위험물(금수성 물질 및 자연발화성 물질)
③ 제5류 위험물(자기반응성물질)

3. 이산화탄소소화약제의 소화농도 및 설계농도

소화농도	최소 이산화탄소(CO_2)의 소화농도[%] = $\dfrac{21 - O_2}{21} \times 100$
설계농도	최소 이산화탄소(CO_2)의 설계농도 = 최소 이론(소화)농도 × 1.2

| 4 | 할론소화약제 |

1. 할론소화약제의 명명법 예시

① Halon 1 3 0 1
        C F Cl Br → $C F_3 Br$
② Halon 2 4 0 2
        C F Cl Br → $C_2 F_4 Br_2$
③ Halon 1 2 1 1
        C F Cl Br → $C F_2 Cl Br$
④ Halon 1 0 4 0
        C F Cl Br → $C Cl_4$

2. 할론소화약제의 소화원리 및 적응화재

소화원리	· 부촉매(억제)소화 · 질식소화 · 냉각소화
적응화재	· 유류화재(B급), 전기화재(C급) · 전역방출방식일 경우 일반화재(A급)도 가능

5. 할로겐화합물 및 불활성기체 소화약제

1. 정의

할로겐화합물 소화약제	불소, 염소, 브롬 또는 요오드 중 하나 이상의 원소를 포함하고 있는 유기화합물을 기본성분으로 하는 소화약제를 말한다.
불활성기체 소화약제	헬륨, 네온, 아르곤 또는 질소가스 중 하나 이상의 원소를 기본성분으로 하는 소화약제를 말한다.

2. 소화원리 및 적응화재

① 할로겐화합물 소화약제

소화원리	· 부촉매(억제)소화 · 질식소화 · 냉각소화, 즉 화학적 소화 + 물리적 소화
적응화재	· 유류화재(B급), 전기화재(C급) · 전역방출방식일 경우 일반화재(A급)도 가능

② 불활성기체 소화약제

소화원리	· 질식소화 · 냉각소화, 즉 물리적 소화
적응화재	· 유류화재(B급), 전기화재(C급) · 전역방출방식일 경우 일반화재(A급)도 가능

3. 우리나라에서 현재까지 설계 및 시공에 사용되는 여섯 가지 소화약제

소화약제	화학식
· 하이드로클로로플루오로카본혼화제(HCFC BLEND A) · 상품명: NAFS-Ⅲ	· HCFC-123($CHCl_2CF_3$): 4.75% · HCFC-22($CHClF_2$): 82% · HCFC-124($CHClFCF_3$): 9.5% · $C_{10}H_{16}$: 3.75%
펜타플루오로에탄(HFC-125)	CHF_2CF_3
· 헵타플루오로프로판(HFC-227ea) · 상품명: FM-200	CF_3CHFCF_3
· 트리플루오로메탄(HFC-23) · 상품명: FE-13	CHF_3
불연성·불활성기체 혼합가스(IG-541)	· N_2: 52% · Ar: 40% · CO_2: 8%
도데카플루오로-2-메틸펜탄-3-원 (FK-5-1-12)	$CF_3CF_2C(O)CF(CF_3)_2$

6 분말소화약제의 종류 및 특성

> 다시 학습하기 p.290

소화약제	화학반응식	생성물
제1종 분말 소화약제 (B, C, K 급) <백색>	$2NaHCO_3 \xrightarrow[\Delta]{270℃} Na_2CO_3 + CO_2\uparrow + H_2O\uparrow - 30.3kcal$ 탄산수소나트륨　　　　탄산나트륨　이산화탄소　수증기　　- Q (중탄산나트륨)　　Na$^+$ 나트륨이온　　　　<질식>　　<냉각효과> <부촉매효과, 비누화효과>	CO_2, H_2O
제2종 분말 소화약제 (B, C급) <담회색>	$2KHCO_3 \xrightarrow[\Delta]{190℃} K_2CO_3 + CO_2\uparrow + H_2O\uparrow - 29.82kcal$ 탄산수소칼륨　　　　탄산칼륨　이산화탄소　수증기　　- Q (중탄산칼륨)　　K$^+$ 칼륨이온　　<질식>　　<냉각효과> <부촉매효과>	CO_2, H_2O
제3종 분말 소화약제 (A, B, C급) <담홍색>	$NH_4H_2PO_4 \xrightarrow[\Delta]{360℃} HPO_3 + NH_3\uparrow + H_2O\uparrow - 76.95kcal$ 제1인산암모늄　　　메타인산　암모니아　수증기　　- Q 　　　　　　<방진효과> <질식효과> <질식>　<냉각효과> 　　　　　　　　　　　　　　NH_4^+ 　　　　　　　　　　　　<부촉매효과>	H_2O
제4종 분말 소화약제 (B, C급) <회색>	$2KHCO_3 + (NH_2)_2CO \longrightarrow K_2CO_3 + 2NH_3 + 2CO_2\uparrow - Qkcal$ 탄산수소칼륨　요소　　　　탄산칼륨　암모니아　이산화탄소 　　　　　　　　　　　　<질식효과> <질식> <냉각효과> 　　　　　　　　　　　　K$^+$　　　NH_4^+ 　　　　　　　　　　　　<부촉매효과><부촉매효과>	CO_2

냉각효과가 있다고 해서 반드시 A급(일반화재)에 사용하는 것은 아니다.

"네가 헛되이 보낸 오늘은 어제 죽은 이가 그토록 기다리던 내일이었다"
삶을 소중히 여기는 여러분들이 되시길!

해커스소방 **이영철 소방학개론** 기본서

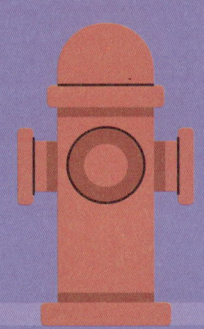

PART 3

위험물의 종류별 특성과 소화방법

CHAPTER 1 제1류 위험물(산화성 고체)

CHAPTER 2 제2류 위험물(가연성 고체)

CHAPTER 3 제3류 위험물(금수성 및 자연발화성 물질)

CHAPTER 4 제4류 위험물(인화성 액체)

CHAPTER 5 제5류 위험물(자기반응성 물질)

CHAPTER 6 제6류 위험물(산화성 액체)

CHAPTER 1 제1류 위험물(산화성 고체)

출제 POINT
- 01 종류 및 지정수량 ★★☆
- 02 위험물상의 범위 및 한계 ★☆☆
- 03 대표적 성질 및 공통성질 ★★☆
- 04 소화대책 ★★★
- 05 저장 및 취급방법 ★☆☆
- 06 수납 시 주의사항 ★☆☆

용어사전
① 지정수량: 위험물의 종류별로 위험성을 고려하여 대통령령이 정하는 수량으로서 위험물제조소등의 설치허가 등에 있어서 최저의 기준이 되는 수량을 말한다.
② 염류(염기성, 알칼리성): 염분이 들어 있는 여러 가지 물질의 종류를 말한다.
③ 과망가니즈산염류: 검정색 분말 상태의 물질을 말한다.
④ 다이크로뮴산염류: 황적색(자색) 분말 상태의 고체물질을 말한다.

영철쌤 tip
위험물의 분류에서는 기체는 없다. 기체는 「고압가스 안전관리법」에 의해 관리한다.

1 제1류 위험물의 지정수량 및 품명

품명	지정수량①	위험등급	물질명
아염소산염류②	50kg	I	아염소산나트륨($NaClO_2$), 아염소산칼륨($KClO_2$)
염소산염류	50kg	I	염소산나트륨($NaClO_3$), 염소산칼륨($KClO_3$), 염소산암모늄(NH_4ClO_3)
과염소산염류	50kg	I	과염소산나트륨($NaClO_4$), 과염소산칼륨($KClO_4$), 과염소산암모늄(NH_4ClO_4)
무기과산화물 (알칼리금속 과산화물)	50kg	I	과산화나트륨(Na_2O_2), 과산화칼륨(K_2O_2), 과산화마그네슘(MgO_2), 과산화칼슘(CaO_2), 과산화바륨(BaO_2)
브로민산염류	300kg	II	브로민산나트륨($NaBrO_3$), 브로민산칼륨($KBrO_3$), 브로민산바륨[$Ba(BrO_3)_2 \cdot H_2O$], 브로민산아연[$Zn(BrO_3)_2 \cdot 6H_2O$]
질산염류	300kg	II	질산나트륨($NaNO_3$), 질산칼륨(KNO_3), 질산암모늄(NH_4NO_3)
아이오딘산염류	300kg	II	아이오딘산칼륨(KIO_3), 아이오딘산칼슘[$Ca(IO_3)_2 \cdot 6H_2O$]
과망가니즈산염류③	1,000kg	III	과망가니즈산나트륨($NaMnO_4 \cdot 3H_2O$), 과망가니즈산칼륨($KMnO_4$), 과망가니즈산칼슘[$Ca(MnO_4)_2 \cdot 4H_2O$]
다이크로뮴산염류④	1,000kg	III	다이크로뮴산나트륨($Na_2Cr_2O_7 \cdot 2H_2O$), 다이크로뮴산칼륨($K_2Cr_2O_7$), 다이크로뮴산암모늄[$(NH_4)_2Cr_2O_7$]

2 「위험물안전관리법」상의 범위 및 한계

산화성 고체라 함은 고체[액체(1atm 및 20℃에서 액상인 것 또는 20℃ 초과 40℃ 이하에서 액상인 것) 또는 기체(1atm 및 20℃에서 기상인 것) 외의 것]로서 산화력의 잠재적인 위험성 또는 충격에 대한 민감성을 판단하기 위하여 소방청장이 정하여 고시하는 시험에서 고시로 정하는 성질과 상태를 나타내는 것을 말한다. 이 경우 액상이라 함은 수직으로 된 시험관(안지름 30mm, 높이 120mm의 원통형 유리관을 말한다)에 시료를 55mm까지 채운 다음 당해 시험관을 수평으로 하였을 때 시료액면의 선단이 30mm를 이동하는 데 걸리는 시간이 90초 이내에 있을 것을 말한다.

3   공통성질(산화성 고체)

(1) 제1류 위험물의 대표적 성질은 **산화성 고체**이다. 모든 품명이 산소를 다량으로 함유한 강력한 **산화제**이며 **분해하여 산소(O_2)를 방출**한다.

(2) 자신은 **불연성 물질**로서 자체는 연소하지 않지만 다른 가연성 물질에 대하여 강한 산화성을 가진다. 즉, 다른 가연물의 연소를 **돕는 조연성(지연성)** 물질이다.

(3) 대부분 **무기화합물**이다. **대부분 무색의 결정이나 백색의 분말 상태의 고체**물질이다.

(4) 기체 상태의 산소분자의 체적에 비할 때 약 1,000분의 1 체적이지만 분해할 경우 산소의 체적이 훨씬 증가한다.

(5) **분해하여 산소를 방출**한다.

(6) **물보다 무겁고 물에 녹는 것이 많다.** 즉, 비중이 1보다 크고 수용성인 것이 많다.

(7) **조해성이 있는 것이 있으며 수용액 상태에서도 산화성**이 있다.

(8) **무기과산화물(알칼리금속 과산화물)은 물과 반응하여 산소(O_2)를 발생**하고 발열한다.

📖 핵심정리   위험물의 공통성질

1. 산소를 가지고 있으면 산화제이다.
2. 산소를 가지고 있지 않으면 환원제이다.
3. 제1류 위험물 ~ 제6류 위험물의 공통성질
   ① 대부분 물보다 무겁고 물에 잘 녹는다(제1류, 제6류).
   ② 대부분 물보다 무겁고 물에 잘 녹지 않는다(제2류, 제3류, 제5류).
   ③ 대부분 물보다 가볍고 물에 잘 녹지 않는다(제4류).

---

4   위험성

(1) 산화성

산소를 방출하고 산화성(조연성, 지연성)이 강하다. 제1류 위험물을 가열하거나, 제6류 위험물과 혼합하면 산화성이 증대된다. 즉, 가연성 물질과 산화성 고체가 혼합하고 있을 때 연소에 미치는 현상이다.

① 공기 중에서보다 산화작용이 잘 일어나 화염온도가 상승하고, 연소속도가 빨라지며, 화염의 길이가 증가하여 연소 확대 위험이 커진다.
② 착화온도(발화점)가 낮아진다.
③ 가연성의 가스나 증기의 경우 공기 혼합보다 연소범위가 확대된다.
④ 최소 점화에너지가 감소된다.
⑤ 폭발의 위험이 증가한다.
⑥ 가연성 유기화합물과 혼합 시 연소위험성이 현저히 증가한다.

📘 용어사전

❶ 결정(結晶): 물질이 일정한 법칙에 따라 몇 개의 평면으로 둘러싸여 규칙적인 형태를 이룬 고체 또는 그런 고체로 응결하는 일을 말한다.

❷ 조해성(潮解性): 고체가 대기 속에서 습기를 빨아들여 녹는 성질을 말한다.

영철쌤 tip

1. 무겁다: 비중이 1보다 크다.
2. 가볍다: 비중이 1보다 작다.
3. 수용성: 물에 잘 녹는다.
4. 비수용성: 물에 잘 녹지 않는다.

영철쌤 tip

위험물

1. 인화성 또는 발화성 등의 성질을 가지는 것으로서 대통령령으로 정하는 물품을 말한다.
2. 위험물의 분류는 제1류 ~ 제6류 위험물로 나누는데 공통적인 물리·화학적인 특성 등으로 화재 위험성이 있다.

분류	대표 성질	물질
제1류 위험물	산화성 고체	고체
제2류 위험물	가연성 고체	고체
제3류 위험물	금수성 및 자연발화성 물질	고체, 액체
제4류 위험물	인화성 액체	액체
제5류 위험물	자기반응성 물질	고체, 액체
제6류 위험물	산화성 고체	액체

제1류 위험물(산화성 고체)
불연성물질 → 열 분해 → 산소방출한다.

(2) 폭발의 위험성

단독으로도 분해 폭발하는 물질(예 NH_4NO_3, NH_4ClO_3)도 있지만 보통 가열, 충격, 정촉매, 이물질 등과의 접촉으로 분해가 개시되어 가연물과 접촉, 혼합에 의해 심하게 연소하거나 때에 따라서는 폭발한다. 상온에서 소량의 가연성 물질과 혼합하면 발열이 발견되지 않는 것도, 대량으로 존재할 때에는 축열하여 발화할 가능성이 매우 높아진다.

(3) 손상의 위험성

유독성	염소산염류, 질산염류, 다이크로뮴산염류, 중금속의 염류, 삼산화크로뮴 등
부식성	과산화칼륨, 과산화나트륨 등의 무기과산화물

무기과산화물(알칼리금속과산화물)은 대통령령으로 정하는 제1류 위험물이고, 삼산화크로뮴(무수크로뮴산)은 행정안전부령으로 정하는 제1류 위험물이다.

(4) 특수위험성

무기과산화물과 삼산화크로뮴은 물과 반응하여 산소(O_2)를 방출하고 발열한다. 이러한 의미에서 제3류 위험물과 비슷한 금수성 물질이다. 또한 무기과산화물은 염산과의 혼촉에 의해 발열하고 황린과 접촉하면 폭발한다.

(5) 특수위험성 중 무기과산화물의 일반적인 성질

① 일반적으로 불연성이고 불안정한 화합물이다.
② 분해 시 발열하며 산소를 방출하는 강력한 산화제이다.
③ 가열, 타격, 충격 등에 의해 분해를 시작하고 강산이나 알칼리는 분해를 촉진시킨다.
④ 물과 격렬히 반응하여 산소를 방출하고 발열하며 부식성이 강한 알칼리 액을 만든다.
⑤ 물과 반응성이 크므로 제3류 위험물과 유사한 성질을 가지고 있다.
⑥ 황화인과 접촉 시 자연발화의 위험이 있다.
⑦ 황린과 접촉 시 폭발의 위험이 있다.

5 저장 및 취급방법

(1) 가열하거나 직사광선 및 화기를 피한다.
(2) 환기(통풍)가 잘 되는 찬 곳에 저장하여야 한다.
(3) 충격, 타격, 마찰 등 기계적 점화에너지를 부여하지 않도록 하고 분해요인을 사전에 제거한다.
(4) 용기의 가열을 방지하고 저장용기와 파손·전도를 방지하고 취급 중 내용물의 누출을 방지한다. 즉, 용기의 파손에 의한 위험물의 누설에 주의하여야 한다.
(5) 공기(습기)나 물과의 접촉(특히 무기과산화물)을 피한다.

(6) 환원제, 산화되기 쉬운 물질 또는 다른 유별 위험물(특히 제2류 위험물, 제3류 위험물, 제4류 위험물, 제5류 위험물)과의 접촉 및 혼합·혼입을 엄금하며 같은 저장소에서 함께 저장하여서는 안 된다.

(7) 분해를 촉진하는 물질(촉매), 재해발생의 위험이 있는 물질 또는 이물질과의 접촉을 피한다.

(8) 다른 약품류 및 가연물과의 접촉을 피해야 한다.

(9) 열원이나 산화되기 쉬운 물질과 산 또는 화재위험이 있는 곳에서 멀리하여야 한다.

(10) 조해성 물질의 경우는 특히 방습하고 용기를 밀전❶해야 한다. 또는 혼합적재를 절대 피한다. 즉, 조해성이 있으므로 습기에 주의하며 용기는 밀폐(밀전)하여 저장하여야 한다.

(11) 알칼리금속 과산화물(무기과산화물) 위험물제조소등에는 청색바탕에 백색문자로 "물기엄금"이라는 주의사항 게시판을 설치하여야 한다.

용어사전

❶ 밀전(밀봉): 마개 등으로 꽉 막는 것을 말한다.

저장 및 취급방법

1. 용기는 밀전·밀봉하여 저장해야 한다(통풍이 잘 되는 곳 아님).
2. 용기저장장소는 통풍이 잘 되는 곳에 저장해야 한다(밀전·밀봉 아님).

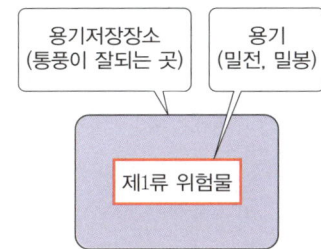

알칼리금속의 과산화물(무기과산화물)

과산화나트륨, 과산화칼륨, 과산화마그네슘, 과산화칼슘, 과산화바륨이 있다.

건조분말소화약제

건조분말소화약제는 드라이파우더(Dry Powder)이다.

6 소화방법

자신은 불연성이기 때문에 자체적으로는 화재가 발생하지 않지만 다른 가연물과 혼합되어 화재가 발생하였을 경우 매우 위험하다.

(1) 산소의 분해 방지를 위해 온도를 낮추고 타고 있는 주위의 가연물의 소화에 주력해야 한다. 즉, 무기과산화물을 제외하고 냉각소화가 유효하다. 대부분이 화재 초기 또는 소량의 화재 시 분말, 이산화탄소(CO_2), 할론(Halon), 포에 의한 질식소화도 효과가 있지만 대형화재의 경우 소화약제에 의한 질식소화는 효과가 없으며 주수소화할 때에도 다량의 물을 사용하는 것이 좋다.

(2) 무기과산화물의 경우(비록 가연물과의 혼합연소가 아니고 자신만의 경우)는 물과 반응하여 산소와 열을 발생하고 위험을 초래하므로 물에 의한 냉각소화를 피하고 건조분말 소화약제[금속화재용 분말소화약제(탄산수소염류 분말소화약제)] 또는 마른 모래, 팽창질석, 팽창진주암에 의한 질식소화가 유효하다.

(3) 화재 진화 후 생기는 소화잔수는 산화성이 있으므로 여기서 오염 건조된 가연물은 연소성이 증가할 위험성이 있다.

(4) 소화작업 시는 공기호흡기, 보안경 및 방호의 등 보호장비를 착용한다.

핵심정리 소화방법

1. 대량의 물을 주수하는 냉각소화를 한다(분해온도 이하로 유지하기 위함).
2. 무기과산화물(알칼리금속의 과산화물)은 냉각소화를 하면 급격히 발열반응하므로 마른 모래, 팽창질석, 팽창진주암, 금속화재용 분말소화약제(건조분말 소화약제)에 의한 질식소화를 한다.

7 수납하는 위험물에 따른 주의사항

무기과산화물(알칼리금속의 과산화물 또는 이를 함유한 것)	화기·충격주의, 물기엄금 및 가연물 접촉에 주의한다.
그 밖의 것	화기·충격주의 및 가연물 접촉에 주의한다.

> **핵심정리** 수납 시 주의사항
>
> 1. 화기주의
> 2. 충격주의
> 3. 가연물접촉주의
> 4. 물기엄금

8 그 밖에 행정안전부령으로 정한 제1류 위험물

(1) 과아이오딘염류

(2) 과아이오딘산

(3) 크로뮴, 납 또는 아이오딘의 산화물

(4) 아질산염류

(5) 차아염소산염류

(6) 염소화아이소시아누르산 등

(7) 퍼옥소이황산염류

(8) 퍼옥소이붕산염류

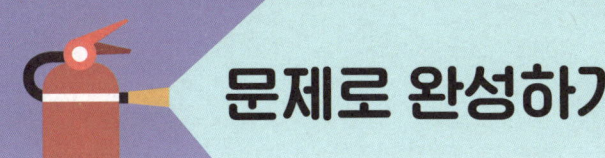

CHAPTER 1 제1류 위험물(산화성 고체)

01 「위험물안전관리법 시행령」상 제1류 위험물에 대한 내용이다. (   ) 안에 들어갈 내용으로 옳은 것은? 22. 소방간부

고체로서 (ㄱ)의 잠재적인 위험성 또는 (ㄴ)에 대한 민감성을 판단하기 위하여 소방청장이 정하여 고시하는 시험에서 고시로 정하는 성질과 상태를 나타내는 것을 말한다.

	ㄱ	ㄴ
①	폭발력	발화
②	산화력	충격
③	환원력	분해
④	산화력	폭발
⑤	환원력	연소

02 다음 [조건]에서 기술하는 위험물의 성질에 가장 가까운 것은?

[조건]
ㄱ. 대부분 산소를 포함하고 있는 무색결정 및 백색분말이다.
ㄴ. 반응성이 커서 가열, 충격, 마찰 등으로 분해하여 산소를 방출한다.
ㄷ. 조해성이 있는 경우도 있으므로 습기 등에 주의하여 밀폐하여 저장한다.

① 제1류 위험물   ② 제2류 위험물
③ 제5류 위험물   ④ 제6류 위험물

정답 및 해설

01 제1류 위험물
제1류 위험물인 산화성 고체라 함은 고체로서 산화력의 잠재적인 위험성 또는 충격에 대한 민감성을 판단하기 위하여 소방청장이 정하여 고시하는 시험에서 고시로 정하는 성질과 상태를 나타내는 것을 말한다.

02 제1류 위험물의 성질 및 저장취급 방법
- 대부분 무색결정 또는 백색분말이며 비중이 1보다 크고 수용성인 것이 많다.
- 불연성이며 산소를 많이 함유하고 있는 강산화제이다.
- 반응성이 풍부하여 열, 타격, 충격, 마찰 및 다른 약품과의 접촉으로 분해하여 많은 산소를 방출하며 다른 가연물의 연소를 돕는다.
- 조해성 물질의 경우는 특히 방습하고 용기를 밀전해야 한다.

정답 01 ② 02 ①

03 위험물의 공통성질에 대한 설명이 잘못 연결된 것은?

① 제1류 위험물 - 산화성 고체 - 불연성

② 제2류 위험물 - 가연성 고체 - 환원성

③ 제4류 위험물 - 가연성 액체 - 인화성

④ 제5류 위험물 - 자기연소성 물질 - 폭발성

04 제1류 위험물 중 주수소화가 적당하지 않은 것은?

① 질산나트륨　　　　　② 염소산칼륨

③ 과산화칼륨　　　　　④ 질산암모늄

05 물과 반응하여 산소를 발생시키는 위험물로 옳은 것은?　　　24. 공채·경채

① 칼륨　　　　　② 탄화칼슘

③ 과산화나트륨　　　　　④ 오황화인

06 위험물의 종류에 따른 소화 방법으로 옳지 않은 것은?　　　21. 공채·경채

① 제1류 위험물인 알칼리금속의 과산화물은 물을 사용한다.

② 제2류 위험물인 마그네슘은 건조사를 사용한다.

③ 제3류 위험물인 알킬알루미늄은 건조사를 사용한다.

④ 제4류 위험물인 알코올은 내알코올포(泡, Foam)를 사용한다.

07 염소산염류에 대한 설명으로 옳지 않은 것은?

18. 공채·경채

① 제1류 위험물에 해당한다.

② 지정수량은 50kg이다.

③ 산화성 액체이다.

④ 가열·충격·강산과의 혼합으로 폭발한다.

정답 및 해설

03 위험물의 공통성질
제4류 위험물의 공통성질은 인화성 액체이다.

04 제1류 위험물의 소화방법
무기과산화물의 경우는 물과 반응하여 산소와 열을 발생, 위험을 초래하므로 물에 의한 냉각소화를 피하고 건조분말 소화약제에 의한 질식소화가 유효하다. 종류로는 과산화칼륨(K_2O_2), 과산화나트륨(Na_2O_2), 과산화마그네슘(MgO_2), 과산화칼슘(CaO_2), 과산화바륨(BaO_2)이 있다.

05 무기과산화물
- 제1류 위험물(산화성고체)인 무기(알칼리금속)과산화물은 물과 반응하여 산소(O_2)를 발생하고 발열한다.
- 무기(알칼리금속)과산화물: 과산화나트륨, 과산화칼륨, 과산화마그네슘, 과산화칼슘, 과산화바륨
- 황화인[삼황화인(P_4S_3), 오황화인(P_2S_5), 칠황화인(P_4S_7)] + 물 → 황화(유화)수소가스 발생
① 칼륨 + 물 → 수소가스발생
② 탄화칼슘 + 물 → 아세틸렌가스발생
④ 오황화인 + 물 → 황화(유화)수소가스발생

06 제1류 위험물(산화성 고체)의 소화방법
- 소화방법: 주수(냉각)소화(무기과산화물 제외)
- 무기과산화물(알칼리금속 과산화물): 과산화칼륨, 과산화나트륨, 과산화마그네슘, 과산화칼슘, 과산화바륨은 금수성 물질이므로 마른 모래, 팽창질석, 팽창진주암, 금속화재용 분말소화기로 질식소화한다.

07 염소산염류
염소산염류는 제1류 위험물(산화성 고체)이다.

정답 03 ③ 04 ③ 05 ③ 06 ① 07 ③

CHAPTER 2 제2류 위험물(가연성 고체)

출제 POINT
- 01 종류 및 지정수량 ★★★
- 02 위험물상의 범위 및 한계 ★★☆
- 03 대표적 성질 및 공통성질 ★★☆
- 04 소화대책 ★★☆
- 05 저장 및 취급방법 ★☆☆
- 06 수납 시 주의사항 ★☆☆

제2류 위험물은 위험 I등급이 없다.

참고 인(린)
1. 흰색: 백린(불완전하여 황색으로 변하기 때문에 황린이라고도 한다)
2. 적색: 적린
3. 황화인 연소시 흰색연기의 오산화인이 발생한다.

1 제2류 위험물의 지정수량 및 품명

지정수량	위험등급	품명
100kg	II	· 황화인[삼황화인(P_4S_3), 오황화인(P_2S_5), 칠황화인(P_4S_7)] · 적린(P) · 황(S)
500kg	III	· 철분(Fe) · 마그네슘(Mg) · 금속분[알루미늄분(Al), 아연분(Zn), 안티몬분(Sb)]
1,000kg	III	인화성 고체(락카퍼티, 고무풀, 고형알코올, 메타알데히드, 제3부틸알코올)

2 「위험물안전관리법」상의 범위 및 한계

1. 중량퍼센트: wt%
2. 마이크로미터: μm

(1) 가연성 고체라 함은 고체로서 화염에 의한 발화의 위험성 또는 인화의 위험성을 판단하기 위하여 고시로 정하는 시험에서 고시로 정하는 성질과 상태를 나타내는 것을 말한다.

(2) 황은 순도가 60중량퍼센트 이상인 것을 말하며, 순도 측정을 하는 경우 불순물은 활석 등 불연성 물질과 수분으로 한정한다.

(3) 철분이라 함은 철의 분말로서 53마이크로미터의 표준체를 통과하는 것이 50중량퍼센트 미만인 것은 제외한다.

(4) 금속분이라 함은 알칼리금속·알칼리토금속류·철 및 마그네슘 외의 금속의 분말을 말하고, 구리분·니켈분 및 150마이크로미터의 체를 통과하는 것이 50중량퍼센트 미만인 것은 제외한다.

(5) 마그네슘 및 제2류 제8호의 물품 중 마그네슘을 함유한 것에 있어서는 다음에 해당하는 것은 제외한다.
① 2밀리미터의 체를 통과하지 아니하는 덩어리 상태의 것
② 직경 2밀리미터 이상의 막대모양의 것

(6) 인화성 고체라 함은 고형알코올, 그 밖에 1기압에서 인화점이 섭씨 40도 미만인 고체를 말한다.

고체에서는 일반적으로 인화점을 논하지 않지만 인화점이 낮은 것도 있다.

3 공통성질

(1) 대표적인 성질은 **가연성 고체 또는 수소를 가까이 하는 환원성 고체**라고 한다. 비교적 낮은 온도에서 착화하기 쉬운 **이연성❶, 속연성❷ 물질**이다(비교적 낮은 온도에서 착화하기 쉽다).

(2) **대부분 물보다 무겁고 물에 녹지 않는다.** 인화성 고체를 **제외하고 모두 무기화합물**이다. 즉, 유기화합물과 무기화합물로 구성되어 있다.

(3) 모두 산소를 함유하고 있지 않은 강한 **환원성(還元性) 물질**이다.

(4) 강력한 환원제로서 산소(O_2)와 결합이 용이하여 산화되기 쉽고 **저농도의 산소에서도 결합**한다.

(5) 연소 시 **연소열이 크고 연소온도가 높다.** 연소생성물은 **유독한 것이 많다.**

(6) 모두 가연성 물질이므로 무기과산화물과 혼합한 것은 소량의 수분에 의해 발화한다.

(7) 마그네슘, 철분 및 금속분(알칼리금속, 알칼리토금속 제외)의 물리적인 성질로, 상온에서 수은(융점 $-38.87°C$)을 제외하고 고체이며 모두 결정을 만든다.

(8) 금속분류, 철분, 마그네슘은 물(또는 뜨거운 물)과 반응하여 수소(H_2)가스를 발생하고 묽은 산과 접촉에 의해 수소가스를 발생한다.

(9) 금속은 산소와의 결합력이 일반적으로 크고, 이온화 경향이 큰 금속일수록 산화되기 쉽다. 즉, 연소되기 쉽다.

> **참고 공통성질**
> 화학적인 이온화 경향이 큰 금속은 물과 산에 의해 다음과 같이 반응한다.
> 1. **리튬(Li), 칼륨(K), 칼슘(Ca), 나트륨(Na):** 찬물과 반응 시 수소가 발생한다.
> 2. **마그네슘(Mg), 알루미늄(Al), 아연(Zn), 철(Fe):** 끓는 물과 반응 시 수소가 발생한다.
> 3. **코발트(Co), 니켈(Ni), 주석(Sn), 납(Pb):** 묽은 산과 반응 시 수소가 발생한다.

📖 용어사전

❶ **이연성**(flammable, 易燃性): 물질에 착화(着火)한 뒤 연소속도가 빠르다는 것을 말하며, 이연성 물질에는 면(綿), 볏짚, 대패밥, 종이 등이 있다. 즉, 연소하기 쉬운 성질을 말한다.

❷ **속연성**(速燃性): 불에 빨리 타는 성질을 말한다. 즉, 연소속도가 빠른 성질을 말한다.

* **금수성**(禁水性): 물을 금하는 성질을 말한다.

1류 위험물	2류 위험물
산소[O]	산소[×]
수소[×]	수소[O]
수용성	비수용성
산화성	환원성
산소를 가까이하는 산화성 고체	수소를 가까이하는 환원성 고체

4 위험성

(1) 연소위험

비교적 다른 가연물에 비하여 착화온도가 낮기 때문에 저온에서 발화가 용이하고 대단히 연소속도가 빠르다.

(2) 폭발위험

① 산화제와 혼합한 것은 가열, 충격, 마찰에 의해 발화, 폭발의 위험이 있으며 연소 중인 금속분에 물을 가하거나, 산과 접촉하면 수소(H_2)가스가 발생하여 2차적 폭발위험이 있다.

② 유황분, 철분, 마그네슘분 및 금속분은 밀폐된 공간 내에서 부유할 때 점화원 또는 충격·마찰 등에 의해 분진폭발을 일으켜 대형화재로 확대되고 시설 파괴력이 커진다.

(3) 소화곤란 위험

① 연소 시 발생한 대류열, 복사열과 다량의 유독성 연소생성물 때문에 소화가 곤란하다. 금속화재 시 물에 의해 냉각소화하면 수소(H_2)가스를 발생하여 폭발의 위험이 있고 연소 장소 부근의 공기 중 산소가 부족하여 질식의 위험이 생긴다.

② 철분(Fe), 마그네슘(Mg), 금속분(Al, Zn, Sb) 화재 시 물과 만나면 가연성 가스인 수소(H_2)가스가 발생하여 폭발하므로 주수소화를 하면 안 된다.

③ 황화인은 물과 만나면 독성가스인 달걀 썩는 냄새가 나는 황화수소가 발생하므로 주수소화를 하면 안 된다.

④ 금속분(알루미늄분, 아연분, 안티몬분), 철분, 마그네슘, 황화인은 마른 모래, 팽창질석, 팽창진주암, 건조분말(드라이파우더) 등으로 질식소화한다.

(4) 특수 위험

일반적으로 금속은 산소를 가지고 있지 않기 때문에 산화되기 쉽다. 그러나 비교적 큰 덩어리로 되어 있거나 보통의 금속물체(예 알루미늄 새시, 금속건축자재 및 물건 등)의 경우 연소시키기 어렵기 때문에 화재 위험은 적다. 금속은 가연성의 종이나 목재와 달리 열전도율이 높기 때문에 산화열이 축적되기 힘들어 연소시키기가 곤란하고, 표면이 산화되었다 하더라도 연소가 지속되지 않기 때문이다. 그러나 미세한 가루로 되어 있거나 박막모양을 하고 있을 경우, 산화 표면적이 증가하여 공기와의 혼합이 용이하게 되고 열의 전도가 적어 열이 축적되기 쉽기 때문에 연소를 일으키기도 쉬워진다. 따라서 금속은 덩어리 상태일 때보다 가루 상태일 때 연소 위험성이 증가한다.

5 저장 및 취급방법

(1) 가열하거나 화기를 피하며 불티, 고온체와의 접촉을 피한다. 즉, 점화원으로부터 멀리하고 가열을 피하여야 한다.

(2) 제1류 위험물 및 제6류 위험물과 같은 산화제와의 혼합·혼촉을 방지한다. 즉, 산화제와 접촉을 피하여야 한다.

(3) 철분, 마그네슘, 금속분은 물, 습기, 습한 공기, 산과의 접촉을 피하여 저장하여야 한다. 즉, 철분, 마그네슘, 금속분류는 산, 물 또는 할로겐과의 접촉을 피하여야 한다(가연성 가스인 수소가스 발생).

(4) 저장용기는 밀봉하여 용기의 파손과 위험물의 누출을 방지한다.

(5) 통풍이 잘 되는 냉암소에 보관·저장한다. 폐기 시에는 소량씩 소각 처리한다.

(6) 다른 유별의 위험물과 동일한 위험물저장소에 함께 저장해서는 안 되며, 위험물 제조소등에는 적색바탕에 백색문자로 "화기주의"라는 주의사항 게시판을 설치한다. 단, 인화성 고체의 주의사항 게시판의 경우는 "화기엄금"이다.

6 소화방법

(1) 금속분(알루미늄분, 아연분, 안티몬분), 철분, 마그네슘, 황화인은 마른 모래, 팽창질석, 팽창진주암, 건조분말(드라이파우더) 등으로 질식소화하며 적린과 황은 물에 의한 냉각소화가 적당하다. 소량의 적린인 경우에는 마른모래나 이산화탄소소화약제도 일시적인 효과가 있다.

(2) 금속분(알루미늄분, 아연분, 안티몬분), 철분, 마그네슘이 연소하고 있을 때 주수하면 급격히 발생한 수증기의 압력이나 분해에 의해 발생한 수소(H_2)에 의해 폭발의 위험이 있으며 연소 중인 금속의 비산을 가져와 오히려 화재면적을 확대시킬 수 있으므로 절대 주수하여서는 안 된다.

(3) 금속분(알루미늄분, 아연분, 안티몬분), 철분, 마그네슘이 밀폐 공간( 작업장, 실내)에서는 발화하면 분진폭발로 이어지므로 소화 작업 시 충분히 안전거리를 확보하여야 한다.

(4) 연소 시 발생하는 다량의 유독성 연소생성물의 흡입을 방지하기 위하여 반드시 공기호흡기 등을 착용하여야 한다.

(5) 질식소화를 시키기 위하여 마른 모래를 사용할 수 있으나 장기간 방치된 모래는 공기 중 습기를 흡수하기 때문에, 습한 상태로 되어 타고 있는 금속분에 덮였을 때 습기와의 반응으로 수소(H_2)가스가 발생하므로 사용 시 주의가 필요하다.

영철쌤 tip

소화대책
1. 적린(P), 황(S): 주수소화(냉각)한다.
2. 철분(Fe), 마그네슘(Mg), 금속분(Al, Zn, Sb), 황화인: 마른모래, 팽창질석, 팽창진주암, 금속화재용분말소화기(드라이파우더)로 질식소화한다.
3. 인화성고체: 주수소화가 가능은 하지만, 일반적으로 포소화약제에 의한 질식소화를 한다.

철분, 마그네슘, 금속분
1. 제2류 위험물(가연성고체)이다.
2. 지정수량은 500kg이다.
3. 위험Ⅲ등급이다.
4. 분진폭발한다.
5. 주수소화금지는 마른모래, 팽창질석, 팽창진주암 등으로 소화한다.

(6) 인화성 고체는 석유류 화재와 같이 질식소화한다(주수소화가 가능하지만 일반적으로 포소화약제로 질식소화한다).

> **참고** 마그네슘과 이산화탄소의 화학반응식
>
> · $2Mg + CO_2 \rightarrow 2MgO + C$
> · $Mg + CO_2 \rightarrow MgO + CO \uparrow$
>
> 마그네슘은 이산화탄소와 화학반응에 의해 분해된 흑연(C)을 내면서 연소하고 유독성이면서 가연성 가스인 일산화탄소를 방출한다. 따라서 마그네슘의 화재 시 이산화탄소소화약제를 사용할 수 없다.

7 수납하는 위험물에 따른 주의사항

황화인, 철분·금속분·마그네슘 또는 이를 함유한 것	화기주의 및 물기엄금
인화성 고체	화기엄금
그 밖의 것	화기주의

> **핵심정리** 수납 시 주의사항
>
> 1. 화기주의
> 2. 화기엄금
> 3. 물기엄금

인화성 고체
1. 유기화합물
2. 주수소화가 가능하지만, 일반적으로 포소 화약제에 의한 질식소화를 한다.
3. 화기엄금

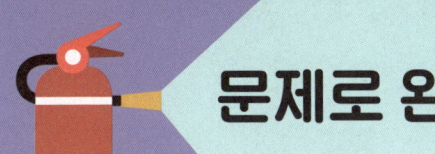

문제로 완성하기

CHAPTER 2 제2류 위험물(가연성 고체)

01 제2류 위험물의 공통적인 성질은?
① 산화성   ② 가연성
③ 자연발화성   ④ 인화성

02 다음 [조건]에서 설명하는 위험물의 성질에 가장 가까운 것은?

―――――――――[조건]―――――――――
ㄱ. 비교적 낮은 온도에서 착화되기 쉬운 가연물이다.
ㄴ. 대단히 연소속도가 빠른 고체이다.
ㄷ. 연소 시 유독가스를 발생하는 것도 있다.

① 제1류 위험물   ② 제2류 위험물
③ 제5류 위험물   ④ 제6류 위험물

03 제2류 위험물인 금속분이 일반적으로 발화하기 쉬운 이유로서 옳은 것은?
① 산화력이 강하기 때문에
② 수분과의 반응에 의해 발열하고 다량의 산소를 발생하기 때문에
③ 물 또는 산과 반응해서 가연성 가스를 발생하기 때문에
④ 열전도율이 작고 자기분해를 일으키기 쉽기 때문에

정답 및 해설

01 제2류 위험물의 공통성질
제2류 위험물의 대표적인 성질은 가연성 고체이다. 비교적 낮은 온도에서 착화하기 쉬운 이연성, 속연성 물질이다.

02 제2류 위험물의 공통성질
· 비교적 낮은 온도에서 착화되기 쉬운 가연물이다.
· 대단히 연소속도가 빠른 고체이다.
· 유독한 것 또는 연소 시 유독가스를 발생하는 것도 있다.
· 철분, 마그네슘, 금속분류는 물과 산의 접촉으로 발열한다.

03 금속분
철분, 마그네슘, 금속분류는 물과 산의 접촉으로 발열 및 가연성 가스인 수소가스를 발생하기 때문에 발화하기 쉽다.

■ 묽은 산과의 반응식
$$Fe + 2HCl \rightarrow FeCl_2 + H_2 \uparrow$$

정답 01 ② 02 ② 03 ③

04 제2류 위험물의 공통적인 저장 및 취급사항에 대한 설명으로 옳지 않은 것은?

① 열원 및 가열을 피한다.

② 산화제와의 접촉을 피한다.

③ 금속분은 석유 속에 저장한다.

④ 용기의 파손 및 누출에 유의한다.

05 제2류 위험물 중 주수소화가 가능한 것은?

① 철분　　　　　　② 금속분

③ 마그네슘　　　　④ 적린

06 「위험물안전관리법」상 위험물의 분류 중 가연성 고체가 아닌 것은?

① 황린　　　　　　② 적린

③ 황　　　　　　　④ 황화인

07 위험물 지정수량이 다른 하나는?

① 탄화칼슘
② 과염소산
③ 마그네슘
④ 금속의 인화물

정답 및 해설

04 금속분
금속분은 저장용기에 밀봉·밀전 보관하여야 한다.

05 제2류 위험물의 소화방법
제2류 위험물 중 철분, 마그네슘, 금속분은 물과 반응 시 가연성 가스인 수소가스가 발생하므로 화재 시 주수소화를 금지하여야 한다.

06 가연성 고체
황린은 제3류 위험물(금수성 및 자연발화성 물질) 중 자연발화성 물질이다.

■ 제2류 위험물(가연성 고체)

지정수량	품명
100kg	· 황화인[삼황화인(P_4S_3), 오황화인(P_2S_5), 칠황화인(P_4S_7)] · 적린(P) · 황(S)
500kg	· 철분(Fe) · 마그네슘(Mg) · 금속분[알루미늄분(Al), 아연분(Zn), 안티몬분(Sb)]
1,000kg	인화성 고체(락카퍼티, 고무풀, 고형알코올, 메타알데히드, 제3부틸알코올)

07 위험물 지정수량
③ 마그네슘: 500kg
① 탄화칼슘: 300kg
② 과염소산: 300kg
④ 금속의 인화물(금속인화합물): 300kg

정답 04 ③ 05 ④ 06 ① 07 ③

CHAPTER 3 제3류 위험물(금수성 및 자연발화성 물질)

출제 POINT

- 01 종류 및 지정수량 ★★☆
- 02 위험물상의 범위 및 한계 ★☆☆
- 03 대표적 성질 및 공통성질 ★★☆
- 04 소화대책 ★★★
- 05 저장 및 취급방법 ★★☆
- 06 수납 시 주의사항 ★☆☆

영철쌤 tip

황린과 황화린
황린은 제3류 위험물, 황화인은 제2류 위험물이다.

제3류 위험물
알킬알루미늄(트리메틸알루미늄, 트리에틸알루미늄 등)과 알킬리튬(메틸리튬, 에틸리튬 등)은 액체이고, 나머지 물질은 고체이다.

금속물질
1. 제1류 위험물(산화성고체): 무기과산화물(알칼리금속과산화물)
2. 제2류 위험물(가연성고체): 알루미늄분, 아연분, 마그네슘, 철분, 안티몬분
3. 제3류 위험물(금수성 및 자연발화성): 황린을 제외한 나머지 물질
4. 제4류 위험물(인화성액체), 제5류 위험물(자기반응성), 제6류 위험물(산화성액체)은 금속물질이 없다.

1 제3류 위험물의 지정수량 및 품명

구분	지정수량	위험등급	품명
금수성, 자연발화	10kg	I	칼륨(K), 나트륨(Na), 알킬알루미늄[$(R)_3Al$], 알킬리튬(RLi)
자연발화	20kg	I	황린(P_4)
금수성, 자연발화	50kg	II	알칼리금속(K, Na 제외) 및 알칼리토금속, 유기금속화합물(알킬알루미늄 및 알킬리튬 제외)
금수성	300kg	III	금속의 수소화물(금속수소화합물)[KH, NaH, LiH, CaH_2, $Li(AlH_4)$], 금속의 인화물(금속인화합물)[인화칼슘(Ca_3P_2*)], 칼슘 또는 알루미늄의 탄화물[탄화칼슘(CaC_2), 탄화알루미늄(Al_4C_3)]

2 「위험물안전관리법」상의 범위 및 한계

자연발화성 물질 및 금수성 물질이라 함은 **고체 또는 액체로서 공기 중에서 발화의 위험**이 있거나 **물과 접촉하여 발화**하거나 가연성 가스를 발생하는 위험성이 있는 것을 말한다.

3 공통성질

(1) 대표적인 성질은 자연발화성 물질 및 물과 반응하여 가연성 가스를 발생하는 금수성 물질로서 **복합적 위험성**을 가지고 있다.

(2) 칼륨, 나트륨, 황린, 알칼리금속, 알칼리토금속, 금속수소화합물, 금속인화합물 그리고 칼슘 또는 알루미늄의 탄화물은 무기화합물이며, 알킬알루미늄, 알킬리튬과 유기금속화합물은 유기화합물이다. 즉, **무기화합물과 유기화합물로 구성**되어 있다.

(3) 칼륨(K), 나트륨(Na), 알킬알루미늄(R-Al)과 알킬리튬(R-Li)은 물보다 가볍고 나머지 품명은 물보다 무겁다. 칼륨과 나트륨은 은백색의 광택이 있는 경금속으로, 칼로 잘 잘리는 연하고 무른 금속이다. 물보다 가볍고 융점 및 밀도가 낮다.

칼륨과 나트륨
1. 칼륨
   · 융점: 63.6℃
   · 비중: 0.86
2. 나트륨
   · 융점: 97.8℃
   · 비중: 0.97

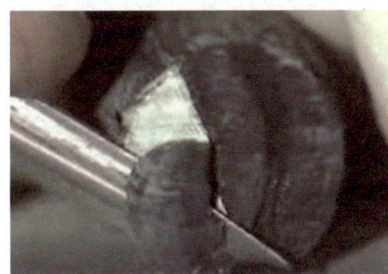

▲ 나트륨(Na)

(4) 황린을 제외하고 모두 물과 반응하여 화학적으로 활성화되고, 물에 대하여 위험한 반응을 초래하는 물질이다. 즉, 황린은 물과 반응하지 않는다.

(5) 자연발화성 물질 및 금수성 물질이므로 공기 또는 물과 접촉하면 발열·발화한다.

4 위험성

(1) 황린을 제외한 모든 품명은 물과 반응하여 모두 가연성 가스를 발생한다.
(2) 일부 품명은 공기 중에 노출되면 자연발화를 일으킨다.
(3) 일부 품명은 물과의 접촉에 의해 발화한다.
(4) 일부 품명은 물과 반응할 때 점화원이 될 수 있는 열을 발생한다.
(5) 황린은 강알칼리 용액(수산화칼륨 용액)과 접촉시 가연성이면서 독성인 포스핀 가스(=인화수소)가 발생한다.
(6) 물과 반응할 때 부식성 물질을 발생하는 것도 있다.

5 제3류 위험물 중 자연발화성 물질만 있는 황린(P_4)의 특징

(1) 제3류 위험물로서 백색 또는 담황색의 정사면체 구조를 가진 왁스상의 **자연발화성 물질**이다.

(2) 강한 마늘 냄새가 나며 증기는 공기보다 무겁고, 매우 자극적인 **유독성 물질**이다.

(3) **물에 녹지 않는다**(비수용성).

(4) 공기를 차단하고 260℃로 가열하면 적린으로 변한다.

(5) **발화점이 가장 낮다**(고온·다습 34℃, 상온 60℃).

(6) 황린과 강알칼리 용액❶이 만나면 독성가스인 PH_3(포스핀가스 = 인화수소)가 발생한다(수산화칼륨 용액 등).

(7) 황린과 공기(산소)가 만나면 독성가스인 오산화인(P_2O_5)이 발생한다.

$$P_4 + 5O_2 \rightarrow 2P_2O_5$$

(8) 공기 중 산소와 결합할 때 발생하는 산화열이 크기 때문에 공기 중에 노출되어 방치하면 **액화**❷되면서 자연발화한다. 즉, **산화열에 의한 자연발화**를 한다[산소(공기)와 만나면 안 된다].

(9) 보호액

pH9의 물속에 저장[자연발화억제, 유독성인 오산화인(P_2O_5), 가연성·유독성인 포스핀가스(PH_3)의 발생을 억제]한다.

(10) 소화대책

주수소화(물과 반응하지 않으며, 물에 잘 녹지 않는다)한다.

> **참고 pH 지수**
>
> pH는 수소이온농도지수를 말한다. 일반적으로 pH는 0~14까지 숫자로 나타내며, pH7을 중심으로 7보다 낮으면 산성, 7보다 높으면 알칼리성(염기성)으로 표시된다.
>
> | pH0 | pH7 | pH14 |
> |---|---|---|
> | (산성) | (중성) | (알칼리성 = 염기성) |

적린과 황린 비교

구분	적린(P)	황린(P_4)
유별	제2류	제3류
지정수량	100kg	20kg
위험등급	II	I
색상	암적색	백색, 담황색
발화점	260℃	34℃
저장	상온 보관	물 속 저장 (pH 9)
물에 용해	녹지 않음	녹지 않음
이황화탄소[CS_2] 용해	녹지 않음	잘 녹음
독성	없음	있음

1. 적린 $2P + 2.5O_2 \Rightarrow P_2O_5$
2. 황린 $P_4 + 5O_2 \Rightarrow 2P_2O_5$
3. 황화인, 적린, 황린 연소 시 흰색연기인 오산화인이 발생한다.

용어사전

❶ 강알칼리 용액: 수산화칼륨 용액 등을 말한다.
❷ 액화(液化): (물)기체가 냉각·압축되어 액체로 변하거나 고체가 녹아 액체로 되는 현상 또는 그렇게 만드는 일을 말한다. 액체화라고도 한다.

황린(P_4)을 물속에 저장하는 이유

1. 자연발화성(산화열)이 있어 pH9의 물속에 저장한다.
2. 유독성인 오산화인(P_2O_5), 가연성·유독성인 포스핀가스(= 인화수소)(PH_3)의 생성 방지를 위하여 pH9의 물속에 저장한다.

6 저장 및 취급방법

(1) 저장용기는 완전히 밀폐하여 공기와의 접촉을 방지하고 물, 수분, 물의 변형된 형태(예 눈, 얼음, 우박 등)의 침투 및 접촉을 엄금하여야 한다.

(2) 제1류 위험물, 제6류 위험물 등 산화성 물질과 강산류와의 혼합을 방지한다.

(3) 용기는 금속제의 견고한 것을 이용한다.

(4) 저장용기의 파손과 부식을 방지하고 용기의 가열을 방지하며, 수분과의 접촉을 피한다. 즉, **용기의 파손 및 부식을 막으며 공기 또는 수분의 접촉을 방지**하여야 한다.

(5) **칼륨 및 나트륨은 석유, 등유, 경유** 등의 산소가 함유되지 않은 **석유류(기름)에 저장**한다. 이 보호액의 증발을 막으며 보호액 중에 물이 들어가지 않도록 한다. 저장용기의 부식, 균열 등을 정기적으로 점검하고 운반 시 보호용 용제의 누출을 방지하며 낙하, 전도에 주의한다. **황린은 물속에 저장**한다.

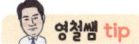

칼륨, 나트륨은 석유 속에 저장하고, 황린은 물속에 저장한다.

(6) 보호액 속에 저장할 경우 위험물이 보호액 표면에 노출되지 않게 하여야 한다.

(7) 알킬알루미늄, 알킬리튬 및 유기금속화합물은 화기를 엄금하고 용기 내 내압이 상승되지 않도록 한다.

> **참고** 알킬알루미늄(R_3Al)
>
> 1. 알킬알루미늄(R_3Al): 알킬기(R: C_nH_{2n+1})와 알루미늄(Al)의 화합물
>
> | 종류 | 화학식 | 상태 | 물과 접촉 시 생성가스 |
> |---|---|---|---|
> | 트리메틸알루미늄 | $(CH_3)_3Al$ | 무색액체 | 메탄(CH_4) |
> | 트리에틸알루미늄 | $(C_2H_5)_3Al$ | 무색액체 | 에탄(C_2H_6) |
> | 트리프로필알루미늄 | $(C_3H_7)_3Al$ | 무색액체 | 프로판(C_3H_8) |
> | 트리부틸알루미늄 | $(C_4H_9)_3Al$ | 무색액체 | 부탄(C_4H_{10}) |
>
> ※ 여기서 n은 탄소수를 말한다.
>
> 2. 탄소수 $C_1 \sim C_4$까지는 공기 중에서 자연발화한다.
> 3. C_5부터는 자연발화가 일어나지 않는다.
>   예 트리펜틸알루미늄[$(C_5H_{11})_3Al$]부터는 자연발화가 일어나지 않는다.

(8) 황린을 제외한 위험물제조소등에는 **청색바탕에 백색문자로 "물기엄금"을 표기한 주의사항 게시판을 설치**한다.

(9) 자연발화성 물질에 있어서는 불티, 불꽃 또는 고온체의 접근을 방지한다.

(10) **다량을 저장할 경우 소화가 곤란하므로 소분하여 저장**하며 화재 발생에 대비하여 희석제를 혼합하거나 수분의 침입이 없도록 보존하여야 한다.

생성되는 가스
1. 인화칼슘[인화석회(Ca_3P_2)] + 물은 포스핀가스[인화수소(PH_3)]가 발생한다.
2. 탄화알루미늄(Al_4C_3) + 물은 수산화알루미늄과 메탄(메테인)가스가 발생한다.

영철쌤 tip

칼륨(K), 나트륨(Na) 연소 시 화학반응 식

$K + O_2 \Rightarrow K_2O \quad 2K + 0.5O_2 \rightarrow K_2O$

$Na + O_2 \Rightarrow Na_2O \quad 2Na + 0.5O_2 \rightarrow Na_2O$

용어사전

① **탄화칼슘**(CaC_2): 제3류 위험물로서 물과 혼합 시 아세틸렌가스를 발생시키는 물질이다.
  * **탄산칼슘**($CaCO_3$): 석회석으로 분진폭발을 일으키지 않는 물질이다.
  * **탄산칼륨**(K_2CO_3): 강화액소화약제에 첨가하는 물질이다.

핵심정리 저장 및 취급방법

1. (금속)칼륨(K), (금속)나트륨(Na)

① (금속)칼륨(K), (금속)나트륨(Na) + 물(H_2O) → 수소가스(H_2)↑ 발생

$2K + 2H_2O \rightarrow 2KOH + H_2$

$2Na + 2H_2O \rightarrow 2NaOH + H_2$

② 저장 및 취급방법: 칼륨 및 나트륨은 석유류[기름(등유, 경유, 파라핀유, 벤젠)] 속에 저장한다.

2. 알칼리금속(K, Na제외), 알칼리토금속

① 알칼리금속(K, Na제외), 알칼리토금속 + 물(H_2O) → 수소가스(H_2)↑ 발생

② 저장 및 취급방법: 알칼리금속(K, Na 제외), 알칼리토금속은 용기에 밀봉·밀전하여 저장한다.

3. 알킬알루미늄[$(R)_3Al$] 중 트리에틸알루미늄[$(C_2H_5)_3Al$], 알킬리튬(RLi) 중 메틸리튬(CH_3Li)

① 트리에틸알루미늄[$(C_2H_5)_3Al$] + 물[H_2O] → 수산화알루미늄[$Al(OH)_3$]과 에탄(에테인)가스[C_2H_6]↑

$(C_2H_5)_3Al + 3H_2O \Rightarrow Al(OH)_3 + 3C_2H_6 + Q\uparrow$

② 메틸리튬[CH_3Li] + 물[H_2O] → 수산화리튬[$LiOH$]과 메탄(메테인)가스[CH_4]↑

$CH_3Li + H_2O \Rightarrow LiOH + CH_4 + Q\uparrow$

③ 저장 및 취급방법: 알킬알루미늄[$(R)_3Al$], 알킬리튬(RLi)은 벤젠, 톨루엔, 헥산 등 탄화수소 용제 속에 넣고 불활성기체로 봉입한다.

4. 인화칼슘(인화석회)(Ca_3P_2)

① 금속인화합물인 인화칼슘(인화석회)(Ca_3P_2) + 물(H_2O) 또는 묽은산 → 수산화칼슘과 포스핀가스[인화수소] (PH_3) 발생

$$Ca_3P_2 + 6H_2O \Rightarrow 3Ca(OH)_2 + 2PH_3 + Q\uparrow$$

② 저장 및 취급방법: 인화칼슘(인화석회)(Ca_3P_2)은 용기에 밀봉·밀전하여 저장한다.

5. 탄화칼슘(카바이트)(CaC_2)①

① 탄화칼슘(카바이트)(CaC_2) + 물(H_2O) → 수산화칼슘[$Ca(OH)_2$]과 아세틸렌가스(C_2H_2)↑ 발생

$$CaC_2 + 2H_2O \rightarrow Ca(OH)_2 + C_2H_2 + Q\uparrow$$

② 저장 및 취급방법: 탄화칼슘(카바이트)은 아세톤에 저장 또는 질소가스 등 불연성 가스를 봉입한다.

6. 탄화알루미늄(Al_4C_3)

① 탄화알루미늄(Al_4C_3) + 물(H_2O) → 수산화알루미늄[$Al(OH)_3$]과 메테인가스(CH_4)↑ 발생

$$Al_4C_3 + 12H_2O \rightarrow 4Al(OH)_3 + 3CH_4 + Q\uparrow$$

② 저장 및 취급방법: 탄화알루미늄(Al_4C_3)은 용기에 밀봉·밀전하여 저장한다.

7 소화방법

(1) 황린을 제외하고 절대 주수를 엄금하며, 어떠한 경우든 물에 의한 냉각소화는 불가능하다.

(2) 포, 이산화탄소(CO_2), 할로겐화합물 소화약제는 잘 적응되지 않으며 마른 모래, 팽창질석, 팽창진주암, 금속분말소화기(드라이파우더)로 상황에 따라 조심스럽게 질식소화한다.

(3) 칼륨(K), 나트륨(Na)은 격렬히 연소하기 때문에 특별한 소화수단이 없으므로 연소할 때 연소확대 방지에 주력하여야 한다.

(4) 알킬알루미늄, 알킬리튬 및 유기금속화합물은 화재 시 초기에는 석유류와 같은 연소형태에서 후기에는 금속화재와 같은 양상이 되므로 진압 시 특히 주의하여야 한다.

 영철쌤 tip

소화방법
1. 황린은 냉각소화(물)한다.
2. 나머지는 질식소화(마른모래, 팽창질석, 팽창진주암, 드라이파우더 등)한다.

8 수납하는 위험물에 따른 주의사항

자연발화성 물질	화기엄금 및 공기접촉엄금
금수성 물질	물기엄금

📖 **핵심정리 수납 시 주의사항**

1. 화기엄금
2. 공기접촉엄금
3. 물기엄금

9 그 밖에 행정안전부령으로 정한 제3류 위험물

염소화규소화합물

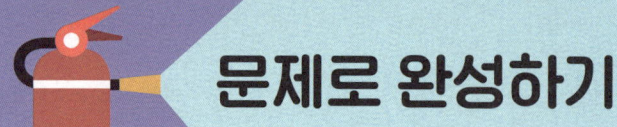

CHAPTER 3 제3류 위험물(금수성 및 자연발화성 물질)

01 제3류 위험물의 저장 취급 시 주의할 점이 아닌 것은?
① 가연성 가스를 발생하는 것은 화기에 주의한다.
② 제3류 위험물은 전부 보호액인 석유 속에 저장한다.
③ 대량 저장 시 소화가 곤란하므로 소분하여 저장한다.
④ 용기의 파손 및 부식을 막고, 수분의 접촉을 피한다.

02 「위험물안전관리법 시행령」상 제3류 위험물의 품명 및 지정수량으로 옳은 것은?   20. 소방간부
① 나트륨: 5kg   ② 황린: 10kg   ③ 알칼리토금속: 30kg
④ 알킬리튬: 50kg   ⑤ 금속의 인화물: 300kg

03 「위험물안전관리법 시행령」상 자연발화성 물질 및 금수성 물질 중 지정수량이 다른 것은?   24. 소방간부
① 황린   ② 칼륨   ③ 나트륨
④ 알킬리튬   ⑤ 알킬알루미늄

04 위험물의 종류로 옳지 않은 것은?
① 제1류 위험물 - 과염소산염류, 질산염류   ② 제2류 위험물 - 황린, 황화인
③ 제3류 위험물 - 나트륨, 알킬리튬   ④ 제6류 위험물 - 진한질산, 과산화수소

05 제3류 위험물 중 칼륨을 저장 시 보호액으로 적당한 것은?
① 아세톤   ② 이황화탄소
③ 석유   ④ 물

06 제3류 위험물 중 물과 반응 시 수소를 발생하지 않는 물질은?
① 탄화칼슘   ② 금속나트륨
③ 수소화리튬   ④ 금속리튬

07 위험물의 유별 소화방법으로 옳지 않은 것은? 23. 공채·경채

① 탄화칼슘 화재 시 다량의 물로 냉각소화할 수 있다.
② 수용성 메틸알코올 화재에는 내알코올포를 사용한다.
③ 알킬알루미늄은 마른모래, 팽창질석, 팽창진주암으로 소화한다.
④ 적린은 다량의 물로 냉각소화하며, 소량의 적린인 경우에는 마른모래나 이산화탄소 소화약제도 일시적인 효과가 있다.

08 「위험물안전관리법 시행령」상 위험물에 대한 설명으로 옳은 것은? 22. 소방간부

① 제1류 위험물 중에 무기과산화물은 주수를 이용한 냉각소화가 적합하다.
② 제2류 위험물은 다른 가연물의 연소를 돕는 조연성 물질이다.
③ 제3류 위험물 중에 황린은 공기 중 산화를 방지하기 위해 물속에 저장한다.
④ 제4류 위험물은 수용성 액체로 물에 의한 희석소화가 적합하다.
⑤ 제5류 위험물은 포, 이산화탄소에 의한 질식소화가 적합하다.

정답 및 해설

01 제3류 위험물의 취급
제3류 위험물 중 금속칼륨과 금속나트륨은 석유 속에 보관한다.

02 제3류 위험물의 품명 및 지정수량
① 나트륨: 10kg
② 황린: 20kg
③ 알칼리토금속: 50kg
④ 알킬리튬: 10kg

03 지정수량
- 황린 지정수량: 20kg
- 칼륨, 나트륨, 알킬리튬, 알킬알루미늄 지정수량: 10kg

04 위험물의 종류
황린은 자연발화성 물질로서 제3류 위험물에 해당한다.

05 칼륨의 보호액
칼륨의 보호액은 석유(등유·경유), 벤젠, 유동파라핀 등이 있다.

■ 금속칼륨 및 금속나트륨을 석유 등에 보관하는 이유
1. 공기 중에 방치되어 잘게 잘라져 있을수록 자연발화를 일으키기 때문이다.
2. 물과 격렬히 반응하여 발열하고 수소(H_2)를 발생하기 때문이다.

06 제3류 위험물의 물과의 반응식
① 탄화칼슘(CaC_2)은 물과 반응 시 수산화칼슘과 아세틸렌(C_2H_2)가스를 발생한다.
탄화칼슘: $CaC_2 + H_2O \rightarrow Ca(OH)_2 + C_2H_2 + Q\uparrow$

② 금속나트륨: $2Na + 2H_2O \rightarrow 2NaOH + H_2 + Q\uparrow$
③ 수소화리튬: $LiH + H_2O \rightarrow LiOH + H_2$
④ 금속리튬: $2Li + 2H_2O \rightarrow 2LiOH + H_2 + Q\uparrow$

07 탄화칼슘 화재 소화방법
탄화칼슘 화재 시 다량의 물로 냉각소화할 수 없고, 마른모래, 팽창질석, 팽창진주암, 금속화재용분말소화기(드라이파우더)로 질식소화를 한다.

■ 탄화칼슘 반응식
1. 탄화칼슘(카바이트)(CaC_2) + 물(H_2O) → 수산화칼슘[$Ca(OH)_2$]과 아세틸렌가스(C_2H_2)↑ 발생

$$CaC_2 + 2H_2O \rightarrow Ca(OH)_2 + C_2H_2 + Q\uparrow$$

2. 탄화칼슘(카바이트)은 아세톤에 저장 또는 질소가스 등 불연성가스 봉입한다.

08 위험물
제3류 위험물 중에 황린은 공기 중 산화열의 자연발화를 방지하기 위해 pH9 물속에 저장한다. 즉, 물과 반응하지 않으며, 물에 잘 녹지 않는다.
① 냉각소화가 적합하지 않다. 물과 만나면 발열과 동시에 산소를 방출한다.
② 비교적 낮은 온도에서 착화하기 쉬운 이연성, 속연성 물질이다.
④ 수용성 액체로 알코올포소화약제에 의한 질식소화가 적합하다.
⑤ 포, 이산화탄소에 의한 질식소화가 적합하지 않다. 즉, 자기연소성 물질이기 때문에 이산화탄소(CO_2), 분말, 하론, 포 등에 의한 질식소화는 효과가 없으며, 다량의 물로 냉각소화하는 것이 적당하다.

정답 01 ② 02 ⑤ 03 ① 04 ② 05 ③ 06 ① 07 ① 08 ③

09 위험물과 물이 반응할 때 발생하는 가스로 옳지 않은 것은? 22. 공채·경채

	위험물	가스		위험물	가스
①	탄화알루미늄	아세틸렌	②	인화칼슘	포스핀
③	수소화알루미늄리튬	수소	④	트리에틸알루미늄	에테인

10 위험물의 유별 특성 중 옳은 것만을 [보기]에서 있는 대로 고른 것은? 23. 공채·경채

― [보기] ―
ㄱ. 아염소산나트륨은 불연성, 조해성, 수용성이며, 무색 또는 백색의 결정성 분말 형태이다.
ㄴ. 마그네슘은 끓는 물과 접촉 시 수소가스를 발생시킨다.
ㄷ. 황린은 공기 중 상온에 노출되면 액화되면서 자연발화를 일으킨다.

① ㄱ, ㄴ   ② ㄱ, ㄷ   ③ ㄴ, ㄷ   ④ ㄱ, ㄴ, ㄷ

11 위험물 중 황린(P_4)에 관한 설명으로 옳지 않은 것은? 24. 소방간부

① 제3류 위험물이다.
② 미분상의 발화점은 34℃이다.
③ 연소할 때 오산화인(P_2O_5)의 백색 연기를 낸다.
④ 물에 대해 위험한 반응을 초래하는 물질이다.
⑤ 백색 또는 담황색의 고체이다.

정답 및 해설

09 물과의 반응식

화학반응식: $Al_4C_3 + 12H_2O \Rightarrow 4Al(OH)_3 + 3CH_4 + Q_t$

탄화알루미늄(Al_4C_3) + 물(H_2O) → 수산화알루미늄[$Al(OH)_3$]과 메탄가스(CH_4)가 발생한다.

10 위험물의 유별 특성
ㄱ. 제1류 위험물인 아염소산나트륨은 불연성, 조해성, 수용성이며, 무색 또는 백색의 결정성 분말 형태이다.
ㄴ. 마그네슘, 알루미늄, 아연, 철 등은 끓는 물과 접촉 시 수소가스를 발생시킨다.
ㄷ. 황린은 고온·다습의 환경에서 발화점이 약 34℃로서 매우 낮고 화학적으로 활성이 크고 공기 중 산소와 결합할 때 발생하는 산화열이 크기 때문에 공기 중 노출이 되어 방치하면 액화되면서 자연발화한다.
 *액화(液化): (물)기체가 냉각·압축되어 액체로 변하거나 고체가 녹아 액체로 되는 현상 또는 그렇게 만드는 일. 액체화라고도 한다.

11 황린
황린은 물에 대해 위험한 반응을 초래하지 않으므로 물속(pH9)에 저장한다.

정답 09 ① 10 ④ 11 ④

CHAPTER 4 제4류 위험물(인화성 액체)

1 제4류 위험물의 지정수량 및 품명

구분	지정수량	위험등급	품명		
특수인화물 인화점 −20℃↓ 비점 40℃↓ / 발화점 100℃↓	50L (비수용성)	I	이소프렌(C_5H_8), 디에틸에테르($C_2H_5OC_2H_5$), 아세트알데히드(CH_3CHO), 산화프로필렌(CH_3CH_2CHO), 이황화탄소(CS_2)		
제1석유류 인화점 21℃ 미만	200L (비수용성)	II	가솔린, 벤젠(C_6H_6), 톨루엔($C_6H_5CH_3$), 메틸에틸케톤($CH_3COC_2H_5$, MEK)		
	400L (수용성)	II	초산메틸(CH_3COOCH_3), 초산에틸($CH_3COOC_2H_5$), 의산메틸($HCOOCH_3$), 의산에틸($HCOOC_2H_5$), 시안화수소(HCN), 아세톤(CH_3COCH_3), 피리딘(C_5H_5N)		
알코올류	400L (수용성)	II	메틸알코올(CH_3OH), 에틸알코올(C_2H_5OH), 프로필알코올(C_3H_7OH)		
제2석유류 21~70℃ 미만	1,000L (비수용성)	III	등유(케로신), 경유(디젤유), 테레핀유($C_{10}H_{16}$), 스틸렌($C_6H_5CHCH_2$), 크실렌[$C_6H_4(CH_3)_2$], 클로로벤젠(C_6H_5Cl), 장뇌유(백색유, 적색유), 송근유		
	2,000L (수용성)	III	의산(HCOOH, 개미산), 초산(CH_3COOH), 하이드라진, 에틸셀르솔브($C_2H_5OCH_2CH_2OH$), 메틸셀르솔브($CH_3OCH_2CH_2OH$)		
제3석유류 70~200℃ 미만	2,000L (비수용성)	III	중유, 벙커C유, 크레오소트유(타르유), 나이트로벤젠($C_6H_5NO_2$), 아닐린($C_6H_5NH_2$, 아미노벤젠)		
	4,000L (수용성)	III	에틸렌글리콜[CH_2OHCH_2OH, $C_2H_4(OH)_2$], 글리세린[$CH_2OHCHOHCH_2OH$, $C_3H_5(OH)_3$]		
제4석유류 200~250℃ 미만	6,000L (비수용성)	III	윤활유(기어유, 실린더유), 가소제, 방청유, 담금질유, 절삭유		
동식물유 인화점 250℃ 미만	10,000L (비수용성)	III	건성유	정어리유, 대구유, 상어유, 해바라기유, 동유, 아마인유, 들기름: 요오드값 130 이상	
			반 건성유	청어유, 쌀겨기름, 면실유, 채종유, 옥수수기름, 참기름, 콩기름: 요오드값 100~130 미만	
			불 건성유	쇠기름, 돼지기름, 고래기름, 피마자유, 올리브유, 팜유, 땅콩기름, 야자유: 요오드값 100 이하	

출제 POINT

- 01 종류 및 지정수량 ★★☆
- 02 위험물상의 범위 및 한계 ★★★
- 03 대표적 성질 및 공통성질 ★★☆
- 04 소화대책 ★★☆
- 05 저장 및 취급방법 ★☆☆
- 06 수납 시 주의사항 ★☆☆

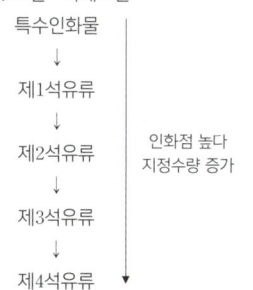 tip

1. 제4류 위험물(인화성 액체)의 구분은 인화점에 따른 분류이다.
2. 지정수량은 질량이 아닌 부피로 표현한다 (비수용성만 외우면 수용성은 2배).
3. 초산 = 아세트산

특수인화물
↓
제1석유류
↓
제2석유류   인화점 높다
↓   지정수량 증가
제3석유류
↓
제4석유류

4. 제1석유류 다음에 알코올류가 있는 이유는 제1석유류와 성질이 비슷하기 때문이다.
5. 제4류위험물인 인화성액체는 인화점 250℃ 미만, 인화점 250℃이상이면 가연성액체.
6. 동식물류: 동물과 식물을 아울러 이르는 말

> **참고** 둘 이상 위험물의 지정수량(같은 장소에서 저장 또는 취급하는 경우)의 계산
>
> $$\text{둘 이상 위험물의 지정수량} = \frac{\text{A품목 저장수량}}{\text{A품목 지정수량}} + \frac{\text{B품목 저장수량}}{\text{B품목 지정수량}} + \frac{\text{C품목 저장수량}}{\text{C품목 지정수량}} \cdots$$

> **예제**
>
> 같은 장소에 가솔린 200L, 등유 2,000L 및 중유 4,000L를 저장하는 경우 위험물의 지정수량은 몇 배인가?
>
> **해설**
>
> - 지정수량 = $\frac{\text{A품목 저장수량}}{\text{A품목 지정수량}} + \frac{\text{B품목 저장수량}}{\text{B품목 지정수량}} + \cdots +$
>
> $= \frac{200}{200} + \frac{2,000}{1,000} + \frac{4,000}{2,000} = 5$배
>
> - 지정수량: 가솔린 200L, 등유 2,000L 및 중유 4,000L이다.
>
> **정답** 5배

2 「위험물안전관리법」상의 범위 및 한계

(1) 인화성 액체

인화성 액체란 액체(제3석유류, 제4석유류 및 동식물유류에 있어서는 1atm과 20℃에서 액상인 것에 한한다)로서 **인화의 위험성이 있는 것**을 말한다.

(2) 특수인화물

특수인화물이란 이황화탄소, 디에틸에테르, 그 밖에 1atm에서 **발화점이 100℃ 이하인 것** 또는 **인화점이 -20℃ 이하이고 비점이 40℃ 이하인 것**을 말한다.

(3) 제1석유류

제1석유류란 아세톤, 휘발유, 그 밖에 1atm에서 **인화점이 21℃ 미만인 것**을 말한다.

(4) 알코올류(ROH)

알코올류란 1분자를 구성하는 **탄소원자의 수가 1개부터 3개까지인 포화 1가 알코올**(변성알코올을 포함한다)을 말한다. 다만, 다음에 해당하는 것은 제외한다.
① 1분자를 구성하는 탄소원자의 수가 1개 내지 3개의 포화 1가 알코올의 함유량이 60wt% 미만인 수용액
② 가연성 액체량이 60wt% 미만이고 인화점 및 연소점(태그개방식, 인화점측정기에 의한 연소점을 말한다)이 에틸알코올 60wt% 수용액의 인화점 및 연소점을 초과하는 것

알코올류에는 메틸알코올, 에틸알코올, 프로필알코올, 변성알코올이 있다.

(5) 제2석유류

제2석유류란 등유, 경유, 그 밖에 1atm에서 **인화점이 21℃ 이상 70℃ 미만인 것**을 말한다. 다만, 도료류, 그 밖의 물품에 있어서 가연성 액체량이 40wt% 이하이면서 인화점이 40℃ 이상인 동시에 연소점이 60℃ 이상인 것을 제외한다.

(6) 제3석유류

제3석유류란 중유, **크레오소트유**, 그 밖에 1atm에서 **인화점이 70℃ 이상 200℃ 미만인 것**을 말한다. 다만, 도료류, 그 밖의 물품은 가연성 액체량이 40wt% 이하인 것은 제외한다.

(7) 제4석유류

제4석유류란 기어유, 실린더유, 그 밖에 1atm에서 **인화점이 200℃ 이상 250℃ 미만인 것**을 말한다. 다만, 도료류, 그 밖의 물품은 가연성 액체량이 40wt% 이하인 것은 제외한다.

(8) 동식물유류

동식물유류란 동물의 지육❶ 등 또는 식물의 종자나 과육❷으로부터 추출한 것으로서 1atm에서 **인화점이 250℃ 미만인 것**을 말한다.

📖 핵심정리 지정품명 및 인화점

1. **지정품명 및 인화점**
   ① 특수인화물: 이소프렌(영하 54℃), 디에틸에테르(영하 45℃), 아세트알데히드(영하 38℃), 산화프로필렌(영하 37℃), 이황화탄소(영하 30℃)
   ② 제1석유류: 가솔린(영하 43℃~영하 20℃), 아세톤(영하 18℃), 벤젠(영하 11℃), 톨루엔(영상 4℃) 등
   ③ 제2석유류: 등유(영상 40℃~영상 70℃), 경유(영상 50℃~영상 70℃) 등
   ④ 제3석유류: 중유, 크레오소트유 등
   ⑤ 제4석유류: 기어유, 실린더유 등
2. **성질에 따른 품명**
   ① 특수인화물: 1기압에서 발화점이 100℃ 이하인 것 또는 인화점이 -20℃ 이하이고 비점이 40℃ 이하인 것
   ② 제1석유류: 1기압에서 인화점이 21℃ 미만인 것
   ③ 제2석유류: 1기압에서 인화점이 21℃ 이상 70℃ 미만인 것
   ④ 제3석유류: 1기압에서 인화점이 70℃ 이상 200℃ 미만인 것
   ⑤ 제4석유류: 1기압에서 인화점이 200℃ 이상 250℃ 미만의 것
   ⑥ 동식물유류: 동물의 지육 또는 식물의 종자나 과육으로부터 추출한 것으로서 1기압에서 인화점이 250℃ 미만인 것

📘 용어사전

❶ **지육**: 기름기와 살코기를 아울러 이르는 말이다.
❷ **종자나 과육**: 열매를 말한다.

 영철쌤 tip

인화점 순서

이소프렌 – 디에틸에테르 – 아세트알데히드 – 산화프로필렌 – 이황화탄소 – 가솔린 – 아세톤 – 벤젠 – 톨루엔 순으로 낮다.

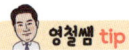

공통성질
1. 대부분 물보다 가볍지만, 이황화탄소는 물보다 무겁다.
2. 대부분 증기비중은 공기보다 무겁지만, 시안화수소는 공기보다 가볍다.
   ※ 조심: 일산화탄소, 이산화탄소, 이황화탄소, 히드라진(하이드라진), 사염화탄소는 무기화합물이다.

3 공통성질

(1) 대표적인 성질은 **인화성 액체(Flammable Liquid)** 이다.
(2) **물보다 가볍고 물에 녹지 않는 것이 많다**(수용성도 있지만 대부분 비수용성이다).
(3) 거의 모두가 **유기화합물**(이황화탄소, 히드라진은 무기화합물)이다.
(4) 공유결합한다.
(5) **대부분 증기비중은 공기보다 무겁다.**
(6) 증기는 공기와 약간 혼합되어도 연소의 우려가 있다.
(7) 인화점 및 발화점이 낮은 것은 위험성이 높다.
(8) 제4류 위험물인 인화성 액체는 **비전도성(부도체)** 이다.
(9) 물을 방수하면 화재면적을 확대시킬 우려가 있다.
(10) 제4류 위험물을 대량 연소하면 대류열과 복사열로 인하여 화재가 확대될 우려가 있으며 흑색 연기가 발생하고 화재진압이 곤란해진다.

위험성
1. 증기는 공기와 약간 혼합되어도 연소의 우려가 있다.
2. 가솔린 연소범위(1.4 ~ 7.6) 하한이 낮으므로 약간의 증기만 있어도 연소한다.

4 위험성

(1) 인화위험이 높다.
(2) 증기는 공기보다 무겁다.
(3) **연소범위 하한이 낮다.**
(4) 액체 비중은 물보다 가볍고 물에 녹지 않는 것이 많다.
(5) 비교적 낮은 발화점을 가진다.

저장 및 취급방법
1. 제4류 위험물은 인화점으로 구분하므로 인화점 이상 가열하면 안 된다.
2. 제4류 위험물인 인화성 액체는 비전도성(부도체)이므로 정전기 축적이 용이하여 점화원이 될 수 있다.
3. 증기는 공기보다 무거워서 강제적으로 높은 곳으로 배출하여야 한다.

5 저장 및 취급방법

(1) 용기는 밀전하여 통풍이 잘 되는 찬 곳에 저장할 것
(2) 화기 및 점화원으로부터 먼 곳에 저장할 것
(3) 인화점 **이상** 가열하여 취급하지 말 것
(4) **정전기의 발생에 주의하여 저장·취급할 것**
(5) 증기 및 액체의 누설에 주의하여 저장할 것
(6) **증기는 높은 곳으로 배출할 것**

6 소화방법

(1) 비수용성 석유류 화재
   ① 소규모 화재: 포소화약제, 가스계소화약제[이산화탄소(CO_2), 할론(Halon), 할로겐화합물 및 불활성기체, 분말, 고체에어졸소화약제], 물분무, 미분무소화약제에 의한 질식소화
   ② 대규모 화재: 포소화약제에 의한 질식소화

(2) 수용성 석유류 화재
   ① 소규모 화재: 다량의 물에 의한 희석소화
   ② 대규모 화재: 알코올포소화약제에 의한 질식소화

> **핵심정리 소화방법**
> 1. 비수용성: 포[(불)단, 합, 수], 가스계, 물분무, 미분무 → 질식소화
> 2. 수용성: 포[(내)알코올포] → 질식소화, 다량의 물 → 희석소화
>   ① 가스계: 이산화탄소(CO_2), 할론(Halon), 할로겐화합물 및 불활성기체, 분말, 고체에어졸소화약제
>   ② 수계(무상주수): 물분무, 미분무소화약제

(3) 이황화탄소, 아세트알데히드등(아세트알데히드, 산화프로필렌)
   ① **물보다 무거운 석유류 화재인 이황화탄소**는 석유류의 유동을 일으키지 않고 **물로 피복하여 질식소화**가 가능하지만 직접적인 물에 의한 냉각소화는 적당하지 않다.
   ② **아세트알데히드, 산화프로필렌**은 구리(Cu), 마그네슘(Mg), 은(Ag), 수은(Hg)과 반응하면 아세틸라이드를 생성하므로 알루미늄이나 철의 용기에 저장한다.

(4) 대량 화재
   방사열 때문에 접근이 곤란하므로 충분한 안전거리를 확보하고 무인방수포 등을 활용하여 소화한다.

아세트알데히드, 산화프로필렌은 은이나 동(구리)은 피해야 하지만 금은 피할 필요가 없다.

7 제4류 위험물 중 물보다 무거운 이황화탄소(CS_2)의 특징

(1) 불쾌한 냄새가 나는 무색 또는 노란색 액체의 무기화합물이다.
(2) 위험도는 1등이다.
(3) 연소범위는 1.2~44%이다.
(4) 인화점은 영하 30℃이다.
(5) 발화점은 100℃이다(제4류 위험물 중에서, 인화성 액체 중에서, 석유류 화재 중에서 발화점이 가장 낮다). 즉, 발화점이 낮아 자연발화의 위험이 있다.

이황화탄소(CS_2) 화학방정식

$$CS_2 + 3O_2 \rightarrow CO_2 + 2SO_2$$

발화점
1. 제4류 위험물 또는 인화성 액체 중 발화점이 가장 낮은 물질은 이황화탄소이다. 그러나 위험물에서 발화점이 가장 낮은 물질은 황린이다.
2. 이황화탄소 발화점은 100℃, 황린 발화점은 34℃이다.
3. 이황화탄소는 물로 피복하여 질식소화가 가능하지만 직접적인 물에 의한 냉각소화는 적당하지 않다. 그러나 황린은 물에 의한 냉각소화가 가능하다.

(6) 연소 시 유독성인 아황산가스(이산화황)가 발생한다.

(7) 비중 1.26으로 물보다 무겁다.

(8) 비중 차에 의한 물속 저장(수조저장)이므로 질식소화한다.

8 수납하는 위험물에 따른 주의사항

제4류 위험물에 있어서는 "화기엄금"을 표기한 주의사항 게시판을 설치한다.

> **참고 요오드값(아이오딘값)**
> 1. 요오드값은 유지 100g에 부가되는 요오드의 g수를 말한다.
> 2. 요오드값이 클수록 2중 결합이 많고 불포화도가 크다. 즉, 자연발화가 용이하다.
> 3. 동식물유 내 불포화결합의 정도를 나타내는 것이 요오드값이다. 이 요오드값은 기름 100g에 첨가되는 요오드의 g수를 말하는 것으로, 건성유는 130 이상, 반건성유는 100 ~ 130 미만, 불건성유는 100 이하의 값을 가진다.
>   ① 포화결합: 탄소와 탄소 간에 결합이 단일결합(C – C)으로 이루어져 있는 것을 말한다.
>   ② 불포화결합: 탄소와 탄소 간에 결합이 이중결합(C = C) 또는 삼중결합(C ≡ C)을 하고 있는 것을 말한다.

> **참고 특수가연물**
> 1. 불연성 또는 난연성이 아닌 물질로서 위험물보다 화재의 위험은 낮지만 화재가 발생하면 높은 연소열량으로 인해 연소확대가 빠르고 소화가 곤란한 물질을 말한다.
> 2. 특수가연물의 종류
>
> | 품명 | | 수량 |
> | --- | --- | --- |
> | 면화류 | | 200kg 이상 |
> | 나무껍질 및 대팻밥 | | 400kg 이상 |
> | 넝마 및 종이부스러기 | | 1,000kg 이상 |
> | 사류(絲類) | | 1,000kg 이상 |
> | 볏짚류 | | 1,000kg 이상 |
> | 가연성 고체류 | | 3,000kg 이상 |
> | 석탄 · 목탄류 | | 10,000kg 이상 |
> | 가연성 액체류 | | 2m³ 이상 |
> | 목재가공품 및 나무부스러기 | | 10m³ 이상 |
> | 고무류 · 플라스틱류 | 발포시킨 것 | 20m³ 이상 |
> | | 그 밖의 것 | 3,000kg 이상 |

주의사항 게시판

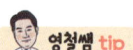

1. 화기엄금, 화기주의: 적색바탕, 백색문자
2. 물기엄금: 청색바탕, 백색문자

1. 가연물은 쉽게 잘 타는 물질을, 특수가연물은 더 쉽게 잘 타는 물질을 말한다.
2. 특수가연물은 위험물은 아니지만, 위험물 못지않게 잘 타는 물질이다.

문제로 완성하기

CHAPTER 4 제4류 위험물(인화성 액체)

01 제4류 위험물에 대한 설명으로 옳지 않은 것은? 20. 공채·경채

① 물보다 가볍고 물에 녹지 않는 것이 많다.
② 일반적으로 부도체 성질이 강하여 정전기 축적이 쉽다.
③ 발생 증기는 가연성이며, 증기비중은 대부분 공기보다 가볍다.
④ 사용량이 많은 휘발유, 경유 등은 연소하한계가 낮아 매우 인화하기 쉽다.

02 「위험물안전관리법」에서 분류하는 위험물의 공통성질에 대한 설명으로 옳지 않은 것은?

① 제1류 위험물 - 산화성 고체
② 제2류 위험물 - 가연성 고체
③ 제4류 위험물 - 가연성 액체
④ 제5류 위험물 - 자기반응성 물질

03 제4류 위험물의 저장 및 취급방법에 대한 설명으로 옳지 않은 것은?

① 용기는 밀전하여 통풍이 잘 되는 찬 곳에 저장할 것
② 정전기의 발생에 주의하여 저장·취급할 것
③ 증기는 낮은 곳으로 배출할 것
④ 화기 및 점화원으로부터 먼 곳에 저장할 것

정답 및 해설

01 제4류 위험물의 특성
제4류 위험물은 대부분 물보다 가볍지만(이황화탄소 제외), 증기비중은 공기보다 무겁다(시안화수소 제외).

02 위험물의 공통성질
제4류 위험물은 인화성 액체에 해당되며, '인화성 액체'라 함은 액체(제3석유류, 제4석유류 및 동식물류에 있어서는 1atm과 20℃에서 액상인 것에 한한다)로서 인화의 위험성이 있는 것을 말한다.

03 제4류 위험물의 저장 및 취급방법
제4류 위험물의 인화성 액체에서 증발된 증기는 높은 곳으로 배출하여야 한다.

■ 제4류 위험물의 저장 및 취급방법
1. 용기는 밀전하여 통풍이 잘되는 찬 곳에 저장할 것
2. 화기 및 점화원으로부터 먼 곳에 저장할 것
3. 인화점 이상 가열하여 취급하지 말 것 → 제4류 위험물은 인화점으로 구분
4. 정전기의 발생에 주의하여 저장·취급할 것
5. 증기 및 액체의 누설에 주의하여 저장할 것
6. 증기는 높은 곳으로 배출할 것

정답 01 ③ 02 ③ 03 ③

04 제4류 위험물에 대한 설명으로 옳지 않은 것은?

① 특수인화물 – 산화프로필렌, 이황화탄소, 에테르
② 제1석유류 – 톨루엔, 아세톤, 휘발유
③ 제2석유류 – 등유, 경유, 개미산
④ 알코올류 – 메틸알코올, 에틸알코올, 부틸알코올

05 「위험물안전관리법 시행령」상 위험물에 관한 설명으로 옳지 않은 것은? 25. 소방간부

① "철분"이라 함은 철의 분말로서 53마이크로미터의 표준체를 통과하는 것이 50중량퍼센트 미만인 것은 제외한다.
② "인화성고체"라 함은 고형알코올 그 밖에 1기압에서 인화점이 섭씨 40도 미만인 고체를 말한다.
③ 1분자를 구성하는 탄소원자의 수가 1개부터 3개까지인 포화1가 알코올(변성알코올을 포함한다)의 함유량이 60중량퍼센트 미만인 수용액은 알코올류에서 제외한다.
④ 과산화수소는 그 농도가 36중량퍼센트 이상인 것에 한하며, 산화성액체의 성상이 있는 것으로 본다.
⑤ "제2석유류"라 함은 등유, 경유 그 밖에 1기압에서 인화점이 섭씨 21도 이상 70도 미만인 것을 말한다. 다만, 도료류 그 밖의 물품에 있어서 가연성 액체량이 40중량퍼센트 미만이면서 인화점이 섭씨 40도 이상인 동시에 연소점이 섭씨 50도 이상인 것은 제외한다.

06 위험물의 성질 및 품명의 정의로 옳지 않은 것은? 25. 공채·경채

① "인화성고체"라 함은 고형알코올 그 밖에 1기압에서 인화점이 섭씨 40도 미만인 고체를 말한다.
② "제1석유류"라 함은 아세톤, 휘발유 그 밖에 1기압에서 인화점이 섭씨 21도 미만인 것을 말한다.
③ "특수인화물"이라 함은 이황화탄소, 디에틸에테르 그 밖에 1기압에서 발화점이 섭씨 100도 이하인 것 또는 인화점이 섭씨 영하 20도 이하이고 비점이 섭씨 40도 이하인 것을 말한다.
④ "자연발화성물질 및 금수성물질"이라 함은 고체 또는 액체로서 공기 중에서 발화의 위험성이 있거나 산과 접촉하여 발화하거나 고압 수증기를 발생하는 위험성이 있는 것을 말한다.

07 가연성 물질의 화재 시 소화방법으로 옳은 것은? 22. 공채·경채

① 탄화칼슘은 물을 분무하여 소화한다.

② 아세톤은 알코올형포 소화약제로 소화한다.

③ 나트륨은 할론 소화약제로 소화한다.

④ 마그네슘은 이산화탄소 소화약제로 소화한다.

08 위험물에 대한 일반적인 설명으로 옳은 것은? 22. 공채·경채

① 제1류 위험물 중 질산염류는 연소속도가 빨라 폭발적으로 연소한다.

② 제3류 위험물 중 황린은 가열, 충격, 마찰에 의해 분해되어 산소가 발생하므로 가연물과의 접촉을 피한다.

③ 제4류 위험물 중 제1석유류는 인화점 및 연소하한계가 낮아 적은 양으로도 화재의 위험이 있다.

④ 제5류 위험물 중 유기과산화물은 공기 중에 노출되거나 수분과 접촉하면 발화의 위험이 있다.

정답 및 해설

04 알코올류(지정수량 400L)
- 특수인화물: 산화프로필렌, 이황화탄소, 에테르, 아세트알데히드, 이소프렌 등
- 제1석유류: 톨루엔, 아세톤, 휘발유, 벤젠, 크실렌, 메틸에틸케톤, 피리딘, 시안화수소 등
- 제2석유류: 등유, 경유, 개미산, 초산(아세트산), 테라핀유, 클로로벤젠, 장뇌유 등
- 알코올류: 메틸알코올, 에틸알코올, 프로필알코올, 변성알코올

05 제4류 위험물의 지정품명
제2석유류란 등유, 경유, 그 밖에 1atm에서 인화점이 21°C 이상 70°C 미만인 것을 말한다. 다만, 도료류, 그 밖의 물품에 있어서 가연성 액체량이 40wt% 이하이면서 인화점이 40°C 이상인 동시에 연소점이 60°C 이상인 것을 제외한다.

06 위험물 성질
"자연발화성물질 및 금수성물질"이라 함은 고체 또는 액체로서 공기 중에서 발화의 위험성이 있거나 물과 접촉하여 발화하거나 가연성가스를 발생하는 위험성이 있는 것을 말한다.

07 가연성 물질의 화재 시 소화방법
아세톤은 수용성이므로 (내)알코올 포소화약제로 소화한다.

08 제4류 위험물의 특성
제4류 위험물 중 제1석유류는 인화점이 낮고, 증기는 공기와 약간 혼합되어도 연소의 우려가 있다. 즉, 화재의 위험성이 있다. 예를 들면 제1석유류인 가솔린의 연소범위(1.4~7.6)의 하한이 낮으므로 약간의 증기만 있어도 화재의 위험이 있다.

정답 04 ④ 05 ⑤ 06 ④ 07 ② 08 ③

09 ㄱ~ㅁ의 물질을 인화점이 낮은 것부터 높은 순으로 옳게 나열한 것은? 23. 소방간부

| ㄱ. 아세톤 | ㄴ. 글리세린 | ㄷ. 이황화탄소 |
| ㄹ. 메틸알코올 | ㅁ. 디에틸에테르 | |

① ㄱ - ㅁ - ㄷ - ㄴ - ㄹ
② ㄷ - ㄱ - ㅁ - ㄴ - ㄹ
③ ㄷ - ㅁ - ㄱ - ㄹ - ㄴ
④ ㅁ - ㄱ - ㄷ - ㄹ - ㄴ
⑤ ㅁ - ㄷ - ㄱ - ㄹ - ㄴ

10 위험물의 소화방법에 관한 내용으로 옳은 것만을 [보기]에서 있는 대로 고른 것은? 24. 공채·경채

[보기]
ㄱ. 황린: 물을 이용한 냉각소화
ㄴ. 황: 물을 이용한 냉각소화
ㄷ. 경유, 휘발유: 포소화약제를 이용한 질식소화
ㄹ. 탄화알루미늄, 알킬알루미늄: 건조사, 팽창질석을 이용한 질식소화

① ㄱ, ㄷ
② ㄴ, ㄹ
③ ㄱ, ㄷ, ㄹ
④ ㄱ, ㄴ, ㄷ, ㄹ

정답 및 해설

09 제4류 위험물(인화성 액체)의 인화점
각 물질의 인화점은 다음과 같다.
ㄱ. 아세톤: 영하 18°C
ㄴ. 글리세린: 영상 160°C
ㄷ. 이황화탄소: 영하 30°C
ㄹ. 메틸알코올: 영상 11°C
ㅁ. 디에틸에테르: 영하 45°C
따라서, 인화점이 낮은 것부터 높은 순으로 나열하면 ㅁ - ㄷ - ㄱ - ㄹ - ㄴ이다.

10 위험물의 소화방법
모두 옳은 내용이다.

정답 09 ⑤ 10 ④

CHAPTER 5 제5류 위험물(자기반응성 물질)

1 제5류 위험물의 지정수량 및 품명

구분	지정수량	위험등급	품명
유기과산화물	제1종: 10kg 제2종: 100kg	I: 지정수량 10kg II: 기타	과산화벤조일[$(C_6H_5CO)_2O_2$], 과산화메틸에틸케톤[$(CH_3COC_2H_5)_2O_2$], MEKPO
질산에스터류			질산메틸[CH_3ONO_2], 질산에틸[$C_2H_5ONO_2$], 나이트로셀룰로오스[$C_{24}H_{29}O_9(ONO_2)_{11}$, $(C_6H_7O_2(ONO_2)_3)n$] 나이트로글리세린[$C_3H_5(ONO_2)_3$]
나이트로화합물			트리나이트로톨루엔[$C_6H_2CH_3(NO_2)_3$] → TNT, 트리나이트로페놀[$C_6H_2OH(NO_2)_3$] = 피크린산 → TNP
나이트로소화합물			파라다이나이트로소벤젠[$C_6H_4(NO)_2$]
아조화합물			아조벤젠[$C_6H_5N=NC_6H_5$], 하이드록시아조벤젠[$C_6H_5N=NC_6H_4OH$]
다이아조화합물			다이아조메탄[CH_2N_2], 다이아조카르복실산에스테르
하이드라진유도체			페닐하이드라진[$C_6H_5NHNH_2$], 하이드라조벤젠[$C_6H_5NHHNC_6H_5$]
하이드록실아민			하이드록실아민[NH_2OH]
하이드록실아민염류			황산하이드록실아민[$(NH_2OH)_2 \cdot H_2SO_4$]

> **참고 품명 특징**
>
> 1. **제1류 위험물:** 무기과산화물, ~염류
> 2. **제5류 위험물:** 유기과산화물, 하이드록실아민염류(유기과산화물은 액체이고, 나머지 품명은 고체이다)
>   ① 나이트로셀룰로오스(약칭 NC): 질화면이라고도 하며 화약의 원료이다.
>   ② 나이트로글리세린(약칭 NG): 도화선의 원리(다이나마이트에 연결하는 선)이다.
>   ③ 트리나이트로톨루엔(약칭 TNT): 착화점 300℃, 담황색의 주상결정이며, 일광하에서 갈색으로 변한다. 강력한 폭약이며 폭발력의 표준으로 사용된다. 물에 녹지 않으며 알코올, 아세톤, 벤젠, 에테르에 잘 녹는다.
>   ④ 트리나이트로페놀(약칭 TNP): 착화점 300℃, 휘황색의 침상결정이며, 쓴맛이 있고 독성이 있다. 단독으로는 마찰충격에 안정(둔)하다. 연소시검은 연기찬물에는 녹지 않고, 더운 물에 잘 녹는다. 구리, 납, 아연과 작용 피크르산염을 만든다.

출제 POINT

01 종류 및 지정수량 ★★☆
02 위험물상의 범위 및 한계 ★☆☆
03 대표적 성질 및 공통성질 ★★☆
04 소화대책 ★★★
05 저장 및 취급방법 ★☆☆
06 수납 시 주의사항 ★☆☆

 영철쌤 tip

1. 하이드라진: 제4류 위험물 중 제2석유류(수용성)이다. 분해폭발 물질, 무기화합물이다.
2. 하이드라진유도체: 제5류 위험물이다. 분해폭발 물질, 무기화합물이다.

영철쌤 tip

품명의 특징

1. 유기과산화물은 액체이고, 나머지 품명은 고체이다.
2. 클로로벤젠, 나이트로벤젠, 하이드라진은 제5류 위험물이 아니고 제4류 위험물이다.

2 「위험물안전관리법」상의 범위 및 한계

자기반응성 물질이란 고체 또는 액체로서 폭발의 위험성 또는 가열분해의 격렬함을 판단하기 위하여 고시로 정하는 시험에서 고시로 정하는 성질과 상태를 나타내는 것을 말하며, 위험성유무와 등급에 따라 제1종 또는 제2종으로 분류한다.

자기반응성 물질
외부로부터 공기 중의 산소 공급 없이도 가열·충격 등에 의해 발열 분해를 일으켜 급속한 가스의 발생이나 연소 폭발을 일으키는 물질이다. 이것은 비교적 저온에서 열분해가 일어나기 쉬운 불안정한 위험성이 높은 물질이다.

반응성 화학물질
자기 스스로 또는 다른 물질과 반응에 의해 화재폭발을 일으킬 가능성이 있는 물질이다. 즉, '다른 물질과의 반응성 물질'이라 한다.

3 공통성질

대표적 성질은 자기반응성 물질(自己反應性物質)이다. 자기반응성 물질이란 외부로부터 공기 중의 산소공급 없이도 가열·충격 등에 의해 발열 분해를 일으켜 급속한 가스의 발생이나 연소 폭발을 일으키는 물질이다. 이것은 비교적 저온에서 열분해가 일어나기 쉬운 불안정한 위험성이 높은 물질이다.

(1) 무기화합물과 유기화합물로 구성되어 있다. 또한 유기과산화물을 제외하고는 질소를 함유한 유기질소화합물이다.

(2) 모두 가연성 물질이고 자체분자 내에서 연소할 수 있고 분해할 때는 단시간 내에 이루어지며 연소할 때에는 다량의 가스를 발생한다.

(3) 일부 품명은 액체이고 대부분이 고체이며 모두 물보다 무겁다(유기과산화물은 액체, 나머지는 고체 물질이다).

(4) 대부분이 물에 잘 녹지 않으며, 물과 반응하는 물질이 없기 때문에 대량주수소화 한다.

1. 유기과산화물은 유기화합물(C), 하이드라진유도체는 무기질소화합물(N), 나머지는 유기질소화합물(CN)이다.
2. 일반적으로 탄소를 가지고 있으면 유기화합물이지만 꼭 그렇지는 않다.

4 위험성

(1) 유기과산화물, 질산에스터류, 나이트로화합물, 나이트로소화합물은 특히 외부의 산소 없이도 자기연소하며 연소속도가 빠르다. 아조화합물, 다이아조화합물, 하이드라진 유도체는 고농도인 경우 충격에 매우 민감하고 연소 시 순간적인 폭발로 이어진다.

(2) 유기질소화합물은 불안정하여 분해가 용이하고 공기 중 장시간에 걸쳐 분해열이 축적되면 자연발화하는 것도 있다.

(3) 나이트로화합물은 나이트로기가 많을수록 분해가 용이하고 가열·충격 등에 민감해지면 분해 발열량도 크며 폭발력도 커진다.

(4) 질화도가 클수록 분해·폭발 위험성이 증가한다.

1. 제5류 위험물은 분해열에 의해 단시간 내에 폭발한다. 그러나 분해열에 의한 자연발화는 장시간에 걸쳐 발생한다.
2. 제3류 위험물은 산화열에 의한 자연발화는 단시간에 발생한다.

(5) 연소 시 발생하는 연소생성물은 다량이고 유독성 가스가 많이 함유되어 있어 밀폐된 곳에서의 화재 폭발 시 중독위험이 높다.

(6) 화기, 가열, 충격, 마찰, 타격에 민감하여 쉽게 발화하고 폭발위험이 있다.

(7) 강산화제, 강산류와 혼합한 것은 발화를 촉진시키고 위험성도 크게 증가하게 된다.

(8) 일부 액체 상태인 것은 극히 인화하기 쉽고 제4류 위험물 제1석유류와 같이 가열에 의한 폭발위험이 있다.

(9) 유기과산화물은 독특한 구조와 성질에 의해 매우 불안정한 물질로서 농도가 높은 것은 가열, 직사광선, 충격, 마찰에 의해서 폭발한다. 또한 다른 품명과는 달리 강산화성 물질이다.

5 저장 및 취급방법

(1) 화염, 불꽃 등의 점화원의 **엄금, 가열, 충격, 타격, 마찰 등을 피한다**. 즉, 점화원 및 분해를 촉진시키는 물질로부터 멀리하여야 한다.

(2) 직사광선 차단, 적정습도를 유지하고 **통풍이 양호한 찬 곳에 저장**한다.

(3) 강산화제, 강산류, 기타 물질이 혼입되지 않도록 한다.

(4) 용기는 밀전, 밀봉으로 포장하며 외부에 화기엄금, 충격주의 등 주의사항을 표시한다.

(5) 화재 발생 시 소화가 곤란하므로 **가급적 소분하여 저장하고 용기의 파손 및 위험물의 누출을 방지**한다.

(6) 화약류의 기폭제 원료로 사용되는 미세한 분말 상태의 것은 정전기에 의하여도 폭발의 우려가 있으므로 완전히 접지하는 등 철저한 안전대책을 강구하고, 전기기구는 방폭조치한다.

제3류 및 제5류 위험물은 가급적 소분하여 저장함으로써 대형화재를 예방한다.

6 소화방법

(1) 자기연소성 물질이기 때문에 이산화탄소(CO_2), 분말, 하론, 포 등에 의한 **질식소화는 효과가 없으며, 다량의 물로 냉각소화하는 것이 적당**하다.

(2) 초기 화재 또는 소량화재 시에는 분말로 일시에 화염을 제거하여 소화할 수 있으나 재발화가 염려되므로 결국 최종적으로는 물로 냉각소화해야 한다.

(3) 화재 시 폭발위험이 상존하므로 화재진압 시에는 충분히 안전거리를 유지하고 접근 시에는 엄폐물을 이용하며 방수 시에는 무인방수포 등을 이용한다.

(4) 밀폐 공간 내에서 화재 발생 시에는 반드시 공기호흡기를 착용하여 유독가스에 질식되는 일이 없도록 한다.

▲ 무인방수포 조작

▲ 무인방수포

> **핵심정리** 제5류 위험물의 소화방법 특징
>
> 1. 대량의 물로 냉각소화를 한다.
> 2. 질식소화는 안 되지만, 사람은 질식할 수 있으므로 반드시 공기호흡기를 착용하여야 한다.

7 수납하는 위험물에 따른 주의사항

제5류 위험물에 있어서는 "화기엄금" 및 "충격주의"를 표기한 주의사항 게시판을 설치한다.

8 그 밖에 행정안전부령으로 정한 제5류 위험물

(1) 금속아지드화합물

(2) 질산구아니딘

문제로 완성하기

CHAPTER 5 제5류 위험물(자기반응성 물질)

01 제5류 위험물의 공통적인 성질에 대한 설명으로 옳은 것은?
① 금수성
② 산화성
③ 자연발화성
④ 자기반응성

02 다음 설명에 해당하는 위험물은? 21. 소방간부

- 물질 자체에 산소가 함유되어 있어 외부로부터 산소공급이 없어도 점화원만 있으면 연소·폭발이 가능하다.
- 연소속도가 빠르며 폭발적이다.
- 가열, 충격, 타격, 마찰 등에 의해서 폭발할 위험성이 높으며 강산화제 또는 강산류와 접촉 시 연소·폭발 가능성이 현저히 증가한다.

① 유기과산화물
② 이황화탄소
③ 과염소산
④ 염소산염류
⑤ 알칼리금속

03 제5류 위험물이 화재 시 소화방법으로 가장 옳은 것은?
① 이산화탄소에 의한 질식소화
② 다량의 물로 냉각소화
③ 거품에 의한 소화방법
④ 분말소화약제에 따른 억제소화

정답 및 해설

01 제5류 위험물의 공통성질
제5류 위험물은 가연성이면서 분자 내에 산소를 함유하고 있는 자기반응성 물질이다.

02 제5류 위험물의 공통성질
제5류 위험물에 대한 설명이므로 유기과산화물이 해당된다.

03 제5류 위험물의 소화방법
일반적으로 다량의 주수에 의한 냉각소화가 양호하다. 액상인 것은 일부 마른 모래나 분말로 소화할 수 있고 화재 초기 또는 소량화재인 경우 화염 제거를 위해 분말로 소화할 수 있으나 결국 최종적으로는 다량의 물로 냉각소화하여야 한다.

정답 01 ④ 02 ① 03 ②

04 화재 진압 시 주수소화에 적응성 있는 위험물로 옳은 것은?   20. 공채·경채

① 황화인
② 질산에스터류
③ 유기금속화합물
④ 알칼리금속의 과산화물

05 위험물의 소화방법으로 옳은 것만을 [보기]에서 고른 것은?   25. 소방간부

―――― [보기] ――――
ㄱ. 무기과산화물은 물과 반응하기 때문에 마른 모래(건조사) 등을 사용한 소화가 유효하다.
ㄴ. 적린 화재에는 물을 사용한 소화가 유효하다.
ㄷ. 황린 화재의 소화에는 물을 사용해서는 안 되며, 모래, 흙 등을 사용한 소화가 유효하다.
ㄹ. 알킬알루미늄은 물과 반응하며 이산화탄소를 활용한 소화가 유효하다.
ㅁ. 제5류 위험물 화재에는 이산화탄소를 활용한 소화가 유효하다.

① ㄱ, ㄴ
② ㄱ, ㄷ
③ ㄴ, ㄹ
④ ㄷ, ㅁ
⑤ ㄹ, ㅁ

06 제5류 위험물의 소화대책으로 옳지 않은 것은?   18. 공채·경채

① 외부로부터의 산소 유입을 차단한다.
② 화재 초기에는 다량의 물로 냉각소화하는 것이 효과적이다.
③ 항상 안전거리를 유지하고 접근할 때에는 엄폐물을 이용한다.
④ 밀폐된 공간에서 화재 시 공기호흡기를 착용하여 질식되지 않도록 주의한다.

07 위험물의 종류에 따른 일반적인 성상을 나타낸 것으로 옳은 것은?

① 산화성 고체는 환원성 물질이며 황린과 철분을 포함한다.
② 인화성 액체는 전기 전도체이며 휘발유와 등유를 포함한다.
③ 가연성 고체는 불연성 물질이며 질산염류와 무기과산화물을 포함한다.
④ 자기반응성 물질은 연소 또는 폭발을 일으킬 수 있는 물질이며 유기과산화물, 질산에스터류를 포함한다.

08 「위험물안전관리법 시행규칙」상 수납하는 위험물의 종류에 따라 운반용기의 외부에 표시하여야 할 주의사항으로 옳지 않은 것은? 21. 소방간부

① 제1류 위험물 중 알칼리금속의 과산화물 또는 이를 함유한 것에 있어서는 "화기·충격주의", "물기엄금" 및 "가연물접촉주의"

② 제2류 위험물 중 철분·금속분·마그네슘 또는 이들 중 어느 하나 이상을 함유한 것에 있어서는 "화기주의" 및 "물기엄금"

③ 제3류 위험물 중 자연발화성 물질에 있어서는 "화기엄금" 및 "공기접촉엄금", 금수성 물질에 있어서는 "물기엄금"

④ 제4류 위험물에 있어서는 "화기엄금"

⑤ 제5류 위험물에 있어서는 "화기주의" 및 "충격주의"

09 고체 가연물인 피크르산(Picric Acid)의 연소 형태로 옳은 것은? 25. 공채·경채

① 훈소　　② 자기연소
③ 표면연소　④ 증발연소

정답 및 해설

04 제5류 위험물의 소화방법
② 질산에스터류[제5류 위험물(자기반응성물질)]: 대량 주수소화한다.
① 황화인[제2류 위험물(가연성 고체)]: 황화인 + 물(H_2O)과 만나면 독성가스 및 마취성 가스(달걀 썩는 냄새)인 황화(유화)수소가 발생하므로 주수소화를 금지(냉각)한다.
③ 유기금속화합물[제3류 위험물(금수성 물질 및 자연발화성 물질)]: 유기금속화합물 + 물(H_2O)과 만나면 독성가스가 발생하므로 주수소화를 금지(냉각)한다.
④ 알칼리금속의 과산화물[제1류 위험물(산화성 고체)]: 알칼리금속의 과산화물(무기과산화물) + 물(H_2O)과 만나면 산소를 방출하며 발열하므로 주수소화를 금지(냉각)한다.

05 위험물 소화방법
ㄷ. 황린 화재의 소화에는 물을 사용한 냉각소화가 유효하다.
ㄹ. 알킬알루미늄은 물을 사용해서는 안되며, 마른모래, 팽창질석, 팽창진주암 등을 사용한 질식소화가 유효하다.
ㅁ. 제5류 위험물 화재에는 대량주수소화에 의한 냉각소화가 유효하다.

06 제5류 위험물의 소화대책
· 자기연소성 물질이기 때문에 이산화탄소(CO_2), 분말, 하론, 포 등에 의한 질식소화는 효과가 없으며, 다량의 물로 냉각소화하는 것이 적당하다.
· 초기 화재 또는 소량화재 시에는 분말로 일시에 화염을 제거하여 소화할 수 있으나 재발화가 염려되므로 결국 최종적으로는 물로 냉각소화해야 한다.

· 화재 시 폭발위험이 상존하므로 화재진압 시에는 충분히 안전거리를 유지하고 접근 시에는 엄폐물을 이용하며 방수 시에는 무인방수포 등을 이용한다.
· 밀폐 공간 내에서 화재 발생 시에는 반드시 공기호흡기를 착용하여 유독가스에 질식되는 일이 없도록 한다.

07 제5류 위험물의 공통성질
외부로부터 공기 중의 산소공급 없이도 가열·충격 등에 의해 발열 분해를 일으켜 급속한 가스의 발생이나 연소 폭발을 일으키는 물질이다.

08 위험물의 종류와 운반용기 외부에 표시하여야 할 주의사항
제5류 위험물에 있어서는 "화기엄금" 및 "충격주의"를 표시하여야 한다.

09 제5류 위험물
제5류 위험물 중 나이트로 화합물
· 트리나이트로톨루엔[$C_6H_2CH_3(NO_2)_3$] → TNT
· 트리나이트로페놀[$C_6H_2OH(NO_2)_3$] = 피크린산 → TNP

정답 04 ② 05 ① 06 ① 07 ④ 08 ⑤ 09 ②

CHAPTER 6 제6류 위험물(산화성 액체)

출제 POINT

01 종류 및 지정수량 ★☆☆
02 위험물상의 범위 및 한계 ★☆☆
03 대표적 성질 및 공통성질 ★★☆
04 소화대책 ★★☆
05 저장 및 취급방법 ★☆☆
06 수납 시 주의사항 ★☆☆

영철쌤 tip

제6류 위험물
1. 제6류 위험물은 지정수량은 높지만 부식성 때문에 위험 I등급에 해당된다.
2. 질산은 제6류 위험물이지만 황산은 제6류 위험물이 아니다.

1 제6류 위험물의 지정수량 및 품명

지정수량	위험등급	품명
300kg	I	· 과염소산($HClO_4$) · 과산화수소(H_2O_2) · 질산(HNO_3)

2 「위험물안전관리법」상의 범위 및 한계

(1) <u>산화성 액체</u>란 액체로서 산화력의 잠재적인 위험성을 판단하기 위하여 고시로 정하는 성질과 상태를 나타내는 것을 말한다.
(2) 과산화수소는 그 <u>농도가 36%[W%] 이상</u>인 것을 말한다.
(3) 질산은 그 <u>비중이 1.49 이상</u>인 것을 말한다.

3 공통성질

(1) 대표적인 성질은 <u>산화성 액체</u>이다.
(2) <u>모두 무기화합물</u>이며, <u>물보다 무겁고(비중이 1보다 큼) 물에 녹기 쉽다(수용성)</u>.
(3) <u>과산화수소를 제외</u>하고 강산이며, 수용액도 강산작용을 나타낸다.
(4) <u>과산화수소를 제외</u>하고 분해 시 유독성 가스가 발생한다.
(5) <u>모두 산소를 함유</u>하고 있으며, <u>불연성 물질</u>이다.

영철쌤 tip

위험물별 성질
1. 제1류 및 제6류 위험물: 무기화합물
2. 제4류: 유기화합물
3. 제2류, 제3류 및 제5류 위험물: 무기화합물 + 유기화합물

제6류 위험물(산화성 액체)
불연성 물질 → 증발 → 산소방출한다.

제1류 위험물(산화성 고체)
불연성 물질 → 분해 → 산소방출한다. 즉, 제1류 및 제6류 위험물은 연소하지 않는다.

4 위험성

(1) 자신은 불연성 물질이지만 강력한 산화제로 가열하면 산소(O_2)가 발생한다. 따라서 다른 가연물질을 착화·연소시키는 **조연성이 크다**.

(2) 가연성 위험물인 제2류 위험물, 제3류 위험물, 제4류 위험물, 제5류 위험물 및 강환원제, 일반가연물과 혼합하는 것은 직접 혼촉발화하거나 가열 등에 의해 위험한 상태로 변한다.

(3) **가열되거나 제1류 위험물과 혼합 시 산화성이 현저하게 증가**한다.

(4) **과산화수소(H_2O_2)를 제외**하고 물, 염기 및 제1류 위험물과 접촉하면 심하게 발열한다.

(5) **과산화수소(H_2O_2)를 제외**하고 모두 강산에 속한다.

$$HNO_3(질산) < HClO_4(과염소산)$$

5 저장 및 취급방법

(1) 화기 및 분해를 촉진하는 물품엄금, 직사광선 차단, 가열을 피하고 강환원제, 유지물질, 가연성 위험물과의 접촉을 피한다.

(2) **염기(강산성 염류) 및 습기·물과의 접촉을 피한다**.

(3) **부식성이 강하고** 피부에 침투될 경우 피부조직이 손상된다.

(4) **부식성이 강하므로 용기는 내산성**[1]**의 것을 사용하고 용기의 밀전·밀봉, 파손방지, 전도방지, 용기변형 방지**에 주의한다.

(5) 강산화성 고체인 제1류 위험물과의 혼합·접촉을 방지한다. 즉, **고체의 산화제와의 접촉을 피하여야 한다**.

(6) 질산은 햇빛에 분해되어 자극성의 과산화질소를 만들기 때문에 햇빛을 차단하는 갈색병에 보관한다.

용어사전

[1] 내산성: 산에 잘 견디는 성질을 말한다.

6 소화방법

(1) 자신은 불연성이지만 연소를 돕는 물질이므로 화재 시에는 가연물과 격리하도록 한다.
(2) 과염소산, 질산은 마른 모래, 팽창질석, 팽창진주암, 드라이파우더(인산염류분말, 금속화재용분말) 등으로 질식소화한다(소량화재 시에는 다량의 물로 희석할 수 있지만 원칙적으로 주수는 하지 말아야 한다). 중화재를 사용하기도 한다.
(3) 과산화수소는 양의 대소에 관계없이 다량의 물로 희석소화한다.
(4) 소화작업 시 피부·피복 노출을 방지하고 연소 시 유독성 가스에 대비하여 방호의, 고무장갑, 고무장화, 보호안경, 공기호흡기 등을 착용한다.

소화대책
1. 과염소산, 질산은 마른 모래, 팽창질석, 팽창진주암으로 질식소화한다.
2. 과산화수소는 다량의 물로 희석소화한다.

과산화수소(H_2O_2)
1. 과산화수소(H_2O_2)는 물과 반응하지 않는다. 즉, 물과 만나면 발열하지 않는다.
2. 과산화수소(H_2O_2)는 강산성물질 아니다.
3. 과산화수소(H_2O_2)는 부식성, 유독성이 거의 없는 액체이다.

7 수납하는 위험물에 따른 주의사항

제6류 위험물에 있어서는 "가연물접촉주의"를 표기한 주의사항 게시판을 설치한다.

주의사항 게시판
1. 수납하는 위험물에 따른 주의사항 게시판에 제1류 위험물, 제6류 위험물은 "화기엄금" 표시가 없다.
2. 수납하는 위험물에 따른 주의사항 게시판에 제3류 위험물은 "화기주의" 표시가 없다.
3. 수납하는 위험물의 따른 주의사항 게시판에 제1류 위험물, 제5류 위험물만 "충격주의" 표시가 있다.

8 그 밖에 행정안전부령으로 정한 제6류 위험물

(1) 할로젠간 화합물에는 삼불화브롬, 오불화브롬, 오불화요오드 등이 있으며 일반적으로 불안정하나 연소(폭발)하지 않는다.
(2) 할로젠간 화합물의 지정수량은 300kg이다.

할로젠간 화합물은 할로젠원소조합을 의미한다.

문제로 완성하기

CHAPTER 6 제6류 위험물(산화성 액체)

01 제6류 위험물의 공통성질로 옳지 않은 것은?

① 모두 산화성 액체이다.
② 모두 비중이 1보다 작으며 물에 녹지 않는다.
③ 모두 불연성 물질로 액체이다.
④ 모두 산소를 함유하고 있다.

02 위험물 분류의 특성으로 옳지 않은 것은?

① 제2류 위험물 - 가연성 고체
② 제4류 위험물 - 인화성 액체
③ 제5류 위험물 - 자기반응성 물질
④ 제6류 위험물 - 불연성 액체

03 제6류 위험물의 취급 시 유의 사항으로 옳지 않은 것은?   25. 공채·경채

① 유출사고 시에는 건조사 및 중화제를 사용한다.
② 불연성 물질로 분해 시 산소가 발생하며 대부분 염기성이다.
③ 저장하고 있는 용기는 파손되거나 액체가 누설되지 않도록 한다.
④ 소량 화재 시에는 다량의 물로 희석하는 소화방법을 사용할 수 있다.

정답 및 해설

01 제6류 위험물의 공통성질
제6류 위험물은 모두 비중이 1보다 크며 물에 녹는다.

02 위험물의 종류별 성질

제1류 위험물	산화성 고체	제2류 위험물	가연성 고체
제3류 위험물	자연발화성 및 금수성 물질	제4류 위험물	인화성 액체
제5류 위험물	자기반응성 물질	제6류 위험물	산화성 액체

03 제6류 위험물
불연성 물질로 분해 시 산소가 발생하며 대부분 강산(산성)이다.

■ 참고
- 제6류 위험물의 품명: 과염소산, 과산화수소, 질산: 강산(산성)(과산화수소제외)
- 과염소산, 질산: 마른모래, 팽창질석, 팽창진주암, 드라이파우더
  → 소량화재 시는 다량의 물로 희석할 수 있지만 원칙적으로 주수는 하지 말아야 한다.
- 과산화수소: 화재의 양과 관계없이 다량의 물로 희석

정답 01 ② 02 ④ 03 ②

04 제6류 위험물의 일반적 성질로 옳지 않은 것은? 21. 소방간부

① 불연성물질로 산소공급원 역할을 한다.
② 증기는 유독하며 부식성이 강하다.
③ 물과 접촉하는 경우 모두 심하게 발열한다.
④ 비중이 1보다 크며 물에 잘 녹는다.
⑤ 다른 물질의 연소를 돕는 조연성 물질이다.

05 다음 [보기] 중 위험물 분류별 소화방법으로 옳은 것을 모두 고른 것은? 18. 공채 · 경채

[보기]
ㄱ. 제1류 위험물 중 무기과산화물은 마른 모래 등을 사용한 질식소화가 적합하다.
ㄴ. 제2류 위험물 중 철분, 황화린은 주수소화가 가장 적합하다.
ㄷ. 제3류 위험물 중 황린을 제외한 제3류 위험물은 주수소화가 적합하다.
ㄹ. 제5류 위험물은 모두 다량의 물을 이용한 주수소화하는 것은 적당하지 않다.

① ㄱ
② ㄱ, ㄴ
③ ㄱ, ㄴ, ㄷ
④ ㄴ, ㄷ, ㄹ

06 운반기준에서 제2류 위험물과 혼재 가능한 위험물은 어느 것인가?

① 제1류 위험물
② 제3류 위험물
③ 제4류 위험물
④ 제6류 위험물

07 「위험물안전관리법」상 위험물에 대한 정의이다. ( ) 안에 들어갈 내용으로 옳은 것은? 21. 소방간부

위험물이라 함은 (ㄱ) 또는 (ㄴ) 등의 성질을 가지는 것으로서 (ㄷ)이 정하는 물품을 말한다.

	ㄱ	ㄴ	ㄷ
①	가연성	발화성	국무총리령
②	가연성	폭발성	대통령령
③	인화성	발화성	대통령령
④	인화성	폭발성	대통령령
⑤	인화성	발화성	국무총리령

08 [보기]는 위험물과 해당 물질의 화재진압에 적응성이 있는 소화 방법을 연결한 것이다. 바르게 연결된 것만 모두 고른 것은?

25. 공채·경채

[보기]
ㄱ. 황린(P_4) - 물을 사용한 냉각소화
ㄴ. 과산화나트륨(Na_2O_2) - 물을 사용한 냉각소화
ㄷ. 삼황화인(P_4S_3) - 팽창질석 등을 사용한 질식소화
ㄹ. 아세톤(CH_3COCH_3) - 알코올포소화약제에 의한 질식소화
ㅁ. 하이드록실아민(NH_2OH) - 이산화탄소소화약제에 의한 질식소화
ㅂ. 과염소산($HClO_4$) - 다량의 물에 의한 희석소화(소량 화재 제외)

① ㄱ, ㄷ, ㄹ
② ㄱ, ㄹ, ㅁ
③ ㄴ, ㄷ, ㅂ
④ ㄴ, ㄷ, ㄹ, ㅂ

정답 및 해설

04 제6류 위험물의 공통성질
과산화수소를 제외하고는 물과 접촉하는 경우 모두 심하게 발열한다.

05 위험물 분류별 소화방법
ㄴ. 제2류 위험물 중 철분, 황화인은 마른 모래, 팽창질석, 팽창진주암 등 질식소화가 적합하다.
ㄷ. 제3류 위험물 중 황린을 제외하고는 마른 모래, 팽창질석, 팽창진주암 등 질식소화가 적합하다.
ㄹ. 제5류 위험물은 대량주수에 의한 냉각소화가 적합하다.

06 운반기준에서 위험물과 혼재 가능 위험물
제2류 위험물과 혼재 가능한 위험물은 제4류 위험물, 제5류 위험물이다.

■ 혼재 가능한 위험물
1. 1류 - 6류
2. 2류 - 5류 - 4류
3. 3류 - 4류

07 위험물의 정의
위험물이라 함은 인화성 또는 발화성 등의 성질을 가지는 것으로서 대통령령이 정하는 물품을 말한다.

08 위험물 소화방법
ㄴ. 과산화나트륨(Na_2O_2) - 마른모래, 팽창질석, 팽창진주암 등을 사용한 질식소화
ㅁ. 히드록실아민(NH_2OH) - 대량주수소화에 의한 냉각소화
ㅂ. 과염소산($HClO_4$) - 마른모래, 팽창질석, 팽창진주암 등을 사용한 질식소화

정답 04 ③ 05 ① 06 ③ 07 ③ 08 ①

한눈에 정리하기

PART 3 위험물의 종류별 특성과 소화방법

다시 학습하기 p.310

1 제1류 위험물

1. 산화성 고체(불연성 물질 → 열분해 → 산소)
① 성질: 불연성 물질(O_2) + 가열, 충격, 마찰, 타격 → $O_2\uparrow$ (공기 중 산소보다 많이 나옴)
② 수납 시 주의사항: 화기주의, 충격주의, 가연물 접촉주의
③ 소화방법: 주수(냉각)소화(무기과산화물 제외)

2. 무기과산화물
① 성질: 무기과산화물 + 물 → $O_2\uparrow$, 발열
② 수납 시 주의사항: 물기엄금
③ 소화방법: 마른 모래, 팽창질석, 팽창진주암, 금속화재용 분말소화기(질식소화)
④ 종류: 과산화나트륨(Na_2O_2), 과산화칼륨(K_2O_2), 과산화마그네슘(MgO_2), 과산화칼슘(CaO_2), 과산화바륨(BaO_2)

다시 학습하기 p.318

2 제2류 위험물의 주된 소화

1. 주수소화(냉각)[적린(P), 유황(S)]

2. 마른 모래, 팽창질석, 팽창진주암, 금속화재용 분말소화기(질식소화)
   [철분(Fe), 마그네슘(Mg), 금속분(Al, Zn, Sb)] + H_2O
   → 가연성 가스인 수소 (H)↑]
   [황화인 + H_2O → 가연성 가스인 황화수소(H_2S)↑]

3. 인화성 고체는 석유류 화재와 같이 질식소화한다(소화약제 포 사용).

다시 학습하기 p.326

3 제3류 위험물의 소화대책

1. 절대 주수엄금(황린 제외)한다.

2. 포, 이산화탄소(CO_2), 할론(Halon)소화약제도 적응하지 않는다.

3. 마른 모래, 팽창질석, 팽창진주암, 금속용 분말소화기(드라이파우더)로 질식소화한다.

4. 칼륨(K), 나트륨(Na)은 적절한 소화약제가 없으므로 연소확대 방지에 주력한다.

4 제4류 위험물

구분	지정수량	위험등급	품명	
특수인화물 인화점 -20℃↓ 비점 40℃↓/ 발화점 100℃↓	50L (비수용성)	I	이소프렌(C_5H_8), 디에틸에테르($C_2H_5OC_2H_5$), 아세트알데히드(CH_3CHO), 산화프로필렌(CH_3CH_2CHO), 이황화탄소(CS_2)	
제1석유류 인화점 21℃ 미만	200L (비수용성)	II	가솔린, 벤젠(C_6H_6), 톨루엔($C_6H_5CH_3$), 메틸에틸케톤($CH_3COC_2H_5$, MEK)	
	400L (수용성)	II	초산메틸(CH_3COOCH_3), 초산에틸($CH_3COOC_2H_5$), 의산메틸($HCOOCH_3$), 의산에틸($HCOOC_2H_5$), 시안화수소(HCN), 아세톤(CH_3COCH_3), 피리딘(C_5H_5N)	
알코올류	400L (수용성)	II	메틸알코올(CH_3OH), 에틸알코올(C_2H_5OH), 프로필알코올(C_3H_7OH)	
제2석유류 21~70℃ 미만	1,000L (비수용성)	III	등유(케로신), 경유(디젤유), 테레핀유($C_{10}H_{16}$), 스틸렌($C_6H_5CHCH_2$), 크실렌[$C_6H_4(CH_3)_2$], 클로로벤젠(C_6H_5Cl), 장뇌유(백색유, 적색유), 송근유	
	2,000L (수용성)	III	의산($HCOOH$, 개미산), 초산(CH_3COOH), 하이드라진, 에틸셀르솔브($C_2H_5OCH_2CH_2OH$), 메틸셀르솔브($CH_3OCH_2CH_2OH$)	
제3석유류 70~200℃ 미만	2,000L (비수용성)	III	중유, 벙커C유, 크레오소트유(타르유), 하이트로벤젠($C_6H_5NO_2$), 아닐린($C_6H_5NH_2$, 아미노벤젠)	
	4,000L (수용성)	III	에틸렌글리콜[CH_2OHCH_2OH, $C_2H_4(OH)_2$], 글리세린[$CH_2OHCHOHCH_2OH$, $C_3H_5(OH)_3$]	
제4석유류 200~250℃ 미만	6,000L (비수용성)	III	윤활유(기어유, 실린더유), 가소제, 방청유, 담금질유, 절삭유	
동식물유 인화점 250℃ 미만	10,000L (비수용성)	III	건성유	정어리유, 대구유, 상어유, 해바라기유, 동유, 아마인유, 들기름: 요오드값 130 이상
			반건성유	청어유, 쌀겨기름, 면실유, 채종유, 옥수수기름, 참기름, 콩기름: 요오드값 100~130 미만
			불건성유	쇠기름, 돼지기름, 고래기름, 피마자유, 올리브유, 팜유, 땅콩기름, 야자유: 요오드값 100 이하

5　제5류 위험물

1. 자기반응성 물질
외부로부터 공기 중의 산소공급이 없이도 가열·충격 등에 의해 발열 분해를 일으켜 급속한 가스의 발생이나 연소 폭발을 일으키는 물질이다.

2. 소화대책
대량의 주수소화로 한다.

6　제1류 ~ 제6류 위험물 정리

1. 산소량이 많은 순서
제1류 > 제6류 > 공기 중의 산소(21%)

2. 일반적인 위험물의 위험도
화재위험성, 확대위험성, 소화곤란성 등을 고려하여 제3류·제5류 위험물 > 제4류 위험물 > 제2류 위험물 > 제1류·제6류 위험물

3. 화합물
① 제1류 및 제6류 위험물: 무기화합물
② 제4류 위험물: 유기화합물
③ 제2류·제3류 및 제5류 위험물: 무기화합물 + 유기화합물

4. 물과 반응하는 금수성 물질과 물과 반응하지 않는 제5류 위험물
① 제1류 위험물: 무기과산화물 + 물 → 산소와 발열반응 발생(물기엄금)
② 제2류 위험물
　㉠ 철분, 마그네슘, 금속분 + 물 → 수소가스 발생(물기엄금)
　㉡ 황화인 + 물 → 황화(유화)수소 발생(물기엄금)
③ 제3류 위험물: 제3류 위험물(황린 제외) + 물 → 가연성 가스 발생(물기엄금)
④ 제4류 위험물: 인화성 액체 → (주수소화금지)
⑤ 제5류 위험물: (대량 주수소화)
⑥ 제6류 위험물: 과염소산, 질산(과산화수소 제외) + 물 → 발열반응(주수소화 금지)

5. 소화대책

제1류 위험물	· 물에 의한 냉각소화 · 무기과산화물: 마른모래, 팽창질석, 팽창진주암, 드라이파우더의 질식소화
제2류 위험물	· 적린, 황: 물에 의한 냉각소화 · 황화인, 철분, 마그네슘, 금속분: 마른모래, 팽창질석, 팽창진주암, 드라이파우더의 질식소화 · 인화성고체: 물에 의한 냉각소화 가능하지만 포에 의한 질식소화
제3류 위험물	· 황린: 물에 의한 냉각소화 · 그 외: 마른모래, 팽창질석, 팽창진주암, 드라이파우더의 질식소화
제4류 위험물	· 비수용성: 포[(불)단, 합, 수], 가스계, 물분무, 미분무 → 질식소화 · 수용성: 포[(내)알코올 포] → 질식소화, 다량의 물 → 희석소화
제5류 위험물	대량 주수소화(냉각소화)
제6류 위험물	· 과산화수소: 물에 의한 희석소화 · 그 외: 소량일 경우 물에 의한 냉각소화 가능하지만, 원칙적으로는 마른모래, 팽창질석, 팽창진주암, 드라이파우더의 질식소화

6. 저장방법

① **황린, 이황화탄소**: 물속에 저장
② **리튬, 칼륨, 나트륨**: 석유[기름(등유, 경유, 파라핀유, 벤젠)]에 저장
③ **알킬알루미늄, 알킬리튬**: 벤젠, 톨루엔, 헥산 등 탄화수소용제 속에 저장
④ **아세트알데히드, 산화프로필렌**: 알루미늄, 철의 용기에 저장(수은, 은, 동, 마그네슘을 피한다)
⑤ **탄화칼슘(카바이트)**: 아세톤에 저장 또는 질소가스 등 불연성 가스에 봉입
⑥ **나이트로셀룰로오스**: 알코올 또는 물속에 저장

📖 용어사전

① **혼재**: 물질들이 접촉하지 않고 운반에 적재하는 것을 말한다.

* **혼촉**: 물질들이 접촉하는 것을 말한다.

7. 종류를 달리하는 위험물의 혼재① 기준

구분	제1류	제2류	제3류	제4류	제5류	제6류
제1류		×	×	×	×	○
제2류	×		×	○	○	×
제3류	×	×		○	×	×
제4류	×	○	○		○	×
제5류	×	○	×	○		×
제6류	○	×	×	×	×	

※ 비고 1. "×"표시는 혼재할 수 없음을 표시한다.
      2. "○"표시는 혼재할 수 있음을 표시한다.

1류 ─── 6류 ──→ 혼재 가능
2류 ─── 5류 ─── 4류 ──→ 혼재 가능
3류 ─── 4류 ──→ 혼재 가능

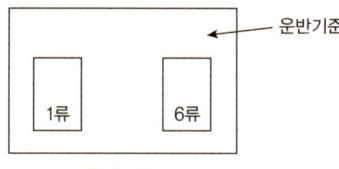

혼재 가능

8. 제조소 등 게시판 및 운반기준 비교

게시판기준			운반기준
저장 또는 취급위험물	주의사항	게시판의 색	저장 또는 취급위험물
제1류위험물 중 알칼리금속의 과산화물	물기엄금	청색바탕에 백색문자	화기주의,충격주의, 가연물접촉주의, 물기엄금
제3류위험물 중 금수성물질			물기엄금
제2류위험물(인화성고체 제외)	화기주의	적색바탕에 백색문자	화기주의,물기엄금
제2류위험물 중 인화성고체	화기엄금	적색바탕에 백색문자	화기엄금
제3류위험물 중 자연발화성물질			화기엄금, 공기접촉엄금
제4류위험물			화기엄금
제5류위험물			화기엄금,충격주의
제6류위험물	게시판기준 없음		가연물접촉주의

MEMO

"공사적천: 공정적으로 사고하고 적극적으로 실천하자"
여러분, 할 수 있다고 생각하고 말하다 보면 결국 소방공무원이 되어 있을 것입니다!

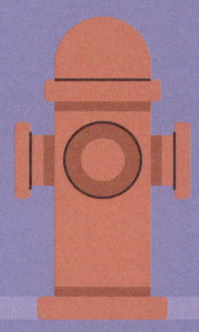

해커스소방 **이영철 소방학개론** 기본서

PART 4

화재조사

CHAPTER 1   화재조사의 개설

CHAPTER 2   소방의 화재조사에 관한 법률

CHAPTER 3   화재조사 및 보고규정상의 화재조사

CHAPTER 1 화재조사의 개설

출제 POINT
- 01 화재조사의 목적 ★☆☆
- 02 화재조사의 특징 ★☆☆
- 03 목재표면에 따른 균열흔 ★☆☆

영철쌤 tip

화재조사의 목적은 자료(통계)를 남김으로써 화재를 예방하는 것이다.

예 백화점 화재라면 화재조사와 동시에 자료(통계)를 남김으로써 유사백화점 화재를 예방한다.

1 화재조사

1. 화재의 개념

「화재조사 및 보고규정」 제2조에서 화재란 사람의 의도에 반하거나 고의에 의해 발생하는 연소현상으로서 소화시설 등을 사용하여 소화할 필요가 있거나 화학적인 폭발현상을 말한다. 즉, 화재란 유익하지 못한 불로서 가연성물질의 연소현상 중 소화할 필요가 있고, 이를 소화하기 위하여 소화시설, 모래 등 소화효과가 있는 것을 필요로 하는 것을 말한다.

2. 화재조사의 목적

(1) 화재에 의한 피해를 알리고 유사화재의 방지와 피해의 경감에 이바지한다.

(2) 출화원인을 규명하고 예방행정의 자료로 한다.

(3) 화재 확대 및 연소원인을 규명하여 예방 및 진압대책상의 자료로 한다.

(4) 사상자의 발생원인과 방화관리 상황 등을 규명하여 인명구조 및 안전대책의 자료로 한다.

(5) 화재의 발생상황, 원인, 손해상황 등을 통계화함으로써 널리 소방정보를 수집하고 행정시책의 자료로 이용한다.

3. 화재조사의 특징

(1) 화재조사는 현장성을 갖는다.

화재조사에 도움을 줄 수 있는 고급정보들은 주로 현장에서 얻어진다. 119신고를 받는 순간부터 신고일시와 신고자의 인적사항, 목소리(당시의 심경파악 등 중요한 자료로 활용됨) 등이 기록되면서 화재조사는 시작된다. 출동 중에도 풍속과 풍향에 영향을 받는 화염과 연기의 움직이는 상황, 주변의 이상한 소리 등을 체크하는 조사가 진행되는데 대부분의 조사는 현장에 도착하자마자 본격적으로 전개된다. 최초 발견자, 신고자, 목격자, 초기 진화종사자 등을 중심으로 탐문하여, 이상하고 급격한 연소부위나 물건, 열이나 연기의 진행방향, 소실 또는 훼손된 물품의 위치 및 상태, 기타 화재흔적 등을 정밀관찰하고 감식 또는 감정에 필요한 시료 및 증거물 등을 수집하는 조사활동은 바로 화재현장에서 이루어질 수밖에 없다.

(2) 화재조사는 신속성을 유지해야 한다.

화재조사에 관한 당사자(피의자) 또는 참고인으로 진술해야 할 최초 발견자, 신고자, 목격자, 방화 또는 실화 혐의자로 추정되는 자는 시간이 경과하면 거짓으로 진술할 수 있고 추후 법정에 소환되는 것을 두려워하거나 귀찮게 생각해서 도주할 우려가 있으므로 조속히 질문조사를 마쳐야 한다. 또한 화재 피해자일 경우는 생각해 볼수록 억울하고 비참하여 엉뚱한 심경변화를 가져올 수도 있고, 보험에 가입된 경우에는 보상을 조금 더 많이 받기 위해 범행을 숨기거나 피해액을 훨씬 높게 올리려고 할 수 있으므로 신속히 진술을 확보해야 한다.

1. 화재조사는 신속해야만 현장성과 보존성이 있다.
2. 증거물 상태 그대로 보존되어야 효용적 가치가 있다.

(3) 화재조사는 보존성을 갖는다.

화재조사에서 가장 핵심적인 자료라 할 수 있는 것은 바로 증거물이다. 증거물은 상태 그대로 보존되어야 효용적 가치가 있다. 그러나 화재현장에서의 증거물품이 될 수 있는 것은 거의 인멸 또는 훼손되어 화인조사에 큰 어려움을 겪을 때가 많다.

(4) 화재조사는 정밀과학성을 요구한다.

화재조사의 수단과 방법이 비과학적이거나 비전문적이라면 그 결과는 엄청난 모순으로 끝날 것이다. 엉뚱한 사람을 방화범 또는 실화범으로 몰거나, 손해배상이나 보험금도 받아야 할 정액보다 훨씬 적게 받을 수밖에 없는 오류로 이어질 것임은 자명한 일이다. 그러므로 독특한 위험 및 연소과정에 관한 지식과 연소과학기술 및 화재나 폭발의 형태 등에 관한 지식과 경험을 바탕으로, 필요한 첨단기자재와 기법을 가지고 실시하는 화재의 감식과 감정 등의 조사는 체계적이고 기획적이며, 경험적이고 전문적이어야 함은 물론, 고도의 기법과 첨단장비까지 총 동원해서라도 종합 과학적인 방법으로 정밀하게 집행되어야 한다.

(5) 화재조사는 안전성이 반드시 보호되어야 한다.

화재현장은 전쟁터보다 더 험하게 여겨질 정도로 참혹한 아수라장이다. 흥분과 공포, 스릴과 폐허가 교차하며 패닉현상을 수반한다. 갑자기 계단이나 지붕이 내려앉고 벽이나 담이 무너지며 재발화 및 대형폭발이나 붕괴현상도 있을 수 있고, 전기·가스·유해화학물질로 피해를 입을 수도 있으며, 유리조각이나 벽돌조각이 낙하하고 못이나 침에 찔릴 수도 있는 등 위험한 현상이 도발적으로 발생되어 부상을 당하거나 생명을 잃는 경우가 많다. 특히, 평소 화재현장에 익숙하지 못한 경찰관, 법정과학 및 기타 조사자들은 현장조사업무 수행 중 전혀 위험인식을 하지 않을 수도 있다. 그러므로 조사활동 중 안전사고에 대비하는 일은 정말 중요하다.

(6) 화재조사는 강제성을 지닌다.

관계인의 협조 없이 화재조사를 실시한다는 것은 정말 어려운 일이다. 관계인의 입장에서 보면 조사에 순응하는 것이 자기에게 불리한 경우가 있을 수 있는데, 이때 관계인에 대하여 필요한 보고 또는 자료의 제출을 명하거나 질문하여도 침묵을 지키거나 사실과는 전혀 다른 진술을 하는 사람들이 대부분이다. 이렇게 되면 화재조사는 난항에 부딪히게 되므로 강제조사권을 발동할 수밖에 없다.

(7) 화재조사는 프리즘(Prism)식으로 진행된다.

화재조사기관의 조사자나 그 조사에 응하는 관계인들의 시각과 주장이 각각 다르다. 조사자는 정해진 기준과 지침대로 자기의 전문경험을 살리면서 일정한 틀에 맞추려고 노력하고 피해자는 피해자대로, 보험사는 보험사대로, 배상책임자는 배상책임자대로, 참고인은 참고인대로 각각 손해책임과 배상 등의 문제를 생각한 나머지 자기의 입장에서 화재 현장 상황을 말하려고 하므로 마치 번갈아 가면서 프리즘(Prism)을 들여다보는 식이다. 그러므로 화재조사의 접근방식과 그 조사에 관련된 자들의 견해를 하나의 강한 줄기로 모으는 일은 화재조사에 관한 긍정적인 공감대를 형성하는 중대한 과제이다.

> **핵심정리** 화재조사의 특징
>
> 1. 현장성
> 2. 신속성
> 3. 정밀과학성
> 4. 보존성
> 5. 안정성
> 6. 강제성
> 7. 프리즘(Prism)식

영철쌤 tip
1. 화재조사의 특징에 경제성, 창조성은 해당하지 않는다.
2. 화재조사관들은 민사불개입원칙에 의해 민사에 개입하지 않는다.

영철쌤 tip
화재조사의 공식발표를 하는 이유는 국민에게 위험을 지적하고, 주의심을 환기시키기 위함이다.

4. 화재조사의 공식발표

(1) 명예 및 사생활 존중

화재조사 시 알게 된 비밀을 다른 사람에게 누설하면 안 된다. 즉, 명예 및 사생활을 존중하여야 한다.

(2) 공소유지 및 재판에 대한 영향

형법상 범죄를 구성할 가능성이 있으므로 공식발표에 주의해야 한다.

(3) 민사불개입의 원칙

민사상 문제가 발생할 수 있으므로 공식발표의 어려움이 있을 수 있다.

5. 화재조사의 기본원칙 순서(6단계)

(1) 필요성 인식(문제확인)

화재발생의 원인과 문제점을 인식하는 단계이다.

(2) 문제의 정의

어떤 방식으로 그 원인 및 문제를 해결할 수 있는 결정을 해야 한다.

(3) 자료(데이터)수집

화재원인과 관련된 문제정의에 대한 해답을 찾을 수 있는 현장정보를 수집하여야 한다.

(4) 자료(데이터)분석

수집된 모든 자료가 분석단계를 거쳐야 한다.

(5) 가설개발(귀납적 추론)

이 단계에서는 분석한 자료를 바탕으로 해당 현상이 화재 패턴의 특성인지 여부, 그리고 화재 확산, 발화지점의 규명, 발화 순서, 발화요인, 발화열원, 최초 착화물, 화재 또는 폭발 사고에 대한 책임이나 피해의 원인 등에 대하여 귀납적 추론을 통하여 여러 가설을 만들어야 한다.

(6) 가설검증(연역적 추론)

가설은 실험을 통해서 물리적으로 검증될 수도 있고, 과학적 원리를 적용하여 분석적으로 검증될 수도 있다.

2 화재패턴의 종류

1. 박리흔(剝離痕)

(1) 정의

박리란 수열에 따른 빔의 팽창과 같은 물리적인 힘에 의해 시멘트, 콘크리트, 벽돌 등의 표면이 무너져 내리거나 부서지는 것을 말한다.

(2) 발생원인

① 박리는 대부분 열에 의해서 발생하지만 진화작업 과정에서 뿌려지는 소화수에 의해 급속히 냉각될 때에도 위와 같은 이유로 수축되며 박리가 발생한다.

② 구획실 화재에서 대부분의 박리는 고온의 열기층이 체류하는 천장에서 많이 생성되나, 화염에 직접 접하게 되면 벽면이나 바닥에서도 생성된다.

2. 목재의 표면 노출 온도조건에 따른 균열흔(龜裂痕)

목재의 표면에 나타나는 균열의 형태 및 깊이는 같은 목재의 조건이라고 하여도 각 노출된 온도와 시간에 따라서 다르게 나타난다. 균열흔이란 목재표면에 고온의 화염을 받아 겉 표면에 분출되는 흔적이 되는 흔, 즉 **목재가 갈라진 흔적**을 말한다. 균열흔은 형성과 모양에 따라 **완소흔(緩燒痕), 강소흔(强燒痕), 열소흔(裂燒痕)**으로 구분된다.

▲ 균열흔

(1) 완소흔(緩燒痕)

약 700~800℃ 정도에서 비교적 천천히 더디게 타고 난 후 표면에 남은 갈라진 흔적을 말한다. 대체적으로 갈라진 틈의 폭이 넓지 않고, 골(홈)이 얕으며, 부푼 모양이 **삼각형 또는 사각형의 형태**를 보인다.

> **영철쌤 tip**
> **균열흔**
> 균열흔은 완소흔, 강소흔, 열소흔이 있다. 이 중 열소흔은 목조건축물 최성기 때의 흔적이다.

(2) 강소흔(强燒痕)

단어가 뜻하는 것처럼 불의 영향을 강하게 받아 심하게 탄 흔적을 말한다. 불의 온도가 약 900℃ 수준에서 연소되었을 때 나타나는 형상으로서 나무가 갈라져서 파인 골(홈)의 깊이가 깊은 편이며, 골(홈)의 테두리 모양은 각이 없는 반원형에 가깝다.

(3) 열소흔(裂燒痕)

나무가 약 1,100℃ 수준의 온도에서 탈 때 표면이 갈라진 흔적을 말한다. 나무에 패인 홈(골)의 깊이가 가장 깊고, 홈(골)의 폭이 넓으며, 부푼 형태는 구형에 가깝도록 볼록해진다. 열소흔은 대형화재 시와 같이 가연물이 많은 장소에서 볼 수 있다.

3. 훈소흔(燻燒痕), 무염흔(無焰痕)

발열체가 목재면에 밀착되었을 때 그 발열체의 이면 목재면에 훈소흔이 남는다. 즉, 발열체에 의한 목재면의 흔적을 말한다.

4. 주염흔(走焰痕)

불이 물처럼 흘러가며 공간속에서 열과 연소로 남긴 불길의 흔적을 말한다.

5. 탄화심도

목재는 온도가 상승함에 따라서 가연성 가스, 수증기, 연기 등 다양한 물질로 분해되며, 대부분 탄소만 남게 되는데, 이때 모양은 거북등모양, 악어모양 등 다양하게 불리는 요철형태[1]를 나타낸다. 화재조사에 있어서 '목재의 균열흔'이라고 하고, 탄화된 정도의 깊이를 '탄화심도'라고 한다. 즉, 탄화심도란 탄화된 정도의 깊이(골의 깊이, 홈의 깊이)를 말한다.

6. 화재패턴

그을음, 고온가스, 열기, 화염 등에 의해 탄화, 소실, 변색, 용융 등의 형태로 손상된 물질의 형상을 말한다.

(1) 화재플룸(Fire plume)에 의해 생성된 패턴

① V형 패턴: 화재가 발생하면 주위공기가 뜨거워져 연소가스와 공기는 위로 올라가고 더불어 화염도 위로 향하면서 주변으로 확대되는 연소형태로서, 가장 일반적인 화재패턴이다. 주로 화재플룸의 고온가스(연기)에 노출될 때 생성된다.

용어사전

[1] 요철형태: 오목함과 볼록함을 아울러 이르는 말

그림은 B → A 으로 확대되는 V형 패턴이다.

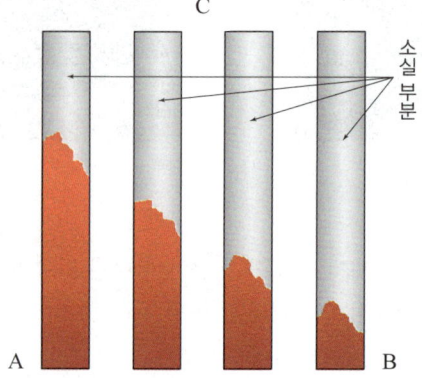

② 역V형 패턴(역 원뿔패턴): 유동성이 있는 **가연성(인화성)액체**에서 발생하는 연소형태로, 불기둥이 **천장에 도달하지 않을 때 발생**한다. 주로 화재플룸의 화염에 노출될 때 생성된다.

③ 모래시계형 패턴: 유동성이 있는 **가연성(인화성)액체**에서 발생하는 연소형태로, **천장이 낮아서 천장에 불기둥이 도달하면 발생**한다. 하단의 역V패턴(화염부)과 상단의 V패턴(고온가스부)의 결합된 형태로 우레탄폼이나 인화성 액체 등 높은 에너지가 연소할 때 생성된다.

④ U형 패턴

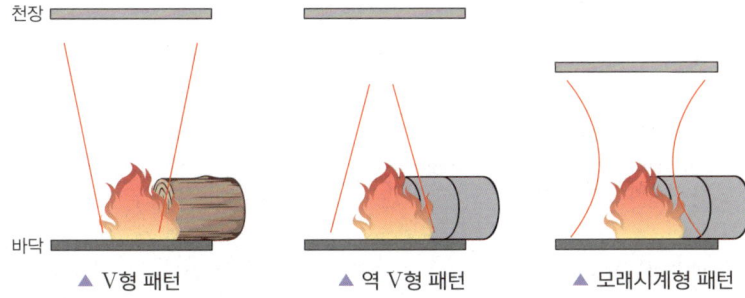

▲ V형 패턴　　▲ 역 V형 패턴　　▲ 모래시계형 패턴

⑤ 포인터 및 화살표 패턴: 목재나 알루미늄 등이 탄화소실되거나 용융되면서 생기는 패턴으로 화살모양이 짧고, 뾰족하거나 탄화정도가 심할수록 발화지점과 가깝다.

⑥ 원형패턴: 천장에 보이는 패턴으로 중심부가 깊게 탄화되고 열분해가 심하게 나타나면 원형패턴 중심부 아래에서 강한 열원이 작용했다는 단서가 된다.

(2) 액체화재패턴

① 포어 패턴(Pour pattem): 인화성 액체가 바닥에 쏟아진 상태로 연소되었을 때 액체가연물이 쏟아진 부분과 쏟아지지 않은 부분의 뚜렷한 탄화경계 흔적을 말한다.

② 스플래시 패턴(Splash pattern): 인화성 액체가 쏟아지면서 주변으로 튀거나, 연소되면서 발생하는 열에 의해 스스로 가열되어 액면이 끊고, 주변으로 튄 액체가 포어패턴의 미연소부분에서 국부적으로 점처럼 연소된 흔적을 말한다.

③ 고스트 마크(Ghost mark): 플래시오버와 같은 강한 복사열에서에서 발생하는 현상으로 인화성 액체가 콘크리트, 시멘트 바닥에 접착제로 붙어 있는 비닐 타일 등에 쏟아졌을 때 인화성 액체가 타일의 가장자리 부분으로 스며들어 접착제를 용해시키게 된다. 실내가 강한 복사열로 가득 차게 되면 타일의 틈에서 인화성 액체와 접착제의 화합물이 더욱 격렬하게 연소되고, 결과적으로 타일 아래의 바닥에 타일 등 바닥재의 틈새 모양으로 변색되고 박리되기도 하는데, 이때 바닥에서 보이는 흔적을 말한다.

④ 틈새연소 패턴(Seam burn pattern): 목재 마루 및 타일 등 바닥재의 틈새 및 모서리에서 인화성 액체가 쏟아지는 경우 틈새를 따라 흘러가거나 더 많은 액체가 고이게 되고, 이 액체가 연소되면 타 부위에 비해 더 강하게 더 오래 연소하게 된다. 고스트 마크와 외형상 유사하나 바닥이 아닌 마감재 표면에서 나타나며, 단순히 인화성 액체의 연소라는 점, 주로 화재초기에 나타나며 플래시

오버와 강한 복사열에서는 쉽게 사라질수 있는 특징이 있다.
⑤ **도넛 패턴(Doughnut pattern)**: 인화성 액체가 웅덩이처럼 고여 있을 경우 발생하는 패턴으로 웅덩이처럼 고여 있는 중심부는 액체가 증발하면서 기화열에 의한 냉각효과로 보호되는 반면, 주변부나 얇은 곳은 화염으로의 복사열에 의해 바닥재를 탄화시키게 되어 더 많이 연소된 부분이 덜 연소된 부분을 둘러싸고 있는 도넛 형태로 연소된 흔적을 말한다.
⑥ **레인보우 이팩트**: 물 위에 뜨는 기름띠의 모습이 광택을 내는 무지개처럼 보이기 때문에 붙여진 이름이지만, 아스팔트, 플라스틱 등 석유화학제품 등이 열분해 되도 레이보우 이팩트가 나타날 수 있기 때문에 반드시 유증기 검증 등을 통해 인화성 촉진제의 사용 여부를 판단하여야 한다.

> **참고** 액체화재패턴
>
> | 액체화재패턴 | 특징 |
> |---|---|
> | 포어패턴(Pour pattern) | 인화성 액체가연물이 바닥에 쏟아졌을 때 액체가연물이 쏟아진 부분과 쏟아지지 않은 부분의 탄화경계 흔적으로 나타난 화재패턴 |
> | 스플래시패턴(Splash pattern) | 액체가연물이 주변으로 튀면서 연소된 흔적 |
> | 고스트 마크(Ghost mark) | • 콘크리트, 시멘트 바닥의 타일 아래부분에서 나타나는 흔적
• 플래시오버와 같은 강력한 화재열기 속에서 발생 |
> | 틈새연소패턴
(Seam burn pattern) | • 목재마루 및 타일틈새, 문지방 및 벽과 바닥의 틈새 등 마감재표면에서 연소된 흔적
• 플래시오버와 같은 강력한 화재에서는 쉽게 사라질 수 있다 |
> | 도넛패턴(Doughnut pattern) | • 도넛 모양형태로 연소된 흔적
• 더 많이 연소된 부분이 덜 연소된 부분을 둘러싸고 있는 흔적 |
> | 트레일러 패턴 | 연소확대 위해 길게 뿌려진 흔적 |
> | 낮은 연소 패턴(Low born) | 건물의 하층부가 전체적으로 연소된 형태로 촉진제 사용이나 존재를 나타내는 증거로 추정 |
> | 불규칙 패턴(Lrregular) | 액체 가연물 웅덩이 형성에 의해 바닥표면에 불규칙적으로 나타남 |

문제로 완성하기

CHAPTER 1 화재조사의 개설

01 화재조사의 특징으로 옳지 않은 것은?
① 경제성
② 현장성
③ 강제성
④ 안정성

02 화재발생 시 가장 일반적인 화재패턴은?
① V형 패턴
② 역V형 패턴
③ 모래시계형 패턴
④ U형 패턴

03 인화성 액체에 의한 화재는 액체 가연물이 바닥에서 흐르거나 살포된 부위가 집중적으로 소훼되고 탄화경계가 뚜렷이 나타나는 특징이 있다. [보기]에서 설명하는 화재패턴으로 옳은 것은?   25. 공채·경채

[보기]
인화성 액체가 쏟아지면서 주변으로 튀거나, 연소되면서 발생하는 열에 의해 가열되어 액면에서 끓고, 주변으로 튄 액체가 포어패턴(Pour pattern)의 미연소 부분에서 국부적으로 점처럼 연소된 흔적

① 도넛 패턴(Doughnut pattern)
② 스플래시 패턴(Splash pattern)
③ 원형 패턴(Circular shaped pattern)
④ 틈새 연소 패턴(Seam burn pattern)

정답 및 해설

01 화재조사의 특징
현장성, 신속성, 정밀과학성, 보존성, 안정성, 강제성, 프리즘(Prism)식이 화재조사의 특징이다.

02 V형 패턴
V형 패턴은 화재가 발생하면 주위공기가 뜨거워져 연소가스와 공기는 위로 올라가고 더불어 화염도 위로 향하면서 주변으로 확대되는 연소형태로서 가장 일반적인 화재패턴이다.

03 스플래시 패턴(Splash pattern)
② 스플래시 패턴(Splash pattern): 인화성 액체가 쏟아지면서 주변으로 튀거나, 연소되면서 발생하는 열에 의해 스스로 가열되어 액면이 끓고, 주변으로 튄 액체가 포어패턴의 미연소부분에서 국부적으로 점처럼 연소된 흔적을 말한다.

① 도넛 패턴(Doughnut pattern): 인화성 액체가 웅덩이처럼 고여 있을 경우 발생하는 패턴으로 웅덩이처럼 고여 있는 중심부는 액체가 증발하면서 기화열에 의한 냉각효과로 보호되는 반면, 주변부나 얇은 곳은 화염으로의 복사열에 의해 바닥재를 탄화시키게 되어 더 많이 연소된 부분이 덜 연소된 부분을 둘러싸고 있는 도넛 형태로 연소된 흔적을 말한다.
③ 원형 패턴(Circular shaped pattern): 천장에 보이는 패턴으로 중심부가 깊게 탄화되고 열해가 심하게 나타나면 원형패턴 중심부 아래에서 강한 열원이 작용했다는 단서가 된다.
④ 틈새 연소 패턴(Seam burn pattern): 목재 마루 및 타일 등 바닥재의 틈새 및 모서리에서 인화성액체가 쏟아지는 경우 틈새를 따라 흘러가거나 더 많은 액체가 고이게 되고, 이 액체가 연소되면 타 부위에서 비해 더 강하게 더 오래 연소하게 된다. 고스트마크와 외형상 유사하나 바닥이 아닌 마감재 표면에서 나타나며, 단순히 인화성 액체의 연소라는 점, 주로 화재초기에 나타나며 플래시오버와 강한 복사열에서는 쉽게 사라질수 있는 특징이 있다.

정답 01 ① 02 ① 03 ②

CHAPTER 2 소방의 화재조사에 관한 법률

출제 POINT
- 01 화재조사권자 및 조사시기 ★☆☆
- 02 화재조사범위 ★☆☆
- 03 출입·조사 등(강제조사권) ★☆☆
- 04 체포된 사람에 대한 조사 ★☆☆

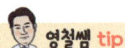

화재조사 목적: 화재원인: 전기화재 → 화재성장: 주방기름 → 화재확산: 방화문, 방화셔터 고장(복도확산) → 피해현황: 인명피해, 재산피해 → 과학적·전문적 조사·화재예방, 소방정책, 즉 화재조사의 목적은 유사화재를 방지하고자 한다.

예 숭례문(남대문) 화재발생으로 인한 유사화재인 동대문 화재가 발생하면 어떻게 대처해야 하는지를 알 수 있고 소방정책에 반영할 수 있다. 소방정책에 반영하므로서 화재예방이 될 수 있다.

1 총칙

1. 목적
「소방의 화재조사에 관한 법률」은 화재예방 및 소방정책에 활용하기 위하여 화재원인, 화재성장 및 확산, 피해현황 등에 관한 과학적·전문적인 조사에 필요한 사항을 규정함을 목적으로 한다.

2. 용어의 정의

화재	사람의 의도에 반하거나 고의 또는 과실에 의하여 발생하는 연소 현상으로서 소화할 필요가 있는 현상 또는 사람의 의도에 반하여 발생하거나 확대된 화학적 폭발현상을 말한다.
화재조사	소방청장, 소방본부장 또는 소방서장이 화재원인, 피해상황, 대응활동 등을 파악하기 위하여 자료의 수집, 관계인등에 대한 질문, 현장 확인, 감식, 감정 및 실험 등을 하는 일련의 행위를 말한다.
화재조사관	화재조사에 전문성을 인정받아 화재조사를 수행하는 소방공무원을 말한다.
관계인등	· 화재가 발생한 소방대상물의 소유자·관리자 또는 점유자(이하 '관계인') · 화재 현장을 발견하고 신고한 사람 · 화재 현장을 목격한 사람 · 소화활동을 행하거나 인명구조활동(유도대피 포함)에 관계된 사람 · 화재를 발생시키거나 화재발생과 관계된 사람

화재조사
1. 소방관서장은 소방청장, 소방본부장, 소방서장이다.
2. 소방청장, 소방본부장 또는 소방서장은 화재가 발생한 사실을 알게 된 때부터 화재조사를 하여야 한다(화재인지시간).

2 화재조사의 실시 등

1. 화재 조사의 실시

(1) **소방청장, 소방본부장 또는 소방서장**(이하 '소방관서장'이라 한다)은 화재발생 사실을 알게 된 때에는 **지체 없이** 화재조사를 하여야 한다. 이 경우 수사기관의 범죄수사에 지장을 주어서는 아니 된다.

(2) 소방관서장은 화재조사를 하는 경우 다음 사항에 대하여 조사하여야 한다.
① 화재원인에 관한 사항
② 화재로 인한 인명·재산피해상황
③ 대응활동에 관한 사항
예 소방대의 대응활동(화재진압, 구조, 구급 등), 관계기관의 대응활동

④ 소방시설 등의 설치·관리 및 작동 여부에 관한 사항
⑤ 화재발생건축물과 구조물, 화재유형별 화재위험성 등에 관한 사항
　　예 화재 위험성, 화재위험 유발요인, 화재확산 요인 등
⑥ 그 밖에 대통령령으로 정하는 사항

(3) 화재조사의 대상 및 절차 등에 필요한 사항은 대통령령으로 정한다.

2. 화재조사의 내용 및 절차

(1) 화재조사는 다음 절차에 따라 실시한다.
① **현장출동 중 조사:** 화재발생 접수, 출동 중 화재상황 파악 등
② **화재현장 조사:** 화재의 발화(發火)원인, 연소상황 및 피해상황 조사 등
③ **정밀조사:** 감식·감정, 화재원인 판정 등
④ 화재조사 결과 보고

(2) 소방관서장은 화재조사를 하는 경우 「산림보호법」 제42조에 따른 산불 조사 등 다른 법률에 따른 화재 관련 조사가 원활히 수행될 수 있도록 협조해야 한다.

> **핵심정리 조사권자 및 조사시기**
>
> 1. **조사권자:** 소방관서장(소방청장, 소방본부장, 소방서장)이다.
>
> | 위치 | 세종시 | 서울특별시 중구 | 성북구 | 119안전센터 |
> |---|---|---|---|---|
> | 조직 | 소방청 → | 서울소방
재난본부 → | 성북
소방서 → | 돈암119
안전센터 등 |
> | 직위 | 소방청장 | 서울소방본부장 | 소방서장 | 센터장 |
>
> 2. **조사시기:** 화재조사는 증거인멸의 우려가 있으므로 관계 공무원이 화재사실을 인지하는 즉시 장비를 활용하여 실시되어야 한다.

3. 화재조사전담부서의 설치·운영 등

(1) 화재조사전담부서의 설치·운영

　소방관서장은 전문성에 기반하는 화재조사를 위하여 **화재조사전담부서**(이하 '전담부서'라 한다)를 **설치·운영**하여야 한다. 즉, 화재의 원인과 피해 조사를 위하여 **소방청, 시·도의 소방본부와 소방서에 화재조사를 전담하는 부서를 설치·운영**한다.

(2) 소방관서장은 화재조사전담부서(이하 '전담부서'라 한다)에 화재조사관을 2명 이상 배치해야 한다.

(3) 전담부서에는 화재조사를 위한 감식·감정 장비 등 행정안전부령으로 정하는 장비와 시설을 갖추어 두어야 한다.

(4) 화재조사전담부서의 업무
① 화재조사의 실시 및 조사결과 분석·관리
② 화재조사 관련 기술개발과 화재조사관의 역량증진
③ 화재조사에 필요한 시설·장비의 관리·운영
④ 그 밖의 화재조사에 관하여 필요한 업무

▲ 동작소방서 노량진119안전센터

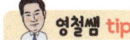
화재조사전담부서에 화재조사관 2명 이상을 배치해야 한다(근무 교대조별 2인 이상 배치함).

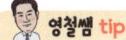
1. 화재조사전담부서의 설치·운영권자: 소방관서장
2. 화재합동조사단의 구성·운영자: 소방관서장
3. 화재합동조사단 단장: 소방관서장이 지명하는 사람

(5) 소방관서장은 화재조사관으로 하여금 화재조사 업무를 수행하게 하여야 한다.

(6) 화재조사관은 소방청장이 실시하는 화재조사에 관한 시험에 합격한 소방공무원 등 화재조사에 관한 전문적인 자격을 가진 소방공무원으로 한다.

(7) 전담부서의 구성·운영, 화재조사관의 구체적인 자격기준 및 교육훈련 등에 필요한 사항은 대통령령으로 정한다.

(8) 화재조사전담부서(이하 '전담부서'라 한다)가 화재조사를 완료한 경우에는 화재조사 결과를 소방청장, 소방본부장 또는 소방서장(이하 '소방관서장'이라 한다)에게 보고해야 한다. 보고는 소방청장이 정하는 화재발생종합보고서에 따른다.

영철쌤 tip

소방자격증
소방설비산업기사(기계·전기분야) → 소방설비기사(기계·전기분야) → 소방시설관리사 → 소방기술사가 해당한다.

4. 화재조사관의 자격기준 등

화재조사 업무를 수행하는 화재조사관은 다음 어느 하나에 해당하는 소방공무원으로 한다.

(1) 소방청장이 실시하는 화재조사에 관한 시험에 합격한 소방공무원

(2) 「국가기술자격법」에 따른 국가기술자격의 직무분야 중 화재감식평가 분야의 기사 또는 산업기사 자격을 취득한 소방공무원

(3) 화재조사에 관한 시험의 방법, 과목, 그 밖에 시험 시행에 필요한 사항은 행정안전부령으로 정한다.

5. 화재조사에 관한 교육훈련

(1) 소방관서장은 다음 구분에 따라 화재조사관에 대한 교육훈련을 실시한다.
   ① 화재조사관 양성을 위한 전문교육
   ② 화재조사관의 전문능력 향상을 위한 전문교육
   ③ 전담부서에 배치된 화재조사관을 위한 의무 보수교육

(2) 소방관서장은 필요한 경우 교육훈련을 다른 소방관서나 화재조사 관련 전문기관에 위탁하여 실시할 수 있다.

(3) 화재조사관 양성을 위한 전문교육의 내용은 다음과 같다.
   ① 화재조사 이론과 실습
   ② 화재조사 시설 및 장비의 사용에 관한 사항
   ③ 주요·특이 화재조사, 감식·감정에 관한 사항
   ④ 화재조사 관련 정책 및 법령에 관한 사항
   ⑤ 그 밖에 소방청장이 화재조사 관련 전문능력의 배양을 위해 필요하다고 인정하는 사항

(4) 전담부서에 배치된 화재조사관은 의무 보수교육을 **2년마다** 받아야 한다. 다만, 전담부서에 배치된 후 처음 받는 의무 보수교육은 배치 후 **1년 이내**에 받아야 한다.

(5) 소방관서장은 의무 보수교육을 이수하지 않은 사람에게 보수교육을 이수할 때까지 화재조사 업무를 수행하게 해서는 안 된다.

6. 화재합동조사단의 구성·운영

(1) 소방관서장은 사상자가 많거나 사회적 이목을 끄는 화재 등 대통령령으로 정하는 대형화재 등이 발생한 경우 종합적이고 정밀한 화재조사를 위하여 유관기관 및 관계 전문가를 포함한 화재합동조사단을 구성·운영할 수 있다.

(2) 화재합동조사단(이하 '화재합동조사단'이라 한다)의 단원은 다음 어느 하나에 해당하는 사람 중에서 소방관서장이 임명하거나 위촉한다.
① 화재조사관
② 화재조사 업무에 관한 경력이 3년 이상인 소방공무원
③ 「고등교육법」 제2조에 따른 학교 또는 이에 준하는 교육기관에서 화재조사, 소방 또는 안전관리 등 관련 분야 조교수 이상의 직에 3년 이상 재직한 사람
④ 「국가기술자격법」에 따른 국가기술자격의 직무분야 중 안전관리 분야에서 산업기사 이상의 자격을 취득한 사람
⑤ 그 밖에 건축·안전 분야 또는 화재조사에 관한 학식과 경험이 풍부한 사람

(3) 화재합동조사단의 단장은 단원 중에서 소방관서장이 지명하거나 위촉하는 사람이 된다.

(4) 소방관서장은 화재합동조사단 운영을 위하여 관계 행정기관 또는 기관·단체의 장에게 소속 공무원 또는 소속 임직원의 파견을 요청할 수 있다.

(5) 화재합동조사단은 화재조사를 완료하면 소방관서장에게 화재조사 결과를 보고해야 한다.

(6) 화재합동조사단의 구성과 운영 등에 필요한 사항은 대통령령으로 정한다.

7. 화재현장 보존 등

(1) 소방관서장은 화재조사를 위하여 필요한 범위에서 화재현장 보존조치를 하거나 화재현장과 그 인근 지역을 통제구역으로 설정할 수 있다. 다만, 방화(放火) 또는 실화(失火)의 혐의로 수사의 대상이 된 경우에는 관할 경찰서장 또는 해양경찰서장(이하 '경찰서장'이라 한다)이 통제구역을 설정한다.

(2) 누구든지 소방관서장 또는 경찰서장의 허가 없이 (1)에 따라 설정된 통제구역에 출입하여서는 아니 된다.

(3) (1)에 따라 화재현장 보존조치를 하거나 통제구역을 설정한 경우 누구든지 소방관서장 또는 경찰서장의 허가 없이 화재현장에 있는 물건 등을 이동시키거나 변경·훼손하여서는 아니 된다. 다만, 공공의 이익에 중대한 영향을 미친다고 판단되거나 인명구조 등 긴급한 사유가 있는 경우에는 그러하지 아니하다.

(4) 화재현장 보존조치, 통제구역의 설정 및 출입 등에 필요한 사항은 대통령령으로 정한다.

사상자가 많거나 사회적 이목을 끄는 화재 등 대통령령으로 정하는 대형화재
1. 사망자가 5명 이상 발생한 화재
2. 화재로 인한 사회·경제적 영향이 광범위하다고 소방관서장이 인정하는 화재

통제구역
소방관서장(소방청장, 소방본부장, 소방서장), 경찰서장(관할경찰서장, 해양경찰서장)

(5) 소방관서장이나 경찰서장은 다음에 따른 화재현장 보존조치나 통제구역의 설정을 지체 없이 해제해야 한다.
   ① 화재조사가 완료된 경우
   ② 화재현장 보존조치나 통제구역의 설정이 해당 화재조사와 관련이 없다고 인정되는 경우

8. 출입·조사 등(강제조사권)

(1) 소방관서장(소방청장, 소방본부장 또는 소방서장)은 화재조사를 하기 위하여 필요하면 관계인에게 보고 또는 자료 제출을 명하거나 화재조사관으로 하여금 해당 장소에 출입하여 화재조사를 하게 하거나 관계인 등에게 질문하게 할 수 있다.
   ① 보고 또는 자료제출 명령권
   ② 출입조사권
   ③ 질문권

(2) 화재조사를 하는 화재조사관은 그 권한을 표시하는 증표를 지니고 이를 관계인에게 보여 주어야 한다.

(3) 화재조사를 하는 화재조사관은 관계인의 정당한 업무를 방해하거나 화재조사를 수행하면서 알게 된 비밀을 다른 용도로 사용하거나, 다른 사람에게 누설하여서는 아니 된다.

> **핵심정리 강제조사권**
>
> 다음은 화재조사를 하기 위한 소방청장, 소방본부장, 소방서장의 권한이다.
> 1. 관계인에게 보고 및 자료제출 명령권
> 2. 화재조사관에게 출입조사권(화재의 원인과 피해상황 조사)
> 3. 관계인에게 질문권

소방관서장은 관계인등의 출석을 요구하려면, 출석일 3일 전까지 관계인등에게 알려야 한다.

9. 관계인등의 출석 등

(1) 소방관서장은 화재조사가 필요한 경우 관계인등을 소방관서에 출석하게 하여 질문할 수 있다.

(2) 관계인등의 출석 및 질문 등에 필요한 사항은 대통령령으로 정한다.

(3) 벌칙
   ① 300만원 이하 벌금
      ㉠ 허가 없이 화재현장에 있는 물건 등을 이동시키거나 변경·훼손한 사람
      ㉡ 정당한 사유 없이 화재조사관의 출입 또는 조사를 거부·방해 또는 기피한 사람
      ㉢ 관계인의 정당한 업무를 방해하거나 화재조사를 수행하면서 알게 된 비밀을 다른 용도로 사용하거나 다른 사람에게 누설한 사람
      ㉣ 정당한 사유 없이 증거물 수집을 거부·방해 또는 기피한 사람

② 200만원 이하 과태료
- ⊙ 허가 없이 통제구역에 출입한 사람
- ⓒ 명령을 위반하여 보고 또는 자료 제출을 하지 아니하거나 거짓으로 보고 또는 자료를 제출한 사람
- ⓒ 정당한 사유 없이 출석을 거부하거나 질문에 대하여 거짓으로 진술한 사람

10. 화재조사 증거물의 수집 등

(1) 소방관서장은 화재조사를 위하여 필요한 경우 증거물을 수집하여 검사·시험·분석 등을 할 수 있다. 다만, 범죄수사와 관련된 증거물인 경우에는 수사기관의 장과 협의하여 수집할 수 있다.

(2) 소방관서장은 수사기관의 장이 방화(放火) 또는 실화(失火)의 혐의가 있어서 이미 피의자를 체포하였거나 증거물을 압수하였을 때에 화재조사를 위하여 필요한 경우에는 **범죄 수사에 지장을 주지 아니하는 범위에서 그 피의자 또는 압수된 증거물에 대한 조사**를 할 수 있다. 이 경우 수사기관의 장은 소방관서장의 신속한 화재조사를 위하여 특별한 사유가 없으면 조사에 협조하여야 한다.

수사기관에 체포된 사람에 대한 조사
수사가 종결되더라도 화재조사가 필요하다면 수사기관은 협조하여야 한다.

(3) 증거물 수집의 범위, 방법 및 절차 등에 필요한 사항은 대통령령으로 정한다.

11. 협력 등

(1) 소방공무원과 경찰공무원의 협력 등
① 소방공무원과 경찰공무원은 화재조사를 할 때에 서로 협력하여야 한다.
② 소방관서장은 방화 또는 실화의 혐의가 있다고 인정되면 지체 없이 경찰서장에게 그 사실을 알리고 필요한 증거를 수집·보존하는 등 그 범죄수사에 협력하여야 한다.

(2) 관계기관 등의 협조
① 소방관서장, 중앙행정기관의 장, 지방자치단체의 장, 보험회사, 그 밖의 관련 기관·단체의 장은 화재조사에 필요한 사항에 대하여 서로 협력하여야 한다.
② 소방관서장은 화재원인 규명 및 피해액 산출 등을 위하여 필요한 경우에는 금융감독원, 관계 보험회사 등에「개인정보 보호법」제2조 제1호에 따른 개인정보를 포함한 보험가입 정보 등을 요청할 수 있다. 이 경우 정보 제공을 요청받은 기관은 정당한 사유가 없으면 이를 거부할 수 없다.

1. 소방관서장: 소방청장, 소방본부장, 소방서장
2. 중앙행정기관의 장: 부, 처, 청(환경부, 법제처, 소방청 등)
3. 지방자치단체의 장
   - 광역자치단체(시·도지사): 서울특별시. 경기도 등
   - 기초자치단체(시장·군수·구청장): 의정부시. 양평군, 동작구 등

3   화재조사 결과의 공표 등

1. 화재조사 결과의 공표
(1) 소방관서장은 국민이 유사한 화재로부터 피해를 입지 않도록 하기 위한 경우 등 필요한 경우 화재조사 결과를 공표할 수 있다. 다만, 수사가 진행 중이거나 수사의 필요성이 인정되는 경우에는 관계 수사기관의 장과 공표 여부에 관하여 사전에 협의하여야 한다.
(2) 공표의 범위·방법 및 절차 등에 관하여 필요한 사항은 행정안전부령으로 정한다.

2. 화재조사 결과의 통보
소방관서장은 화재조사 결과를 중앙행정기관의 장, 지방자치단체의 장, 그 밖의 관련 기관·단체의 장 또는 관계인 등에게 통보하여 유사한 화재가 발생하지 않도록 필요한 조치를 취할 것을 요청할 수 있다.

4   화재조사 기반구축

1. 화재감정기관의 지정기준
(1) 소방청장은 과학적이고 전문적인 화재조사를 위하여 대통령령으로 정하는 시설과 전문인력 등 지정기준을 갖춘 기관을 화재감정기관(이하 '감정기관'이라 한다)으로 지정·운영하여야 한다.
  ① 화재조사를 수행할 수 있는 다음의 시설을 모두 갖출 것
      ㉠ 증거물, 화재조사 장비 등을 안전하게 보호할 수 있는 설비를 갖춘 시설
      ㉡ 증거물 등을 장기간 보존·보관할 수 있는 시설
      ㉢ 증거물의 감식·감정을 수행하는 과정 등을 촬영하고 이를 디지털파일의 형태로 처리·보관할 수 있는 시설
  ② 화재조사에 필요한 전문인력을 각각 보유할 것
      ㉠ 주된 기술인력: 다음의 어느 하나에 해당하는 사람을 2명 이상 보유할 것
          ⓐ 「국가기술자격법」에 따른 국가기술자격의 직무분야 중 화재감식평가 분야의 기사 자격 취득 후 화재조사 관련 분야에서 5년 이상 근무한 사람
          ⓑ 화재조사관 자격 취득 후 화재조사 관련 분야에서 5년 이상 근무한 사람
          ⓒ 이공계 분야의 박사학위 취득 후 화재조사 관련 분야에서 2년 이상 근무한 사람

ⓒ 보조 기술인력: 다음의 어느 하나에 해당하는 사람을 3명 이상 보유할 것
  ⓐ 「국가기술자격법」에 따른 국가기술자격의 직무분야 중 화재감식평가 분야의 기사 또는 산업기사 자격을 취득한 사람
  ⓑ 화재조사관 자격을 취득한 사람
  ⓒ 소방청장이 인정하는 화재조사 관련 국제자격증 소지자
  ⓓ 이공계 분야의 석사 이상 학위 취득 후 화재조사 관련 분야에서 1년 이상 근무한 사람
③ 화재조사를 수행할 수 있는 감식·감정 장비, 증거물 수집 장비 등을 갖출 것

(2) 지정된 화재감정기관(이하 '화재감정기관'이라 한다)이 갖추어야 할 시설과 전문인력 등에 관한 세부적인 기준은 소방청장이 정하여 고시한다.

2. 국가화재정보시스템의 구축·운영

(1) **소방청장**은 화재조사 결과, 화재원인, 피해상황 등에 관한 화재정보를 종합적으로 수집·관리하여 화재예방과 소방활동에 활용할 수 있는 **국가화재정보시스템**을 구축·운영하여야 한다.

(2) 화재정보의 수집·관리 및 활용 등에 필요한 사항은 대통령령으로 정한다.

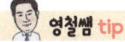

화재감정기관 지정·운영권자, 국가화재정보시스템의 구축·운영권자는 소방청장이다.

참고 화재조사 전문인력	
주된 기술인력(2명 이상)	보조인력(3명 이상)
• 화재감식평가 기사 자격 취득+5년 이상 근무한 사람 • 화재조사관 자격 취득+5년 이상 근무한 사람 • 박사학위 취득+2년 이상 근무한 사람	• 화재감식평가 기사 또는 산업기사 자격 취득 • 화재조사관 자격 취득 • 화재조사 관련 국제자격증 소지자 • 석사 이상 학위 취득 후+1년 이상 근무한 사람

문제로 완성하기

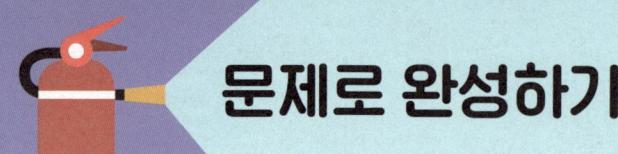

CHAPTER 2 소방의 화재조사에 관한 법률

01 소방본부장 또는 소방서장이 화재조사를 행하는 권한에 해당하지 않는 것은?
① 관계있는 자에 대한 질문권
② 관계있는 자에 대한 자료제출 명령권
③ 방화·실화 혐의자에 대한 체포권
④ 화재조사를 위한 출입조사권

02 「소방의 화재조사에 관한 법률」에 대한 설명으로 옳지 않은 것은?
① 소방청장은 과학적이고 전문적인 화재조사를 위하여 대통령령으로 정하는 시설과 전문인력 등 지정기준을 갖춘 기관을 화재감정기관으로 지정·운영하여야 한다.
② 전담부서에 배치된 화재조사관은 의무 보수교육을 3년마다 받아야 한다. 다만, 전담부서에 배치된 후 처음 받는 의무 보수교육은 배치 후 1년 이내에 받아야 한다.
③ 소방관서장은 화재조사전담부서(이하 '전담부서'라 한다)에 화재조사관을 2명 이상 배치해야 한다.
④ 화재조사란 소방청장, 소방본부장 또는 소방서장이 화재원인, 피해상황, 대응활동 등을 파악하기 위하여 자료의 수집, 관계인 등에 대한 질문, 현장 확인, 감식, 감정 및 실험 등을 하는 일련의 행위를 말한다.

03 소방의 화재조사 시 소방관서장이 화재합동조사단의 단원으로 임명 또는 위촉할 수 있는 사람에 해당하지 않는 것은?

25. 공채·경채

① 화재조사관
② 화재조사 업무에 관한 경력이 4년인 소방공무원
③ 국가기술자격의 직무분야 중 안전관리 분야에서 기능사 자격을 취득한 사람
④ 「고등교육법」 제2조에 따른 학교 또는 이에 준하는 교육기관에서 화재 조사, 소방 또는 안전관리 등 관련 분야에 조교수로 4년 재직한 사람

정답 및 해설

01 화재조사권
방화·실화 혐의자에 대한 체포권은 수사기관에 있다.

02 화재조사관의 의무 보수교육
전담부서에 배치된 화재조사관은 의무 보수교육을 2년마다 받아야 한다. 다만, 전담부서에 배치된 후 처음 받는 의무 보수교육은 배치 후 1년 이내에 받아야 한다.

03 화재합동조사의 단원
화재합동조사단의 단원은 소방관서장이 임명하거나 위촉한다.

- 화재조사관
- 화재조사 업무에 관한 경력이 3년 이상인 소방공무원
- 「고등교육법」 제2조에 따른 학교 또는 이에 준하는 교육기관에서 화재조사, 소방 또는 안전관리 등 관련 분야 조교수 이상의 직에 3년 이상 재직한 사람
- 「국가기술자격법」에 따른 국가기술자격의 직무분야 중 안전관리 분야에서 산업기사 이상의 자격을 취득한 사람
- 그 밖에 건축·안전 분야 또는 화재조사에 관한 학식과 경험이 풍부한 사람

정답 01 ③ 02 ② 03 ③

CHAPTER 3 화재조사 및 보고규정상의 화재조사

1 총칙

> 출제 POINT
> 01 용어의 정의 ★★★
> 02 화재건수의 결정 ★★☆
> 03 화재의 소실 정도 ★★☆
> 04 긴급상황을 보고할 화재 ★★★

1. 목적
이 규정은 「소방의 화재조사에 관한 법률」 및 같은 법 시행령, 시행규칙에 따라 화재조사의 집행과 보고 및 사무처리에 필요한 사항을 정하는 것을 목적으로 한다.

2. 용어의 정의

감식	화재원인의 판정을 위하여 전문적인 지식, 기술 및 경험을 활용하여 주로 시각에 의한 종합적인 판단으로 구체적인 사실관계를 명확하게 규명하는 것
감정	화재와 관계되는 물건의 형상, 구조, 재질, 성분, 성질 등 이와 관련된 모든 현상에 대하여 과학적 방법에 의한 필요한 실험을 행하고 그 결과를 근거로 화재원인을 밝히는 자료를 얻는 것
발화	열원에 의하여 가연물질에 지속적으로 불이 붙는 현상
발화열원	발화의 최초 원인이 된 불꽃 또는 열
발화지점	열원과 가연물이 상호작용하여 화재가 시작된 지점
발화장소	화재가 발생한 장소
최초 착화물	발화열원에 의해 불이 붙고 이 물질을 통해 제어하기 힘든 화세로 발전한 가연물
발화요인	발화열원에 의하여 발화로 이어진 연소 현상에 영향을 준 인적·물적·자연적인 요인
발화 관련 기기	발화에 관련된 불꽃 또는 열을 발생시킨 기기 또는 장치나 제품
동력원	발화 관련 기기나 제품을 작동 또는 연소시킬 때 사용되어진 연료 또는 에너지
연소확대물	연소가 확대되는 데 있어 결정적 영향을 미친 가연물
재구입비❶	화재 당시의 피해물과 같거나 비슷한 것을 재건축(설계 감리비를 포함한다) 또는 재취득하는 데 필요한 금액
내용연수	고정자산을 경제적으로 사용할 수 있는 연수
손해율	피해물의 종류, 손상 상태 및 정도에 따라 피해액을 적정화시키는 일정한 비율
잔가율	화재 당시에 피해물의 재구입비에 대한 현재가의 비율
최종 잔가율❷	피해물의 경제적 내용연수❸가 다한 경우 잔존하는 가치의 재구입비에 대한 비율
화재현장	화재가 발생하여 소방대 및 관계자 등에 의해 소화활동이 행하여지고 있는 장소
접수	119종합상황실에(이하 '상황실'이라 한다)에서 유·무선 전화 또는 다매체❹를 통하여 화재 등의 신고를 받는 것

> **용어사전**
> ❶ 재구입비: 화재 당시를 기준으로 피해자산의 신품의 재취득가액 또는 재건축비를 말하며 설계감리비를 포함한다.
> ❷ 최종 잔가율: 내용 연수를 경과하여 사용하던 자산 등에 대하여 처분가액의 재구입비에 대한 비율을 말한다.
> 예 건물, 부대설비, 구축물, 기계장치, 가재도구: 20%
> 예 그 외: 10%
> ❸ 내용연수: 고정자산을 사용할 수 있는 최대 연한을 말한다.
> 예 분말소화기 내용 연수는 10년(성능에 지장이 없으면, 1회에 한하여 3년 연장)
> ❹ 다매체: 문자, 앱, 영상통화 등을 말한다.

출동	화재를 접수하고 119상황실로부터 출동지령을 받아 소방대가 소방서 차고에서 출발하는 것
도착	출동지령을 받고 출동한 소방대가 현장에 도착하는 것
선착대	화재현장에 가장 먼저 도착한 소방대
초진	소방대의 소화활동으로 화재확대의 위험이 현저하게 줄어들거나 없어진 상태
잔불정리	화재를 진압한 후 잔불을 점검하고 처리하는 것
완진	소방대에 의한 소화활동의 필요성이 사라진 것
철수	진화가 끝난 후 소방대가 현장에서 복귀하는 것
재발화감시	화재를 진화한 후 화재가 재발되지 않도록 감시조를 편성하여 일정시간 동안 감시하는 것

잔불정리
이 단계에서는 열에 의한 수증기나 화염 없이 연기만 발생하는 연소현상이 포함될 수 있다.

화재인지시간
최초신고자가 접수한 시기부터를 말한다.

2 화재조사업무의 체계 등

1. 화재조사의 개시 및 원칙

(1) 「소방의 화재조사에 관한 법률」(이하 '법'이라 한다) 제5조 제1항에 따라 화재조사관(이하 '조사관'이라 한다)은 화재발생 사실을 인지하는 즉시 화재조사(이하 '조사'라 한다)를 시작해야 한다.

(2) 소방관서장은 「소방의 화재조사에 관한 법률 시행령」(이하 '영'이라 한다) 제4조 제1항에 따라 조사관을 근무 교대조별로 2인 이상 배치하고, 「소방의 화재조사에 관한 법률 시행규칙」(이하 '규칙'이라 한다) 제3조에 따른 장비·시설을 기준 이상으로 확보하여 조사업무를 수행하도록 하여야 한다.

(3) 조사는 물적 증거를 바탕으로 과학적인 방법을 통해 합리적인 사실의 규명을 원칙으로 한다.

2. 화재조사관의 책무

(1) 조사관은 조사에 필요한 전문적 지식과 기술의 습득에 노력하여 조사업무를 능률적이고 효율적으로 수행해야 한다.

(2) 조사관은 그 직무를 이용하여 관계인등의 민사분쟁에 개입해서는 아니 된다.

3. 화재출동대원 협조

(1) 화재현장에 출동하는 소방대원은 조사에 도움이 되는 사항을 확인하고, 화재현장에서도 소방활동 중에 파악한 정보를 조사관에게 알려주어야 한다.

(2) 화재현장의 선착대 선임자는 철수 후 지체 없이 국가화재정보시스템에 별지 제2호 서식 화재현장출동보고서를 작성·입력해야 한다.

4. 관계인 등 협조

(1) 화재현장과 기타 관계있는 장소에 출입할 때에는 **관계인등의 입회하**에 실시하는 것을 원칙으로 한다.

(2) 조사관은 조사에 필요한 자료 등을 관계인등에게 요구할 수 있으며, 관계인등이 반환을 요구할 때는 조사의 목적을 달성한 후 관계인등에게 반환해야 한다.

5. 관계인 등 진술

(1) 법 제9조 제1항에 따라 관계인등에게 질문을 할 때에는 시기, 장소 등을 고려하여 진술하는 사람으로부터 **임의진술**❶을 얻도록 해야 하며 진술의 자유 또는 신체의 자유를 침해하여 임의성을 의심할 만한 방법을 취해서는 아니 된다.

(2) 관계인등에게 질문을 할 때에는 희망하는 진술내용을 얻기 위하여 상대방에게 암시하는 등의 방법으로 유도해서는 아니 된다.

(3) 획득한 진술이 소문 등에 의한 사항인 경우 그 사실을 직접 경험한 관계인등의 진술을 얻도록 해야 한다.

(4) 관계인등에 대한 질문 사항은 별지 제10호 서식 질문기록서에 작성하여 그 증거를 확보한다.

> 📖 **용어사전**
>
> ❶ 임의진술: 개인적인 생각을 기준이나 원칙 없이 이야기하는 것을 말한다.

6. 감식 및 감정

(1) **소방관서장**은 조사 시 전문지식과 기술이 필요하다고 인정되는 경우 **국립소방연구원** 또는 **화재감정기관 등**에 감정을 의뢰할 수 있다.

(2) 소방관서장은 과학적이고 합리적인 화재원인 규명을 위하여 화재현장에서 수거한 물품에 대하여 **감정**을 실시하고 화재원인 입증을 위한 **재현실험** 등을 할 수 있다.

7. 화재건수 결정

(1) 1건의 화재

1건의 화재란 1개의 **발화지점**으로부터 확대된 것으로 발화부터 진화까지를 말한다.

(2) 각각 별건의 화재

동일범이 아닌 각기 다른 사람에 의한 방화, 불장난은 동일 대상물에서 발화했더라도 각각 별건의 화재로 한다.

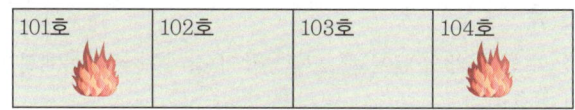

▲ 노래방 화재

동일범이 아닌 각기 다른 사람에 의한 방화, 불장난이 동일 대상물에서 발화했더라도 각각 별건의 화재로 보는 이유는 처벌 문제 때문이다.

(3) 동일 소방대상물의 발화점이 2개소 이상 있는 화재

동일 소방대상물의 발화점이 2개소 이상 있는 다음의 화재는 1건의 화재로 한다.

① 누전점이 동일한 누전에 의한 화재

② 지진, 낙뢰 등 자연현상에 의한 다발화재

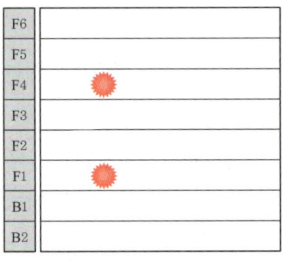

(4) 관할구역이 2개소 이상 걸친 화재

발화지점이 한 곳인 화재현장이 둘 이상의 관할구역에 걸친 화재는 **발화지점이 속한 소방서에서 1건의 화재로 산정**한다. 다만, 발화지점 확인이 어려운 경우에는 화재피해금액이 큰 관할구역 소방서의 화재 건수로 산정한다.

8. 화재의 유형

(1) 법 제2조 제1항 제1호의 화재는 유형을 구분한다.
  ① **건축·구조물 화재**: 건축물, 구조물 또는 그 수용물이 소손된 것
  ② **자동차·철도차량 화재**: 자동차, 철도차량 및 피견인 차량 또는 그 적재물이 소손된 것
  ③ **위험물·가스제조소등 화재**: 위험물제조소등, 가스제조·저장·취급시설 등이 소손된 것
  ④ **선박·항공기 화재**: 선박, 항공기 또는 그 적재물이 소손된 것
  ⑤ **임야 화재**: 산림, 야산, 들판의 수목, 잡초, 경작물 등이 소손된 것
  ⑥ **기타 화재**: 위의 각 호에 해당되지 않는 화재

(2) 화재가 복합되어 발생한 경우에는 화재의 구분을 화재피해금액이 큰 것으로 한다. 다만, 화재피해금액으로 구분하는 것이 사회관념상 적당하지 않을 경우에는 **발화장소**로 화재를 구분한다.

9. 발화일시의 결정

발화일시의 결정은 관계인등의 화재발견 상황통보(인지)시간 및 화재발생 건물의 구조, 재질 상태와 화기취급 등의 상황을 종합적으로 검토하여 결정한다. 다만, 자체진화 등 사후인지 화재로 그 결정이 곤란한 경우에는 **발화시간**을 추정할 수 있다.

10. 화재의 분류

화재원인 및 장소 등 화재의 분류는 소방청장이 정하는 국가화재분류체계에 의한 분류표에 의하여 분류한다.

11. 화재의 소실 정도(3종류)

전소	건물의 70% 이상(입체면적에 대한 비율을 말한다. 이하 같다)이 소실되었거나 또는 그 미만이라도 잔존부분을 보수하여도 재사용이 불가능한 것
반소	건물의 30% 이상 70% 미만이 소실된 것
부분소	전소, 반소화재에 해당되지 아니하는 것, 즉 건물의 30% 미만이 소실된 것

성북구에서 화재가 발생하여 종로구로 화염이 번지면(확산되면) 발화지점에 속한 소방서. 즉, 성북소방서 1건의 화재로 본다.

택시운수업이라고 하면 사무실(건축물화재)에서 화재가 번져서 택시(자동차화재)로 화재가 확산되었다면 택시보다 사무실의 피해금액이 큰 경우에는 건축물화재로, 택시가 피해금액이 큰 경우에는 자동차화재로 본다.

12. 건물동수의 산정

다른 동 (별동)	독립된 건물과 건물 사이에 차광막, 비막이 등의 덮개를 설치하고 그 밑을 통로 등으로 사용하는 경우는 다른 동으로 한다. 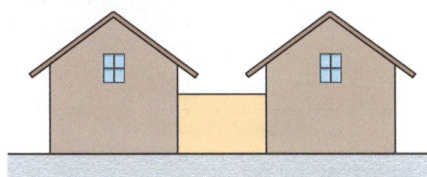 내화조 건물의 옥상에 목조 또는 방화구조 건물이 별도 설치되어 있는 경우는 다른 동으로 한다. 다만, 이들 건물의 기능상 하나인 경우(옥내 계단이 있는 경우)는 같은 동으로 한다.  내화조 건물의 외벽을 이용하여 목조 또는 방화구조 건물이 별도 설치되어 있고 건물 내부와 구획되어 있는 경우는 다른 동으로 한다. 다만, 주된 건물에 부착된 건물이 옥내로 출입구가 연결되어 있는 경우와 기계설비 등이 쌍방에 연결되어 있는 경우 등 건물 기능상 하나인 경우는 같은 동으로 한다. 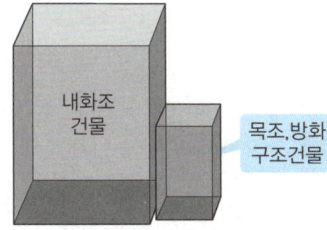
같은 동 (동일 동)	구조에 관계없이 지붕 및 실이 하나로 연결되어 있는 것은 같은 동으로 본다. 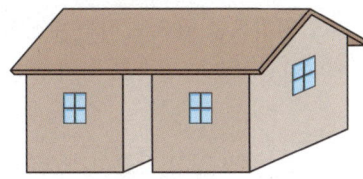 목조 또는 내화조 건물의 경우 격벽으로 방화구획이 되어 있는 것은 같은 동으로 한다. 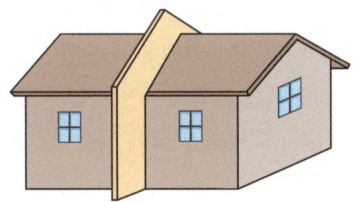

주요구조부는 바닥, 내력벽, 지붕틀, 기둥, 보, 주계단이 해당한다.

같은 동 (동일 동)	건물의 외벽을 이용하여 실을 만들어 헛간, 목욕탕, 작업실, 사무실 및 기타 건물 용도로 사용하고 있는 것은 주건물과 같은 동으로 본다. 
1동	주요 구조부가 하나로 연결되어 있는 것은 1동으로 한다. 다만, 건널 복도 등으로 2 이상의 동에 연결되어 있는 것은 그 부분을 절반으로 분리하여 각 동으로 본다. 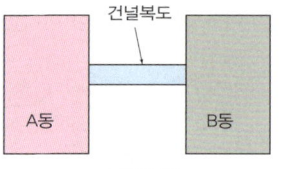 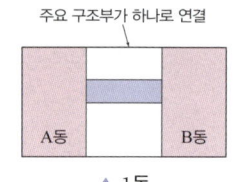 ▲ 건널복도　▲ 분리 동　▲ 1동

13. 세대수의 산정
세대수의 산정은 거주와 생계를 함께하고 있는 사람들의 집단 또는 하나의 가구를 구성하여 살고 있는 독신자로서, 자신의 주거에 사용되는 건물에 대하여 재산권을 행사할 수 있는 사람을 1세대로 한다.

14. 소실면적의 산정
건물의 소실면적 산정은 소실 바닥면적으로 산정한다.

소실면적
1. 전소화재의 소실정도는 입체면적(m³)으로 한다.
2. 소실면적의 산정은 소실 바닥면적(m²)으로 한다.

사상자
사망자 3명, 부상자 7명이란 사상자 10명이라는 의미이다.

15. 사상자
사상자는 화재현장에서 사망한 사람과 부상당한 사람을 말한다. 단, 화재현장에서 부상을 당한 후 72시간 이내에 사망한 경우에는 당해 화재로 인한 사망으로 본다.

용어사전
❶ 통근치료: 입원치료를 필요로 하지 않는 것은 통근치료를 말한다.

16. 부상의 정도
(1) 부상의 정도는 의사의 진단을 기초로 하여 다음과 같이 분류한다.
　① 중상: 3주 이상의 입원치료를 필요로 하는 부상을 의미한다.
　② 경상: 중상 이외의(입원치료를 필요로 하지 않는 통근치료❶도 포함) 부상을 의미한다.
(2) 다만, 병원치료를 필요로 하지 않고 단순하게 연기를 흡입한 사람은 제외한다.

17. 화재피해금액 산정
(1) 화재피해금액은 화재 당시의 피해물과 동일한 구조, 용도, 질, 규모를 재건축 또는 재구입하는데 소요되는 가액에서 경과연수 등에 따른 감가공제를 하고 현재가액을 산정하는 실질적·구체적 방식에 따른다. 다만, 회계장부상 현재가액이 입증된 경우에는 그에 따른다.

(2) (1)의 규정에도 불구하고 정확한 피해물품을 확인하기 곤란한 경우에는 소방청장이 정하는 「화재피해금액 산정매뉴얼」(이하 '매뉴얼'이라 한다)의 간이평가방식으로 산정할 수 있다.

(3) 건물 등 자산에 대한 최종잔가율은 건물·부대설비·구축물·가재도구는 20%로 하며, 그 이외의 자산은 10%로 정한다.

(4) 건물 등 자산에 대한 내용연수는 매뉴얼에서 정한 바에 따른다.

(5) 대상별 화재피해금액 산정기준은 별표 2에 따른다.

(6) 관계인은 화재피해금액 산정에 이의가 있는 경우 별지 제12호 서식 또는 별지 제12호의2 서식에 따라 관할 소방관서장에게 재산피해신고를 할 수 있다.

(7) (6)에 따른 신고서를 접수한 관할 소방관서장은 화재피해금액을 재산정해야 한다.

참고 화재피해금액 산정기준(제18조 관련)

산정대상	산정기준
건물	「신축단가(m²당) × 소실면적 × [1 - (0.8 × 경과연수/내용연수)] × 손해율」의 공식에 의하되, 신축단가는 한국감정원이 최근 발표한 '건물신축단가표'에 의한다.
부대설비	「건물신축단가 × 소실면적 × 설비종류별 재설비 비율 × [1 - (0.8 × 경과연수/내용연수)] × 손해율」의 공식에 의한다. 다만 부대설비 피해금액을 실질적·구체적 방식에 의할 경우「단위(면적·개소 등)당 표준단가 × 피해단위 × [1 - (0.8 × 경과연수/내용연수)] × 손해율」의 공식에 의하되, 건물표준단가 및 부대설비 단위당 표준단가는 한국감정원이 최근 발표한 '건물신축단가표'에 의한다.
구축물	「소실단위의 회계장부상 구축물가액 × 손해율」의 공식에 의하거나「소실단위의 원시건축비 × 물가상승율 × [1 - (0.8 × 경과연수/내용연수)] × 손해율」의 공식에 의한다. 다만 회계장부상구축물가액 또는 원시건축비의 가액이 확인되지 않는 경우에는 「단위(m, m², m³)당 표준단가 × 소실단위 × [1 - (0.8 × 경과연수/내용연수)] × 손해율」의 공식에 의하되, 구축물의 단위당 표준단가는 매뉴얼이 정하는 바에 의한다.
영업시설	「m²당 표준단가 × 소실면적 × [1 - (0.9 × 경과연수/내용연수)] × 손해율」의 공식에 의하되, 업종별m²당 표준단가는 매뉴얼이 정하는 바에 의한다.
잔존물제거	「화재피해금액 × 10%」의 공식에 의한다. 철골조 건물, 기계장치, 공구 및 기구, 차량 및 운반구, 예술품 및 귀중품, 동물 및 식물의 피해금액은 잔존물 제거비 산정에 있어 화재피해금액에 산입하지 않는다. → 삭제
기계장치 및 선박·항공기	「감정평가서 또는 회계장부상 현재가액 × 손해율」의 공식에 의한다. 다만 감정평가서 또는 회계장부상 현재가액이 확인되지 않아 실질적·구체적 방법에 의해 피해금액을 산정 하는 경우에는 「재구입비 × [1 - (0.9 × 경과연수/내용연수)] × 손해율」의 공식에 의하되, 실질적·구체적 방법에 의한 재구입비는 조사자가 확인·조사한 가격에 의한다.
공구 및 기구	「회계장부상 현재가액 × 손해율」의 공식에 의한다. 다만 회계장부상 현재가액이 확인되지 않아 실질적·구체적 방법에 의해 피해금액을 산정하는 경우에는 「재구입비 × [1 - (0.9 × 경과연수/내용연수)] × 손해율」의 공식에 의하되, 실질적·구체적 방법에 의한 재구입비는 물가정보지의 가격에 의한다.

산정대상	산정기준
집기비품	「회계장부상 현재가액 × 손해율」의 공식에 의한다. 다만 회계장부상 현재가액이 확인되지 않는 경우에는 「m²당 표준단가 × 소실면적 × [1 - (0.9 × 경과연수/내용연수)] × 손해율」의 공식에 의하거나 실질적·구체적 방법에 의해 피해금액을 산정하는 경우에는 「재구입비 × [1 - (0.9 × 경과연수/내용연수)] × 손해율」의 공식에 의하되, 집기비품의 m²당 표준단가는 매뉴얼이 정하는 바에 의하며, 실질적·구체적 방법에 의한 재구입비는 물가정보지의 가격에 의한다.
가재도구	「(주택종류별·상태별 기준액 × 가중치) + (주택면적별 기준액 × 가중치) + (거주인원별 기준액 × 가중치) + (주택가격$^{(m²당)}$별 기준액 × 가중치)」의 공식에 의한다. 다만 실질적·구체적 방법에 의해 피해금액을 가재도구 개별품목별로 산정하는 경우에는 「재구입비 × [1 - (0.8 × 경과연수/내용연수)] × 손해율」의 공식에 의하되, 가재도구의 항목별 기준액 및 가중치는 매뉴얼이 정하는 바에 의하며, 실질적·구체적 방법에 의한 재구입비는 물가정보지의 가격에 의한다.
차량, 동물, 식물	전부손해의 경우 시중매매가격으로 하며, 전부손해가 아닌 경우 수리비 및 치료비로 한다.
재고자산	「회계장부상 현재가액 × 손해율」의 공식에 의한다. 다만 회계장부상 현재가액이 확인되지 않는 경우에는 「연간매출액 ÷ 재고자산회전율 × 손해율」의 공식에 의하되, 재고자산회전율은 한국은행이 최근 발표한 '기업경영분석' 내용에 의한다.
회화(그림), 골동품, 미술공예품, 귀금속 및 보석류	전부손해의 경우 감정가격으로 하며, 전부손해가 아닌 경우 원상복구에 소요되는 비용으로 한다.
임야의 입목	소실전의 입목가격에서 소실한 입목의 잔존가격을 뺀 가격으로 한다. 다만, 피해산정이 곤란 할 경우 소실면적 등 피해 규모만 산정 할 수 있다.
기타	피해당시의 현재가를 재구입비로 하여 피해금액을 산정한다.

적용요령
1. 피해물의 경과연수가 불분명한 경우에 그 자산의 구조, 재질 또는 관계인등의 진술 기타 관계자료 등을 토대로 객관적인 판단을 하여 경과연수를 정한다.
2. 공구 및 기구·집기비품·가재도구를 일괄하여 재구입비를 산정하는 경우 개별 품목의 경과연수에 의한 잔가율이 50%를 초과하더라도 50%로 수정할 수 있으며, 중고구입기계장치 및 집기비품으로서 그 제작연도를 알 수 없는 경우에는 그 상태에 따라 신품가액의 30% 내지 50%를 잔가율로 정할 수 있다.
3. 화재피해금액 산정매뉴얼은 본 규정에 저촉되지 아니하는 범위에서 적용하여 화재피해금액을 산정한다.

18. 화재합동조사단 운영 및 종료

(1) **소방관서장**은 영 제7조 제1항에 해당하는 화재가 발생한 경우 다음 각 호에 따라 **화재합동조사단**을 구성하여 운영하는 것을 원칙으로 한다.
   ① **소방청장**: 사상자가 30명 이상이거나 2개 시·도 이상에 걸쳐 발생한 화재(**임야화재는 제외한다. 이하 같다**)
   ② **소방본부장**: 사상자가 20명 이상이거나 2개 시·군·구 이상에 발생한 화재

 **영철쌤 tip**

영 제7조 제1항(화재합동조사단의 구성, 운영)
1. 사망자가 5명 이상 발생한 화재
2. 화재로 인한 사회적·경제적 영향이 광범위하다고 소방관서장이 인정하는 화재

③ **소방서장**: 사망자가 5명 이상이거나 사상자가 10명 이상 또는 재산피해액이 100억원 이상 발생한 화재

(2) (1)에도 불구하고 소방관서장은 영 제7조 제1항 제2호 및 「소방기본법 시행규칙」 제3조 제2항 제1호에 해당하는 화재에 대하여 화재합동조사단을 구성하여 운영할 수 있다.

> **참고** 「소방기본법 시행규칙」 제3조 제2항 제1호
> 1. 사망자가 5인 이상 발생하거나 사상자가 10인 이상 발생한 화재
> 2. 이재민이 100인 이상 발생한 화재
> 3. 재산피해액이 50억원 이상 발생한 화재
> 4. 관공서·학교·정부미도정공장·문화재·지하철 또는 지하구의 화재
> 5. 관광호텔, 층수(「건축법 시행령」 제119조 제1항 제9호의 규정에 의하여 산정한 층수를 말한다. 이하 이 목에서 같다)가 11층 이상인 건축물, 지하상가, 시장, 백화점, 「위험물안전관리법」 제2조 제2항의 규정에 의한 지정수량의 3천배 이상의 위험물의 제조소·저장소·취급소, 층수가 5층 이상이거나 객실이 30실 이상인 숙박시설, 층수가 5층 이상이거나 병상이 30개 이상인 종합병원·정신병원·한방병원·요양소, 연면적 1만5천제곱미터 이상인 공장 또는 「화재의 예방 및 안전관리에 관한 법률」 제18조 제1항 각 목에 따른 화재예방강화지구에서 발생한 화재
> 6. 철도차량, 항구에 매어둔 총 톤수가 1천톤 이상인 선박, 항공기, 발전소 또는 변전소에서 발생한 화재
> 7. 가스 및 화약류의 폭발에 의한 화재
> 8. 「다중이용업소의 안전관리에 관한 특별법」 제2조에 따른 다중이용업소의 화재

(3) 소방관서장은 영 제7조 제2항과 영 제7조 제4항에 해당하는 자 중에서 **단장 1명**과 **단원 4명 이상**을 화재합동조사단원으로 임명하거나 위촉할 수 있다.

> **참고** 소방의 화재조사에 관한 법률 영 제7조 제2항
> 화재합동조사단의 단원은 다음 각 호의 어느 하나에 해당하는 사람 중에서 소방관서장이 임명하거나 위촉한다.
> 1. 화재조사관
> 2. 화재조사 업무에 관한 경력이 3년 이상인 소방공무원
> 3. 「고등교육법」 제2조에 따른 학교 또는 이에 준하는 교육기관에서 화재조사, 소방 또는 안전관리 등 관련 분야 조교수 이상의 직에 3년 이상 재직한 사람
> 4. 「국가기술자격법」에 따른 국가기술자격의 직무분야 중 안전관리 분야에서 산업기사 이상의 자격을 취득한 사람
> 5. 그 밖에 건축·안전 분야 또는 화재조사에 관한 학식과 경험이 풍부한 사람

> **참고** 소방의 화재조사에 관한 법률 시행령 제7조 제4항
> 소방관서장은 화재합동조사단 운영을 위하여 관계 행정기관 또는 기관·단체의 장에게 소속 공무원 또는 소속 임직원의 파견을 요청할 수 있다.

(4) 화재합동조사단원은 화재현장 지휘자 및 조사관, 출동 소방대원과 협력하여 조사와 관련된 정보를 수집할 수 있다.

(5) 소방관서장은 화재합동조사단의 조사가 완료되었거나, 계속 유지할 필요가 없는 경우 업무를 종료하고 해산시킬 수 있다.

19. 조사보고

(1) 조사관이 조사를 시작한 때에는 소방관서장에게 지체 없이 별지 제1호 서식 화재·구조·구급상황보고서를 작성·보고해야 한다.

(2) 조사의 **최종 결과보고**는 다음에 따른다.

① 「**소방기본법 시행규칙」 제3조 제2항 제1호에 해당하는 화재**: 별지 제1호 서식 내지 제11호 서식까지 작성하여 화재 발생일로부터 **30일 이내**에 보고해야 한다.

> **참고** 「소방기본법 시행규칙」 제3조 제2항 제1호
> 1. 사망자가 5인 이상 발생하거나 사상자가 10인 이상 발생한 화재
> 2. 이재민이 100인 이상 발생한 화재
> 3. 재산피해액이 50억원 이상 발생한 화재
> 4. 관공서·학교·정부미도정공장·문화재·지하철 또는 지하구의 화재
> 5. 관광호텔, 층수(「건축법 시행령」 제119조 제1항 제9호의 규정에 의하여 산정한 층수를 말한다. 이하 이 목에서 같다)가 11층 이상인 건축물, 지하상가, 시장, 백화점, 「위험물안전관리법」 제2조 제2항의 규정에 의한 지정수량의 3천배 이상의 위험물의 제조소·저장소·취급소, 층수가 5층 이상이거나 객실이 30실 이상인 숙박시설, 층수가 5층 이상이거나 병상이 30개 이상인 종합병원·정신병원·한방병원·요양소, 연면적 1만5천제곱미터 이상인 공장 또는 「화재의 예방 및 안전관리에 관한 법률」 제18조 제1항 각 목에 따른 화재경계지구에서 발생한 화재
> 6. 철도차량, 항구에 매어둔 총 톤수가 1천톤 이상인 선박, 항공기, 발전소 또는 변전소에서 발생한 화재
> 7. 가스 및 화약류의 폭발에 의한 화재
> 8. 「다중이용업소의 안전관리에 관한 특별법」 제2조에 따른 다중이용업소의 화재

② **제1호에 해당하지 않는 화재**: 별지 제1호 서식 내지 제11호 서식까지 작성하여 화재 발생일로부터 **15일 이내**에 보고해야 한다.

(3) (2)에도 불구하고 다음의 정당한 사유가 있는 경우에는 소방관서장에게 사전 보고를 한 후 필요한 기간만큼 조사 **보고일을 연장**할 수 있다.
  ① 법 제5조 제1항 단서에 따른 수사기관의 범죄수사가 진행 중인 경우
  ② 화재감정기관 등에 감정을 의뢰한 경우
  ③ 추가 화재현장조사 등이 필요한 경우

(4) (3)에 따라 **조사 보고일을 연장한 경우** 그 사유가 해소된 날부터 **10일 이내**에 소방관서장에게 조사결과를 보고해야 한다.

(5) 치외법권지역 등 조사권을 행사할 수 없는 경우는 조사 가능한 내용만 조사하여 제21조 각 호의 조사 서식 중 해당 서류를 작성·보고한다.

(6) 소방본부장 및 소방서장은 제2항에 따른 조사결과 서류를 영 제14조에 따라 국가화재정보시스템에 입력·관리해야 하며 영구보존방법에 따라 보존해야 한다.

화재조사관이 소방관서장에 보고

화재구분	보고
1. 「소방기본법 시행규칙」 제3조 제2항 제1호에 해당하는 화재	화재 발생일로부터 30일 이내에 보고
2. 1.에 해당하지 않는 화재	화재 발생일로부터 15일 이내에 보고
3. 조사보고일 연장한 경우	사유가 해소된 날부터 10일 이내 보고

20. 화재증명원의 발급

(1) 소방관서장은 화재증명원을 발급받으려는 자가 규칙 제9조 제1항에 따라 **발급신청**을 하면 규칙 별지 제3호 서식에 따라 **화재증명원을 발급**해야 한다. 이 경우 「민원 처리에 관한 법률」 제12조의2 제3항에 따른 통합전자민원창구로 신청하면 전자민원문서로 발급해야 한다.

(2) 소방관서장은 화재피해자로부터 소방대가 출동하지 아니한 화재장소의 화재증명원 발급신청이 있는 경우 조사관으로 하여금 사후 조사를 실시하게 할 수 있다. 이 경우 민원인이 제출한 별지 제13호 서식의 사후조사 의뢰서의 내용에 따라 발화장소 및 발화지점의 현장이 보존되어 있는 경우에만 조사를 하며, 별지 제2호 서식의 화재현장출동보고서 작성은 생략할 수 있다.

(3) 화재증명원 발급 시 인명피해 및 재산피해 내역을 기재한다. 다만, 조사가 진행 중인 경우에는 "조사 중"으로 기재한다.

(4) 재산피해내역 중 피해금액은 기재하지 아니하며 피해물건만 종류별로 구분하여 기재한다. 다만, 민원인의 요구가 있는 경우에는 피해금액을 기재하여 발급할 수 있다.

(5) 화재증명원 발급신청을 받은 소방관서장은 발화장소 관할 지역과 관계없이 발화장소 관할 소방서로부터 화재사실을 확인받아 화재증명원을 발급할 수 있다.

21. 화재통계관리

소방청장은 화재통계를 소방정책에 반영하고 유사한 화재를 예방하기 위해 매년 통계연감을 작성하여 국가화재정보시스템 등에 공표해야 한다.

22. 조사관의 교육훈련

(1) 규칙 제5조 제4항에 따라 조사에 관한 교육훈련에 필요한 과목은 별표 3으로 한다.

(2) (1)의 교육과목별 시간과 방법은 소방본부장, 소방서장 또는 「소방공무원 교육훈련규정」 제13조에 따라 교육과정을 운영하는 교육훈련기관의 장이 정한다. 다만, 규칙 제5조 제2항에 따른 의무 보수교육 시간은 4시간 이상으로 한다.

(3) 소방관서장은 조사관에 대하여 연구과제 부여, 학술대회 개최, 조사 관련 전문기관에 위탁훈련·교육을 실시하는 등 조사능력 향상에 노력하여야 한다.

참고 화재조사에 관한 교육훈련 과목(제25조 제1항 관련)

구분		교육훈련 과목
양성 전문교육 (영 제6조 제1항 제1호)	소양	국정시책, 기초소양, 심리상담기법 등
	전문	기초화학, 기초전기, 구조물과 화재, 화재조사 관계법령, 화재학, 화재패턴, 화재조사방법론, 보고서 작성법, 화재피해금액 산정, 발화지점 판정, 전기화재감식, 화학화재감식, 가스화재감식, 폭발화재감식, 차량화재감식, 미소화원감식, 방화화재감식, 증거물수집보존, 화재모델링, 범죄심리학, 법과학(의학), 방·실화수사, 조사와 법적문제, 소방시설조사, 촬영기법, 법적 증언기법, 형사소송의 기본절차

구분		교육훈련 과목
	실습	화재조사실습, 현장실습, 사례연구 및 발표
	행정	입교식, 과정소개, 평가, 교육효과측정, 수료식 등
전문교육 (영 제6조 제1항 제2호)		1. 화재조사방법 및 감식(발화지점 판정, 전기화재, 화학화재, 가스화재, 폭발화재, 차량화재, 방화, 미소화원 등) 2. 증거물 수집절차·방법, 보존 3. 소방시설조사, 화재피해금액 산정 절차·방법 4. 화재조사와 법적 문제, 민·형사소송 절차 5. 화재학, 범죄심리학, 화재조사 관계 법령 등 6. 첨단 화재조사장비 운용 7. 그 밖에 화재조사 관련 교육 필요 사항
의무 보수교육 (영 제6조 제1항 제3호)		1. 화재조사방법 및 감식(발화지점 판정, 전기화재, 화학화재, 가스화재, 폭발화재, 차량화재, 방화, 미소화원 등) 2. 증거물 수집절차·방법, 보존 3. 소방시설조사, 화재피해금액 산정 절차·방법 4. 화재조사와 법적 문제, 민·형사소송 절차 5. 화재학, 범죄심리학, 화재조사 관계 법령 등 6. 그 밖에 화재감식 및 감정 분야 동향 7. 첨단 화재조사장비 운용 8. 주요 화재 감식 사례 9. 화재감식 및 감정 분야 동향 10. 그 밖에 화재조사 관련 교육 필요 사항

> **참고** 종합상황실에 지체 없이 그 사실을 보고하여야 할 사항
>
> 종합상황실의 실장은 다음에 해당하는 상황이 발생하는 때에는 그 사실을 지체 없이 별지 제1호 서식에 의하여 서면·팩스 또는 컴퓨터통신 등으로 소방서의 종합상황실의 경우는 소방본부의 종합상황실에, 소방본부의 종합상황실의 경우에는 소방청의 종합상황실에 각각 보고하여야 한다.
>
> 1. 다음에 해당하는 화재
>   ① 사망자가 5명 이상 발생하거나 사상자가 10명 이상 발생한 화재
>   ② 이재민이 100명 이상 발생한 화재
>   ③ 재산피해액이 50억원 이상 발생한 화재
>   ④ 관공서·학교·정부미도정공장·문화재·지하철 또는 지하구의 화재
>   ⑤ 관광호텔, 층수가 11층 이상인 건축물, 지하상가, 시장, 백화점, 지정수량의 3천배 이상의 위험물의 제조소·저장소·취급소, 층수가 5층 이상이거나 객실이 30실 이상인 숙박시설, 층수가 5층 이상이거나 병상이 30개 이상인 종합병원·정신병원·한방병원·요양소, 연면적 1만5천㎡ 이상인 공장 또는 화재예방강화지구에서 발생한 화재
>   ⑥ 철도차량, 항구에 매어둔 총 톤수가 1,000t 이상인 선박, 항공기, 발전소 또는 변전소에서 발생한 화재
>   ⑦ 가스 및 화약류의 폭발에 의한 화재
>   ⑧ 다중이용업소❶의 화재
> 2. 통제단장❷의 현장지휘가 필요한 재난상황
> 3. 언론에 보도된 재난상황
> 4. 그 밖에 소방청장이 정하는 재난상황

영철쌤 tip

1. 화재조사: 소방청장, 소방본부장, 소방서장을 소방관서장
2. 재난 및 안전관리: 소방청장, 소방본부장, 소방서장을 통제단장
3. 구조·구급: 소방청장, 소방본부장, 소방서장을 소방청장등

용어사전

❶ **다중이용업소**: 휴게음식점, 단란주점영업, 유흥주점영업, PC방, 비디오물소극장업 등 불특정 다수인이 이용하는 영업 중 화재 등 재난 발생 시 생명·신체·재산상의 피해가 발생할 우려가 높은 업소를 말한다.
❷ **통제단장**: 소방청장, 소방본부장, 소방서장을 말한다.

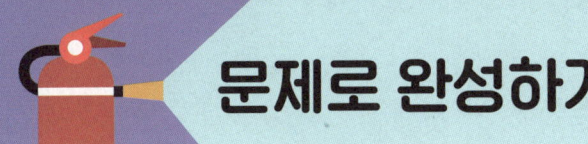

CHAPTER 3 화재조사 및 보고규정상의 화재조사

문제로 완성하기

01 화재조사의 용어에 대한 설명으로 옳은 것은?

① 최초 착화물이란 연소가 확대되는 데 있어 결정적 영향을 미친 가연물을 말한다.

② 동력원이란 발화에 관련된 불꽃 또는 열을 발생시킨 기기 또는 장치나 제품을 말한다.

③ 발화요인이란 발화의 최초 원인이 된 불꽃 또는 열을 말한다.

④ 잔가율이란 화재 당시에 피해물의 재구입비에 대한 현재가의 비율을 말한다.

02 「화재조사 및 보고규정」상 내용으로 옳지 않은 것은?

① 접수란 119종합상황실(이하 '상황실'이라 한다)에서 유·무선 전화 또는 다매체를 통하여 화재 등의 신고를 받는 것을 말한다.

② 소방관서장은 조사관을 근무 교대조별로 2인 이상 배치하고 장비·시설을 기준 이상으로 확보하여 조사업무를 수행하도록 하여야 한다.

③ 소방관서장은 과학적이고 합리적인 화재원인 규명을 위하여 화재현장에서 수거한 물품에 대하여 감정을 실시하고 화재원인 입증을 위한 재현실험 등을 할 수 있다.

④ 1건의 화재란 1개의 발화요인에서 확대된 것으로, 발화부터 진화까지를 말한다.

03 「화재조사 및 보고규정」에 관한 내용으로 옳지 않은 것은?   23. 공채·경채

① 건물의 소실면적 산정은 소실 입체면적으로 산정한다.

② 건물의 소실정도에서의 반소는 건물의 30% 이상 70% 미만이 소실된 것을 말한다.

③ 건물 등 자산에 대한 최종잔가율은 건물·부대설비·구축물·가재도구는 20%로 하며, 그 이외의 자산은 10%로 정한다.

④ 발화일시의 결정은 관계인등의 화재발견 상황통보(인지)시간 및 화재발생 건물의 구조, 재질 상태와 화기취급 등의 상황을 종합적으로 검토하여 결정한다. 다만, 자체진화 등 사후인지 화재로 그 결정이 곤란한 경우에는 발화시간을 추정할 수 있다.

정답 및 해설

01 화재조사 관련 용어의 정의

④ 잔가율이란 화재 당시에 피해물의 재구입비에 대한 현재가의 비율을 말하며, 최종 잔가율이란 피해물의 경제적 내용 연수가 다한 경우 잔존하는 가치의 재구입비에 대한 비율을 말한다.

① 최초 착화물이란 발화열원에 의해 불이 붙고 이 물질을 통해 제어하기 힘든 화세로 발전한 가연물을 말한다.

② 동력원이란 발화 관련 기기나 제품을 작동 또는 연소시킬 때 사용되어진 연료 또는 에너지를 말한다.

③ 발화요인이란 발화열원에 의하여 발화로 이어진 연소현상에 영향을 주는 인적·물적·자연적인 요인을 말한다.

02 1건의 화재

1건의 화재란 1개의 발화지점에서 확대된 것으로, 발화부터 진화까지를 말한다.

03 건물의 소실면적

건물의 소실면적 산정은 소실 바닥면적으로 산정한다.

정답 01 ④ 02 ④ 03 ①

04 「화재조사 및 보고규정」상 화재피해금액 산정에 관한 내용으로 옳은 것은?   25. 소방간부

① 화재피해금액은 화재 당시의 피해물과 동일한 구조,용도, 질, 규모를 재건축 또는 재구입하는데 소요되는 가액에서 경과연수 등에 따른 감가공제를 하고 현재가액을 산정하는 실질적·구체적 방식에 따른다. 다만, 회계장부상 구매가격이 입증된 경우에는 그에 따른다.
② 정확한 피해물품을 확인하기 곤란한 경우에는 소방청장이 정하는 「화재피해금액 산정매뉴얼」의 간이평가방식으로 산정해야 한다.
③ 건물 등 자산에 대한 내용연수는 「화재피해금액 산정매뉴얼」에서 정한 바에 따른다.
④ 건물 등 자산에 대한 최종잔가율은 건물·부대설비·구축물·가재도구는 10%로 하며, 그 이외의 자산은 20%로 정한다.
⑤ 관계인은 화재피해금액 산정에 이의가 있는 경우 별지 서식에 따라 관할 소방관서장에게 재산피해신고를 할 수 있으며, 신고서를 접수한 관할 소방관서장은 화재피해금액을 재산정할 수 있다.

05 「화재조사 및 보고규정」상 화재건수 결정에 관한 설명으로 옳지 않은 것은?   24. 소방간부

① 1건의 화재란 1개의 발화지점에서 확대된 것으로 발화부터 진화까지를 말한다.
② 동일 소방대상물의 발화점이 2개소 이상 있는 지진, 낙뢰 등 자연현상에 의한 다발화재는 1건의 화재로 한다.
③ 동일 소방대상물의 발화점이 2개소 이상 있는 누전점이 동일한 누전에 의한 화재는 1건의 화재로 한다.
④ 동일범이 아닌 각기 다른 사람에 의한 방화, 불장난은 동일 대상물에서 발화했더라도 각각 별건의 화재로 한다.
⑤ 발화지점이 한 곳인 화재현장이 둘 이상의 관할구역에 걸친 화재에 대해서는 소방서마다 각각 별건의 화재로 한다.

06 [보기]는 「화재조사 및 보고규정」상 대통령령으로 정하는 대형화재가 발생한 경우, 소방관서장의 화재합동조사단 구성과 운영에 관한 기준의 일부이다. ( ) 안에 들어갈 내용으로 옳은 것은? (단, 임야화재는 제외한다)   25. 소방간부

─────────[보기]─────────
· 소방서장: 사상자가 (가)명 이상 발생한 화재
· 소방본부장: 사상자가 (나)명 이상이거나 2개 시·군·구 이상에 발생한 화재
· 소방청장: 사상자가 (다)명 이상이거나 2개 시·도 이상에 걸쳐 발생한 화재

	가	나	다
①	5	10	20
②	5	10	30
③	10	20	30
④	10	20	50
⑤	20	30	100

07 화재 피해조사 시 [보기]와 같은 조건의 '건물 피해산정' 추정액은?

25. 공채·경채

[보기]
ㄱ. 용도 및 구조: 아파트, 철근콘크리트 구조
ㄴ. 신축단가(m² 당): 1,000,000원
ㄷ. 경과연수: 10년
ㄹ. 내용연수: 40년
ㅁ. 소실면적: 50m²
ㅂ. 손해율: 50%
ㅅ. 잔가율: 80%

① 16,000,000원
② 20,000,000원
③ 24,000,000원
④ 28,000,000원

정답 및 해설

04 화재피해금액 산정
① 화재피해금액은 화재 당시의 피해물과 동일한 구조, 용도, 질, 규모를 재건축 또는 재구입하는데 소요되는 가액에서 경과연수 등에 따른 감가공제를 하고 현재가액을 산정하는 실질적·구체적 방식에 따른다. 다만, 회계장부상 현재가액이 입증된 경우에는 그에 따른다.
② 정확한 피해물품을 확인하기 곤란한 경우에는 소방청장이 정하는 「화재피해금액 산정매뉴얼」(이하 "매뉴얼"이라 한다)의 간이평가방식으로 산정할 수 있다.
④ 건물 등 자산에 대한 최종잔가율은 건물·부대설비·구축물·가재도구는 20%로 하며, 그 이외의 자산은 10%로 정한다.
⑤ 관계인은 화재피해금액 산정에 이의가 있는 경우 별지 제12호서식 또는 별지 제12호의2서식에 따라 관할 소방관서장에게 재산피해신고를 할 수 있으며 신고서를 접수한 관할 소방관서장은 화재피해금액을 재산정해야 한다.

05 화재건수
발화지점이 한 곳인 화재현장이 둘 이상의 관할구역에 걸친 화재는 발화지점이 속한 소방서에서 1건의 화재로 산정한다. 다만, 발화지점 확인이 어려운 경우에는 화재피해금액이 큰 관할구역 소방서의 화재 건수로 산정한다.

06 화재합동조사단 구성과 운영
소방관서장은 영 제7조 제1항에 해당하는 화재가 발생한 경우 다음 각 호에 따라 화재합동조사단을 구성하여 운영하는 것을 원칙으로 한다.
① 소방청장: 사상자가 30명 이상이거나 2개 시·도 이상에 걸쳐 발생한 화재(임야 화재는 제외한다. 이하 같다)
② 소방본부장: 사상자가 20명 이상이거나 2개 시·군·구 이상에 발생한 화재
③ 소방서장: 사망자가 5명 이상이거나 사상자가 10명 이상 또는 재산피해액이 100억원 이상 발생한 화재

07 건물 피해산정 추정액
건물 피해산정 추정액
→ 신축단가(m²당)×소실면적×[1 − (0.8×경과연수/내용연수)]×손해율
= 1,000,000원×50m²×[1 − (0.8×10년/40년)]×0.5 = 20,000,000원
↳ 1 − (0.2) = 0.8

■ 건물 피해산정 추정액
건물 피해산정 추정액 = 재건축비×잔가율×손해율

정답 04 ③ 05 ⑤ 06 ③ 07 ②

한눈에 정리하기

PART 4 화재조사

다시 학습하기 p.374

1 「소방의 화재조사에 관한 법률」상의 화재조사

1. 용어의 정의

화재	사람의 의도에 반하거나 고의 또는 과실에 의하여 발생하는 연소 현상으로서 소화할 필요가 있는 현상 또는 사람의 의도에 반하여 발생하거나 확대된 화학적 폭발현상을 말한다.
화재조사	소방청장, 소방본부장 또는 소방서장이 화재원인, 피해상황, 대응활동 등을 파악하기 위하여 자료의 수집, 관계인등에 대한 질문, 현장 확인, 감식, 감정 및 실험 등을 하는 일련의 행위를 말한다.
화재조사관	화재조사에 전문성을 인정받아 화재조사를 수행하는 소방공무원을 말한다.
관계인등	화재가 발생한 소방대상물의 소유자·관리자 또는 점유자(이하 '관계인'이라 한다) 및 다음의 사람을 말한다. · 화재 현장을 발견하고 신고한 사람 · 화재 현장을 목격한 사람 · 소화활동을 행하거나 인명구조활동(유도대피 포함)에 관계된 사람 · 화재를 발생시키거나 화재발생과 관계된 사람

다시 학습하기 p.383

2 「화재조사 및 보고규정」상의 화재조사

1. 용어의 정의

감식	화재원인의 판정을 위하여 전문적인 지식, 기술 및 경험을 활용하여 주로 시각에 의한 종합적인 판단으로 구체적인 사실관계를 명확하게 규명하는 것을 말한다.
감정	화재와 관계되는 물건의 형상, 구조, 재질, 성분, 성질 등 이와 관련된 모든 현상에 대하여 과학적 방법에 의한 필요한 실험을 행하고 그 결과를 근거로 화재원인을 밝히는 자료를 얻는 것을 말한다.
잔가율	화재 당시에 피해물의 재구입비에 대한 현재가의 비율을 말한다.
최종잔가율	피해물의 내용연수가 다한 경우 잔존하는 가치의 재구입비에 대한 비율을 말한다.
접수	119종합상황실(이하 '상황실'이라 한다)에서 유·무선 전화 또는 다매체를 통하여 화재 등의 신고를 받는 것을 말한다.
도착	출동지령을 받고 출동한 소방대가 현장에 도착하는 것을 말한다.
선착대	화재현장에 가장 먼저 도착한 소방대를 말한다.
초진	소방대의 소화활동으로 화재확대의 위험이 현저하게 줄어들거나 없어진 상태를 말한다.

잔불정리	화재 초진 후 잔불을 점검하고 처리하는 것을 말한다. 이 단계에서는 열에 의한 수증기나 화염 없이 연기만 발생하는 연소현상이 포함될 수 있다.
완진	소방대에 의한 소화활동의 필요성이 사라진 것을 말한다.
철수	진화가 끝난 후, 소방대가 화재현장에서 복귀하는 것을 말한다.
재발화감시	화재를 진화한 후 화재가 재발되지 않도록 감시조를 편성하여 일정 시간 동안 감시하는 것을 말한다.

2. 화재건수 결정

1건의 화재란 1개의 발화지점에서 확대된 것으로 발화부터 진화까지를 말한다. 다만,
① 동일범이 아닌 각기 다른 사람에 의한 방화, 불장난은 동일 대상물에서 발화했더라도 각각 별건의 화재로 한다.
② 동일 소방대상물의 발화점이 2개소 이상 있는 다음의 화재는 1건의 화재로 한다.
  • 누전점이 동일한 누전에 의한 화재
  • 지진, 낙뢰 등 자연현상에 의한 다발화재
③ 발화지점이 한 곳인 화재현장이 둘 이상의 관할구역에 걸친 화재는 발화지점이 속한 소방서에서 1건의 화재로 산정한다. 다만, 발화지점 확인이 어려운 경우에는 화재피해금액이 큰 관할구역 소방서의 화재건수로 산정한다.

3. 화재의 소실정도

전소	건물의 70% 이상이 소실되었거나 또는 그 미만이라도 잔존부분을 보수하여도 재사용이 불가능한 것
반소	건물의 30% 이상 70% 미만이 소실된 것
부분소	전소, 반소화재에 해당되지 아니하는 것, 즉 건물의 30% 미만이 소실된 것

4. 화재합동조사단

소방관서장은 영 제7조 제1항에 해당하는 화재가 발생한 경우 다음에 따라 **화재합동조사단**을 구성하여 운영하는 것을 원칙으로 한다.
① **소방청장**: 사상자가 30명 이상이거나 2개 시·도 이상에 걸쳐 발생한 화재(**임야화재는 제외한다. 이하 같다**)
② **소방본부장**: 사상자가 20명 이상이거나 2개 시·군·구 이상에 발생한 화재
③ **소방서장**: 사망자가 5명 이상이거나 사상자가 10명 이상 또는 재산피해액이 **100억원 이상** 발생한 화재

MEMO

이영철

약력
- 서울시립대학교 방재공학 석사
- 서울시립대학교 재난과학과 박사수료
- 현 | 해커스소방 소방학개론, 소방관계법규 강의
- 현 | 서정대학교 소방안전관리과 겸임교수
- 현 | 서울시립대학교 소방방재학과 외래교수
- 현 | 세종사이버대학교 소방방재학과 외래교수
- 현 | 경희사이버대학교 재난방재과학과 외래교수
- 현 | 서울소방학교 외래교수
- 현 | 한국소방안전원 외래교수
- 현 | 한국장애인 고용공단 BK 심사단
- 현 | 법무법인 정률 화재조사 위원

저서
- 해커스소방 이영철 소방학개론 기본서
- 해커스소방 이영철 소방관계법규 기본서
- 해커스소방 이영철 소방학개론 필기노트 + OX·빈칸문제
- 해커스소방 이영철 소방학개론 단원별 기출문제집
- 해커스소방 이영철 소방관계법규 단원별 기출문제집
- 해커스소방 이영철 소방학개론 단원별 실전문제집
- 해커스소방 이영철 소방관계법규 단원별 실전문제집
- 해커스소방 이영철 소방학개론 실전동형모의고사

2026 대비 최신개정판

해커스소방 이영철 소방학개론
기본서 | 1권

개정 7판 2쇄 발행 2025년 10월 2일
개정 7판 1쇄 발행 2025년 5월 12일

지은이	이영철 편저
펴낸곳	해커스패스
펴낸이	해커스소방 출판팀
주소	서울특별시 강남구 강남대로 428 해커스소방
고객센터	1588-4055
교재 관련 문의	gosi@hackerspass.com
	해커스소방 사이트(fire.Hackers.com) 교재 Q&A 게시판
학원 강의 및 동영상강의	fire.Hackers.com
ISBN	1권: 979-11-7244-608-6 (14350)
	세트: 979-11-7244-607-9 (14350)
Serial Number	07-02-01

저작권자 ⓒ 2025, 이영철

이 책의 모든 내용, 이미지, 디자인, 편집 형태는 저작권법에 의해 보호받고 있습니다.
서면에 의한 저자와 출판사의 허락 없이 내용의 일부 혹은 전부를 인용, 발췌하거나 복제, 배포할 수 없습니다.

소방공무원 1위,
해커스소방 fire.Hackers.com

- 해커스 스타강사의 **소방학개론 무료 특강**
- **해커스소방 학원 및 인강**(교재 내 인강 할인쿠폰 수록)